АЛЕКСАНДР
ПОЛОВЕЦ

БП

МЕЖДУ
ПРОШЛЫМ
И АЛЕКСАНДР ПОЛОВЕЦ
БУДУЩИМ

WITHDRAWN

Зебра Е
Москва

УДК УДК 821.161.1-94

ББК 84(2Рос=Рус)6-4

П52

Оформление и фотография на обложке
художника Андрея Рыбакова

В книге использованы фотографии из личного архива автора

Работа с фотоархивом художника Леонида Кацнельсона

Подписано в печать 02.09.2008. Формат $60×90^1/_{16}$.
Гарнитура «Ньютон». Печать офсетная. Усл. печ. л. 30,0 + вкл.
Тираж 3000 экз. Заказ № 733.

Половец, Александр.

П52 БП. Между прошлым и будущим / Александр Половец. — М. : Зебра Е, 2008. — 480 с.

ISBN 978-5-94663-473-1

Это книга — с уникальными фотографиями известных писателей, деятелей
искусства, общественных и политических деятелей России и Америки, бесе-
дами и перепиской с ними, размышлениями о событиях нескольких десятилетий, очевидцем и участником которых был автор.

А. Половец говорит от имени тех, кто в разные годы не захотел, не смог
поступиться чувством человеческого достоинства, одни — находясь во внутренней эмиграции, другие — не легко и не просто принимая решение о выезде, без надежды когда-нибудь вернуться на родину.

ISBN 978-5-94663-473-1

СОДЕРЖАНИЕ

Книга вторая
...РАЗГОВОРЫ И ВОКРУГ

ВЕЧЕРА ПОД ЧАСАМИ,
ИДУЩИМИ ВСПЯТЬ

Так входят в лес. По просеке. Вдоль жизни. Вдоль памяти. И не все ли равно — с востока на запад или с запада на восток. И задержаться на миг — все равно что остаться навечно.

Так входят в реку, где отмель падает в обрыв. Где опасно закручены водовороты. Где течение сносит в сторону, а ты во что бы то ни стало держишься намеченных ориентиров на том, другом берегу. И выплыть — значит выжить.

Так вхожу в эту книгу, где события и люди расступаются, чтобы затем плотно взять в кольцо, в котором ты если и не действующее лицо, то — очевидец, единомышленник, друг.

Вхожу в книгу, где авторские отступления не уводят в сторону, а строго держат главное направление движения. Направление выбора судьбы. Где время — то прогибается под ногами болотной топью, то выгибается твердью, хребтом, на котором, кажется, и устоять-то невозможно, только — перешагнуть, идти дальше. Не останавливаясь. Не оглядываясь. Но как? — если стрелки часов неумолимо раскручиваются в обратную сторону. И прошлое перемещается в настоящее, а настоящее сдвигается в прошлое. И выстраивается мост между Будущим и Прошлым (БП. Хотя у автора может быть и другое толкование названия книги).

Я листаю эту книгу не первый вечер под часами, идущими вспять. Я и сама — на мосту, взгорбленном над Настоящим. Вздыбленном поверх него. Но опоры-то моста — именно здесь, рядом со мной, с нами, в нашем сегодняшнем дне. Мост этот нельзя ни миновать, ни обойти — столько судеб, не счесть, ярких, часто — драматических, подчас — трагических, принадлежащих не только России, но и миру, сошлось на этом виртуальном мосту. И все же тут — все реально: и голоса, и лица, и характеры, и улыбки, и тревоги, и надежды, и разочарования, и дружеские объятья, и осторожная отстраненность, и готовность откликнуться на чужую беду, и христианское прощение тех, кто обидел, предал. Тут — Россия, Америка и снова Россия. Тут — наше давнее и недавнее. И главное, — по этому мосту нельзя идти строем, в ногу. Обрушится. Только — вольным шагом, «нестроевым».

И какие имена звучат здесь! Почти каждое — знаковое: Окуджава, Гладилин, Городницкий, Ахмадулина, Мессерер, Саша Соколов, Лимонов, Аксенов, Евтушенко, Кунин, Коржавин, Олег Лундстрем, Автурханов, Довлатов, Шемякин, Губерман, Крамаров, братья Шаргородские, братья Сусловы... Это и есть кольцо, которое объединило тех, кто оказался физически и духовно отторгнут советской системой. Чей выбор судьбы зависел отнюдь не только от личной воли. Тут вмешивалась беспощадная воля государства, тут стальными траками прошлась по живой плоти интеллигенции советская власть. Все они, и не названные мной, но оттого не менее достойные упоминания, собраны Александром Половцем в его вроде бы автобиографическом повествовании.

Да и разве вместить в одну биографию соприкосновения и сосуществование стольких миров — литературы, музыки, живописи, театра, кино, политики (взять хотя бы три встречи в Белом доме с президентом Биллом Клинтоном)... И все же — все эти миры вместились в одну судьбу, в одну биографию, с ее разновозрастными этапами, с военным детством, армией, учебными и рабочими буднями, с неожиданными, цепко выхваченными из окружающего образными деталями, с немногословными откровениями, забавными и трогательными частностями. Со всеми мытарствами многолетнего вживания в другую среду.

...У каждого советского эмигранта была своя капля, переполнившая чашу унижений и предшествовавшая расставанию с родиной. У Александра Половца этой каплей стала фраза, завершившая встречу-допрос, брошенная ему в середине семидесятых, как бы через губу, оскорбительно и высокомерно партийным функционером: «Свободен!» — прозвучавшая как «поди прочь». Ты — чужой. Не наш.

10

Предисловие

«Если бы только этот партийный хмырь знал, насколько пророческими окажутся его слова!.. Свободен. Уезжаю, все! Увольняюсь. Риск? Да, немалый — это помнят отказники тех лет...» Он и уехал. Вдвоем с двенадцатилетним сыном. 1 апреля 1976 года. Как в пропасть с обрыва. Австрия. Италия. Америка. А там — «страна эмигрантов и апельсинов» — Калифорния.

Его нынешний дом в Каменном каньоне Лос-Анджелеса уже многие годы обживают русские поэты, барды, прозаики, артисты, музыканты, композиторы... Не любому открыт дар собирательства. Не всякая личность наделена безошибочной интуицией угадывания, притягивания к себе талантов, отмечена таким безграничным интересом к жизни. Такой неутомимой жизненной и творческой энергией. Ему — открыт. Он — наделен и отмечен.

«Отец», отнюдь не крестный, а действительный, крупнейшего в Америке серьезного русского еженедельника «Панорама» («величественная» — полушутя, но вполне искренне когда-то отозвался о ней в своих заметках Сергей Довлатов), его главный редактор с основания в 1980-м и до 2000-го года. Теперь, следуя вспять за часовой стрелкой, можно проследить, как «Панорама» стала не только для нашей эмиграции 70—80-х, но и для десятков зарубежных университетских кафедр славистики необходимой и неоценимой — она знакомила с неподцензурной прозой и поэзией, публиковала беседы с известными дипломатами, политиками, общественными деятелями, артистами, прилетавшими в разные годы в Лос-Анджелес; она непредвзято и объективно рассказывала о событиях в мире, о стране, где родились и прожили большую часть жизни наши бывшие соотечественники, где остались их близкие и друзья, осталась их светлая и горькая память.

«Панорама» никогда не была *эмигрантским* изданием — она была и в силу традиции остается сегодня *американской* газетой на русском языке. Именно поэтому она принесла ее редактору и издателю столь широкую известность в разных частях русской Америки.

Свидетельствую: оставивший «Панораму» несколько лет назад, он до сих пор узнаваем русскими американцами.

— Половец, Вы? — радостно бросается к нему пассажир рейса Москва — Лос-Анджелес в Шереметьевском аэропорту. — Я ведь один из первых Ваших подписчиков. Спасибо!..

— Тот самый Александр Половец? — оживляется в лос-анджелесском офисе «Bank of America» миловидная блондинка, владелица русского турагентства. — Надо же! «Панорама» была для меня и моей семьи единственной связью со всем, что мы оставили, уезжая из СССР...

— Не узнаете? Это я принес Вам первую рекламу. С тех пор храню все годовые подшивки «Панорамы»... — улыбается немолодой мужчина, пришедший на лос-анджелесскую презентацию книги А. Половца «Мистерии доктора Гора», опубликованной недавно в Москве.

«Панорама» родилась не на пустом месте — к ней он шел, шаг за шагом накапливая опыт, — то берясь за издание небольшой газеты «Обозрение», макет которой выклеивался по ночам (днем — работа в американском издательстве), вручную, буквально на полу в одной из первых его квартир; то публикуя нелегально вывезенных авторами из СССР рукописи, то пытаясь организовать первый в Лос-Анджелесе магазин русской книги. Но и через многое еще — ради хлеба насущного...

В Америке у него вышло шесть книг, известных у нас и отмеченных критикой, — «Беглый Рачихин и другое» (1987, 1996), «И если мне суждено», «Для чего ты здесь...» (1995), «Такое время» (1997), «Все дни жизни» (2000), «Булат» (2001).

В России вот эта книга — вторая после «Мистерий...». С расшифрованной в конце повествования аббревиатурой БП. С бесценными письмами бесценных корреспондентов. С редчайшими фотографиями, подобных которым, убеждена, нет ни в одном частном архиве, а те, что воспроизведены в книге, — лишь небольшая доля хранящегося у автора. То же самое можно отнести и к отбору текстового материала...

Словом, все вместе — это свидетельства писателя, для которого «дух отрицанья, дух сомненья» и сегодня определяют оценку происходящего вокруг. А совестливость и порядочность высвечивают чистоту жизненной позиции.

Это дает автору право говорить от имени тех, кто в разные годы не захотел, не смог поступиться чувством человеческого достоинства. Одни — оставаясь в стране, находясь во внутренней эмиграции, другие — не легко и не просто принимая решение о выезде, без надежды когда-нибудь вернуться. Кому в итоге пришлось легче, не будем судить. Люди, мыслящие всегда и при любой системе, оказываются в зоне риска. И все-таки — парадоксально! — среди покинувших в разные годы и по разным причинам нашу страну не так уж мало унесших в себе почти болезненную причастность ко всему, что происходило и происходит *здесь и сейчас*, сохранивших неослабную приверженность русской культуре, любовь к родному для нас и *здесь и там* русскому языку. И я с благодарностью думаю о них.

* * *

«...Однажды, — рассказывается в "БП", — парень, служивший сторожем в Пушкинском музее, Сергей Волгин, прочел четверостишие, поразившее Булата настолько, что он запомнил и вот теперь по памяти смог его воспроизвести. Я его тоже запомнил:

> *Обладая талантом,*
> *Не любимым в России,*
> *Надо стать эмигрантом,*
> *чтоб вернуться мессией...*

Черт меня дернул тогда влезть со своей шуткой:
— Неплохо, — прокомментировал я, — хотя редакторский опыт подсказывает: стихи можно урезать вдвое.
Булат вопросительно посмотрел на меня, и я продолжил:
— Здесь явно лишние 2-я и 4-я строки. Смотри, как хорошо без них: "Обладая талантом... надо стать эмигрантом..." Вот и все».

* * *

Хотелось бы оспорить это? Хотелось бы. Хотя бы потому, что за державу, как всегда, до смерти обидно. А за нас, от которых многие имена были до последнего времени закрыты, пожалуй, обиднее всего. Теперь эти имена возвращены. И принадлежат многие из них не только настоящему, но и будущему. Для меня это особенно очевидно, когда перевернута последняя страница книги, которую я начала читать под странными часами, идущими вспять.

Татьяна Кузовлева

Сыну

БП
МЕЖДУ ПРОШЛЫМ
И БУДУЩИМ

Только берегись, и тщательно храни душу твою, чтобы тебе не забыть тех дел, которые видели глаза твои, и чтобы они не выходили из сердца твоего во все дни жизни твоей, и поведай о них сынам твоим и сынам сынов твоих...

Второзаконие, 4:9
(Пятая книга Моисея)

ВСТУПЛЕНИЕ

Часы, как и должно быть, устремлены движением стрелок в некое «после» — именно это их функция. И это нормально.

Хотя не всегда: вот как-то досталось автору купить в магазинчике, где продавались всякие забавные штуки, такие часы, в которых стрелки шли назад, и соответственно цифры на них располагались по кругу в обратном порядке. Ну, как обычные смотрелись бы своим отражением в зеркале, висящем напротив. Я поместил эти часы на стену рядом со старыми — прямо над письменным столом.

И не напрасно — эти часы очень помогли, когда я приступил к попавшим в эту книгу заметкам, собирая их из памяти, из главок публикаций, сделанных в разное время и в разных изданиях за эти годы: если наблюдать за их ходом, следом за стрелками легко оказаться там, и тогда, когда все, еще впереди.

А теперь уже нет — не все. Ну а что было, — было...

Книга первая
СВИДЕТЕЛЬСТВА

Часть первая
НАЧАЛА...

Глава 1
ОТЕЦ

Город не первый день бомбят. Сначала из динамиков — вогнутых центром внутрь черных бумажных тарелок — раздается: «Граждане, воздушная тревога!..» И снова — «Граждане, воздушная тревога!..» И так — пока не пустеют густо заселенные квартиры: жильцы поспешно перебираются в тоннели метро, в подвалы домов — теперь это бомбоубежища. С собой захвачено самое необходимое, узелки, рюкзаки всегда наготове. Никто не знает — надолго ли оставлено жилье? Да и вообще, уцелеет ли оно? Отстукивает в динамиках метроном — и так до следующей тревоги, а они — все чаще и чаще. Город пустеет: эшелон за эшелоном увозит людей: ополченцев, наспех сформированные воинские части — на запад, эвакуируемых — на восток.

Наверное, это первое, что сохраняет твоя память: открытые двери товарного вагона. Теплушка. К стенам прикреплены сколоченные доски, образуя подобие нар — на них как-то умещается население вагона. По нескольку десятков человек на вагон: женщины и дети. Хотя есть и старики — их немного: не все решились оставить город ради неведомого — даже если оно сегодня выглядит спасительным. Людей эвакуируют из осажденного города. И почему-то здесь же, в вагоне, — несколько вовсе не старого вида мужчин. Остановка — и снова никто не знает: долго ли простоим? Этого обычно не объявляют: бывает, поезд трогается почти сразу, так что можно запросто не успеть взять только что купленные, а чаще — вымененные на вещи, продукты.

21

Книга первая. Свидетельства

А бывает, поезд стоит часами. И даже сутками. И тогда вагоны отцепляют на запасные пути, давая путь спешащим к фронту составам с военной техникой и встречным — с товарами осажденному городу, этих меньше, гораздо меньше.

Люди бегут куда-то за платформы — там уборные, дощатые, наспех сколоченные в эти дни домики с прорезанными в полу над выгребной ямой дырами. Редко кому достанется попасть в станционные — вонючие, загаженные — уборные.

Поезд стоит... стоит... Снаружи, где-то внизу, — закутанные толстыми вязанными платками по самые брови тетки с корзинами и бидонами, они протягивают к раздвинутым дверям теплушек — буханки, крупно нарезанные куски тыквы, стаканы с семечками, стеклянные банки с топленым молоком, светлокоричневая пенка, покрывающая поверхность молока, — все за нее можно отдать!

Даже на расстоянии видно, какие они толстые — и тетки, и их шерстяные платки. За спинами теток — колонка с кипятком, туда бегут с чайниками, с термосами из всех теплушек. Когда и где еще остановится состав в другой раз, когда достанется бросить щепотку заварки в алюминиевую кружку или в тот же чайник, кто знает...

И почти сразу — в твоей памяти проявляется следующий кадр. Ты, с трудом дотянувшийся до окна (оно, крохотное, — квадрат, вырезанный в стене вагона, забранный железной решеткой, — наверное, вскарабкался на чей-то чемодан), увлеченно просовываешь в решетку одну за другой чайные ложечки. Они, подхваченные встречным ветром, исчезают в проносящихся за стенами вагона кустах, но ты этого не видишь — окно почти под самым потолком, в него не заглянуть.

Потом родители будут говорить, что ложки серебряные и должны были служить основой будущего благополучия твоего и мамы — там, куда сейчас несет вас состав, забитый московскими беженцами. Вас эвакуируют. Эвакуация — совсем новое слово для всех в вашем вагоне. И в соседних тоже.

Дальше — картины чуть яснее.

* * *

Раевка, Башкирия, год 1942-й... Большая комната, непокрытый деревянный стол, на нем желтоватые запотевшие кирпичики с округлыми краями — это замороженное сливочное масло, принесенное с местного базара. Некто совсем небольшого, почти детского роста, даже ты это замечаешь, с морщинистым лицом, потом окажется — ваш дальний роственник, перекладывает кирпичики листками газетной бумаги, на боках их образуются рваные типографские строчки.

Он почему-то снова здесь, когда масло куда-то уносят. Вот он разматывает куски темной, плотной на вид, материи, трясет ею перед тусклой керосиновой лампой, приговаривая: «бостон-финдиклер, бостон — финдиклер» — под эту абракадабру, кажется, и выменяно на материю у местных башкир масло. А на улице — много снега, слепяще белого снега.

Тот же, 1942-й. Бийск, Алтайский край. Кажется, здесь и правда — самый край земли. А вот уже — цельные сюжеты, они навсегда заняли место в твоей памяти.

...Из самых ярких, пожалуй, вот этот: рынок, нестарый мужичонка в солдатской гимнастерке, он одной рукой придерживает зажатый под мышкой костыль, другой пытается прикрыть голову, — а именно в нее целится попасть деревянным дрыном преследующий его некто. Скорее всего, — выбежавший из-за прилавка торговец, у которого инвалид пытался что-то спереть или недоплатил рупь.

Лицо инвалида в крови, он под ритмичными ударами обиженного торговца пошатывается — точно им в ритм, неуверенно переставляет ноги, то ли топчется на месте, то ли ковыляет, когда к его гонителю присоединяются еще один мужик, и еще один... Инвалид медленно перемещается в сторону ворот, торговец не отстает от него, теперь уже небольшая толпа следует за ними — молча, иногда кто-то из толпы сочувственными возгласами подбадривает торговца, как бы соучаствуя в справедливой экзекуции.

Книга первая. Свидетельства

* * *

...Кладбище разбитых грузовых машин, самое замечательное место в городе. А может, и во всем мире — оно почти в центре города. Свалка автомобилей — это по-настоящему здорово! Вот ты в группе пацанов исследуешь останки моторов под проржавевшими капотами, лавируешь в кабине между пружин, выпирающих из того, что было водительскими сидениями, чтобы собрать неведомо как попавшие сюда детальки в почти настоящие «пистолеты». Боёк-мечик-пружинка, сера со спичечных головок утрамбована в углубление металического столбика, опоясанного крупной резьбой, столбик ввинчен в цилиндр вместе с бойком, потом...

О, потом зажатая пружинка выпрямляется, боёк ударяет в серу! — следует громкий хлопок, дым... Хлопки этих пистолетов всегда сопровождают уличные приключения твоих бийских сверстников. Расположена свалка неподалеку от вывезенного из Москвы котельного завода, где работает теперь отец.

Ага, о заводе: твой отец вывозил его — сначала почему-то в Барнаул, или в Кусу, потом сюда, в Бийск. На войну отца не пустили — он один из первых в стране специалистов по электросварке, годы спустя, уже в Москве, у вас, приезжая из Киева, ночевал Патон-отец, зачинатель советской электросварки, теперь его имя носит институт в Киеве. А завод в Бийске, может быть, только в названии сохранил слово «котельный»: здесь в закрытых цехах делают что-то для войны, кажется, корпуса авиационных бомб. Хотя, может, здесь их и начиняют чем-то, несущим смерть фашистам.

Отец — начальник цеха, дома он появляется не часто: спят все заводские там же, где работают. Тебя приводили как-то к нему на работу: огромное пространтво, где-то далеко наверху покатый потолок — он собран из стеклянных квадратов, покрытых копотью, зияет дырами. Тесно, совсем рядом друг с другом, установлены непонятные металлические сооружения, между ними деревянные сваи, поддерживающие фанерный сарайчик, — контору начальника. Первого этажа нет — сваи, между ними дощатые ступени ведут сразу на помост, забранный невысокими перильцами.

Зато когда отец все же приходит, в доме может появиться сахар, а чаще — сладкая темнокоричневая тягучая патока, — это отходы сахарозавода, заменяющие и мед, и варенье, и вообще все сладости. Иногда отец приносит белый хлеб и, главное, — пряники! В другие дни твоим и твоих сверстников главным лакомством становится жмых. Это тоже отходы производства — от заводишка растительных масел: неровные коричневые куски спресованных остатков отжатых на масло семечек — тогда это подсолнечный жмых, или сероватые, они чуть тоньше и обладают куда более изысканным вкусом — соевые.

В патоку можно окунуть скол жмыха или кусок хлеба — чем ни пирожное, о них рассказывают пацаны постарше, успевшие познать эту радость и навсегда ее запомнить. Патока выдается по продуктовым карточкам, но и продается на рынке. Или выменивается на привезенное беженцами барахло — одежду, сервизы, часы...

Так вот, пряники. Сейчас ты, получив свою порцию — несколько поблескивающих глазурью замечательных круглых кусочков запеченного теста, нарезаешь их крохотными квадратиками и укладываешь в бумажном кульке на полку рядом с большой печью: они засохнут, станут хрустящими, и тогда их можно грызть, запивая горячим чаем. Праздник! Ты ходишь неделю рядом, поглядываешь на полку, где хранится твое богатство и ждешь — когда лакомство созреет. Наконец этот день настает, ты придвигаешь к стене расшатанную табуретку, залезаешь на нее и каким-то недетским усилием, едва удерживая равновесие, дотягиваешься до края заброшенного туда кулька.

Кулек пуст — его содержимое пришлось по вкусу тараканам, густо населяющим город Бийск Алтайского края. Ты и сейчас, вспоминая этот эпизод, умеешь оценить глубину трагедии семилетнего пацанка, обреченного родиться в предвоенные годы и заброшенного общей бедой сюда, в стоящий на слиянии рек Бии и Катуни сибирский городок, охваченный со всех сторон живописнейшими горными грядами.

Совсем смутно, но помнятся тебе походы с первым по жизни другом Борькой на берега Бии. Вот ведь, через десятилетия запомнилось имя, и даже фамилия — Балахнин! Да — Борька Балахнин — надо же, удержал в памяти полвека. Так бы сейчас уметь. А больше вспомнить ничего не удается. Хотя — нет: еще была цыганка, там же на рынке схватила твою руку, повернула ладонью кверху: «Нет у тебя рубля, так тебе скажу — быть тебе поэтом». Поэтом ты не стал — да, Господи, откуда цыганка слово это знала — «поэт»... А ведь запомнил ты это точно — тебе тогда уже близилось к десяти годам, отчего не запомнить. А может, она и не цыганка вовсе?.. А кто тогда?..

Глава 2
ДВОРЯНЕ БОЯРСКОГО ПЕРЕУЛКА

Почему-то яркой картиной задерживается в твоей памяти парадная лестница дома у Красных ворот, по которой вы поднимаетесь — с мамой и Полей, Полякой, горбатенькой женщиной из подмосковной Сходни, которую застала в твоей семье война и которая вместе с тобою прошла все круги эвакуационной эпопеи. Она и после войны живет еще несколько лет с вами — пока ты взрослеешь до состояния, определяющего ненужность няньки в твоем доме.

Отец догоняет вас у самой двери квартиры — у него в руках бидон с медом. С настоящим медом — потом, вспоминала мама, ты приставал к ней: мы теперь богатые, да? У нас столько меда!..

Дом у Красных ворот. Через несколько страниц ты можешь позволить себе процитировать твой не однажды опубликованный рассказ «Анна Семеновна» — в той его части, что дает представление об этом доме, о населявших его людях.

Твой двор не был чем-то отличающимся от сотен и, наверное, тысяч московских дворов — та же послевоенная пацанва, в меру хулиганистая, иногда на грани уголовщины. Нормальные игры: футбол с тряпичными мячами, чеканочка (чека), с мелочью, расшиши, расшибалы, когда монетой покрупнее, нередко — пятаками царской чеканки, надо было попасть с расстояния нескольких метров в кучу мелочи и разбить ее, подобрав как приз победителя те денежки, что вылетали из кучки, дотянуться до них мизинцем, отмерив им расстояние от остальных монет. Или — пристенок: тоже с монетами — ударив ребром медяка, надо было попасть им, отлетевшим от стенки, в кучку мелочи на асфальте.

Конечно, и карты — у тех, кто постарше, эти играли на деньги — очко, сека, три листика (когда не было денег — на щелбаны). Но и «стычки» — драки: часто беспричинные.

В общем, двор у Красных ворот, как двор, — шпана, прилежные школьники, только ты лучше помнишь первых... Зимой — самодельные коньки: к деревяшкам, узким брускам, прибивались полоски листового железа, такими лентами опоясывали дощатые ящики, в просверленные дыры вдевалась веревка, ею бруски прикручивались к валенкам — получались коньки. Теперь металлическим крюком можно было ухватиться за борт проезжающего по Боярскому переулку грузовика, или за бампер лековой «эмки», — протащила тебя машина сотню-другую метров — и отскакивай скорее, не то беда: шофера были сердитые, за плечами многих оставались фронтовые годы.

И еще — набеги на подвальные склады, один такой, овощехранилище, был и в подвале вашего двора: особо соблазнительны были арбузы, они куда слаще принесенных родителями с уличного развала. Потом участковый милиционер искал зачинщиков. Это еще что — бывало, «брали» уличные киоски, когда те закрывались на ночь — ребята постарше тащили папиросы. Но и картонные коробки с соевыми батончиками, влажной пастилой, этим они вместе с вами, с мелюзгой, тоже не брезговали. Случалось, вскрывали палатки с пельменями и водкой — тогда и долго еще после она продавалась из деревянных будок прямо на улице, ночью они не охранялись. А висячий замок — какая это преграда?

Были и такие забавы — подленькие подловы: на тротуар подбрасывался кошелек, от него тонкая ниточка тянулась под деревянные ворота, из-под них или сквозь узкую щель между рассохшимися досками наблюдатель следил за тем, как прохожий, радуясь находке, нагнувшись к кошельку, собирается его поднять — а тот прямо из-под его руки отодвигается... прохожий повторяет свою попытку, ничего не понимая. Может, ветром сдуло? Потом все повторяется — кошелек отползает на несколько сантиметров, и раздосадованный прохожий, наконец, прихлопнув к асфальту, крепко ухватывает находку, ожидая обнаружить деньги. Беда, если, опасаясь снова упустить кошелек, сожмет его в руке, из кошелька выдавливается ему в ладони нечто, о чем и писать-то не хочется...

А из-за ворот раздается хохот — те же, кто, как бы безучастно, стояли рядом на улице, смеяться опасались, можно было схлопотать по шее от обманутого, а то еще чего покрепче — тогда нередко люди, и даже не криминальные, держали в кармане кастет, свинцовую чушку или раскрытый перочинный нож. Время было такое...

Вот так шутили пацаны... Иные из них уже успели отсидеть. Существовал среди вас настоящий уголовник, отбывший срок в колонии, Мишка-Рыжий — твой сосед по этажу. Он считал себя уркой, да, наверное, и был таким — «блатным», и хотя Рыжему едва исполнилось восемнадцать, когда его выпустили, жила с ним того же возраста «маруха», — кажется, и правда, имя ее было Маруся. Несколькими годами позже он тебе, уже 14-летнему, настойчиво предлагал лечь с ней в постель:

— Ты смолишь?

— Да нет, — отвечал ты ему, — не курю, пока.

— Кореш, да ты что, я другое спрашиваю... (здесь следовал эвфемизм нынешнего «трахаться»). Валяй! — обеспечиваю как другу.

Бог тебя уберег тогда от раннего опыта, да и Мишка, оказалось, не случайно пытался тебя уложить с ней — потом разбирайся, кто — чего... Слова «шантаж» вы тогда — ни он, ни ты — не знали, но, наверное, твои родители его знали. Вот бы ты был хорош: он, точно, списал бы на тебя их дитя — чего от него ждать еще-то? — месяцами тремя-четырьмя позже Маруська рожала.

Под его или его друганов началом ходили вы двор-на двор «разбираться», что, бывало, кончалось скверно: пырнут кого-то финкой в живот, и кто-то отсылается в детскую колонию. Наверное, это с подачи Рыжего приезжала к Красным воротам выяснять отношения пацанва из неблизкого Черкизова. А так — Боярский переулок на Хоромный тупик, по-соседски: кого-то отлупили из ваших, мстить шли все. За своих «держали мазу», даже и за тех, над кем в другой день могли бы и сами зло шутить, устроить «темную».

* * *

Стрелки движутся — вот они снова возвращают тебя в сороковые — теперь к одному из сильнейших впечатлений той поры. Однажды родители, оставив тебе на неделю некоторую сумму, достаточную для еды, уехали в подмосковный дом отдыха. Теперь ты покупал себе пельмени, сам варил их дома, жарил яичницу, разогревал на плите заготовленные родителями котлеты, кипятил чай, соседи помогали при необходимости по прочим домашним делам и вообще присматривали за тобой.

Да куда там — присмотришь за двенадцатилетним, в общем беспроблемным, но и в меру шпанистым пятиклассником! И однажды, столуясь в общепитовском заведении, напротив башенки старого здания НКПС, ты, сев за столик, готовый приступить к трапезе, заметил, как сидящий здесь же, рядом, нестарый и по тем временам прилично одетый мужчина — взял пустую тарелку, крупно нарезал луковицу, покрошил кусок черного хлеба в тарелку, достал из кармана четвертинку, вылил ее целиком в ту же тарелку, сыпанул туда соли и перца, все размешал и стал оттуда хлебать алюминиевой ложкой. Потом тебе объяснили: это была — «тюря»...

А тогда ты с ужасом, исподтишка, наблюдал за соседом по столику. С ужасом, потому что — вкус водки был тебе уже известен. Совсем недавно, в Винице, куда ты был отправлен на лето, в гости к родным, тебя выворачивало после «коричневой головки» местного производства, распитой с местными, такими же, как ты, мальцами...

Глава 3
БРЕГЕТ И ДРУГОЕ

А карманные часы фирмы «Мозер» — вспомнишь?
Стрелки совершают еще оборот назад. Годом-другим раньше было вот что. Кажется, шел год 46-й... Страна понемногу восстанавливалась. Уже год, как подписан договор о полной и безоговорочной

капитуляции врага — только следы войны еще долго не стираются из людского быта, из памяти — тем более. Глубокие следы.

Вернувшиеся с фронта пытаются найти свое место в непривычной и непонятной им жизни. Не всем и не всегда это удается: рабочие, оторванные от станков, мальчишки, взятые прямо из классов и брошенные на передовую (которая оказалась совсем близко, начинаясь чуть ли не за забором школы), деревенские мужики, едва овладевшие основами грамоты по ликбезовской программе, — все они оказывались перед необходимостью приспособиться к совсем новым, не обязательно справедливым обстоятельствам.

Вот трамваи и автобусы развозят по утрам заспанных служащих — небогато, кто в чем по возможности аккуратно одетых... Вот на продуктовых рынках красномордые перекупщики расхваливают свой товар, аппетитно разложенный на длинных дощатых прилавках, а карточки-то еще не отменены, в магазине — не достанешь, здесь не подступиться — цены!.. Тут же, по периметру базарной площади, деревянные лавки-магазинчики с ширпотребом.

На полках — рулоны мануфактуры, на вешалках ношенные, но вполне приличные пиджаки-брюки, женские кофточки, обувь. А в соседней палатке все новое — это доставляется сюда с заработавших «красных треугольников», «большевичек», причем нередко, а может, даже и всегда — это товар «левый», то есть выпущенный там сверх или в обход государственного плана, и, естественно, ни в каких официальных отчетах не значащийся. Сюда же поступает продукция артелей, часто «инвалидных», т. е. трудоустраивающих инвалидов.

Удивительные для советской поры образования — вроде бы государственные учреждения, действующие легально, а на самом деле вполне частные. Это там создавались немеренные капиталы, возникало племя «цеховиков», армады подпольных предприятий, выпускавших все, что могло составить дефицит, — пластиковые сумочки, грампластинки, записанные на рентгеновской пленке, раскрашенные вручную акварелью открытки с портретами Целиковской, Абрикосова и других кинозвезд тех лет, нескончаемые серии целующихся пар «люби меня, как я тебя», а спустя еще годы — джинсы с поддельными этикетками известных американских фирм...

В открывшихся комиссионках и скупках — радиолы «телефункен», фотоаппараты «лейки», лайковые куртки и перчатки, немецкие и швейцарские наручные часы, опасные бритвы и инструменты «золинген»... — много, много трофейного товара. Заводы же отчасти пока бездействовали, оставаясь без сырья, без персонала, во многих работали только отдельные цеха. Другие, эвакуированые в глубокий тыл, там и оставались, перейдя на выпуск новой продукци: так Харьковский тракторный, эвакуированный в Нижний Тагил, выпускал в войну «Т-34» («тридцатьчетверки»), знаменитые танки, — там он и остался. А ХТЗ — отстраивался заново. Как и ЗИЛ — только-только возвращался к выпуску грузовых, главным образом, автомобилей — копий американских «студебеккеров», полученных от союзников в войну по ленд-лизу, вдрызг поизносившихся на российском бездорожьи...

Заводам позарез нужны были квалифицированные работники — такими в войну стали женщины, подростки: теперь им пришла пора вернуться в семьи, в школы. Вот и получалось недавнему солдату, а то и офицеру — ступай в подсобные. Если повезло — в милицейские части, это кого брали: и зарплата, и городская прописка.

А была еще возможность — уголовный мир: сохранившиеся с довоенной поры, возникшие в ее течение и сразу после нее банды, вроде знаменитой «Черной кошки», грозы жителей Москвы и Ленинграда, в первую очередь пополнились за счет массовой демобилизации. Бандитизм расцветал...

* * *

Коснулось это и вашей семьи: твой дед по отцу, живший в Ленинграде, был убит налетчиками. Его, не ах какое, наследство было поделено между сыновьями и дочерями: твоему отцу, как старшему, достались массивные карманные часы с курантами. Золотые крышки открывались одна за другой — их было, кажется, по три с каждой стороны, одни прикрывали механизм брегета, другие — его циферблат, на котором каллиграфически было выведено таинственное слово «Мозер».

Будучи заведенными, часы проигрывали тонкими колокольчиками довольно сложную мелодию, завод кончался — и часы умолкали до следующего раза. Это происходило, главным образом, по твоей настоятельной просьбе. Насколько сегодня помнится — было это всего-то два или три раза. А однажды отец принес домой открытый механизм брегета — его золотой корпус на глазах отца, как он потом рассказывал, был отделен от механизма, положен в скупке драгметаллов под ручной настольный пресс, и часы перестали существовать.

Куда делся потом этот механизм — ты не знаешь, и спросить давно уже некого. Зато вскоре у мамы появилась шуба из теплой крашенной в черный цвет цигейки — она прослужила ей потом много холодных московских зим. Ты помнишь эту шубу, уже с потертыми рукавами и проплешинами, а самой коже так ничего и не делалось — наверное, могла бы служить шуба и сегодня где-нибудь на зимней даче.

Прошло полвека — эти часы оказались в твоем рассказе «Брегет». Рассказ получился мистический — не обязательно по воле автора, не знаешь по чьей, так уж написалось, но в рассказе часы не просто показывали время и не просто наигрывали мелодию, но надиктовывали своему хозяину его судьбу, каждый раз возвращая его ко дню приобретения часов.

Другим механизмом, существовавшим и игравшим немалую роль в твоей тогдашней жизни, стал электрический фонарик — это благодаря ему ты, закрывшись с головой одеялом, проглатывал изрядно потрепанные томики романов Майн Рида, Стивенсона, конечно же «Робинзона Крузо», «Мюнхгаузена» заодно с «Капитаном Врунгелем» — все, что приносили десятилетнему пацану родители или доставалось тебе по обмену от приятелей и соучеников. Почему под одеялом — да потому, что в небольшой комнате, где вы тогда жили, свет к ночи выключался — утром родителям на службу. А тебе-то когда было читать? — не за счет же дворовых дел, которых всегда набиралось предостаточно на послешкольные часы.

Часть первая. Начала...

Тогда же и пришло твое первое увлечение — Алка, некрасивая сероглазая девочка с пепельными волосами, заплетенными в тугие косички, спадавшие на худые плечики, — она принимала участие во всех мальчишеских играх, включая и футбол. Ты неплохо стоял в воротах — в настоящих, они вели с вашего двора в Боярский переулок и были большей частью закрыты огромными, крашенными в коричневый цвет створками. Так что вы могли смело бить по ним мячом: лететь ему, даже пропущенному вратарем, дальше все равно было некуда. Играли вы обычно в одни ворота — на две (а бывало и больше) команды. Наверное, твое увлечение возникло тогда, когда после особенно ловко пойманного тобой мяча, Алка, она стояла в защите, показала тебе поднятый большой палец — «Молодец!». Ты и потом, бывало, замечал на себе ее внимательный взгляд.

А еще потом тебе довелось «стыкнуться» — так вы назвали драку, происходившую не обязательно по-злому: просто, бывало, подойдет один пацан к другому и предлагает — «Стыкнемся?». Отказаться — позор, смываемый только в драке! Уговариваются с секундантами — те всегда готовы: до первой крови, до первой боли и так далее, а завтра — дерутся уже сами секунданты. При этом не всегда побеждал тот, кто сильнее или ловчее.

И вот, когда ты откликнулся на такое приглашение, да и как можно было отказаться — Алка стояла где-то неподалеку, — и едва приняв боксерскую позу, ты получил увесистую затрещину, другую, третью: за твоим соперником выстроилась очередь пацанов из соседнего двора, пять их было или шесть, каждый из них считал своим долгом, подходя к тебе, хорошенько врезать.

Было не очень больно, но обидно безмерно — Алка же молча наблюдала за просходящей на ее глазах экзекуцией. После этого ты ее сторонился, что не требовало специальных усилий, — жила она не в вашем дворе, а как раз там, откуда объявились твои обидчики. Ваших же рядом никого не оказалось: происходило все на нейтральной территории — площадке, отделявшей ваш дом от тыльной стороны старого метро «Красные ворота» и служившей удобным переходом из Боярского переулка к Кировскому проезду.

Глава 4
ПОСЛЕ ВОЙНЫ

Стрелки движутся — круг, еще круг, еще...
Несколько оборотов, и они возвращают тебя в 45-й. Вот и последний военный салют — победный, особо торжественный голос Левитана, гремящий с «колокольчиков» на столбах с электро- и телефонными проводами: «...двадцатью четырьмя артиллерийскими залпами!» Потом — гулянье на Красной площади, как ты туда попал, наверное с вашими дворовыми, не вспомнить, идти-то и было с полчаса — по Кировскому проезду... через Кировскую же улицу... через площадь Дзержинского мимо «Метрополя», или по узкой улице «25 Октября» — и ты там! Сейчас и не различишь — что из того празднования сохранилось в твоей памяти, а что вычитано годами позже из свидетельств в нем участвовавших...

Классе в 3-м, кажется, вы близко сдружились с Колькой Мануйловым — худющий, высокий (почему и прозвище ему было «шкилет»), прыщавый парнишка сидел с тобой за одной партой, жил он где-то в Харитоньевском, или на Чаплыгина, недалеко от школы: родители его часто уезжали, надолго — наверное, они были как-то связаны с дипломатической службой, и в их отсутствие вы проводили там немало времени, деля их просторное жилище с живущим там же эрдельтерьером Тобиком, флегматичным рыжим существом.

А еще была у них богатая библиотека и, став постарше, вы помаленьку тащили из нее книги — в букинистический. Изымались из шкафов, главным образом, старые томики, наверняка забытые, как вам казалось, родителями и никому не нужные, в картонных переплетах, обтянутых темной корчнево-серой бумагой. Букинисты же их охотно брали. Уже не вспомнить, на что вы тратили вырученные рубли, но однажды, будучи замечен за этим нехорошим занятием, Колька подвергся порке. А ты был отлучен от их дома — хотя, может, и сам перестал ходить туда, стыдно было...

Часть первая. Начала...

Вы и в классе шалили вместе. Но и порознь: помнишь, как-то вскочил ты, пока учительница, Антонина Михайловна, ваша классная руководительница, отвернулась, стал вращать на шпагатике за ее спиной бронзовую чернильницу — и чернила выплеснулись. Она растерянно оглянулась, приложила листок промокательной бумаги к расползшемуся на рукаве пятну, села за стол и открыв классный журнал, долго, не поднимая головы молча его рассматривала. Молчал и класс. Тебе и сегодня неловко вспоминать этот эпизод — скорее всего, вязанная кофточка была единственной у наверняка небогатой, если не нищей, учительницы.

А дружили вы с Колькой, пока не разошлись по разным школам: ваша 305-я была начальной четырехлеткой. Располагалась она на внутренней стороне Садового кольца прямо напротив НКПС (Народного комиссариата путей сообщения) — здания конструктивисткой архитектуры, увенчанного квадратной башенкой с большими часами, видными издалека. Окончив четвертый Колька попал в 657-ю, ты — в 313-ю, или наоборот. Однажды, уже отслужив в армии, ты встретил его случайно в метро. Удивительно, но, тебе показалось, он совсем мало измнился за прошедшие дадцать лет — бывают такие лица. Вы перебросились несколькими фразами — и все...

Потом появился Мишка Некрасов. Жил он в доме через дорогу от вашего со стороны Боярского переулка. В том же подъезде жил поэт Алексей Недогонов — мало кто это имя сегодня знает. Вообще-то Мишка был Кон, заметно картавил, его родители, как ты сейчас понимаешь, были репрессированы и воспитывался он в странной семье — Любиньки Некрасовой и Коли, ее брата, живших вместе в состоящей из одной комнаты квартирке. Им было тогда лет под пятьдесят, может, чуть больше, вам же они казались совсем пожилыми.

Двери их квартир — его, такая же однокомнатная, оставшаяся от родителей, — были напротив одна другой, на той же лестничной площадке. Так вот, за Мишкой числились две заслуги, ускоривших твое взросление (он был старше на год). Первая — все же в кавычках: он приучил тебя курить, что послужило предметом крупного разговора твоих родителей с Любинькой. «Мы все курим, и Миша курит, а вы со своим разбирайтесь сами!» — примерно таким ты запомнил ее монолог в передаче мамы.

Мама, даже уже и совсем пожилая, смеясь, часто вспоминала этот эпизод, и его «Наше вам с кисточкой!», донесшееся из-за наружной двери, куда Мишка, заявившись к вам в гости, как ни в чем не бывало, был ею прогнан, после разговора с Любинькой. Курить ты бросил много лет спустя — после многих, не всегда упорных, не всегда искренних, что говорить, попыток. И непросто же было отказаться от пагубной, но и приятной привычки!

А вторая его заслуга у тебя не вызывает и по сей день сомнения: у Любиньки и Коли была превосходная библиотека, Мишке они привили любовь к поэзии — и вы зачитывались с ним вместе сборничками Есенина довоенного издания. Какие-то стихи ты переписывал в «общую» толстую тетрадку, и с той поры многое удерживается в памяти, чем нередко вызываешь вопросы — как ты это помнишь? А, так... Помнишь.

С Мишкой вы все же как-то пересекались и потом, много-много лет спустя. Он стал строительным прорабом, рано женился, обаятельная Люся родила ему двух ребят — оба белоголовые, а Мишка брюнет и Люся — тоже брюнетка. Ну и что, — бывает. Природа порой и не такое позволяет себе. Ты навестил их на Преображенке, где они жили. Как-то вы случайно узнали друг о друге. Казалось, он совсем не переменился и духовно, и в манерах, а больше вы с ним пока не встретились.

* * *

Поливальные машины медленно, театрально, как на параде, ползли за колоннами пленных, как бы смывая следы, оставляемые ими на улицах города. Время давно стерло это шествие из памяти москвичей. На следующих страницах у тебя будет случай вспомнить эти колонны.

И все же долго еще оставались после немцев выстроенные ими по своим проектам жилые двухэтажки — в такой досталось жить и тебе. Она протянулась во дворе массивной постройки в Измайлове, занявшей почти весь квартал. От угла его начиналась Первомайская улица. Из окон проезжавших по ней автобусов были видны зеленоватая вода заросшего водорослями неухоженного пруда и по другую сторону — лесопарк, ставший впоследствии знаменитым: это здесь разогнали выставку художников, по чьим картинам проехались бульдозерами, — отчего потом она так и называлась — «бульдозерная».

За прудом, пройдя через мостик от вашего дома над небольшим протоком со стоячей водой, сразу выходишь к приземистому дому старинной постройки, он протянулся фасадом вдоль Измайловского шоссе. Здесь, в доме, — детский садик, куда ты водил сына. Теперь все пространство, разделявшее парк и Измайловские улицы, застроено корпусами гостиниц, появился рынок — огромная барахолка. Не та, «самодеятельная», возникшая в девяностых, — блошиный рынок с развалами домашней утвари, порой антикварной, поделками кустарей-мастеров, акварелями, гравюрками на стендах — их авторы здесь же охотно подписывали проданное...

Потом барахолку закрыли, мешала, наверное, кому-то. Новый, отстроенный рынок вместил в себя множество лотков, магазинчиков с привезенным из дальнего и ближнего зарубежья барахлом, — главным образом, это одежда, электроника сомнительного происхождения и, соответственно, качества; рынок, вполне подконтрольный неким структурам, может отчасти и тем же, городским, но больше, считают, — криминальным.

Но это все потом, а тогда тебе досталась комната, выделенная отцу, чтобы расселить вас — родителей и тебя с Ольгой и родившимся у вас сыном. Естественно, родители остались жить на проспекте Мира — в том же доме потом жил Шукшин. Трехкомнатную же, куда вас отселили, соответственно, занимали три семьи. Сосед снизу, Витька, пьяница, бил жену Нину, и тогда она запиралась от него у вас. Так вы и жили, пока не переехали в полученную уже тобой квартиру на Красной Пресне. Без Ольги — она к этим дням ушла из жизни...

Глава 5
АННА СЕМЕНОВНА

44-й год, декабрь... Война скоро кончится — об этом уверенно говорят в очереди, что задолго до рассвета выстраивается в Орликовом переулке. Фасад продуктового магазина, когда-то тщательно оштукатуренный, празднично-желтый, теперь весь в сколах, в комьях смерзшихся грязевых брызг, оставшихся с долгой осени. Пытаясь сохранить остатки домашнего тепла, женщины кутаются в платки, бьют себя по бокам, приплясывают — отчего снег под их ногами сбивается в плотную корку, темнеет и становится скользким. Болтаются, постукивают пустыми бутылками авоськи: обещали с утра молоко. Скользят по насту деревянные костыли, много костылей — на них опираются одетые в шинели со следами споротых погон совсем еще не старые дядьки.

Война скоро кончится. Скоро.

«24-мя артиллерийскими залпами!..» — нарочито растягивая слова, совсем как диктор Левитан, вещают в самодельные рупоры — обрезки водосточных труб — пацаны, забравшиеся на припорошенную ночным снегом огромную, занимающую чуть не четверть всего двора, кучу угля. Уголь свален ближе ко входу в подвал — там дворовая котельная. Грубые, хрипловатые мальчишеские голоса победно поднимаются вверх, вдоль стен нашего двора-колодца, составляющего утробу пятиэтажной кирпичной громады.

Дом занимает весь квартал, отделяя собою Кировский проезд от Боярского переулка. Перед ним — гранитная арка станции «Красные ворота»; там, в вестибюле метро, клубится пар, образованный врывающимся в открытые стеклянные двери морозным воздухом. Удивительный пар, не похожий ни на какой другой: возникая, он тут же смешивается с постоянно витающим (только здесь, только в этом метро!) волшебным запахом моего детства — запахом шоколадных ирисок.

* * *

Итак — немцы в Москве. Пленные: по Садовому кольцу движутся колонны. Они сворачивают в Кировский проезд, идут мимо метро. Они нескончаемы — тысячи людей, одетых в зеленоватую форму, едва укрывающую от колючего зимнего ветра. Охраны почти нет — нельзя же считать охраной этих молодых, может, чуть старше нас, ребят с болтающимися за плечами, дулом вниз, совсем нестрашными карабинами. Или — открытый газик с лейтенантом, тарахтящий рядом с колонной. Чего же с ними так долго воюют?.. Кто-то из бредущих в колонне безразлично, пустыми глазами смотрит вперед. Кто-то шагает, опустив голову. Другие любопытно озираются по сторонам, на ходу заговаривают с остановившимися прохожими, протягивают самодельные зажигалки и перочинные ножики — в обмен на хлеб.

Хлеб у москвичей уже есть. Появилась на столах (пусть и не у всех, потому что цены пока коммерческие) всякая снедь — рыба, колбасы, сыр.

У нас дома все это бывает — приносит из «орса» отец. Орс — это «Отдел рабочего снабжения», нечто вроде распределителя для тех, кто сюда «прикреплен» от своего учреждения, не обязательно — завода. И ведь, правда, многие семьи так в войну выжили. А кто-то, прежде всего, сотрудники «орсов», близкие им — обогатились, сбывая продукты «налево», по блату, через рыночные ларьки. Правда, попавшихся, бывало, расстреливали. Время такое...

Еще не взяты Будапешт и Прага, и целехонький, неразрушенный стоит Нюрнберг, и германскую столицу по-настоящему тоже пока не бомбили... Отец снова в Москве, теперь он восстанавливает производство и снова живет в цеху — как тогда, с того дня, когда его вернули сюда из призывного пункта. Вернули и нас в Москву — меня, маму и верную мою няньку Полю, в последние дни 41-го прошедшую с нами в скотской теплушке маршрут Москва — Раевка — Бийск... А теперь — обратно.

Наша квартира понемногу оживает — возвращаются из эвакуации старые жильцы, подселяются новые. Здесь семь комнат. Вернее, семь высоких — их наличники почти упираются в лепной карниз потолка — дубовых дверей. Когда-то сиявшие лаковыми поверхностями искусно подогнанных друг к другу досок, а теперь матовые и темные, они усиливают своей странной огромностью постоянный полумрак длинного коридора. Слабые лампочки едва освещают его; электрический свет отражается неяркими бликами на глянце выложенного замысловатыми многоугольниками паркета.

Я и сейчас, спустя много лет, закрыв глаза, вижу отчетливо наш коридор. Он совсем не похож на типичный московский: здесь отсутствуют сундуки в темных углах, и педали велосипедов, подвешенных крюками на уровне глаз, не заставят вас, проходящего, прижаться к противоположной стене. Наш коридор широк и просторен. К тому же он совершенно пуст — даже мой велосипед, собранный из частей и деталей по меньшей мере трех довоенных веломашин, хранится в прихожей квартиры на первом этаже, где живут бабушка с папиной сестрой.

А больше ребят в квартире нет — если не считать совсем маленьких Юрку с Мариной. У них долго еще не будет своего велосипеда — и потому что рано им, и потому, что давно живут без отца. Юрка хотел, чтобы во дворе знали — отец их на фронте пропал без вести. То есть погиб, скорее всего. ...Он и правда погиб — но в заключении. Тогда же знать нам этого было нельзя.

Квартира когда-то вся принадлежала Семену Ароновичу Кливанскому, видному меньшевику, совершенно невероятным образом не задетому частыми лопастями мясорубки, запущенной четверть века назад его политическими оппонентами. Он и сейчас живет здесь со своей дочерью Бэллой, старой девой, служащей корректором в научном издательстве. А может, — редактором. Она почти всегда дома, ее гости часто приносят в охапке толстые портфели и сумки, из которых высовываются лохматыми углами пачки рукописей.

Кливанские — самые редкие гости на кухне. Оба ходят бесшумно, она — кутаясь в длинный махровый халат, он — в полосатой пижаме, накинутой на ночную рубашку, склонив блестящую, опушенную венчиком седых волос, лысую голову. Желтые светляки лампочек пробегают по стеклам его пенсне. Оба высокие, носатые, неулыбчивые. За их дверью — все, что осталось после многократного «уплотнения», как называется подселение к хозяевам квартиры новых жильцов. Разных, но всегда чужих. Год за годом Кливанские отступали, освобождали комнату за комнатой, стаскивая в самую просторную из пока остающихся им все дорогое и необходимое. Хотя их жилплощадь и теперь велика, там выгорожены целых три комнаты, и все они, по московским меркам, просторны. Причем две — светлые, с окнами на улицу.

У нас одна комната, окно ее выходит на черный ход. Поэтому здесь всегда горит свет, даже когда дома нет никого, — так нам кажется лучше. Нашей комнатой, самой дальней от парадного входа в квартиру, завершается коридор. В торце его две узкие, окрашенные масляной краской двери — уборной и ванной с газовой колонкой, фитилек колонки всегда зажжен. Сбоку — еще одна: сразу за нашей стеной кухня с семью столами и двумя покрытыми рябой эмалью газовыми плитами. И — черный ход.

А за другой нашей стеной, с которой спускается плотный старый ковер, укрывая собою топчан с пружинным матрасом — на нем я сплю, — живет Анна Семеновна Шарф. Ее комната больше нашей раза в два, высокое окно выходит в сторону двора. Самого двора отсюда не видно, надо далеко высунуться из окна и только тогда можно заглянуть в этот огромный, кажущийся бездонным колодец. Зато из ее окна видны ряды крыш соседних домов — с нашей стороны дом имеет пять этажей (мы живем на четвертом), а с противоположной лишь четыре. Вон Козловский переулок, начинающийся клубом Министерства морского флота, куда мы по десятку раз бегаем смотреть «Небесный тихоход», «В степях Украины» и, конечно, «Чапаева»... Вон они — Харитоньевский, Фурманный... И чуть левее, в сторону Садового кольца, — Хоромный тупик.

Крыша нашего дома — это отдельная история. Для меня она начиналась поздней зимой 44-го, когда, проникая сюда через чердачные лабиринты, мы собирали с гремящего, крашенного охрой, железа осколки зажигательных бомб. Осколки эти можно было выменять на противогазные маски, резина которых совершенно

41

незаменима при изготовлении первоклассных боевых рогаток. Или — на запчасти для самодельных пистолетов-хлопушек: кажется, их называли «мечики», и собирались они из трубочек, бойков, пружинок и каких-то металлических загогулин. О них я, кажется, уже рассказывал.

Вскоре снесли дома по другую сторону Садового кольца — на их месте стали строить высотку. К тому времени у меня появилось увлечение, отчасти переросшее спустя годы в первую профессию, — фотография. Появился и реликтовый фотоаппарат с растягивающейся гармошкой — «мехом», и к нему — металлические касеты, в которые вставлялись стеклянные пластины. С этим «Фотокором» я забирался на крышу нашего дома и снимал все стадии строительства нового здания, до самого его завершения: в это здание вскоре переехал НКПС. Где они сейчас, эти кадры, — наверное там же, где стеклянные негативы из ленинградского «Большого дома», — но о них потом.

**

Между прочим, крышей же могла завершиться моя недолгая жизнь — когда однажды, в первую послевоенную зиму, мы затаились там, устроив засаду на лазутчиков с недружественной нам Домниковки. Покидал я ее почему-то последним; часы, проведенные на звенящей от морозного ветра жести, свели мертвой судорогой кисти обеих рук. Позже, обнаружив себя дома, я едва мог вспомнить, каких усилий стоило мне, десятилетнему пацану, распластанному на скользкой от намерзшего льда и снежной пороши покатой поверхности, дополэти, упираясь локтями, до чердачного люка, чтобы почти замертво свалиться в него...

Вскоре на все входы в чердак навесили тяжелые замки, — наверное, не без настояния моего отца.

...На окне у Анны Семеновны плотно, шершавыми глиняными бочками друг к другу, прижались горшки с маленькими кактусами. Кактусы — это увлечение Анны Семеновны, у них даже есть свои имена. И мне эти кактусы разрешается поливать. Еще мне дозволено рассматривать сквозь мерцающие темные стекла внутренности шкафов, которые собственно составляют стены ее комнаты. Там — книги.

Русских совсем немного — один или два шкафа. Все остальные изданы где-то за границей: вот Данте — множество томов в темных шагреневых переплетах, раскрыв которые можно подолгу рассматривать удивительные сюжеты старинных гравюр. В соседнем шкафу — Сервантес, это испанский шкаф. Вот — Шекспир, разумеется, на английском. Все эти книги Анна Семеновна давно прочла. И продолжает читать... А над ними рукописное объявленьице: «Не шарь по полкам жадным взглядом — здесь книги не даются на дом».

Помню очень много немецких книг — Фейхтвангер, Шиллер, Гейне... Их больше всего — не поэтому ли мои родители условились с Анной Семеновной, что она, помимо общепросветительных тем, будет учить меня немецкому?.. И еще (но это уже за моей спиной) — пытаться исправить мои, скажем так, не отличающиеся особым изяществом, манеры, обретенные в целиком захватившем меня теперь общении с красноворотской шпаной. А впрочем — и с преображенской, и с черкизовской: туда мы нередко «срываемся» на подножках трамваев, идущих от Каланчевки, выяснять наши непростые отношения.

...Теперь Анна Семеновна столуется с нами, что позволяет ей исключить из своего быта магазины, а заодно продлить наши занятия до практической проверки усвоенных мною навыков. Как сейчас помню: укоризненно глядя на меня, она перекладывает из «неправильной» руки — в «правильную» нож или возвращает на стоящую рядом тарелку вынутый у меня почти изо рта огромный ломоть хлеба. Ах, Анна Семеновна, Анна Семеновна, — я ведь, правда, и сейчас, прочно забыв все, чему меня учили в те годы в школе номер 305, на Садовом, как раз напротив башни старого НКПС, я ведь и сейчас помню ваше «Гутен таг, фрау Майер, вас костен ди айер? — Ахт пфениг. — Ахт пфениг?! О фрау Майер, дас ист зер тойер!».

И помню, как прикрыв ладонью глаза — чуть выпуклые, всегда внимательные и удивительно, совсем не по возрасту живые, — как вы задумчиво слушаете стихотворение, которое я сам, сам написал под впечатлением прочитанного томика Лермонтова — в виде редчайшего исключения вы разрешили мне унести его к себе в комнату «...только на один день!»

Эти стихи, кроме вас, Анна Семеновна, не видел никто.

Потом я часто ловил на себе ее внимательный взгляд, — так смотрят, когда собираются что-то сказать — важное и необходимое. Он смущал меня и тревожил, мне даже казалось, что я могу ощущать его спиной, покидая ее комнату...

Несколько лет спустя, когда ей, наверное, уже было далеко за 70, я заметил в ее руках учебник китайского языка. Она стояла у плиты, следя, чтобы из крохотной кастрюльки не выкипело молоко, и посматривала в самоучитель. «Анна Семеновна, — удивился я — зачем это вам?» Насколько чудовищна мера бестактности подобного вопроса, адресованного пожилой женщине, в голову мне, разумеется, не приходило. Ну ведь, правда, — зачем ей? В Китай она, что ли, поедет?

На всю жизнь я запомнил ее ответ. И по сей день я вспоминаю его и даже цитирую — когда есть тому подходящий повод. «Видишь ли, — сказала она, глядя куда-то поверх моей головы, — вот заметь: я всегда опрятно одета, я трижды в день чищу зубы. Я знаю, что буду делать сегодня, и планирую все, что собираюсь сделать на этой неделе. Я живу так, будто знаю, что буду жить вечно». Потом она посмотрела на меня, едва дотянувшись, положила мне, как когда-то, сухонькую, покрытую с тыльной стороны старческими родимыми пятнами ладошку на плечо — что было уже совсем нелегко при ее маленьком росте — и добавила, улыбнувшись: «...Хотя, вообще-то, я готова умереть в любую минуту». И, повернувшись, прошаркала войлочными тапочками по паркету к своей двери.

* * *

...А вскоре меня провожали в армию. Повестки были уже у всех, собравшихся сегодня в нашей «главной» комнате и еще в крохотной пристройке к кухне: холодная кладовая всякими правдами и неправдами была отцом превращена в дополнительную жилплощадь, позволявшую мне иметь свою отдельную конуру. Умещались там только топчан (теперь я спал здесь), некое подобие письменного стола, сколоченного «по месту» знакомым плотником, и дощатая табуретка с полукруглой прорезью в сиденье.

Сегодня, на проводах, комнатка служила нам неким буферным пространством, куда втискивались отужинавшие, чтобы присоединиться к нестройному хору, голосившему под аккордеон все, что в те годы пела молодежь. А пели мы тогда вернувшиеся из долгого забвения студенческие куплеты, вроде этих — «Через тумбу, тумбу — раз...», или еще — совсем уже старинные «Крамбамбули», — в которых припев подхватывался всеми присутствующими и непременно в полный голос.

— Соко-о-о-лики... — а-ой-люли... — поддерживали мы поющего. — Давайте пить... — выкрикивал аккордеонист, он же запевала. — Кр-р-рамбам-були!.. — вопили гости. Между тем время перевалило за полночь... Перед моими глазами до сих пор, как будто было все это только что, Анна Семеновна, сжавшая виски ладонями: она мечется по коридору, умоляюще глядя на нас.

Эх, мерзавцы мы, бесчувственные мерзавцы, — ну хоть бы кому из нас пришло на ум одернуть орущих!

К шести утра на нескольких таксомоторах почти все мы добираемся до районного военкомата — где-то за Чистыми прудами. Здесь нас отделяют от провожающих: теперь уже совершенно другие парни окружают меня — одетые кто в потасканную телогрейку, кто в совершенно немыслимого вида дедовский зипун, вытащенный из дальнего чулана, кто в старое солдатское обмундирование — гимнастерки, хлопчатобумажные галифе и подобную им рвань. Считается (и впоследствии выясняется полная справедливость этого суждения), что в армейских каптерках, куда вся гражданская одежда будет сложена по меньшей мере на три года, мало что за время службы сохранится. А раз так — чего рядиться-то?

Все навеселе — кто-то еще не отрезвел от проводов, кто-то захмелился уже поутру. Пить продолжают и здесь — пока втихую, потому что вокруг снуют старшины и сержанты-сверхсрочники, должные сопровождать наш состав. И позже, в теплушках — там пьют уже в открытую. Вход идет все: у меня и сейчас на губах жив вкус тройного одеколона от путешествовавшей из рук в руки алюминиевой кружки, в которую и мне кто-то плеснул теплой водки. Здесь начиналась другая жизнь, — но сегодня не о ней...

Совсем не о ней.

* * *

Вернемся же в нашу квартиру — дней на десять назад. Уже известна дата сбора, мы с родителями наносим прощальные визиты родным, чьи семьи разбросаны по разным, немало отдаленным друг от друга, концам Москвы. И потом, один уже, я объезжаю приятелей. Или — они приезжают ко мне. С соседями мы будем прощаться ближе ко дню моего отбытия. Но вот Анна Семеновна останавливает меня в коридоре и зовет к себе в комнату.

Она подводит меня к шкафу с русскими книгами, копошится с минуту, пытаясь раздвинуть плотно прижатые друг к другу толстые их корешки, и осторожно, потягивая то за один уголок, то за другой, вытаскивает оттуда конверт. Отогнув клапан, она бережно вынимает из конверта старую фотографию. Это фотопортрет. Необычный ракурс: камера снимала сбоку и немного сзади, и кажется, что объект этой фотографии совсем рядом и смотрит от нас куда-то вдаль — так, что невольно хочется проследить за его взглядом. Черты лица знакомы... Ну да — это Федор Шаляпин.

Правый верхний угол занят надписью, стилистически не вполне совершенной, но весьма выразительной: «Милая Аллочка! Вступая на самостоятельную дорогу в жизненном пути, не всему доверяйся слепо». Дальше следует размашистый росчерк подписи и дата: «24 апр. 913 г. СПб.». Она протягивает портрет. «Знаешь, — говорит она, — мне уже много лет. Ты вот уходишь в армию, а вернешься — меня, может, не будет в живых. Возьми, на память...» — Я растерян — не столько щедростью дара, это я смогу оценить лишь годы спустя, — но прямотой, с которой она вдруг говорит о возможности своей смерти.

«Анна Семеновна, ну как же... три года — не так много, мы с вами, конечно же, увидимся... А кто она — Аллочка, кому подарен портрет?» — «Аллочка — это я, — поджав губы, Анна Семеновна смотрит куда-то в сторону. — Так меня называли». Больше ничего она не сказала. Ничего. А я, балбес, и не пытался выудить из нее хоть какую-то подробность, пусть самую малую, определившую наставительный тон надписи, адресованной ей великим уже в те годы певцом.

Конечно же, не увиделись... Спустя два года, когда мне позволен был десятидневный отпуск и я, убегая от патрулей в подходящем к Москве ленинградском экспрессе (в столице шел первый молодежный фестиваль, солдат-отпускников отлавливали в поездах и отправляли обратно в части) — так вот, когда я добрался до нашей квартиры, ее в живых не было уже с полгода.

...Анна Семеновна, как всегда, оказалась права.

Спустя почти двадцать лет я снова уезжал из Москвы, на этот раз навсегда. Позади были месяцы полной неопределенности — формального отказа в выезде не было, но не было и разрешения. Подававшие одновременно со мной прошение на право покинуть страну давно уже были в Израиле или в Италии — на пути в Америку, в Австралию, в Канаду. И кто-то уже был там... Мы же, я и сын, ждали. Тому полгода, как я нигде не работал. Время от времени сын, продолжавший по инерции ходить в школу, подводил меня к стеклянной двери балкона.

— Па, гляди, они опять здесь, — говорил он, кивая на прогуливавшегося по тротуару невдалеке от нашего подъезда человека. Неподалеку стояла «Волга», разумеется, черного цвета. Словом, слежка была демонстративная, совершенно открытая. Напугать, что ли, хотели? Так же демонстративно они оставляли после своих как бы тайных визитов в нашу квартиру сдвинутые с места стулья, на столе — вынутые для просмотра из шкафа книги.

Однажды я по-настоящему испугался — мне показалось, что они унесли хранившийся между книг портрет Шаляпина. Портрет нашелся — и я с облегчением перепрятал его, убрав подальше от любопытных глаз незваных визитеров. Господи, да знали бы они о моем наивном тайничке в туалете — достаточно было лишь чуть сдвинуть оргалитовую плитку в потолке, чтобы прямо на голову свалились сотни фотокопированных книжных страниц.

Думаю — просто пугали. Иначе — жил бы я сейчас в Штатах!

* * *

Прошли еще недели. Все уже оставалось позади: зловредная «Софья Власьевна» (так на московских кухнях называли советскую власть) пригрозила на прощанье корявым пальцем — о разрешении на выезд мы узнали спустя неделю после того, как срок его истёк, — и наконец выездная виза, одна на двоих, была у нас на руках. Теперь времени на подготовку и отъезд получалось чуть больше двух недель — что все же было достаточным, поскольку вещей на отправку у нас не было. Это если не считать книг, с которыми я не хотел расставаться. Те, что вывозить было недозволено, я роздал друзьям: и заветный томик самого первого издания Надсона, и вставленные в чужой переплет мемуары вдовы Мандельштама, и берлинскую перепечатку философа Соловьева...

Коробки с книгами удалось довольно скоро пристроить на отправку «медленным» грузом. Шел густой снег, сотрудники грузовой таможни вручили нам, толпящимся в очереди, неуклюжие фанерные лопаты: хотите, чтобы скорее, — расчищайте подъезды к складу. Может быть, москвичи-«отъезжанты» 76-го года, если кому-то из них доведется читать эти строки, вспомнят последние числа марта, грузовую таможню на Комсомольской, сугробы снега у входа — и сумасшедшего, в сбившейся на затылок нерповой кепке, машущего деревянной лопатой в ритм «Варшавянки»:

— В царство свободы дорогу грудью проложим себе!..

* * *

Ау, ребята, этот сумасшедший — я... Не знаю, откуда у нас, тогдашних эмигрантов, бралась отчаянная, безрассудная дурость — ведь известно было, что и с подножки самолета снимали кого-то, почти уже успевшего почувствовать себя за границей. ...Я пел, отбрасывая лопатой в сторону пушистый, не успевший слежаться в тяжелые пласты свежий снег. Кто-то из шурующих рядом со мною посмеивался, кто-то шарахался в сторону, едва разобрав слова...

Наконец, все таможенные процедуры были (не без помощи дорогой ронсоновской зажигалки — да что за чепуха, это же просто сувенир, берите!) закончены — и ящики с книгами уходят с весов на тележку надежно «смазанного» грузчика: в его же ведении и деревянные ящики, от прочности которых зависит сохранность багажа. Незадолго до этого, взглянув на обложку журнальчика с фривольными фотографиями, забытого среди отправляемых книг, молодой таможенник вскинул брови:

— Это еще что? — А что такого, я же не привез в страну, я же увожу, — наивно ответствовал я. — О, если бы привез — мы бы не так говорили! — быстро оглядевшись по сторонам, он незаметным движением смахнул журнал со стола куда-то вниз, следом за зажигалкой. — Конфисковано! — сообщил он мне, ухмыльнувшись, после чего дело, кажется, пошло быстрее.

Но оставались еще фотографии...

У меня, любителя фотодела с мальчишеских лет, скопились многие сотни отпечатков, и, не знаю уж почему, в ящики с книгами их положить не позволили. Отобрав те, что составляли для меня самую дорогую память, я вынул их из альбомов и заложил в толстые конверты. А как быть с портретом Шаляпина? О его существовании знали сотрудники Бахрушинского музея и всяческими способами пытались выцыганить фотографию для своей экспозиции — тем более, что был портрет уникален: как выяснилось, ни в одной шаляпинской публикации воспроизведен он не был.

Мне же расставаться с портретом решительно не хотелось — в конце концов, он для меня составлял добрую память о женщине, мягко, но решительно противостоявшей влиянию на десятилетнего пацана страшной улицы послевоенной Москвы. И пусть старания ее были, чего уж скрывать, не всегда успешны, — память о ней становилась с годами дороже и уважительнее. — Была не была! Решил я, и засунул фотопортрет среди десятка совсем старых, почти дагерротипных фотографий далеких предков, передаваемых «на свободу» моими родными.

«Наши уезжали в начале века — вдруг найдешь там кого-нибудь», — напутствовали они меня. Эти дагерротипы сослужили свою службу — я действительно нашел родных (вернее, они меня — потом, спустя годы, мы вместе рассматривали старые фотографии), и с их же помощью выехал со мною портрет: пограничник в

Шереметьеве пролистнул их веерно — и бросил в чемодан, сочтя неинтересным подробное разглядывание.

...Зато все мои фотографии — и те, где я был снят в солдатской форме, и те, на которых было больше двух человек, — остались провожавшим меня друзьям. Ко мне они все попали, но спустя годы. Фотопортрет же, благополучно миновав вместе с нами границы Австрии, Италии и, наконец, Америки, снова занял свое место. И снова не на стене: чернильная надпись на нем стала бледнеть, и я счел за благо оставить его в конверте — том самом, в котором он достался мне десятки лет назад.

Случается, я вдруг забываю — где он, где хранится прощальный подарок Анны Семеновны. Это может произойти со мной в любой час, даже ночью. Где же он? Потом я, конечно, нахожу его и, не вынимая из конверта, перекладываю в новое, как мне кажется, более памятное место...

Иногда же я достаю из конверта фотографию, рассматриваю ее — и наступает момент, когда за чертами Шаляпина, как бы из небытия, проступает передо мною темное пространство огромного коридора, из глубины которого медленно, слегка ссутулившись, идет мне навстречу маленькая женщина. На ее плечи наброшен широкий, окутывающий всю ее фигурку платок, волосы гладко, на пробор, расчесаны, выпуклые глаза внимательно смотрят на меня. Она улыбается и, кажется, готовится что-то сказать. Я хочу, я очень хочу узнать — что она говорит мне? Но вот видение исчезает. Подержав какое-то время портрет, я прячу его в конверт и убираю — до другого раза. Узнаю ли я когда-нибудь — что не успела сказать мне Анна Семеновна?

Часть вторая
...У ПОРОГА

Глава 1
ПОД ШОРОХ ИГЛЫ ПАТЕФОНА

Близкая моя приятельница, обладавшая звучным, хоть и не вполне поставленным голосом, охотно пела в нашей компании. Были мы все студенты Московского издательского техникума, потом — институтские сокурсники, сумевшие сохранить прочную взаимную приязнь по сию пору.

Сами горланившие традиционные «Колумб Америку открыл...», «Через тумбу-тумбу раз...», но и «Был очень огорчен один усатый тип...», мы охотно слушали Танюшку, а пела она все, что просили собравшиеся, — подолгу и не ломаясь, поскольку очень любила это занятие и даже мечтала о профессиональной певческой карьере.

Просили же мы чаще всего то, что составляло лучшую часть ее репертуара — старые городские романсы, жанр, который власти в те годы помогали широкой публике прочно забыть: во всяком случае, с эстрады, а тем более из радиопрогамм он был тотально вытеснен бравурными Лебедевым-Кумачом с Александровым и братьями Покрассами.

Но жанр как-то сохранялся — главным образом, на старых патефонных пластинках. В Таниной же семье сбереглось еще и немало папок с пожелтевшими нотами — родители ее оба были музыканты высокой культуры, а двоюродный брат после Гнесинского училища и Московской консерватории вырос в известнейшего ныне дирижера Николая Некрасова, чуть позже будет случай назвать его имя снова. Он в свое время научил кого-то из нас бренчать, в меру наших способностей, на семиструнке, а Таню — еще и множеству романсов, давно, как мы заметили выше, не исполняемых публично.

А сейчас вспомнилось мне, как в модных темно-синих плащах и элегантных белых шарфиках во главе с будущей знаменитостью выкатывались мы из подъезда, соседствующего с тогдашним филиалом Большого театра на Пушкинской (здесь в крохотной старой квартирке жил один из нас), добирались до скверика у Большого, усаживались с гитарами на ограждающий его низкий парапет ближе к углу, что почти напротив «Метрополя», клали перед собой велюровые шляпы — они тоже считались атрибутом высокой моды — и, представьте себе, нам подавали! Ну, не столько образовывалось в шляпах мелочи, чтобы доставало, перейдя проспект, осесть на оставшуюся часть вечера в «Метрополе», да и делали мы все это, конечно же, дурачась... Но все же.

«Дремлют плакучие ивы...», «Всегда и везде за тобою...» Вот, записал я эти строчки — и почудилось, что и сейчас мог бы, взяв гитару, припомнить несколько несложных аккордов — слова-то я точно не забыл. Это, между прочим, сорок лет спустя...

Еще запомнил я в ее исполнении новые для тех лет песенки, своим строем и мелодикой очень близкие к городскому романсу. Пела Танюшка «Клены», — и все мы, даже будучи в определенной степени веселости (хотя, честно сказать, пили мы сравнительно немного и больше по установившейся традиции), не смели подтягивать ей, но только молча слушали, как она, растягивая в нужных местах слова, выводила:

> *...И другие влюбленные*
> *вот под этими кленами*
> *тоже, может быть, вспомнят*
> *о нашей любви.*

Пела она из Ады Якушевой — еще почти неизвестной, а мы почему-то знали имя поэтессы: «Слушай, на время время позабудь...» Простой трогательный мотив, простые и бравшие за наши юные души слова. Но вот даже и сейчас, когда среди нынешних исполнителей становится модным выйти на публику с давно, казалось, забытым романсом или даже песней военных лет, ни разу не довелось мне слышать эту песенку.

Кажется, именно от Татьяны годы спустя услышал я «Снег». Услышал впервые. Не очень умелая гитара задавала вальсовый ритм, низкое Танино сопрано поддерживало его:

Снег, снег,
Снег, снег,
Снег над палаткой кружится.
Вот и кончается наш
Краткий ночлег...

Мы не готовили себя в геологи, да и вообще тяги к зимовкам под открытым небом не испытывали — разве что Колька Лавров, мой ближайший друг, душа нашей компании, лучше всех овладевший искусством игры на гитаре, иногда утаскивал чуть ли не силой кого-то из нас на Пахру или Сенеж к пробуравленной проруби ловить подмосковных окуньков «на мормышку». А этот «Снег», обойдя десятки казенных и самодеятельных, зовущих «за запахом тайги» песенок тех лет, пришел — и сразу оказался принят чуть ли не за непременную часть ритуала студенческих посиделок.

Знали ли мы тогда автора слов и мелодии? Скорее всего — нет. Да и вряд ли задавались вопросом — кто же это так точно угадал кратчайшее направление к душам нескольких поколений послевоенной молодежи. Вряд ли... Сейчас, когда нам уже по многу лет, с Аликом Городницким мы дружны, — а тогда он к нам пришел одним из первых российских бардов — и «Снегом» тоже.

Это потом — как обрушилось: галичевские «Облака», «Бумажный солдатик» Окуджавы, и вслед им — «Атланты», «На материк», «Над Канадой...»:

...Над Канадой небо синее,
Меж берез дожди косые.
Хоть похоже на Россию,
Только все же не Россия...

Вот и снова о нем… Мы уже знали, что автор «Снега», как и перечисленных выше песен, — Городницкий. Александр Городницкий, — но не многим больше. Да, признаться, и что нам было за дело — кто он, откуда? Геолог? Путешествует? И хорошо — будет больше песен…

Путешествует… Да, Городницкий путешествовал: в геолого-разведочных экспедициях, в краях, откуда, бывало, группа возвращалась в неполном составе; он плавал — по воде на паруснике «Крузенштерн», под водой, погружаясь в батискафах чуть ли не в Марианскую бездну. А еще — экспедиции на Памир, дрейф на станции «Северный полюс»… Замечательный человек — с ним мы еще встретимся и подружимся: в жизни — множество раз, а позже и на этих страницах, давно написана глава, полностью ему посвященная.

А тогда… Наступила эра бардов, современных нам авторов слов и музыки, исполняющих свои песни. Песни, потому и названные «авторскими». Мы собирали уже не только старые пластинки, но и магнитофонные бобины (кассетников еще не было) с записями Кима, Клячкина, Высоцкого. И, конечно, Окуджавы. А когда удавалось, слушали их непосредственно, чаще всего на учрежденческих и институтских вечерах — такая традиция возникла в годы, названные оттепельными. И при немалом давлении, оказываемом на ее хранителей, продолжилась через десятилетия — справиться с ней власти уже не могли. Кому совсем везло — встречались с бардами дома, у общих друзей или друзей этих друзей.

И еще — появился «журнал с дыркой», как называли любители студенческой песни «Кругозор», с вложенной в него гибкой пластинкой (в его создании — немалая заслуга быстро набиравшего популярность Юрия Визбора).

* * *

Первой «консерваторией» моих сверстников-приятелей, естественно, был двор нашего дома: там, в конце 40-х, сбившись кучкой на площадке черного хода, затаив дыхание, слушали мы блатные песенки, привезенные недавно освободившимся из мест, не столь отдаленных, Мишкой Рыжим. «Таганка», «Мурка» и «Когда я был мальчишка...» — это из разряда самых безобидных, что мне довелось от него услышать.

В пионерских лагерях нас увлекала другая и, конечно, тоже неофициальная романтика. «Жил один скрипач, молод и горяч, пылкий и порывистый, как ветер...», «Есть в Батавии маленький порт...» Но, правда, и «Огни притона заманчиво мигали»...

Шли годы, с ними пришло, почти отошло увлечение Вадимом Козиным, Петром Лещенко. Именно — почти. Ну как объяснить, что в памяти живо сохраняется звучание тенора, пробивающегося сквозь шорох патефонной иглы? Будто сейчас слышу я манерно выговариваемые певцом слова: «Завял наш бЭдный сад, осыпались листы... Но я храню ваш образ берЭжливо...».

А еще — Марфесси: его «цыганские» пластинки можно было купить у барыг на Коптевском рынке, выменять на того же Лещенко... Правда, связано это было с определенным риском: настоящие пластинки попадались не часто, да и стоили немало, а больше в ходу были отходы рентгеновских лабораторий — пленки. Укладываешь только что привезенную пленку поверх настоящей пластинки, опускаешь на нее иглу патефона и слышишь: «Лещенко хотите? Х... вам, а не Лещенко!» И мерзкий смех...

Правда, случиться такое могло только, если ты новичок и не знаешь, у кого берешь товар: постоянные производители записей такого, конечно, не позволяли никогда — их знали меломаны в лицо. Или можно было найти пластинки случайно, как это произошло со мною, в завалах дачного хлама подмосковной «гасиенды» — в Челюскинской жили наши родные...

В те же годы изредка появлялась на эстрадных площадках, главным образом, в парках «культуры и отдыха», Изабелла Юрьева, но мы вполне довольствовались ее граммофонными записями. «Весна не прошла, жасмин еще цвел...» «Камин, гори, огнем охваченный...» Это годилось для поддержания интимной атмосферы при соответствующих обстоятельствах, — но не больше.

Зато правдами и неправдами проникал я в какие-то небольшие клубы, где выступал вернувшийся из эмиграции Александр Николаевич Вертинский (о чем — ниже), по многу раз смотрел фильмы ради коротких эпизодов, в которых успел сняться наш новый кумир. С тем же Колькой Лавровым охотились мы за напетыми в таинственных бананово-лимонных Сингапурах дисками, а то и теми же рентгеновскими пленками, из которых извлекалось едва слышимое «Что вы плачете здесь, одинокая глупая деточка...»

* * *

А однажды случилось такое... Наверное, это был 52-й год, ну, может быть, 53-й. Полиграфический техникум занимал трехэтажное строение на углу Петровки и Дмитровского переулка, откуда рукой подать — в одну сторону до ледового пятачка с громким именем «Динамо», и в другую — до улицы Горького, служившей променадом тогдашней молодежи, съезжавшейся сюда — прошвырнуться на «Бродвей» — со всех концов Москвы и Подмосковья.

— Хиляем по Бродвею, — решали мы, срываясь с вечерних занятий. В темно-синих плащах китайского пошива, в темных же шляпах (на шее обязательный легкий белый шарфик-кашне), толстая микропорка подошв — примерно так выглядела униформа стиляг того времени. «Хиляя» мимо заветного Коктейль-холла, что размещался напротив Центрального телеграфа, мы с трудом продирались сквозь толпу крикливых девиц и ребят — «сыров», полубезумных поклонниц Лемешева или габтовской балерины Лепешинской (их так и называли — лемешихи, лепешихи...).

А «сыры» — это потому, что их главным тусовочным местом был находившийся здесь же фасад магазина «Сыры». Они могли устроить бурю оваций своему кумиру, но могли и сорвать чье-то исполнение в самый ответственный момент, когда певец забирается на верхнее «до», — свистом, несвоевременной овацией — их, конечно, гоняли контролеры и даже милиция, самых крикливых знали в лицо, билетеры по наущению администрации театра стояли на входе грудью, но в зал они как-то все равно проникали.

Итак, мы — а это были я, Колька Лавров, Толя «Серов» (его настоящая фамилия была иной, но он «сырил» Серова, отсюда кличка) — шли по «Бродвею». Пел тогда в Большом Серов, тенор не очень заметный на фоне Козловского, Лемешева, на фоне корифе-

ев вокала Нэллепа, Лисициана, Михайлова Максима Дормидон-
товича, Пирогова Александра Степановича, — этого «сырили» мы
с Лавровым, — потрясающий был бас, к тому же великолепный
актер, — лучше его я Мельника не помню, лучше его Годунова —
не помню. Словом, направлялись мы от исходной точки всегдаш-
него маршрута — Манежа — вверх, к Пушкинской площади. Там
наш «Бродвей» кончался.

Кажется, был с нами и Коля Некрасов, тогда студент Гнесинки,
подрабатывавший игрой на домре вечерами в оркестрике Камал-
динова перед сеансами в кинотеатрах. Сегодня Николай Николаевич Некрасов — народный артист СССР, заслуженный деятель и
так далее... Ну да, это он остановил нас: «Смотрите, чуваки, кто
идет!» Мы замерли, как по команде, не сводя глаз с высокой прямой фигуры, одетой схоже с нами — темный плащ, белое кашне, но
с обнаженной головой. Идущий нам навстречу опирался на трость,
шел, глядя поверх голов, и, кажется, никого не замечая, а может, и
правда не замечал, — неспешно к нам приближался Александр
Вертинский.

Откуда нам была знать, что жил он теперь здесь же, на Горького,
14, и видели его нередко в Елисеевском, куда он заглядывал, «...за
теплыми, калачами, рокфором и ветчиной», вспоминала много лет
спустя Марианна, старшая его доченька.

К этому дню я уже имел счастье дважды присутствовать в небольших клубных залах, где допускались его выступления по воз-
вращении из эмиграции (да и узнавал я о них случайно, от кого-
то), что по тем временам было верхом либерализма. Правда, потом
говорили, и даже писали в мемуарах, что были у Александра Николаевича Вертинского в эмиграции некие «особые заслуги перед
оставленной родиной» (ведь неспроста, рассуждали мемуаристы,
вернувшийся из эмиграции, три года прожил он в «Метрополе», в
номере с роялем). Правы они, нет ли, но исполнитель своих «арие-
ток» он действительно был гениальный.

Да я, сколько буду жив, не забуду старичков и старушек в старо-
модных костюмчиках и вечерних платьях, хранившихся, видимо,
без употребления десятилетиями в сундуках и комодах. Они заняли здесь, задолго до начала, первые несколько рядов. И не было им

дела до причин и подробностей возвращения в страну кумира их молодости... Зал затих, но едва на сцену вышел из боковой кулисы Вертинский, они, как по команде, встали и первыми зааплодировали. Я не уверен, что в тот вечер все в зале знали, кто он — Вертинский, а так, прочли на доске объявлений клуба — и заглянули, вечер свободный, почему бы нет...

К роялю прошел невысокий человек, положил руки на клавиши. Это был он — Брохес, чье имя десятилетиями помещалось на граммофонных дисках, выпущенных зарубежными фирмами (чаще всего к нам попадали пластинки «Супрафона»), — строкой ниже, сразу под именем певца. Вертинский молча оглядел зал, отвечая на аплодисменты, склонил голову, немного прождав, поднял высоко над головой руки, согнул их в запястьях и речитативом, заметно грассируя, произнес: «Над г-о-о-о-зовым мо-о-о-гем спускалась луна... во льду зеленела бутылка вина...»

Да и можно ли забыть такое — старички и старушки с передних рядов дружно достали платочки из ридикюлей, из нагрудных карманов пиджаков, приложили их к глазам и так просидели до последних аккордов: «...Нет, вы ошибаетесь, д-у-уг, до-огой — мы были тогда на планете д-уго-о-о-й!».

И в последний раз слушал я Вертинского в Ленинграде. В клубе офицеров, кажется. Сорвавшись в самоволку из части, где отбывал положенные три года обязательную воинскую повинность, переодевшись у родных, живших на Старом Невском, в гражданское, я мало рисковал наткнуться на кого-нибудь из наших — публика, заполнившая зал, была преимущественно штатская и все больше пожилая — из сохранившейся части ленинградской интеллигенции, чудом не задетой лопастями сталинской мясорубки. И — войны. Ну как про них пел сегодня Вертинский: «...И давно уж не моден, давно неприличен Ваш кротовый жакет с легким запахом амбр...»

Если память меня не подводит, в этот самый вечер, в какой-то момент, Вертинский после второй или третьей песенки вдруг опустился на одно колено и стал шарить ладонью по полу, придерживаясь другой рукой за стойку микрофона. Зал напряженно молчал минуту, другую, занавес затянули, люди, оставаясь на стульях, сначала шепотом, потом уже в полный голос переговаривались в ожидании: что случилось?..

Но вот занавес уполз, снова открыв сцену, раздались вступительные аккорды. «Мат-го-сы мне пели п-го ост-гов...» — грассируя, продолжал Вертинский. Как бы и не было этого неожиданного перерыва. А было вот что, рассказали потом: Вертинский заметил, что из манжета выпала запонка, вероятно, очень недешевая, и пока ее не нашли, петь он отказывался.

Прошел день или два, в «Вечернем Ленинграде» появилась крохотная заметка: «Скончался артист Александр Николаевич Вертинский...» Ни подписи, ни слова сочувствия родным. Выходит, мне случилось быть на его последнем выступлении. На самом последнем.

Спустя десятки лет популярность Вертинского вернулась в страну — с многократно умноженной силой, в чем недавно я убедился, оказавшись приглашенным на вечер его памяти в Дом журналиста: его «ариетки» исполнял молодой человек, мы с ним только что познакомились в ЦДЛ, откуда и это приглашение. Он старательно грассировал, подражая Вертинскому, что, наверное, было совершенно необязательно — и без того он довольно точно передавал интонации, подслушанные скорее всего в граммофонных записях.

Или на компактных дисках: сегодня их можно приобрести в каждом ларьке, оттого, думаю, и зал в этот вечер был полон. Жаль, не вспомню фамилию молодого человека — он, действительно был обаятелен, очень. Хотя бы и тем, что возвращает сегодня россиянам имя замечательного артиста. И все же — не больше... Странное чувство подсказало мне последнюю фразу: наверное, это ревность к памяти Вертинского, — ведь, казалось, что только мы, мое поколение, храним старые грамзаписи, знаем, любим его песенки, а стало быть, располагаем правом собственности на память о нем.

* * *

Если уж об армии — как не вспомнить Сашку Остренина, баяниста и песенника, с его «Малышка спит, колышет ветер шторы...». В недавнем телефонном разговоре со Смеховым — Веня готовился через день участвовать в популярной российской телепередаче, посвященной самодеятельной песне, — я напел ему из набора остренинских песенок полублатную, но допущенную старшиной к неофициальному исполнению в казарме перед вечерним отбоем: «Я лежу в окопе тесном узком, прижимая к сердцу автомат, вспоминаю шелковую блузку, бывший урка, а теперь солдат...»

Веня вопил от восторга на том конце провода: «Я непременно покажу ее Эдику!*(Э.Успенскому, ведущему телепередачи «В нашу гавань заходили корабли...» — А.П.*). Не знаю, показал ли — передачу я не видел, да и текст послать ему не успел, хоть и обещал. А Остренина встретил я случайно на улице в районе Красной Пресни много лет спустя — в качестве, как он не без некоторого смущения сообщил мне, инструктора тамошнего райкома партии...

Хотя определенная тяга к общественной деятельности наблюдалась у Сашки и тогда, в армии: самодеятельные концерты, отдушина в солдатских буднях, привлекала всех мало-мальски способных — будь то бренчание на балалайке или чтение стихов («художественным» его можно было назвать с большой натяжкой), — ни один из них не обходился без Остренина, он-то их и готовил.

В один из таких концертов я сидел где-то в первых рядах, обернулся к сидевшему на стуле за мной повару, дремучему выходцу из западной украинской деревеньки, и предложил ему, вполне миролюбиво, трепаться с соседями чуть потише.

— Мешаешь же, — шепнул я ему.

— Заткнись, жидовская морда! — прозвучало это негромко, но так, что сидящим неподалеку было слышно. Я и сейчас помню, как ни секунды не задумываясь, обернувшись, сильным ударом в лицо сшиб его со стула, раздался грохот. В зале повисла тишина, напряженная: видимо, все выжидали реакции сидевшего здесь же командира взвода, старшего лейтенаната Муравьева.

Наверное, он поступил правильно, сделав вид, что ничего не слышал и что вообще ничего не произошло. А ведь десять суток «губы», может, даже и гарнизонной, мне светило, как пить дать.

Армия, армия... Здесь стоит рассказать об одном из нарядов, гарнизонном, в который мне довелось однажды попасть, то есть на дежурство по Ленинградскому гарнизону. Такие наряды набирались из разных воинских частей округа, и существовала так называемая разнарядка для попавших в них: направляли кого куда. А выбор (конечно, не от нас зависящий, это решало начальство — дежурный офицер по городу) был немал. Патруль по улицам города, например... гарнизонная гаубвахта — тоже не худший вариант... охрана военных объектов, скверно — если зима и если дежурство наружное...

Но и не только военных — так мне досталось однажды дежурство, обстоятельства которого я помню по сей день и когда приходится к месту — непременно о них рассказываю. Сделаю это и сейчас, раз уж вспомнилась армия — из трех лет службы память сохраняет самые яркие эпизоды, вроде этого маленького чуда, когда я не только избежал наказания, но и в лице избитого повара получил источник дополнительных порций в обеды, очень он зауважал меня после того случая — раб, он и в армии раб, вдвойне.

Так вот, в один из гарнизонных нарядов досталось мне ночное дежурство в коридоре «Большого дома», кто не знает — так называли Ленинградское управление КГБ: из его окон, говорили, Сибирь видна... Четыре часа дежурства тянулись томительно долго: длинный коридор заперт с двух сторон, вдоль него опечатанные наклеенными лоскутами бумаги с гербовыми печатями двери, иные — и с навесными замками, не заглянешь, да и зачем бы...

Прихваченная городская газетка прочлась быстро, ничего другого с собой не оказалось — только и была в кармане шинели записная книжица, куда я время от времени заносил мысли, казавшиеся мне важными. Так и сейчас... Мыслей стоящих сегодня оказалось не густо... Совсем не густо, зато спать хотелось, как и положено ночью молодому и здоровому младшему сержанту советской армии.

И хорошо, что иного не оставалось, как только курсировать по коридору вперед-назад... вперед-назад: сто метров туда, сто — в обратную сторону... Я и не вспомню сейчас, чем привлекли мое внимание сваленные перед одной из дверей картонные коробки — было их там две или три. Их крышки не были плотно закрыты — так, верхние сторонки были небрежно зацеплены одна за другую.

Мусор не успели выбросить, подумалось патрульному, он и зацепил носком сапога крышку одной из коробок.

В неярком свете дежурных ламп блеснули стеклянные пластины — негативы, такие, какие я, подросток, проявлял в пластмассовых кюветах, осваивая допотопный «Фотокор». Я взял лежавший сверху, поднес его ближе к свету и стал разбирать текст, плотно занимавший всю пластину.

— Почему, почему я не заметил эти коробки хотя бы часом раньше! — корил себя я потом многие годы, да и сейчас корю. И вы поймете, почему. Приведу по памяти содержание тех нескольких пластин, что я успел прочесть.

«Коммиссару государственной безопасности (...следовала фамилия). Рапорт. 14 ноября 1942 года на Пескаревском рынке гражданин Чуркин В.В., проживающий по адресу (такому-то...), распространял слухи о поджоге продовольственных складов города и о предстоящем голоде, чем сеял панические настроения среди присутствующих граждан. Гражданин Чуркин В.В. задержан по моему предложению и препровожден дежурным милиционером в районное отделение милиции, где содержится в настоящее время до получения указаний...». Далее следовала подпись: «Оперуполномоченный, старший сержант госбезопасности, скажем, Пупкин П.П.».

Другие негативы в этой и в соседних коробках содержали рапорты того же Пупкина о подслушанных им разговорах на трамвайной остановке, в очереди в булочную, у колонок, откуда граждане осажденного города добывали воду...

«...Скоро в город войдут немцы... — вел провокационные разговоры гражданин... он задержан...» Подписи, читавшиеся на этих стекляшках, были того же Пупкина. Лейтенанта Пупкина... Старшего лейтенанта Пупкина...

И дальше оказались — рапорты, обращенные капитану госбезопасности Пупкину... майору госбезопасности Пупкину... Нетрудно сегодня предположить, где те граждане, на кого стучал товарищ Пупкин, на кого ему стучали. Хотя, кто знает, что стало потом с самим Пупкиным — с ними ведь всякое случалось. Только я сегодня не об этом. Даже совсем не об этом. Просто вспомнилась армия.

* * *

Приносил нам в казарму какие-то песенки (хотя чаще стихи) из увольнительных двадцатилетний поэт Сережка Артамонов — нас одновременно загребли в армию из Москвы, везли в Ленинград в одной армейской теплушке, здесь мы с ним сошлись и подружились на последующие годы. Стихи его тех лет выдавали незаурядный поэтический дар автора и поражали зрелым мастерством. Из запомнившегося вот фрагмент из нескольких строк — о парнишке, он умирает, у него чахотка:

> *...На улице мокро, зонты и тучи,*
> *Скажите, доктор, мне будет лучше?*
> *Мне только девятнадцать*
> *Я хочу жить...*
> *..............................*
> *Скажите, доктор —*
> *Двадцать мне никогда не будет?*

Из чужого же, помню, приносил он охальные двустишия-эпиграммы, вроде таких: «Я не лягу под стилягу», «Молодому поэту: писал про нежность, а сам — промежность», «Стыдливой девушке: она, краснея от стыда, шептала — милый, не туда...», ну и так далее. Или, вот еще вспомнилось: «Она была бледна ужасно, когда шагала под венец, — она была на все согласна, и даже на худой конец...» Демобилизовался и Артамонов. Его и по сей день помнят в московском литературном мирке, главным образом, по службам в журнальных редакциях.

Спустя десятилетия мне повезло найти его в Париже — Сережка когда-то намекал, что состоит в далеком родстве с Инессой Арманд (не отсюда ли русское «Артамонов?»). Вот и Париж, наяву, взаправду. А стихов он давно не пишет, как-то неохотно, отвечая мне, заметил Сергей. Теперь он режет по дереву, и из-под его резца выходят удивительные иконы — о чем не так давно была пространная иллюстрированная публикация в московском «Огоньке».

Вот такое получилось отступление. Память — она как ловушка, попал в нее — и выкарабкиваешься, пока не отпустит...

* * *

Мы не просто любили музыку... Эти слова ты услышал десятилетия спустя от замечательного музыканта, с кем и не чаял встретиться когда-либо... да еще у себя дома, за тысячи верст... или миль... или километров от родных мест, — как кому нравится, а пока — пока вот что.

Москвичи твоего поколения — и не только они, должно быть, помнят этот ледовый пятачок, затесавшийся меж жилыми кварталами самого центра города — на Петровке, неподалеку от Столешникова переулка. На беговых коньках сюда не пускали — не та площадь. Зато на сточенных под фигурные коньки «гагах» («канады», больше подходившие для самодеятельных пируэтов, которыми славились московские пацаны той поры, были далеко не у многих), на этих самоделках — сколько угодно! Вы и пропадали на вашем пятачке многие часы — нередко за счет занятий в учебном заведении, расположенном совсем неподалеку, в Дмитровском переулке.

Но не только близость ко льду привлекала вас сюда. В те годы любая ритмичная музыка, напоминавшая джазовую, а тем более настоящие синкопы, звучавшие с заезженных до почти полной их неслышимости пластинок предвоенной поры или привезенных из-за границы и чудом попавших в ваши руки, были для вас притягательны: они как бы приобщали слушателя к особому клану посвященных в это великое таинство — трепетное поклонение джазу.

Повторим все же: что никак не мешало вам занимать с ночи очередь у касс Большого театра, когда там выбрасывались билеты на будущую декаду, — чтобы в десятый раз попасть, скажем, на «Русалку» или «Годунова», — если в них пел Александр Степанович Пирогов.

* * *

Так вот, этот крохотный, по московским понятиям, каток, носивший по каким-то причинам громкое название «Динамо» (кажется, он принадлежал этому спортивному обществу), особо привлекательным был для вас оттого, что там звучала настоящая джазовая музыка. Пусть чаще всего советская — Цфасмана или оркестра

Утесова, но со всеми атрибутами настоящего джаза — не самого последнего в ранжире всемирно известных исполнителей. Да, это был джаз!

А уж когда доставалось попасть на заграничный фильм — песенки из него немедленно становились вашими шлягерами, естественно, и со словами, придуманными кем-то из ваших же. И почему-то чаще с непристойным смыслом. Ну вот, «Чатануга Чучча» из «Серенады солнечной долины» — откуда вам было знать, что там было у Гленна Миллера, зато вы пели: «А на полу сидела муха, а муха та была баруха...» И поскольку вы только и могли различить слово «чучча», то и получалось «О бэби-бой, обоеполая кобыла, о бэби-бой, двоякодышащая лошадь, о бэби-бой, у вас торчит из... чуча». Вспоминать неловко, но ведь было. Было!

И, конечно, сленг «лабухов», джазовых музыкантов — от «лабать» — играть на саксафоне, на любом духовом инструменте, на барабане, «кочумай» означало «перестань», нотосочетание «до-рэ-ми-до-ре-до» — было «а пошел ты на...», «сурмлять» — пойти до ветру, деликатно выражаясь. Ну и так далее... Пользоваться им означало чувствовать себя приобщенным к особо почитаемой касте.

С начала пятидесятых к упомянутым выше именам советских титанов прибавилось еще одно — Олег Лундстрем. Знали вы про Лундстрема совсем немного, и потому вокруг имени его ходили легенды: кто-то говорил, что он освободился из тюремного заключения, чем удивить в те годы было трудно, и потому вы верили в такую возможность... Кто-то утверждал, что он вернулся из-за границы, где выполнял некую важную государственную миссию...

Как бы то ни было, но оказаться в саду Баумана, например, в день, когда выступал этот коллектив, считалось большой удачей. А вот над катком «Динамо» джазовые мелодии, не объявляемые дикторами, но просто несущиеся из подвешенных над раздевалками и по бортам площадки «колокольчиков», слышались почти всегда, что в особой степени способствовало популярности сего замечательного места. И многие из этих мелодий были записаны в исполнении джаза Олега Лундстрема. В общем, тебе было что вспомнить из лет, составивших начало 50-х, когда он оказался у тебя дома, и об этом ты расскажешь после — в главе, посвященной той встрече.

Но ведь этой встречи могло бы не быть, как ничего для тебя не было бы вообще после марта 53-го. Тебя бы не было...

Все занятия остановлены, уроки отменены на ближайшие день-два. На сколько? — никто точно не знает. У преподавателей мокрые глаза, кто-то, не сдерживая рыданий, шепчет: «Что же теперь будет... с нами, со страной...» Студенты притихли, обсуждая вполголоса — что дальше делать? Кинотеатры — закрыты, каток, наверное, тоже. Репродукторы не выключаются во всем городе, из них доносится медленно и торжественно выговариваемое Левитаном: «Прощание народа с товарищем Сталиным Иосифом Виссарионовичем состоится в Колонном зале Дома Союзов...» И еще — вместо него, кто будет?

Это совсем рядом, половина квартала — и вы на Пушкинской. Идем? Пошли — дошли до пересечения Дмитровского с Пушкинской улицей — стоп! Здесь только что появились конные милиционеры, они перегородили перекресток. Все — дальше не пройти. За ними сразу же, на ваших глазах, образуется второй заслон — грузовые автомобили с военными. Ну, решись вы получасом раньше — уже стояли бы в очереди одними из первых — а теперь она протянулась куда-то к площади, к бульварному кольцу, хвоста ее уже и вовсе не видно.

— Пацаны — в обход!

Идем, только куда? Назад, по Дмитровскому к Петровке, там можно проходными дворами выйти обратно, на Пушкинскую. Нет, уже — не можно: все ворота плотно закрыты, их охраняют патрульные солдаты, милиция, — где как. Закрыты и двери подъездов: квартирами можно было бы, через черный ход, попасть во двор, дальше проще. Уже — нельзя. Вы поднимаетесь по Петровке к бульварам — может, пройдем через площадь?

Поздно — перекрыты все подходы к Пушкинской. Остается идти вдоль бульваров, чтобы потом свернуть где-нибудь в сторону Садового, а там — прорваться к Пушкинской, пристроиться к очереди, конец которой теперь вообще неизвестно где. Так вы доходите до Трубной площади. Продолжать?

Вот тут и происходит чудо: вам удается выбраться оттуда живыми — через чьи-то квартиры, по высокой каменной стене, к ней вы оказались прижаты обезумевшими людьми. Кто-то из-под ног напирающей толпы выл нечеловеческим, последним, предсмертным воем. Кто-то хрипел рядом с вами, распластанный вдоль стены, — этот кто-то мог оказаться тобой.

И не бренчать бы тебе под гитарку «Шефом отдан приказ — лететь в Кейптаун, говорят, что там зеленый мавр...» Мелодия, известная вам как «Танго журналистов», вскоре получила новый вариант слов: «Приди ко мне, моя чува, тебя люблю я — за твои трудодни дай поцелую...» И не твистовать с девчонками под «Чатаногу-чу-чу»... Все — об этом хватит.

Глава 2

ТАМ, НА ЯКИМАНКЕ

...Да, там ты впервые услышал Евтушенко, читающего свои стихи. Москва, Якиманка (тогда улица Димитрова), Литературный музей. Кажется, шел 58-й...

А спустя четыре полных десятилетия вы сидели с ним за тысячи верст от Якиманки и вообще от России.

— Помнишь?
Ты придвинул магнитофон ближе к сидящему напротив, по другую сторону журнального столика, Евтушенко — так запись будет надежнее, он же, обращаясь к тебе, неторопливо рассказывал:

— Вот ты присутствовал на том выступлении и знаешь, что оно действительно было первым, когда я, молодой поэт, впервые за все послевоенные годы был допущен выступить перед публикой. А сейчас расскажу одну вещь, которую ты не мог знать. Там, по Якиманке, проходила правительственная трасса. И много лет спустя, на Кубе, Микоян рассказал мне, как он впервые услышал мое имя. Обычно он ездил по Димитрова. Мимо Литературного музея правительственная машина всегда проезжала нормально, без препятствий, а впереди шла машина с охраной. И вот вдруг Микоян увидел толпу, перегородившую неширокую улицу. Машина затормозила.

— Что это? — спросил он. — Что здесь происходит?

— Как — что?! — ответили ему. — Евтушенко!

— Я, — говорит Микоян, — сначала не понял, я даже не сообразил, что это фамилия.

— Ну, и что это такое? — переспросил у стоящих неподалеку.

— Поэт! — ответили мне громко и с презрением, даже узнав меня. — И после этого я запомнил ваше имя, — досказал Микоян.

— Это было мое первое публичное выступление, — продолжал Евтушенко. — А дело в том, что тогда не было индивидуальных выступлений поэтов: они выступали только коллективно — за исключением юбилеев. Зал в Литмузее был очень маленький, и его чуть ли не разнесли. У меня сохранилась фотография, сделанная с улицы: в окнах стоят люди.

— Да, — вспоминал ты, — я был один из них — у окон. Меня протащил на этот вечер Володя Киршон, наш общий приятель. Помню все в деталях: стоит пижонистый Евтушенко — белая рубашка, черный галстук, шарфик, по-моему, какой-то светлый на шее: ты объяснил, что простужен... Зал был забит, на улице собралась толпа не сумевших попасть внутрь. И ты, раздвинув нас, подошел к окну и стал читать тем, кто оставался на улице. Я все это так отчетливо помню... Когда мы подходили к зданию, я подумал: «Быть и нам на улице». Киршон говорит: «Мы сейчас пройдем!» — «Как это?» — засомневался я. — «А вот пройдем!». И мы действительно прошли — спасибо брату Киршона, Юре, с которым ты, помнится, близко дружил.

— Потом, много лет спустя, — вспоминал Евтушенко, — Володя работал у меня заместителем директора картины... А тогда... Дело все в том, что тогда тиражи книг были катастрофически маленькими. Сейчас мало кто может себе представить, что, например, книги Пастернака и Мартынова, изданные тиражами 3 или 5 тысяч экземпляров, лежали спокойно на прилавках — их везде можно было купить. Не было массового интереса к поэзии... А потом он вдруг хлынул. Люди переписывали стихи в тетрадки, солдаты не раскуривали на самокрутки газетные листы со стихами.

* * *

В редакции «Литературки» — она давно переехала с Цветного бульвара (для своих — с «Трубы», потому что рядом Трубная площадь) в район Сретенки — ты бываешь, приезжая в Москву. Правда, теперь — реже.

Написал «Цветной бульвар» — и вспомнилось многоэтажное здание редакции, солидные кабинеты руководства (куда тебе не случалось попадать), но зато и зал, где происходили читательские или клубные встречи с литераторами — память об этих встречах до сих пор в тебе живет. Да и фотографии отчасти сохранились — спасибо твоему увлечению.

Вот жестикулирует со сцены Василий Захарченко: «У меня замечательная профессия — я путешественник!». Африка... Канада... Новая Зеландия... Еще бы — редактор популярного журнала, свой человек в Отделе пропаганды ЦК. Ну и так далее... И в другой день — недавно выпущенный из лагерей Алдан-Семенов. Этот вспоминает другое. «Прохожу я мимо помойки, кто-то роется в объедках, хотя какие там объедки — в лагере? Подошел ближе, гляжу — Киршон...» Владимир Киршон, успешный советский автор (помните «Чудесный сплав», например?), из лагеря он не вернулся.

А в другой вечер читает свое Леонид Мартынов, с замечательным, с необыкновенным умением, позволявшим вроде бы совсем обыденным словам, поставленным в его строфе рядом, вдруг зазвучать сочно и особенно: «Вода благоволила литься... Она блистала столь чиста...» Кто-то про него, помнится, выразился: «Мартынов пишет, будто берет каждое слово острием иголки...» А еще литературные семинары, которые вела рано ушедшая из жизни молодая поэтесса Ирина Озерова.

И уж совсем отдельное — посиделки в пивном баре, в подвале Дома журналиста на Суворовском бульваре с ребятами из редакции: какой там был замечательный треп и какие подсоленные ржаные сухарики, подаваемые к пиву, какие раки! И всего-то — два шага от редакции... Нет уже многих из твоих тогдашних приятелей, как, впрочем, и нет того бара — а есть теперь новое, подвальное же заведение, пристроенное к фасаду дома, где открытым, недорогим по нынешним московским ценам, шведским столом, предлагают скверно приготовленные суши или что-то похожее, и еще какую-то, в общем, съедобную, чепуху.

Но и дом на Цветном бульваре уже не тот. Здание занято множеством контор, среди которых есть и издательские. В один из приездов тебя завел туда Арканов — его приятель Виктор издает группу газет очень успешных и очень желтых: бизнес один из самых востребованных в сегодняшней России, но сейчас не об этом.

Хотя и об этом — тоже...

А тогда... Ты сидишь с Игиным за столиком у стены, разрисованной и исписанной, грифелями: здесь завсегдатаи оставляли о себе память двустишиями, шаржами, думали — навсегда. Какой там — навсегда... Художник рассказывает о Светлове, они тесно дружили. Потом (вы оба в легком подпитии) ты провожаешь его до Кировской, кажется, там живет его дочь, Игин в давно не новом демисезонном пальто, в валенках, поверх них — галоши. Таким ты его запомнил.

* * *

Офисы Виктора занимают здесь полный этаж, но, кажется, отчасти помещаются и на других этажах тоже. Экскурсия грозила затянуться.

Смертельно хотелось есть. «Все, — шепнул я Арканову, — если Виктор не с нами, едем, ему передашь мой привет». Оказалось — с нами, и спустя полчаса мы втроем сидели за столиком, отгороженным от соседних аквариумами с живыми рыбами, и с какими! Прямо за мной лениво шевелила плавниками черная пятнистая рыбина: мурена, — догадался я. Сидеть к этой зловещей твари спиной стало как-то неуютно.

— А можно ее зажарить? — обратился я к прислуживающему нам молодцу, одетому в адмиральскую, что ли, форму.

— Отчего, можно... если не шутите.

Конечно, я шутил, и он это знал тоже. Краем глаза я следил за Виктором — после аперитива он стал заметно развязнее, пробежав глазами меню, заказал десяток блюд, не глядя на цены. «Лихо», — отметил я про себя: здесь нет блюда дешевле 50 долларов (это в тех случаях когда цена проставлена. А чаще — она просто не была указана).

— Дешевле сотни ничего там нет, — шепнул мне Арканов, когда мы, изрядно навеселе, покинули «Краб-хауз», выйдя на Горького. И я вспомнил: именно здесь, на втором этаже размещался «Коктейль холл» — почти напротив места, где мне случилось впервые увидеть вживе Александра Николаевича Вертинского... Джип Виктора укатил в сторону Пушкинской, а мы с Аркановым не спеша прогуливались по «Бродвею» еще с полчаса. Потом и мы разошлись по домам...

Глава 3
АВТОРХАНОВ И ДРУГИЕ

Переделкино, май 2002-го. Домик-музей Булата. Совсем недавно дача наконец-то стараниями вдовы поэта Ольги и, конечно, не только ее, получила статус музея — государственного. Это может означать какие-то новые средства.

Но может и не означать...

А пока все держится на доброхотах. Сохранить бы домик, не дать ему разрушиться, сберечь бесценные экспонаты. Нет у них другой выгоды...

Сберечь теперь, когда Булата не стало... Их совсем немного, имена их не всегда на слуху. Вот — Ришина. Ирина многолетний куратор домика — дачи Булата, места, где ему писалось, где его навещали счастливчики, те, кому это было можно. Здесь остается все, как при нем, — будто никогда он не покидал Переделкина, не покидал нас, чья жизнь необратимо обеднена уходом Булата.

Вот комната, пройти по ней и не задеть колокольчики, свисающие с книжных полок, с оконного карниза... Булат любил колокольчики, сам подвешивал их к потолку, к лампе... их собралась коллекция, одна только она — уже музейный экспонат — сотня, две, три экспонатов, их присылали отовсюду. Сначала Булат привозил из поездок, потом их стали слать со всех концов страны, из других стран, отовсюду. Булат по сей день почитаем. И даже — больше.

Прийти сюда — это как вернуться в «тогда», в прошедшее. И кажется, будто Булат вот-вот скажет: «Ну, пока...» Рыбакову, живущему совсем неподалеку и составляющему Булату компанию в его прогулках по переделкинским улочкам-аллейкам. Нет — «жившему», «составлявшему», потому что Рыбакова тоже не первый год нет. Булат открывает калитку, рука его прощальным жестом приподнимается, он боком проходит за ограду дачи и, не торопясь, поднимается по невысокому крыльцу, входит в домик.

Вот Булат протянет руку к выключателю: в крохотной прихожей, справа, всегда распахнутая дверь в кухоньку, зажжется неяркая лампа в абажуре над столом в гостиной. Она же — столовая, она же приемная, когда Булата навещали коллеги, друзья, просто книжные люди. И последняя комнатка — это та самая, с колокольчиками. Однажды она тебя здорово выручила: вы с Ольгой приехали в Переделкино, а правильнее сказать — она тебя привезла, ты за день до того жестоко отравился, и это уже отдельная история, а в тот день вел встречу Евтушенко, у тебя едва хватило сил кивнуть ему с порога и дойти до комнаты с колокольчиками. Здесь на узкой спартанской тахте ты в полудреме провел несколько часов...

В общем, и по сей день все здесь так, как было, когда здесь жил Булат. Только появившаяся в последнюю очередь постройка — бывший сарай — существенно преобразилась, стала двухэтажной. Теперь здесь — служебные помещения: крохотный коридорчик, две комнаты, слева и справа — в них едва умещается по письменному столу, — и задняя — «зал», где могут собраться человек двадцать, двадцать пять от силы, столько здесь стульев.

Здесь происходят «камерные» встречи: на твоей только памяти здесь выступали поэты — Евтушенко, Городницкий, Вознесенский, Соколов, Ахмадулина, выступал сын Пастернака. Выступал Вячеслав Иванов и, конечно, «метропольцы» — Аксенов, Гладилин, Попов Женя, Ерофеев Виктор, разве всех назовешь! Встречи здесь — каждую неделю по выходным. Неловко тебе упоминать себя в этом ряду — но случилось побывать здесь и тебе «докладчиком». А теперь — уже дважды...

И еще, позади дома выстроили помост — эстраду: здесь поют под гитару, свое и Булата, здесь читают стихи. И тогда скамьи и стулья, занимающие остаток территории дачи, едва вмещают пришедших, приехавших. Здесь остаются, даже если погода гонит в дом, под крышу: есть же зонты, плащи. И все остаются. Не пустует в такие дни и дощатый, просторный стол — он рядом со скамьями. Чаепития с баранками — это тоже здесь традиция. Бывают пития и не только чая... — правда, только по очень специальным датам.

Сегодня — как раз оказия специальная: Булату на его Арбате установлен памятник. К тебе подходит Юра Щекочихин, он уже не просто корифей разоблачительной журналистики, он депутат Государственной думы. «Узнаешь?» — Щекочихин подводит к тебе мужчину примерно наших лет. Ты всматриваешься в лицо, нет — все же незнакомца. — «Да Жаворонков я, Жаворонков!» — «Генка!» Вот ведь как: теперь Генка — журналист «Общей газеты» и очень ценим Егором Яковлевым. Дальше произошел такой диалог:

— Руфина не доложила!

Ты вспоминаешь: Руфина был начальником службы, куда тебе удалось пристроить Жаворонкова.

— Чего — не доложила?

— Да одной фотобумаги не досчитались тогда коробок двадцать, а то и больше. Она же могла нас всех засадить! Ты что, забыл, сколько мы намножили одного только Авторханова. А Володьку Парийского взяли вскоре после твоего отъезда.

Знать бы, что всего через шесть лет выпадет мне писать некролог: не стало Геннадия Жаворонкова, бесстрашного журналиста, правдоискателя, никогда и никого не обременявшего своими проблемами, не кичившегося авторитетом, заслуженно признанным в редакциях, где он работал — и в «Комсомолке», и «Московских новостях», и в «Общей газете».

Весной 2006-го года, когда мы с Татьяной Кузовлевой навестили его, еще не оправившегося после бандитского нападения в подъезде, он рассказывал:

— Били жестоко, чтобы убить, проломили голову. Помешал спускавшийся с верхнего этажа сосед...

Это было уже вторая попытка убийства. В первый раз его поджидали среди бела дня во дворе, у подъезда. Били вчетвером одного. Спасли подоспевшие дворовые пацаны — так отметелили напавших, что те уползли без табельных пистолетов, Дворовые отняли их и вместе со служебными удостоверениями бросили там же, в помойку. Зачем им чужие — у них свои.

...Жаворонков знал, что обречен, а нам, друзьям своим, и этого не говорил, отшучивался — пустяки, язвочка... Смертельная оказалась «язвочка».

И теперь мне остается с горькой иронией повторить следом за Александром Галичем, произнесшим после кончины Пастернака: «Как гордимся мы, современники, что он умер в своей постели...».

Время, правда, теперь не то. Другое время, но и все же...

* * *

Ты был знаком с Авторхановым. Но уже много лет спустя. Теперь правильно было бы сказать — имел привилегию быть с ним знакомым. Сначала заочно — через томики его «Технологии власти», отпечатанные на тончайшей бумаге «тамиздатом» — эти посевовские издания ты снова встретил многие годы спустя уже в эмиграции. В Италии, потом здесь, в Штатах... И не только в магазинах, не только в каталогах книготорговцев, но и предлагаемые бесплатно благотворительными организациями, как-то связанными здесь с потоком людей, устремленным при первой возможности из Советского Союза на Запад.

Ты хорошо помнишь: недавние граждане СССР, теперь эмигранты, с неподдельным ужасом, внедренным в сознание опытом всей их предшествующей жизни и вывезенным с собою, — здесь, в Америке! — отталкивали от себя эти книжки. Страшно!... Могут взять!..

А тогда, на исходе шестидесятых, вы как-то умудрялись, обернув в газетные листки, читать их в городском автобусе, не всегда даже понимая, сколь чудовищен риск, которому вы подвергали себя, друзей, давших на несколько часов эти томики, или тех, кто ждал их к вечеру того же дня — желательно в умноженном уже количестве за счет отснятой фотопленки или бумажных копий.

Но не только. Несовершенны были те ксероксы, едва попавшие в российские учреждения и находившиеся под самым бдительным надзором спецотделов. Солженицын, Бажанов, братья Солоневичи — все это пришло к вам потом... Кто-то из твоих друзей тех лет наверняка прочтет эти строки и вспомнит вместе с тобой странички вашей жизни, которые ты перелистываешь сегодня.

Спустя годы, ты, сам не веря себе, знакомился с Авторхановым, — уже по-настоящему, — здесь, в Лос-Анджелесе. Готовились его встречи с читателями газеты, кто-то из них мог знать имя гостя только понаслышке и уж никак не были знакомы с его книгами — да и как могли бы? Это понятно.

И вот теперь ты проводил с ним многие часы, возил гостя по городу, сидел в застольях у общих друзей — это были преимущественно живущие в Калифорнии представители немодной теперь национальности — чеченцы, как и сам он. Все эти дни тебя не оставляло ощущение, что ты соприкасаешься с самой Историей.

А впрочем, так оно и было...

Глава 4
КАЖЕТСЯ, РАЗГОНЯЮТ...

Калифорния, год 2004-й. Которую неделю ты собирался поставить объявление в газету и, наконец... Всего несколько строчек: просьба позвонить — обращенная, если не к нему самому, то знающим новый телефон Кагана. Михаила Евсеевича Кагана — недавно его номер сменился. Как его найти? Когда ты составлял текст объявления и когда передал его в газету для публикации, Каган был жив.

Газета вышла именно в тот день, когда его не стало. О кончине Кагана тебе сообщила его знакомая на другой день. Один день, всего один день... И вот — обширный инфаркт.

Самое время вспомнить 1964-й. Стрелки на часах — оборот за оборотом... оборот за оборотом. Их снова не видно. А видно вот что.

Институтский ромбик, приложенный к диплому, — итог шести лет занятий вечерами. Где они, эти вечера? — да там они, вместе с твоей молодостью остались на Садово-Спасской в обветшалом особняке института. Остались там и дни на политиздатовских фотоучастках. Отслужившего в армии, тебя туда взяли, а так бы — вряд ли. Госполитиздат же! Сохранились в памяти колбы со спиртом-ректификатом, в каких-то случаях спирт был необходим по производственным обстоятельствам. Производственным? Сами понимаете. Инженер-лаборант Бельченко с хитрым видом сообщал — скоро зайду. Разумеется, не с пустыми руками. Закуска — за нами... Ждем, Володя, очень ждем!

А Вася Гучков, один из лучших фотографов, не закусывал. Его огромный двухкомнатный аппарат обеспечивал высочайшее качество репродукции портретов вождей. После Васи ретушерам делать было нечго. Хотя, конечно — было: там родинку убрать, там ус подправить... Но оптика должна содержаться в идеальной чистоте, иначе — как обеспечить качество? Вася — обеспечивал.

Однажды решили добавлять в его колбы со спиртом нашатырный. Понятно зачем — кто такую гадость возьмет в рот. Несколько дней Гучков ходил хмурый, в курилке не показывался.

— Глядите, — заметил кто-то, — Вася снова гуляет!

И правда: гуляет. Установили за ним слежку, обнаружили: что-то полезное в жизни из школьных уроков физики Вася усвоил надежно: из колбы спирт выливался на блюдце, которое помещалось между оконными рамами под лучи солнца. Что испаряется раньше, у чего удельный вес легче, так? Так. Дальше рассказывать?

Первой жертвой «нашатырного» новшества оказался ни кто иной, как ты.

Итак: в конце длиного коридора, замечаешь ты, лаборантка Шурочка, в ее руке поблескивает вместительная колба, наполненная на две трети, разумеется, спиртом. Ты с безразличным видом, напавляешься ей навстречу, Шурочка приближается, поровнявшись с ней, ты заговорщицки подмигиваешь:

— Дай хоть нюхнуть!

— Нюхни, не жалко, — Шурочка, обычно неподкупная и непреклонная, протягивает колбу, приподняв пробку, и наблюдает, как ты, склонившись над колбой и вдохнув полной грудью, с остановишимся дыханием и вытаращенными глазами пытаешься ей сказать что-то... Ты ей все скажешь, но только потом, подкараулив момент, когда никого рядом не было.

Были на твоей памяти в «Красном пролетарии» и почище истории — куда там Гучкову с его блюдцем! Миллионы валютных рублей, а значит, настоящих долларов, под хвост коту отправлялись: купили у западных немцев автомат, выдающий негативы, — прямо с цветных картинок, тех же самых портретов, например, — и становится ненужен Вася с его фотоаппаратом, как и не нужны ретушеры. Человек может подвести, хорошо если случайно, а если — нет?! Политика... Автомату — все равно, что или кого копировать, он не подведет. А начальству — не все равно, ему отвечать в случае чего.

Ты был в группе, назначенной для его освоения. Год бились — нет качества! Нет — и все, не хочет автомат копировать портреты вождей. Пригласили специалиста из Германии: они изготовили автомат — вот пусть сами теперь разбираются! Разобрались, конечно: для текстильной промышленности — лучше аппарата не придумаешь, объясняет эксперт, а для издательства — вряд ли... И списали машину с баланса. Куда, кому она попала потом и попала ли вообще — тебе это осталось неизвестным. Хотя что-то из обретенного тогда опыта тебе сгодилось позже — в дипломной работе.

Институт патентной информации.
— Каган, начальник производства: ротапринты, допотопные копировальные аппараты, машинистки, корректоры, ну и тому подобное. Кто не знает...
— Здрасте, очень приятно, Половец, — принимаю службу микрофильмирования.

Принял, конечно, а она тебя? Небольшое окно в тупике длинного коридора подвального этажа огромного здания Патентной библиотеки. Окно прорезано в стене рядом со всегда закрытой дверью. Дверь окрывается только чтобы впустить или выпустить. Перед окном несколько человек терпеливо дожидаются своей очереди — когда наконец ярко красивая блондинка протянет руку к прорези: «Что у вас?» — «Вот, нам срочно нужны копии патентных описаний, здесь их номера и страны». — Блондинка забирает заполненную форму, бросает на нее взгляд и укладывает в стопку таких же листков. Она поднимает голову и роняет: «Месяц». — «Как месяц? Нам нужно теперь, завтра! Ну, через день, хотя бы...»

— Следующий! — доносится из окошка. Следующий — это ты. Извинившись перед стоящими у окна, ты обращаешься к блондинке:

— Можно вас на минутку!

Было — «не можно». Пришлось просто войти в помещение, когда дверь на минуту оказалась открыта.

— Гражданин, вы что, не видите разве — посторонним вход сюда запрещен!

— Знаете, я не совсем посторонний. И вывеску я вижу. Просто теперь я ваш начальник . С сегодняшнего дня...

К вам подходят сотрудницы — одна, другая, они окружают вас, с любопытством, не таясь, разглядывают новенького, как бы прикидывая — сразу дать ему понять, кто здесь главный, или позже?.. Пытались, конечно, и не раз: каста подборщиков описаний патентов, женщин, работающих с архивом, в котором несколько миллионов документов, держит за горло начальство, — да и, правда, как без них? Все остановится. Не все твои предшественники такое выдерживали. Тебе — пришлось выдержать, но это все стало понятно потом.

А пока — «Ой, так это вы! Извините, пожалуйста! Извините! Нас предупредили, но мы же вас не знали...» — Теперь блондинка становится по-настоящему красивой, она доброжелательна и любезна — спустя некоторое время ты ей мягко намекнул: так бы надо и с клиентами... А еще спустя время вы подружились с Ниной, она стала верным союзником и немало помогла тебе в нередких поначалу разборках с новыми коллегами.

Говорят, Нина Шанто (такая фамилия досталась ей от бывшего мужа-венгра) скончалась совсем не старой... Царство ей небесное — славный был человек. И умница. Жаль.

Спустя всего год — ты и Каган, оба в «Патенте», возникшем только что из ваших служб. Это вы его «возникли». Каган теперь директор, ты — его первый «зам». По издательству — при твоем и при его назначениях на должности — проявилось активное, хотя все же чаще тайное недовольство кадровиков. Все же — Комитет по изобретениям при Совмине Союза. Теперь это ваше ведомство: Михайлов Олег Александрович, директор вашего института, сумел настоять — ему нужно было вытягивать провальные службы, а вы — умели и могли.

Однажды тебе случилось быть в его кабинете, когда начальник отдела кадров (он же — «ПВО» — противовоздушная оборона, если кто не помнит — обычное должностное совмещение тех лет), косясь на тебя, сидящего в углу, чуть поодаль от стола Михайлова, прошептал: «Но она — гречанка...». Разговор шел о приеме в Институт, кажется, новой машинистки. — «А как у нас с греками — план выполнен? Или пока — нет?» — с серьезным видом спросил кадровика Михайлов. «Олег Александрович, с греками у нас все в порядке», — заглянув в принесенную с собой папку, доложил тот директору. «Ну, тогда берите гречанку!» — улыбнулся Михайлов. Умница, он много лет прослужил в ЮНЕСКО в качестве заведующего библиотекой, и теперь, вернувшись в страну, получил это назначение.

Еще год, два... три... Теперь «Патент» — объединение, с самой-самой информационной техникой, с филиалами, с издательскими и исследовательскими службами, — прообраз вполне современного капиталистического предприятия. Тогда — в СССР! Свой бюджет, который надо обеспечить — любой ценой. Чаще всего ценой бессчетных часов, проводимых там вами ежедневно, а то и ежнощно. Но зато и свой транспорт — сначала полугрузовой микроавтобус, его ваши кураторы —любители грибной охоты, бывало, заимствовали на выходные дни, тогда вам довелось побывать, и не раз, в «Лесных далях», на правительственных дачах.

Впечатляло там все: и «закрытые» магазины — для своих, и кинозал, и охрана по периметру на подъезде за километр до дач. Летом там обосновывался Евгений Иванович Артемьев, зампред вашего ведомства, с женой Ларисой Григорьевной, теткой вздорной и требовательной, ее и сам Артемьев побаивался. Не то было на службе: «Половец, — поучал он тебя, когда ты заходил к нему с ходатайством за кого-то провинившегося, — учти: на работе лучше иметь твердый шанкр, чем мягкий характер!». И первым смеялся остроте. Хотя к самому нему относились сослуживцы и подчиненные неплохо, чему способствовало, кроме прочих достоинств, чувство юмора, которое у него присутствовало в полной мере.

А в «Лесных далях», спустя три десятилетия, ты оказался сам, в качестве отдыхающего, по купленной через обычное турагентство в Москве путевке. Да, нормально — но ничего особенного. Ну, не совсем — «ничего». Стандартные корпуса со стандартными же чистыми номерами, коридорными дежурными (с одной из них ты разговорился — архитектор, другой работы не находится, а жить надо: «Вот, устроилась как-то здесь»). Недорогая столовая с неплохим меню — да, закрытый бассейн — да, лес — да, действительно, хорош. Только до райских кущ сегодня не дотягивает... Да.

Появились в «Патенте» потом и легковые машины — для тебя с Каганом, водители в три смены, что при вашем графике совсем не было излишней роскошью.

Забавный эпизод: Суворовский бульвар, Дом журналиста. Час-другой после работы, когда удавалось, провел здесь с приятелями в пивном баре — глядишь, скоро ночь. Ты подходишь к телефону на столике вахтера у входа, набираешь номер дежурного: "Патент?" — пришлите Калошина на Суворовский». Так бывало не раз и не два. Вахтер, обычно всегда тот же, отставник-военный, но и наверняка на действительной службе в «органах», стал встречать тебя полупоклоном — «Патент?» — и протягивал телефонную трубку, не дожидаясь, когда ты ее возьмешь сам. «Патент» — значит, такой пароль, как же иначе! И значит, — свой, значит, коллеги...

А Коля Калошин, водивший в вечерние часы твой служебный «Москвичок-универсал», оказался одним из немногих, кто пришел через несколько лет тебя проводить в эмиграцию. Хотя и работал в правительственном гараже. Такое не забывается: «Спасибо тебе, Коля».

Когда-нибудь потом ты расскажешь: о том, как Каган, полагаясь на безусловную поддержку ваших кураторов и на свои личные надежные (так ему казалось) связи с руководителем Всесоюзной Торговой палаты, обладателем замечательной фамилии Питовранов, с его коллегами (известными своей службой *там*), затеял гонения на «недругов», между прочим, еще недавно им же самим на работу приглашенных... А к тому времени в «Патент», помимо издательских, входили «элитные» службы — отделы патентных исследований, лицензионный.

Вот из числа их сотрудников директором были «назначены» предполагаемые недруги. А это были бывшие дипработники, переводчики, патентоведы, и ведь кто-то из них наверняка был «вернувшимся с холода», т. е. вернулся в страну после выполнения специального задания. Вот тот же Лисицин, заместитель Кагана по патентной службе, отбывал у нас наказание, потеряв в горах Греции, будучи в состоянии подпития, свой диппаспорт. Он нам и сам рассказывал об этом при случае.

Лисицин оказался одним из «недругов» директора. Ведь тогда, и правда, многие считали, что «враги» те были самим Каганом придуманные. Зачем? — кто знает... Честно говоря, ты и сейчас так считаешь... Плохо все это кончилось — так плохо, что и вспоминать не хочется, и для вашего директора — в первую очередь.

Когда-нибудь ты все же расскажешь и о том, как Арвид Янович Пельше, председатель Комиссии партийного контроля — нечто вроде гестапо при ЦК КПСС, — кричал на вашего министра: «Что это вы, товарищ Максарев, устроили у стен Кремля синагогу!»... Был тому повод, ой — был.

Ведь, и правда, — в «Патент» поступали, невзирая на «5-ю графу». Твоими заботами, немало здесь оказалось и бывших сокурсников, и студентов-заочников Литинститута — вот и Жавронков был среди них. И как-то это вам удавалось!... Не в последнюю очередь с покровительства того же Максарева Юрия Евгеньевича, светлая ему память — порядочнейший был человек, так считали все, с кем ему приходилось общаться. Ну почти все — тот же Пельше так не считал.

Еще несколько слов о самом Кагане: после войны, от звонка до звонка в танковых частях, к его биографии прибавились два или три года заключения по «бумажному делу», громкому, посадившему не один десяток сотрудников Комитета по печати, вспоминать вслух об этом Каган избегал. А что там было на самом деле — теперь вряд ли кто вспомнит.

Руководителей служб «Патента» все равно потом разогнали, начиная, естественно, с директора. Ты не дожидался, когда дойдет до тебя очередь, ушел сам. Хотя, скорее, все же — из солидарности с

Каганом: в ведомстве, да и у своих сотрудников ты был на хорошем счету, могли и не тронуть. Ну и, естественно, следом за тобой — оставили службу коллеги, тобою сюда приглашенные.

— Что это вы все там натворили? Ну вот ты, почему уходишь? — Максарев все, конечно, понимал и, наверное, не ожидал услышать от тебя настолько прямого ответа (ты тогда пришел к нему с заявлением-просьбой об увольнении): «Не мы натворили, Юрий Евгеньевич — наши родители...» — «Ладно, иди...» — взяв ручку, черкнул на уголке заявления — «рассмотреть», подписался, ничего больше. Он поднялся из-стола и протянул тебе руку. И сразу отвернулся в сторону огромного окна, его стол стоял рядом, окно выходило к площади Дзержинского, таким ты Максарева и оставил, покинув его кабинет, — смотревшим куда-то в сторону бронзового Дзержинского. О чем он думал?..

А ты сейчас, стоя рядом со столом, вспоминал его ответ на просьбу позвонить в Шостку директору завода, производящего кинопленку, — так советовал тебе Романов, тогдашний министр кинематографии. (В Госкино ты ходил на прием к нему, конечно же, с письмом Максарева. «Надейся, надейся... — услышал тогда ты на прощанье от министра. — Великий Шекспир (он сделал ударение на первом слоге — Шéкспир) сказал: "Надежда — посох страждущего..." Романов выглядел совсем по-западному: безукоризненный костюм, предельно элегантен, доброжелателен, улыбчив... и для нас ничего не сделал.

— Не по чину все же вам, министру, звонить куда-то на завод...

— Брось, если для дела — я дворнику позвоню.

И звонил когда было нужно — министрам финансов, Средмаша (эвфемизм закрытого, суперсекретного Комитета по атомной энергии)... И только, когда раздавался звонок с маленького, стоящего в самом углу его кабинета, столика — там стояли кремлевские «вертушки», белая и красная, — он брал трубку двумя руками и осторожно подносил ее к уху.

Сколько бы времени ни длился разговор, он оставался стоять с телефоном в руках. Даже если звонил не первой руки инструктор из ЦК. Боялся Юрий Евгеньевич этих людей. Неспроста боялся: имел как-то он неосторожность, представляя некие новинки советской науки и техники на ВДНХ, возразить Хрущеву. И в том же месяце перестал быть председателем Комитета по науке и технике

Совмина. Ваш же Комитет был лишь *при* Совмине, что означало для Максарева существенное понижение. Так-то...

— Пошли, пошли, — заторопил тебя Сидельников, помощник Максарева, он, сопереживая (вы приятельствовали не первый год) зашел с тобой. Так ты и попрощался со службой, которой были отданы пять лет, может быть, самые яркие в состоявшейся к тому времени части твоей биографии. И не самые легкие.

* * *

Стрелки... оборот за оборотом, теперь их ход становится не быстрым, замедлен. Теперь — за ними высвечен год 74-й. Ты — руководишь издательским предприятием (комбината Минздрава Союза!). С твоим-то паспортом... Да, так уж снова случилось: издательский отдел института мединформации при твоем участии, какое там — участие, — твоими хлопотами становится независимым учреждением. То есть, конечно зависимым — сколько их, степеней зависимости, было у любой советской конторы, кто не знает! Но и все же: прямое подчинение ученому совету союзного министерства избавляет тебя от чудачеств, да мало ли от чего еще тогдашнего директора института, человека в общем не злого...

В какой-то из будних дней 74-го, оказавшегося критической точкой твоей биографии, круто направившего ее в новое русло, ты открываешь конверт с зарубежными штемпелями: содержание — приглашение в Германию, «демократическую» ее часть, конечно. Иначе — как же, как же, — дошло бы оно до тебя! Мало ли было в пути инстанций между отправителем и адресатом? Итак, симпозиум по информатике — прямое попадание, это тебе. Что ж, «демократическая» — тоже сойдет. Все равно — заграница, какая ни есть: привезти сыну чего-нибудь такого, вроде «жувательной» (так он выговаривает) резинки, белый шоколад, обувку из хорошей кожи, а раньше — что-то его маме, родителям, друзьям... Ты их ожидания никогда не обманываешь — как можно!

Ты еще не забыл свою первую поездку за рубеж — ту, самую первую, в 67-м. В средине пути, на границе СССР–Польша, меняют вагон-ресторан: к составу цепляют немецкий, здесь вы будете кормиться остаток пути — до самого Берлина. Здесь тебе приходит первое ощущение заграницы. Обеденное время — ты усаживаешься за столик, помня первую часть пути: официант подойдет в лучшем случае через полчаса — столики все заняты, вагон полон.

Спустя минут пять замечаешь: вон он — в конце коридора, с кружками пива. Кружки удивительным образом держатся в числе, явно превышающим количество пальцев на обеих руках этого парня. Может, их у него больше десяти? Да нет: ставит кружку перед тобой, убеждаешься — пальцев десять, как у всех. Обед из трех блюд занимает минут пятнадцать, включая пятиминутное ожидание официанта... Хотя никто и никого не торопит. То же — в Берлине, то же в Лейпциге (ты гость на ярмарке), то же в Потсдаме.

Не забыл ты и ту, другую поездку за рубеж, в Прагу. Между прочим, весной 68-го... Да, да — «Пражской весной».

Поначалу все складывалось замечательно: группа человек 25, народ преимущественно из твоего издательства и еще несколько из других, все члены профсоюза работников культуры, укомплектована, все комиссии пройдены, все наказы проф- и партруководства выслушаны: время непростое — Дубчек проявляет себя не вполне стойким коммунистом, поддается интригам ФРГ и Австрии, а через них, разумеется, действует мировой империализм. В общем, будьте, товарищи, бдительны!

Будем, конечно, будем! Чемоданы уже наполовину упакованы сухой колбасой и консервами: сэкономленная на еде валюта заполнит высвободившееся в них место шмотками и сувенирами, — было все как положено.

Было, пока радио не передало сообщение ТАСС: советские войска вступили в Чехословакию... Ладно, забыли — ну, не повезло. А ведь какие были условия — «научный туризм»! То есть половина расходов оплачена пофсоюзом. Жаль. Чемоданы распакованы, снова заняли свое место в шкафах и на полках. И вдруг — звонок из горкома профсоюза:

— Ну, вы собраны? Выезжать готовы?

— Что?!! Куда выезжать? Там же сейчас такое...

— Все в порядке — вот и поедете укреплять дружбу с братскими народами Чехословакии. Вопросы есть?

Вопрос ты задал на польско-чехославацкой границе «таманцам», то ли «кантемировцам» (сейчас уж не вспомнить, какая дивизия раскинула там свой бивуак), когда ваш автобус остановился с ними рядом и из него вышли путешественники, чтобы размять ноги и справить неотложные нужды.

— Как там, успокоилось? Стрелять перестали?

— Да езжайте, не бойтесь... правда, до вас там один наш автобус перевернули, но без туристов, пустой.

И вы поехали. Программа визита была существенно скорректирована: вместо десяти дней с посещениями коллег и с поездками в другие города — через три дня вас из Праги переместили на все оставшееся время в санаторий в Нижних Татрах. Только и осталось в памяти — русский язык жители Праги забыли все — начисто! Пришлось на почте и магазинах объясняться жестами — но и тогда не всегда понимали. И удивительная экскурсия — на русское кладбище, вел ее пожилой гид, скорее всего, из белых эмигрантов. Почему — кладбище? Вроде в планах этого не было. Но и зато в запущенном и неухоженном уголке ты вдруг заметил небольшой крест и надпись на нем: «Аверченко».

— Это он, тот самый — писатель Аверченко? — полюбопытствовал ты.

— Да, он, — коротко ответил гид.

— Так почему же могилка так запущена?

— Никто не ухаживает, некому...

И еще — надписи по-русски на парапетах Карлова моста: «Дубчек, мы с тобой, будь ты с нами». Или вот: «Иван, иди домой — твою Машку е...т». Видимо, они поначалу были выполнены черной краской, которая проглядывала местами из-под белой, ею по команде властей были замазаны надписи. Черные буквы обвели линия — в линию, отчего они не перестали читаться...

Эх, найти бы сейчас эти фотографии, ведь сохранял ты их в конвертах все эти годы. Может, еще найдутся.

Итак, ГДР? — прекрасно! Министерское начальство «за», местный профсоюз, местное партначальство, естественно, тоже — они же люди, и они не сомневаются: без сувениров никто не останется, традиция... Теперь последняя инстанция — парткомиссия райкома. Это всегда, кроме инструктора, заведующего «спецотделом» (т. е. уполномоченного ГБ), десяток пенсионеров из активистов, из военных отставников. Сидишь в приемной, с небольшими интервалами открываются обитые коричневым дерматином двери, в приемной людей остается все меньше и меньше. Вот выходит группка женщин, по всем признакам, повинциалок, они весело переговариваются: впереди Франция, конкурс поваров — не уроним честь страны! Не подведем! Конечно, не подведут.

Приглашают следующего, твоя очередь, можно входить, ты пропускаешь вперед сослуживца, он тоже должен ехать в ГДР. За эти дни он сбросил килограммов десять (что было ему совсем не во вред) — он почти уверен: не пропустят же! Кадровик из Минобороны, разжалованный Хрущевым полковник, отсидел свое в лагерях: дело было громкое — взятки. Да и как было их не брать, если предлагают, вот он и распределял выпускников академий — в испрошенном теми направлении. Нынешний выезд для него мог бы означать полную реабилитацию. Сейчас ты его успокаиваешь: «Не волнуйся, может пропустят...» — в чем сам не очень уверен. Сопереживаешь, разумеется, но и любопытно — по его поводу. (Тебе-то что? — все бумаги в порядке, трижды уже выезжал.) Минут через десять коллега выходит, сияет — пропустили!

— Ладно, иди, — на ходу бросаешь ему, — вечером обмоем.

Все, что происходит дальше, похоже на фантасмагорию. Из-за стола тебя приветствуют улыбками, приглашают подойти ближе. Два-три стандартных вопроса — политическое положение, лидеры ГДР, ну и тому подобное. Папка с твоими бумагами преходит из рук в руки, их наскоро пролистывают... Кто-то из сидящих за столом задерживает на ней взгляд, шепчет что-то соседу, передает ему папку, тот — дальше, по кругу. Ты догадываешься — анкета! Неужели?

— Слушайте, — раздается из-за стола, — а зачем вы, собственно, туда едете?

— Здесь же все в бумагах сказано! Приказ по Минздраву, вот рекомендации. Служба!.. — пытаешься ты что-то добавить. Тебя уже не слушают:

— Что-то вы разъездились, дорогой товарищ, — вот в Польше были, даже два раза, в Чехословакии, да и в ГДР уже бывали! Многовато — так ведь вы, наверное, еще и нашу страну не всю знаете, а вы вон куда!... Мне кажется, товарищи, мы должны воздержаться, какое будет мнение? Воздерживаемся? — единогласно... Вы свободны, — это уже к тебе.

Если бы только этот партийный хмырь знал, насколько пророческими скоро становятся его слова! Свободен! Прямо сейчас, прямо за дверьми комиссии, ты понимаешь: «Свободен. Уезжаю, все!». Увольняюсь. Риск? Да, немалый — это помнят отказники тех лет.

Потом — все по заведенному: просьба об освобождении со сылками на здоровье, залежавшуюся кандидатскую, ревизия...

Новый поворот стрелок, они постоянно меняют направление: вперед-назад, вперед-назад...

Отступление: лучше бы его не было. В 1976-м, когда ты уезжал из страны, Каган, конспирируясь всеми возможными способами, тайком, опасно же быть в связи с «отъезжантом»! — а он, по протекции, друзей снова занимал «ответственную» должность, — просил тебя прислать и ему «вызов». То есть приглашение — из Израиля. Такие «приглашения» тогда лепились в Израиле сотнями, тысячами, липовые, в основном, от никому неведомых «родственников». И ведь все знали, что это — «липа»! Например, ты, подавая в ОВИР прошение о выездной визе, сообщил, что тебя ждет-не дождется и мечтает как можно скорее заключить в объятья в Иерусалиме родная по двоюродной бабушке тетя-израильтянка. Потом, правда, оказалось, что имя приглашающего — мужское. Значит, это был «дядя». Да...

1978-й. Вот ты уже встречаешь в Лос-Анджелесе Кагана, перебирающегося сюда из Нью-Йорка. С ним жена Таисия Ивановна, Тася, и их любимица, вредная злая пожилая болонка Буся. Одна съемная квартира, другая... за главного грузчика, естественно, ты. Здесь вы еще успели что-то сделать вместе — выпустили книгу Халифа «ЦДЛ», например, тайно привезенную автором в эмиграцию.

Набирала книгу Тася на примитивной наборной машинке, привезенной Каганом из Нью-Йорка — ты прислал ему туда на нее несколько сот долларов, выкроенных из зарплаты. Помнится, не очень большой, даже, скорее, просто маленькой. После этого «ЦДЛ» издавали в России, дважды, кажется. Годами позже, обнаружив книгу на прилавке магазина, ты позвонил Халифу прямо из Москвы — да знает ли он об этом? Оказалось, знает, и даже какой-то гонорар за нее получил. Ну и слава Богу.

А тогда, спустя некоторое время по приезде, Каган написал несколько текстов для «Панорамы», иные были удачны, потом — перестало у него получаться. И вы разошлись. Ну, ни «как в море корабли», а так... ему показалось, что он и сам может «делать» русскую газету. Сделал — один или два номера, в чем ему помогли твои же приятели, тоже недавние эмигранты, сумевшие к тому времени обзавестись небольшим печатным станком.

В эмигрантском мирке, где читателей пока совсем мало, еще одна газета — не что иное, как прямая конкуренция твоей, а ведь ради нее ты оставил службу, где тебе уже неплохо платили... И кроме расходов в твоем нынешнем бюджете нет ничего. А Каган — ведь это ты помог ему здесь выхлопотать госпособия, медицину — тоже бесплатную, на него и на жену. Вот ведь как... Грустно тебе это вспоминать сегодня, не надо бы, да и нет теперь Кагана. Но и не забывается.

Светлая ему память...

От выпущенного халифовского тиража у тебя чудом уцелел единственный экземпляр — остальные как-то разошлись, большую часть книг ты передал тогда же самому автору. Правда, богатым он от того пока не стал — ни тогда, ни сейчас. Что жаль...

Глава 5
В ДОРОГУ...

Раз уж вспомнилось, это... Ты — советский безработный, согласившийся оставить родное издательство «по собственному желанию» в обмен на требуемую ОВИРом дурацкую справку-характеристику. Ее тебе долго не дают: еще и потому, что никто пока не знает, что в ней писать. Раз хочет уехать — значит, плохой, верно? А как резюмировать плохую характеристику — «не достоин выезда в Израиль», что ли? А был бы «хороший» — значит, достоин? Достоин чего — покинуть социалистическую родину? Этим вопросом ты когда-то озвучил текст, посвященный юбилею твоего старинного приятеля — литератора Бориса Камянова. Вот выдержки оттуда, в них не только о нем.

А Камянов давно живет в Израиле.

* * *

Стрелки останавливаются: год 1976-й. Камянов еще работает — да и кто его погонит из похоронной комиссии Литфонда? Не та должность. Это ты — советский безработный...

В те годы у кадровиков и начальников, переставших понимать, что происходит, — голова шла кругом: не в отпуск, не в командировку уезжали люди — без должного инструктажа в партийных и смежных с ними органах, советские граждане переставали вдруг ими быть. И живыми, вместе со всеми домочадцами, пересекали государственную границу СССР, направляясь в стан злейшего врага. Уезжают навсегда!

Не все, конечно, уезжали: нередко до последних дней люди не знали, куда готовиться. На Запад? На Восток? Последнее подразумевало «места не столь отдаленные», достаточно надежно охраняемые: а там и недавнее место жительства начинало казаться Западом — будь то Тула, Москва или Серпухов...

Вот и вы с Камяновым ждали уже который месяц, не получая ни разрешения на выезд, ни отказа. Что резонно расценивалось в кругах «подаванцев» (был и такой термин) как форма отказа. Отказа, определяемого некими высшими, неведомыми соображениями начальственных инстанций, применительно к каким-то конкретным персонам. Это при том, что к 76-му году вдруг дела большинства подавших на выезд стали решаться необыкновенно быстро, порой за месяц-полтора.

А вы часами дискутируете по телефону — пора ли выходить на демонстрацию к ОВИРу, звонить ли американским дипломатам, или попробовать все же писать жалобы в высшие советские инстанции.

Дискутируете, зная, что телефоны ваши не первый день на прослушивании, и что у парадного постоянно топчутся одинаково одетые фигуры со стертыми лицами и быстрыми глазами. Твой сын и сегодня, спустя три десятилетия, помнит их, помнит, как, выходя на балкон, вы наблюдали за их перемещениями вдоль фасада вашего дома.

Они и не скрывались: это было похоже на предупреждение — может передумаете? Наверное, предупреждением и было...

Ваши роли распределены заранее: Боря — экстремист, он кричит в трубку: «Все, я больше не жду, готовлю плакат и иду к посольству!» Ты успокаиваешь его: **«К какому посольству? Заберут сразу же!..»**

«Погоди, погоди, — говоришь ты, — сейчас начинается съезд, надо обратиться в его президиум, ведь СССР подписал Хельсинское соглашение, определяющее свободу выезда и въезда в страну, стало быть, нарушение этого соглашения».

Вы спорите неделю, месяц...

Глядишь, и тогдашний приятель твой, актер, решившийся на отъезд много позже вас, уже готовит прощальную вечеринку... Еще месяца не прошло, как он забрал свои анкеты, напечатанные у тебя дома на твоей машинке...

На прощальную вечеринку к актеру ты приходишь с открыткой из ОВИРа: тебе разрешили выезд в Израиль, правда, срок разрешения... истек на прошлой неделе — до того, как ты получил эту открытку. Ты все же уехал — пусть не сразу: «Эльзу Кох московского ОВИРа», тогдашнюю стерву, гармонично сочетавшую со своей должностью фамилию Израилова, не только ты запомнил надолго.

Наверное, и она вас...

А Камянов еще ждал, ждал не один месяц. Уехал и он.
Сейчас, тридцать лет спустя, ты листаешь какой-то по счету, может и десятый, выпущенный им в Израиле сборник: четыре предыдущих давно заняли место у тебя на полках рядом с другими томиками, дареными авторами. Ты достаешь их и снова перелистыва-

ешь страницы, узнавая стихи, которые Камянов, оторвавшись вдруг от общей беседы, записывал на кухоньках у кого-то из ваших общих друзей, и которые он почти сразу читал вам, меньше всего ожидая, что когда-нибудь станет возможным их напечатание. Разве что — вне России, «тамиздатом»...

Уехал ты не сразу — что означает это? А вот что: цепочка длиною шесть лет — одна работа, другая, третья... И ведь не такие плохие: вот, сразу после «Патента», — пока сохраняются твои «допуски» (тебе, замдиректору издательства, они полагались почти автоматом, проверки на благонадежность и прочее всегда предшествуют перемещению по службе — да и как иначе), — крохотная, где-то в районе Павелецкой, одна комната с крохотной же антресолью и уборной, мастерская художника Добровольского, но (!) при Комитете по атомной энергии! Здесь он рисует атомные подлодки в разрезе — слой за слоем, потом их печатают на прозрачной слюде.

Кому они, эти картинки, были нужны, кто знает, да ты и не задавался вопросами. Ты же стал его помощником — чем-то вроде выпускающего, делать тебе там было совершенно нечего, да к тому же и не оставляла мысль: мотнуть бы отсюда. В смысле — из страны. А тут — «допуск», с ним надо завязывать, терять его, и чем скорее — тем лучше...

Подвернулась вскоре совсем замечательная работа — в ОСВОДе, что означало «Всероссийское добровольное общество спасания на водах». Отдел пропаганды — зампред общества, славный мужик с грузинской фамилией Матарадзе, подозреваю, не родной (не был похож он на грузина), — мечтает о своем издательстве. Издательство? — да пожалуйста!

С твоими-то связями, сохранившимися со времен «Патента», — с Комитетом по труду (фонд зарплаты!), и с Минфином (бюджет! — «сальдо-бульдо»), и с Комитетом по науке (чтобы не был «против»), и с Комитетом по печати (чтобы был «за»). И вот уже Отдел пропаганды, где ты — начальник, становится Управлением пропаганды, Николай Королев — замечательный спортсмен, многократный чемпион по боксу — твой «зам» (теперь он — какой бокс?! — жестокий радикулит, полученный в партизанщине, в белорусских болотах, начальник какого-то плавательного бассейна). Управление пропаганды ОСВОДа становится издательством «Дельфин» — ни больше и ни меньше! Может, оно и теперь существует. А может — и нет...

И все — за полгода! Пора бежать и отсюда — никого не обманул, миссия выполнена. Королев надписывает тебе на прощание свою книжонку «Тугие канаты ринга»: «Дорогому Саше Половцу, коллеге». Не больше и не меньше — коллеге! Не верите — можно предъявить, она с тобой.

А ты — по наводке того же Кагана — оказываешься на его месте, в Институте медицинской информации Минздрава Союза — немного об этом было выше. И здесь все повторяется: издательский отдел откалывается от Института, превращается в издательство, о чем ты мог бы, наверное, рассказать подробнее, но ведь это тоже не один десяток страниц.

И снова — списывается с баланса как израсходованная на цели медицинской информации не одна пачка фотобумаги, они становятся страницами авторхановской «Технологии власти», воспоминаний вдовы Мандельштама, чалидзевской «Хроники текущих событий», ну и так далее...

У Миши Полоцка на руках паспорт израильского гражданина, — а его который год не выпускают. Но и не забирают — о нем знают на Западе, явного вреда режиму он не приносит: просто хочет уехать. Виталик Раевский, он живет в том же доме, на Каляевской, и тоже «уже "израильтянин", — они с Мишей щедро раздают могендовиды, маленькие серебряные штуковины на тонких цепочках, скатанные в тугие комочки — их потом вы иголочками распутываете.

...Только и всего, вот пока их и не трогают. А потом — вдруг обоих выпускают.

Ну, дела! — значит, все же можно пробовать, «приглашение» уже у тебя на руках, оно, согласно требованиям ОВИРа, пришло по почте, в конверте, который следует предъявить при подаче «просьбы на выездную визу», и конечено, о нем знают, «где надо». Пора увольняться — тихо, без шума, запросив ревизию — чтобы все хозяйство было проверено и чтобы на руках были акты — гласящие, что в издательстве все в порядке.

Неделю-другую выпрошенные тобой в Минздраве ревизоры проводят в домике на Мосфильмовской, недавно добытом тобой, — здесь теперь издательство. Твой заместитель — Семен Слёта, полковник-отставник, бывший кадровик штаба ГРУ, славный мужик, крепко и постоянно пьющий, при тебе он как комиссар, оттого вас пока не очень теребит начальство, помогает ревизорам делом и словом, — вскоре акты готовы.

Но. Заболевает отец. Плохо заболевает. Как выяснилось — безнадежно. Но это выяснилось потом — после операции, которую проводили блестящие, может быть, даже лучшие по тому времени хирурги. Словом, ты еще на год здесь задерживаешься: мотаешься по стране, заручившись письмами замминистра, Венедиктова «Дим Димыча» — он высший куратор издательства, после ученого совета Минздрава, к нему ты пока вхож. Какие-то полузакрытые исследовательские лаборатории, фанатики врачи-одиночки, точно знающие, что они открыли вакцину, ту самую!.. Знахари, и снова институты-лаборатории. Все напрасно.

Последние дни отца ты проводишь с ним рядом, в больнице, в палате-одиночке, соседней с его палатой, тоже одиночной. Многое мог Минздрав. А спасти отца не смог.

Вот тогда ты сказал начальству: «Устал, ухожу... буду писать диссертацию». «Какую диссертацию — ты с ума сошел! Пиши себе, кто тебе мешает?».

Ушел, однако.

* * *

И вот он — последний трамплин, Всероссийское добровольное общество автомотолюбителей! Оказывается, и здесь хотят свое издательство. И все повторяется. Только концовка куда занимательнее: «Уезжаю», — говоришь ты начальнику отдела (теперь почти — «издательства»). «Надолго?» — спрашивает он. «Да насовсем...» — он все еще не понимает. А когда понимает — тебе, глядя на изменившееся лицо начальника, становится его жаль. Потому что легко представить себя на его месте.

А потом, потом...

Да ничего особенного. Конечно же, ты знал: терзать будут, а как иначе? — Центральный, что там «центральный» — самый центральный район Москвы: здесь же прописан ЦК партии и другие органы верховной власти страны — и вот такое ЧП! Год-то шел 75-й, «разгар застоя» — это сейчас так шутят. Наверное, все же они обладали каким-то сверхчутьем: если не зажать сейчас, сразу, — потом будет поздно. Поздно стало через полтора десятка лет. А тогда...

Ну, сказал ты: «Если будете на собраниях "подвергать", — да не приду ни на одно! Делайте — что хотите. Терять мне нечего».

— Да нет, мы так, для формы, — доверительно шепнул в коридоре Новик, отставной полковник, это он был твой прямой начальник и, пожалуй, самая светлая личность из всех тамошних кадров.

— Ладно, — согласился ты, — раз без этого никак.

— А как иначе — ведь тебя надо исключать общим собранием.

— Так ведь я сам исключился!

— Нет, так не бывает, надо, чтоб коллектив тебя...

Новик и, правда, хотел сдержать обещание, — куда там! Не смог он совладать с праведным гневом отставных майоров-полковников:

— Да судить его надо, изменника родины!..

— Исключить его из профсоюза!..

И так далее. Вот ты и поднялся со стула, где предусмотрительно пристроился, в самом последнем ряду, дверь прямо за спиной.

— Не имеете права... — только и сказал ты, захлопывая за собой ее.

Новик догнал тебя у самого выхода на улицу:

— Ладно, ладно, мы уже договорились, все будет спокойно: в протоколы занесут, что следует. Зайди ровно на минуту, не больше, без тебя, заочно, никак нельзя...

Вернувшись в зал, ты только и сказал:

— Зря ругаетесь — меня в Израиле ждет тетя, ну никак она без меня не может. А то бы — я никогда... — развел руками и, кажется, улыбнулся.

— Да он еще и издевается над собранием! — кто-то рядом буркнул вполголоса. Но — вполголоса.

Потом была недолгая торговля: «Вы мне — справку в ОВИР, я вам — заявление об уходе по собственному желанию». Карта, казалось тебе, была козырная — до тебя вроде прецедентов не было: чтобы самоисключались, чтобы самоувольнялись... Всю последующую неделю ты курсировал между районным ОВИРом, куда отнес заявление с просьбой о выездной визе, и начальством автомотолюбителей: не хотели, ну никак не хотели они дать тебе требуемую характеристику.

Ты просил — любую! Самую плохую — мол, плохой работник, прохиндей, прогульщик, — да пишите что хотите! Не давали...

— Они обязаны дать, иначе заявление рассматриваться не может, — объяснял овировский капитан.

— Так скажите им это! — потом ты, сидя напротив Новика, от которого в большой степени зависела скорость получения нужной бумаги, слушал его диалог с ОВИРом: ему оттуда объясняли, что характеристику выдать тебе просто обязаны, и подтвердили, любую — но с тремя подписями.

— ...Они же детей наших с собой увозят! — уже слабо, скорее для проформы, пытался возражать Новик.

— Ваших?! — тут ты не сдержался, — своих! Своих! — завопил ты в лицо оторопевшему Новику, едва он положил трубку.

* * *

Оставался еще военкомат — следовало сняться с военного учета, сдать военный билет и получить соответствующую справку.

— Хорошо, хорошо, — убеждал тебя толстый пожилой майор, вытирая со лба пот бумажной салфеткой, — давай сначала на сборы, переподготовишься с другими запасниками, всего две недели, да и сдашь билет.

Ты не сразу врубился, что майор говорил это серьезно.

— Вы что, не понимаете, что я в Израиль уезжаю?! И мы будем «вражеские стороны»! Для кого вы будете меня переподготавливать? Для израильской армии?

В общем, сдал ты ему билет, получил справку в соседней комнате, а выйдя оттуда, заметил в коридоре толстого майора: кажется, здесь он тебя поджидал. Пристроившись рядом, пока ты шел по длинному коридору, он, не поворачивая к тебе головы, как-то в сторону, спросил: «А что, там правда хорошо? Лучше чем здесь?» Эх, майор, майор — сейчас бы ты ему многое рассказал бы, а тогда...

А тогда, опасаясь подвоха, да мало ли чего можно было ожидать в этих стенах, только и сказал:

— Разное говорят. Приеду — увижу сам...

Глава 6
ТАМОЖНИ ГРАНИЦЫ...

Москва, Шереметьево-2, год 2001-й.
Клянусь, этот диалог не придуман:

— Что в чемодане?

— Книги.

— Столько?!

— Да, весь с книгами. Будете проверять? Открыть?

— Не надо — платите за перевес, у вас лишних 20 килограммов. Видите? — действительно, стрелка весов угрожающе склонилась вправо. Весы работают...

— То есть как лишних? Они не «лишние»! Это — подарок!

— Да вот так: подарок или нет — не имеет значения. Оплатите пошлину!

— Но эти книги мы дарим российскому фонду культуры! Дар это, понимаете?

— Ну и что? Дары тоже облагаются налогом.

— Слушайте, а еще я везу в дар деньги — видите, указано в декларации, — это собрано в Штатах, между прочим, людьми не всегда состоятельными, чтобы передать здесь, в России, на самые неотложные нужды культурному фонду Булата Окуджавы. Это же благотворительность!

— Ну и что? Вам говорят — платите!

— Но почему?

— Таможне тоже надо жить.

— Так... Теперь понимаю. Будет квитанция? Или так?

Только что такое милое личико моей собеседницы каменеет, оно больше не кажется мне привлекательным.

Любопытно все же, что она ответит? Молчание...

Успокаиваюсь — с чем тут спорить? Таможне нужно жить? Наверное, да.

Рассматриваю лоскуток желтоватой бумаги: между слепых строчек с прочерками ярко видна размашисто вписанная шариковой авторучкой цифра: 100 долларов. И подпись, невнятная закорючка. Прохожу несколько метров до окошка, из которого дама кассир, куда-то смотрит мимо меня. Годы явно не пощадили ее, неумело наложенная косметика только подчеркивает возраст. Мне почему-то становится жалко ее. И ту, на выходе возле весов, ждущую меня у чемоданов, — тоже жаль. Вынимаю стодолларовую купюру.

Получаю печать на заветную бумажку. Пошлина — оплачена!

Но почему именно столько обозначено в квитанции — не 98 и не 101 доллар? Будто я, упаковывая чемодан, знал расценки услуг российской таможни и рассчитал точное количество книг и их вес, чтобы не затруднить ее сотрудников поиском сдачи.

— А ведь, — соображаю я, — не стоило мне заносить в декларацию те несколько тысяч долларов, что я везу с собой, не собираюсь же я вывозить деньги обратно! Так чего же было их декларировать? И шел бы я через «зеленый» коридор, там теперь редко кого надолго останавливают и редко чью поклажу ставят на весы. Словом, не спас я эту сотню.

Вспомнить бы мне тогда свой предыдущий приезд сюда — года за три до нынешнего, когда груз мой состоял из 20 или даже большего числа коробок с «Панорамой» и экспонатами нашего стенда, уже построенного в зале готовящейся газетной конференции... Для участия в ней и нас пригласили.

О собрании этом — отдельный разговор и в другой раз... Хотя, почему в другой? Сейчас это как раз кстати.

Итак...

Москва, Шереметьево-2, год 98-й.

«Панораме» предстоит участвовать в работе 1-го Международного конгресса русской прессы в Москве. Конгресс инициирован агентством новостей ИТАР-ТАСС. В общем, дожили: мы, журналисты, редакторы, издатели русских газет в зарубежье, недавние «отщепенцы», приглашаемся за счет организаторов конгресса и селимся в одной из лучших гостиниц страны — «Международной». Но все это, так сказать, антураж.

А главное — как было не принять такое предложение: это же шанс для нашей, совместной с российскими изданиями, ну хотя бы попытки изобрести средства, которые закроют кормушку так называемым газетным «пиратам».

Новоявленные, большей частью кустарные газетки, продюсеры телепередач на русском языке, беззастенчиво крадут тексты для заполнения пространства между рекламными объявлениями на печатных полосах и в эфире. Кажется, все они должны были бы серьезно досаждать обкрадываемым изданиям и телеканалам, и прежде всего — российским. И, конечно, досаждают: были даже попытки судиться с ними.

Да нет — цель конгресса обозначилась в первый же день его работы иной. Даже совсем иной: для всеобщей координации следует неотложно сформировать главный орган. А, в общем-то, он уже существует, разумеется, он в Москве, и уже генерирует некое «информационное пространство», из которого остается черпать содержание всем русским (включая и зарубежные) периодическим изданиям для своих публикаций — ну совсем, как из «ноосферы» Вернадского экстрасенсы черпают свои прозрения. Причем безо всяких затрат.

Я поблагодарил организаторов и учредителей 1-го конгресса (кажется, их уже прошло три с той поры — работает же идея!) за гостеприимство, а оно действительно было беспредельным и простиралось от бесплатных ресторанных, там же, в гостинице, обедов и до заключительных заседаний... в Сочи.

Со второго дня работы конгресса я в зале не появлялся.

* * *

Так вот. Тогда эти коробки (со свежим тиражом газеты, с изданными нами книгами, с листовкой, с микрофильмами) пошли отдельным конвейером туда, где ожидавшие меня в предвидении серьезной работы таможенники сообщили мне: «Итак, начнем взвешивать!».

— Пожалуйста. Взвешивайте.

— А вы встаньте рядом и убедитесь, какой у вас серьезный перевес. Вам придется очень-очень много платить за такой груз!

— Простите, а что, существуют какие-то нормы? И при чем здесь таможня? Разве это не работа авиакомпании — за перевозку груза ей все уплачено. И ведь я привез это в страну — не вывожу же! Здесь я слово в слово, но, как принято сейчас говорить, с точностью «до наоборот», повторил сказанное мной за 20 с лишним лет до того и по другому поводу.

А тогда было...

Москва, грузовая железнодорожная таможня, год 1976-й. Тогда, в складском помещении, где-то за Ярославским, кажется, вокзалом, я перед столом таможенника открывал коробки со своим грузом, отправляемым в место нашего предполагаемого поселения, т. е. в Израиль, куда формально мы все в те годы уезжали. Это только в редчайших случаях самые отважные и уже имевшие родственников в Штатах покупали билеты не в Вену, как мы все, — где должна была решаться судьба «отъезжантов» (куда едем дальше?..) — кто-то осуждая, но больше с завистью, открытой или скрытой, так нас тогда называли. «Отъезжанты». А были еще «ожиданты» — резерв для пополнения «отказников». Вот такое у нас было остроумие...

Хотя все и все понимали, мне даже при оформлении багажа предложил кто-то из служащих на таможне — вы уже скажите, чтобы слали его прямо в Штаты. Еще чего! Провокация — это и ежу понятно, это они, чтобы отменить «на законном основании» визу: мол, обманываете советскую власть! Как же, как же, так им и скажут...

Мой груз — это книги. Только книги. Да еще — в свободное пространство в одну из коробок я сумел впихнуть складной журнальный столик с полированной крышкой, приобретенный мной в «Детском мире» за несколько рублей, чтобы до отъезда дома оставалась хоть какая-то мебель — все остальное было раздарено друзьям, и мы с сыном уже несколько недель жили в пустой квартире, кровати мы отдали последними.

Зачем я прихватил этот столик с собой — сам Бог не ведает, думаю. Но рассказ-то мой сейчас не об этом. А вот о чем.

В одну из книг задолго до того был мной заложен невесть каким путем оказавшийся у меня старый, с выдранными страницами, выпуск американского «Плейбоя» — чтобы малолетнему сыну не попался на глаза. Заложил я его и надолго забыл о нем. Молодой таможенник, пролистывая «на веер» альбомы с фотографиями, отложил их в сторону, двумя пальцами вытащил из солидного формата русско-английского словаря — кто же тогда без него уезжал! — обложку журнала с сохранившимися в ней несколькими страницами и, наконец, подняв голову, посмотрел мне в лицо — до этого он тщательно разбирал содержимое коробки. Как это он в коробке, туго набитой книгами, углядел именно эту?

— А это что? — слышу я: озабоченно и строго, несколько подобное состояние мог изобразить, этот парнишка с погонами таможенника. Он продолжает листать, совсем неторопливо, странички, заметил я через его плечо, в общем-то, довольно невинные. Натура, ничего такого...

— Ну и что, — я наивно смотрю ему в глаза, — журнал-то американский.

— Вот я и говорю, американский, и еще какой — вы что, не знаете, что провоз таких журналов через границу запрещен!

— Обождите, обождите! Я ведь вывожу это. Можно сказать, избавляю страну от растлевающей и отвлекающей строителей светлого будущего пропаганды, не так ли? — а про себя думаю, что же я такое несу!

Таможенник, внимательно на меня взглянув, как бы оценивая, чего еще можно от меня ждать, выдвинул ящик своего стола и коротким движением, забросив в него останки злополучного журнала, быстро произнес:

— Конфисковано!

Я, уже не сдерживая улыбки, протянул ему свой английский «ронсон», самую модную по тем временам зажигалку. Зажигалка немедленно отправилась следом за журналом. Внимание таможенника после этого эпизода настолько притупилось, что возвращал он в коробку альбом со старыми фотографиями — чуть ли не с дагерротипами, снятыми в начале прошедшего века, а то и раньше, намеренно собранными мной в один толстый потрепанный альбом, — почти не глядя. А там между портретами бородатых дедов в ермолках и чинно сидящих рядом с ними дам в чепцах и детишек в матросских костюмчиках — там, между всеми этими реликтами покоился фотопортрет Федора Ивановича Шаляпина с его собственноручной надписью, адресованной в 1913-м году моей воспитательнице Анне Семеновне. Об этом эпизоде я вспоминал в одном из рассказов, названном в память об этой замечательной женщине ее именем.

Портрет и сейчас со мной.

Возвращаясь же, после этого отступления, *в год 98-й, Москва, Шереметьево, таможня*.

— И вообще — это привезено по приглашению ваших властей! Я же — груз просто сопровождаю.

Здесь мне пришлось несколько слукавить: последующую неделю я от нашего стенда почти не отходил. Еще бы — возле него постоянно толпились газетчики — журналисты, издатели и не только: за минуты до открытия выставки пожаловал, — вскоре стало понятно, почему, — тогдашний российский премьер Степашин в сопровождении причастного в то время к верховной власти царедворца Волошина.

— Не знаем, не знаем... — таможенники неторопливо похаживали вдоль замершей как бы под тяжестью моих ящиков конвейерной ленты.

— Ну, так и узнайте у вашего начальства, — нагло заявляю. — И вообще можете все это оставить у себя.

Аргумент подействовал: поняли они, что не по коммерческим делам этот гость здесь, и многое с него не слупишь...

— Узнаем, узнаем... — На лице таможенника до того выражавшем нарочитую деловитость, обозначилось разочарование ходом событий. Да и мне, утомленному долгим перелетом, торчать возле наших коробок еще неопределенное время совсем не хотелось.

— Ладно, давайте я вам заплачу — сотни хватит?

В 98-м году, когда этот диалог имел место, предложенная сотня составляла, думаю, двухнедельное жалование моего собеседника. А то и больше. О, если бы я умел запечатлеть борьбу чувств, обуревающих парня, облаченного в серо-мышиную форму таможенника! А оставались-то мы с ним вдвоем возле замершей конвейерной ленты — мои ящики были выгружены последними. И наверное, не случайно — для серьезного разговора и чтоб поменьше посторонних.

Прошел еще час, я провел его невдалеке, дочитывая свежие российские газеты, прихваченные с рейса. Наконец прибыли гонцы от руководства таможни, получившего к тому времени соответствующие разъяснения от организаторов конференции... Авторитетны все же власти на нашей родине.

* * *

Скорее, казусные, нежели критически важные обстоятельства остаются в памяти, разве что для рассказов в порядке обмена личным опытом. Ну, у кого-то не пропустили бабушкину вазу, хотя цена ей никакая, но память ведь! У кого-то разворотили тумбочку в поисках сокровищ.

У мамы моей, она выезжала годом позже, так сложилось, — по зачем-то отправленному ею сюда письменному столу, прошлись топором по полированной столешнице, да так, что потом я из принципа, замазав чем-то глубокий шрам, хранил этот стол как иллюстрацию к дням окаянным... Проверяли, наверное, не двойная ли крышка. А скорее, со зла — не все же нам завидовали втихую.

Москва, Шереметьево-2, граница. 1976-й год.
Таможня таможней. С ней вроде бы все ясно. Граница же — иное. Настоящая граница, она — не стеклянная, забеленная матовой краской переборка, за которой мы переставали быть подсоветскими гражданами и оказаться за которой мы должны вот-вот. Та переборка просто стала физическим барьером, отделив одну нашу жизнь от другой. Настоящая граница — физически не осязаема, она продолжается в каждом из нас. Так мы теперь и живем.

Итак, Шереметьево-2. Редко кому из стоящих сейчас в нашей очереди доводилось бывать здесь раньше: аэропорт — международный. Удивительно звучит по радио: пассажиров, отбывающих рейсом номер такой-то в Манилу... отбывающих в Женеву... в Иоганнесбург... просят пройти на посадку.

Ждем... Ждем, когда скажут нам — Вена... Мы здесь с 6 утра, хотя наш рейс — где-то после полудня. Мы предупреждены: будет подробный досмотр ручной клади. При нас небольшие чемоданчики, баулы — у кого что — по одному на пассажира. На будущего пассажира. Пока мы здесь, пока мы ждем объявления, разрешающего следующий шаг к границе, — мы еще не пассажиры. Это — у каждого здесь в мыслях. Власть — коварна. Ждем, ждем. И даже потом, заняв место в самолете, мы ждем, что вот кто-то войдет в салон и назовет чью-то фамилию: пройдите, пожалуйста, к выходу. С вещами. И ведь бывало такое...

А сейчас я стою в небольшом, отгороженном плотной занавесью пространстве в комнате, кажется, последней из анфилады ведущих к выходу, к последней двери, это за ней — ступени, короткая, и показно неторопливая прогулка к трапу самолета (а ведь как хотелось пробежать эти последние метры!).

Здесь таких закутков, заметил я, несколько. Это уже личный досмотр. «Пожалуйста, снимите плащ. Пиджак. Ботинки». Жду, сейчас услышу — брюки... Нет — только предложили вывернуть карманы и сложить все на небольшой тумбочке, она здесь же. Покажите бумажник. В пиджаке и плаще на моих глазах прощупывают каждый шов.

Да нет же у меня с собой ничего такого, спокоен я, — все, что следовало передать, — ушло через австрийское посольство. Но там не взяли пачку писем: из ссылки врач Штерн пишет своим сыновьям, письмо отца Винса, баптистского пастора — тоже из ссылки. Я выхожу из закутка. Со мной — ничего недозволенного... Рядом стоит сын, неуверенно на меня поглядывает — все письма у него в наружном кармане плащевой куртки с небольшим цигейковым воротничком: начало апреля, еще прохладно. В другом, тоже наружном — небольшая иконка, новодел, копейки ей цена, но очень, очень просили меня взять ее друзья, готовившиеся к отъезду, разрешения еще не имевшие. «Выпустят нас — там отдашь».

Отберут на границе — и, правда, Бог с ней. А письма — ну, скажу, случайно остались в кармане. Ничего вроде в них такого нет — быт, просьбы. Хотя, кто знает... На сына никто не обращает внимания.

После дополнительной проверки виз и еще каких-то бумаг и, конечно, наличной валюты, — по 100 долларов на человека, взамен оставленных квартир, нажитого добра за многие годы, за счет утраты друзей, близких. Утраты, — мы знали, — навсегда.

Теперь нам предложено пройти к самолету

Вот тогда отложился он в нас — главный рубеж, отделивший нас от нас же — но уже других.

Вы, прошедшие тем же путем, конечно, замечаете этот рубеж — при встречах даже с самыми близкими, оставшимися в Москве... в Киеве... в Минске...

Я замечаю.

Часть третья
...СО ВСЕМИ ОСТАНОВКАМИ...

Глава 1
РИМ — ОТКРЫТЫЙ ГОРОД

Мадам Бетина и ее клиенты. Наверное, это «мадам» не случайно прилипло к ее имени — Бетина. Дом в Вене, куда селили беженцев, вполне возможно вмещал не один десяток кабинетов. Там благонамеренный бюргер, или чиновник магистрата, исправно по утрам являющийся на службу в отутюженном костюме и идеально начищенной паре недешевой обуви, или бакалейщик, или даже полицейский еще недавно могли испытать радости земные, и даже неземные, дома недоступные. Стало быть, Бетина и была настоящая «мадам».

Шло время, Бетина старела, старели ее гости... «Кадры» ее служащих, принимавших в своих комнатах гостей, тоже не молодели. Набирать тех, кто помоложе? Искать новых клиентов? — можно, конечно... Но куда выгоднее оказалось, наскоро прибрав и подкрасив комнаты, заменить бархат на окнах дешевым тюлем — хотя и бархат сохранялся, но только в кабинете Бетины. Отсюда мадам теперь руководила процессом размещения беженцев из СССР в «кабинетах», где еще сохранялись запахи дешевых духов, смешанные с повисшим здесь навсегда духом нормальной человеческой похоти.

Хотя, может быть, это были только слухи, и, может быть, на самом деле это строение, унаследованное Бетиной, служило гостиницей, дешевой, или это был просто «доходный», то есть со сдаваемыми в найм квартирами, дом. Все могло быть, но теперь мадам Бетина имела контракт с еврейскими организациями, по всей видимости с американским ХИАСом, прежде всего, принимавшим еврейских эмигрантов со всего мира.

Офисы ХИАСа в Вене были подобны потревоженному улью: коридоры заполнены ожидающими приема беженцами — пробиться через эту толпу к нужной двери, порой, оказывалось совершенно невозможно. Многодетные семьи, кричащий младенец отталкивающий открытую — до стеснительности ли тут!... — грудь пытающейся накормить свое дитя совсем юной, почти девочки, мамаши. Седобородые, в ермолках, ветхие главы кланов, оставивших насиженные двумя столетиями Черновцы и Хацапетовки — их принадлежность к клиентам ХИАСа казалась вполне очевидна, но и много молодежи — иные для убедительности перед визитом к чиновнику занимали у сидевших здесь же стариков ермолку. Их хитрость нередко заверашалась вопросом: «Ну, хорошо, вы религиозный еврей, так? — и почему бы вам не ехать в Израиль... а вы проситесь в Америку». Кстати, среди временных служащих ХИАСа было немало ребят, набранных в Израиле, куда они сами незадолго до того эмигрировали. Ну, ладно — репатриировались, в Израиле предпочитают это выражение, что вообще-то справедливо.

Только все же справедливо было говорить «беженцы» — люди ведь и правда бежали. Пусть легально, но бежали — надо ли объяснять, от чего? И почему? Хотя сегодня, пожалуй, — надо. А в американских учреждениях эмигрантов так и называли — беженцы. Это потом, уже поселившись в Нью-Йорке или в Бостоне, беженцы становились «постоянными жителями», обладателями так называемой «грин-карты», не сразу, но два года спустя получался такой статус, хотя к середине семидесятых эти удостоверения перестали быть зелеными, полиняв, приобрели цвет обычных документов, кажется, бело-розовый.

Впрочем, не только ХИАС — был еще Толстовский фонд, преимущественно для этнических русских, хотя не редки были исключения, так ведь и ХИАС принимал тоже и русских, и армян, и даже узбеков — отличи еврея из Ташкента от узбека, еврея из Баку — от азербайджанца... Была еще католическая ИРЧИ — так, кажется, называлась организация со схожими функциями, были что-то еще и кто-то еще.

Так вот, беженцы повалили вдруг в Вену переполненными эшелонами, самолетами и, кажется, даже автобусами откуда-то из Чопа, через Польшу, через Венгрию, Чехословакию — всеми доступными и, бывало, недоступными способами. Еще бы, оказалось — можно уехать! Пару лет назад сама мысль — уехать? — казалась бы фантазией. И вот — уехали... Но как? — вагоны, пересекавшие границу Австрии, немедленно брались под охрану: вооруженные короткоствольными автоматами солдаты, в казавшейся беженцам необычной форме, стояли в тамбурах, на подножках, в коридоре вагона: совсем недавно погибли израильские спортсмены. Лучше не рисковать — арабы очень не хотят и боятся усиления еврейского государства за счет беженцев из СССР. И вообще — откуда бы то ни было.

Ну, хорошо, Вена, а что дальше? А дальше — у кого что: «Израиль? — пожалуйста, с дорогой душой!». Ночь, от силы две в Шенгенском замке — и на самолеты. «В Америку? Это сложнее, тогда — в Рим. Учтите только, визу получите не скоро, если вообще получите. Может, в Австралию? А хотите остаться в Европе — не знаем... не знаем... У вас кто-то есть в Европе? Нет? Ну, тогда — сначала Рим».

И теперь очень кстати оказалась мадам Бетина с ее кабинетами: те пять—семь дней, вернее, ночей (больше в Вене редко кого задерживали) были необходимы для предварительного определения судьбы беженца — люди должны были где-то спать, не в коридорах же ХИАСа...

Итак — да здравствует мадам Бетина, покровительница всех беженцев!

* * *

—Па-а-а, — канючил сын, — да я в жизнь не выучу английский! И так — каждый раз после ухода репетиторши-«англичанки», она нанята для закрепления знаний, получаемых сыном в английской спецшколе на Красной Пресне, туда он ходил вот уже пять лет.

— Выучишь! — не очень уверенное слышал он в ответ. И вот, на третий или четвертый день в Вене, выглянув в окно, выходившее во внутренний двор-колодец, я слышу, как мой сын бойко перекрикивается по-немецки с местными пацанами, кидающими футбольный мяч! Дела, подумал я тогда — значит, выживем...

Рим, Рим, Рим... Я и сейчас сохраняю в памяти эти полгода, как, может быть, самое светлое приключение в нашем путешествии, протянувшемся вот уже на тридцать с лишним лет. Наверное, такому настрою души способствовало, прежде всего, непроходящее ощущение (признаться, что и по сей день оно непроходящее? — охотно признаюсь), что вот ведь вырвались! Не верилось...

Нет работы? — будет. Денег нет — будут. Не примут Штаты — в Австралию! Или в Канаду — там принимают всех. Да, в конце концов, если что — и отсюда, из Италии, не погонят. Вон сколько «израильтян» — так мы здесь называем покинувших Землю обетованную. Там они жили некоторое время, — кто дольше, кто меньше, — после выезда из СССР. «Эй, вы хоть бы займы вернули!» — укоряли их из Израиля, и ведь по делу укоряли...

Словом, бездомным никто не становится, потому что всегда остается «в запасе» Израиль, это мы знаем. А оттуда постоянно прибывают — и в Рим тоже — эмиссары (часто — сами недавние советские беженцы), с подробными всегда честными рассказами о том, что ждет там репатриантов — пусть и не вполне полными, как говорили в Риме уже побывавшие в Израиле. Но и все же, кто-то из ждущих въездных виз в Штаты меняет маршрут, чтобы вскоре оказаться в израильском «ульпане», языковой школе-общежитии. И остается там навсегда. Но об этом лучше расскажут те, кто живет, или жил там, — не это наша тема сегодня.

Остаться же в Европе мечтают, разумеется, главным образом, представители интеллигенции. Может, и оттого так, что принято считать: эмиграция из старой России во Францию издавна сложилась как традиционная для причисляющих себя к творческой элите. Хотя разве только из России?..

Правда, тогда это не называлось эмиграцией.

Зато здесь в Риме кто-то из «израильтян» обзаводится старенькими микроавтобусами. С их помощью, при почти полном оступствии у нас денег на путешествия, можно объездить значительную часть юга Италии и ее севера, как это делаем мы с сыном. Спасибо вам, хозяева и водители тех автобусов, — где вы сегодня?.. Флоренция, Венеция, Неаполь — да и сейчас на душе сладко, когда слышишь: «Вернись в Сорренто!». Вернулся бы... Пока не случилось — в Риме не раз с той поры был, в Венеции бывал, а в Сорренто — нет. Напрашивается — «пока — нет»...

Какие-то деньжата у нас потом заводятся, правда, совсем крохотные: сын, подрабатывая на бензозаправке, протирает стекла машин, подносит шланги, возвращается домой чумазый — усталый по-настоящему. И тогда он высыпает на стол кучу мелочи и, откинувшись на спинку стула, картинно заявляет: «Отец, корми!». А еще мы отдаем почти сразу по прибытии в Рим перекупщикам кое-что привезенное, — они, из наших же, из эмигрантов, — увозят товар на городскую барахолку «Американо».

Тут, впервые открыто, у людей проявляется коммерческая жилка: вот и наш попутчик, театральный актер, заводит себе место на «Американо». Да кто из эмигрантов той поры не помнит этот рынок в центре Рима: туда попадают прихваченные и нами по совету бывалых людей кубинские сигары, какая-то советская оптика, дурацкий прицел для ружья, матрешки и тому подобное.

Выручка, сложенная с пособием, выдающимся ХИАСом на жилье и еду, делает нас беззаботно расточительными: в Венеции мы едим мороженое в открытом кафе между колонн на площади Св. Марка, кормим нахальных голубей, они ходят прямо под столиками между наших ног, собирают крошки. И все это — под негромкую музыку: струнный оркестрик играет за нашими спинами вальс из «Доктора Живаго»... Вот она, ностальгия! — отвечаю я и по сей день, когда меня спрашивают: не скучаем ли мы по оставленной родине. По Венеции — да. И вообще по тому времени...

Ночуем мы в Венеции в кельях монастыря — приютили монахи, за деньги, конечно. За небольшие. В тот день мы шикуем: дожевав прихваченные с собой в дорогу бутерброды, заказываем настоящие итальянские макароны под щедро посыпанным пармезаном (он стоит в баночках здесь же на столах) и под белым грибным соусом. И чтобы сытнее было, подъедаем весь наличный белый хлеб (он тут же на столе, рядом с пармезаном).

Книга первая. Свидетельства

Велико же было наше изумление, и отчасти даже паника, когда хозяйка этой пиццерии (или кучины?) принесла нам счет: в нем было точно указано количество съеденного нами хлеба. Разумеется — и цена его была проставлена. Теперь я никогда не ем хлеб с макаронами. Наверное, и мои друзья, москвичи Лёня и Надя, и дочурка их Янка — с ними мы вместе путешествовали. Недавно я гостил у них в Нью-Джерси, и когда Яна увезла к себе домой их внуков, и — сейчас этим ребятам больше лет, чем тогда было ей, — вспоминали мы с ее родителями и макароны с хлебом. И еще много чего из той жизни. Конечно, память подсказывает прежде всего забавное.

Ну вот, такой эпизод, к примеру: возвращаюсь я как-то из Рима в нашу Стеллу-Поляре — это следующая остановка за пролетарской Остией, где ютится большинство эмигрантов, — жилье в Риме попросту нам не по карману. Нашу Стеллу-Поляру эмигранты называют «фашистской», наверное, оттого, что район более аристократический, дачный, на самом берегу океана. Итак, подхожу к Центральной почте, а она и была-то одна на все поселение, под мышкой несу блок или два «Мальборо» — кто-то кому-то просил передать из города, мне можно было доверить сигареты, я курил много лет трубку.

Обращается ко мне знакомый:

— Закурить не найдется?

— Нет, — коротко отвечаю. — Не курю, — добавляю для верности.

Проситель изумленно не сводит глаз с блоков сигарет — они не завернуты, они прижаты у меня под мышкой — на виду. «Да-а-а, жмот... — читаю у него в глазах, — таких поискать надо», — думает, наверное, он. Вспоминали мы с Лёней и этот эпизод. Посмеялись...

Площадка перед почтой — место особенное: здесь всегда толпится десяток-другой нашего брата: кто-то ждет, когда кончится сиеста — местный четырехчасовой обеденный перерыв. И для госслужащих тоже — для них даже в первую очередь. О, Италия, благословенная страна! Так вот, здесь, помнится, почти всегда можно было встретить неприметного, скромно одетого человека — в меру общительного. Правда, выборочно: знакомства он заводил редко, о себе рассказывал немного, почти ничего: мне он как-то сказал,

110

когда я спросил его, так, между делом, — кто он, откуда? «Да, тихарь, тихарь я...»

Что это должно было означать: стукач, что ли, с нами засланный
в эмиграцию? Или — что ничего о себе говорить не хочет? Хотя
знали про него с его же слов — юрист он. Просто юрист. Добавля-
ли: где-то работал следователем... И ведь, оказалось, — не врал:
это ему, кажется, доэмиграционный опыт помог, спустя некоторое
время, стать соавтором множества популярных детективных книжек. Вторым их автором, а на самом деле, может, и первым, станет
известный сценарист: потом, выясняя это обстоятельство, кто был
каким по счету, они жестоко разругались, даже судились. Просве-
щенный читатель легко вычислит их имена, они у читающей публики на слуху. Так ведь и Бог с ними обоими...

Глава 2
ПОЧЕМУ У НАС
НЕ ВКЛЮЧАЕТСЯ ТЕЛЕВИЗОР

Автобусы приезжают ночью, чтобы успеть с отбывающими сегодня в Штаты к раннему рейсу «Рим — Нью-Йорк». «Счастливчики» — говорят про его пасссажиров остающиеся здесь в ожидании
въездных виз. Так ли и все ли — покажет недалекое будущее: кто-
то и сам окажется в этом автобусе, а кто-то — нет... Что нормально — на всех удача поровну никогда не получается. Только думать
об этом сегодня не хочется.

Пока же расхожей фразой становится: «Да землю буду копать,
полы мыть буду!». Это рассуждает владелец диплома мединститу-
та, впустили бы лишь, приняли бы Штаты... Только потом там, в
Штатах, оказывается, что он уже не хочет мыть полы. А хочет снова быть доктором. Кинооператор хочет снимать фильмы, конечно
же, в Голливуде. Журналист хочет работать в газете. Биолог хочет
снова смотреть в микроскоп, а не присматривать за больной ста-
рушкой, куда его поначалу направляют сотрудники местных учреждений, ведающих приемом новых эмигрантов. Ну и так далее...

111

А пока биолог присматривает, доктор пока моет пол в госпитале, журналист пока в ночную смену сортирует печатную продукцию — брошюрки, рекламки. Доктор все же сдает, в конце концов, труднейшие экзамены на английском языке, он снова учится в ординатуре, теперь американской, и, наконец, открывает свой офис. Оператор снимает в Голливуде фильмы, биолог оказывается в группе ученых — претендентов на Нобелевскую и получает ее. Но это все — потом.

О журналисте — пока умолчим...

...Гостиница совсем недалеко от аэропорта Кеннеди: наутро беженцы, они уже почти американцы, разлетаются кто куда... Куда послали. Правильнее было бы сказать «где приняли», или куда пригласили — а этих приглашений, повторим, ждут в Италии несколько тысяч человек. Кто-то будет ждать месяц-другой, а кто и полгода, как мы с сыном. Случается — и дольше, «приглашение» может и не прийти вообще — такое тоже бывает. И что тогда?

Да ничего страшного — рано или поздно гостей «разбирают» сердобольные еврейские общины, о чем мы уже говорили — торонтская, мельбурнская или даже новозеландская. Реже — берлинская. Женевская и парижская — почти никогда. Так семьи моих близких друзей — братьев Шаргородских — попрощались в Риме: Алик улетел со своими в Швейцарию, Лёва — в Нью-Йорк.

Встретились все же они в Женеве — правда, спустя годы... Лёва там и ныне, о чем рассказ будет дальше. Алика уже нет — скончался в Америке после неудачной операции на сердце, а до этого братья успели издать десяток своих книг — в Европе, в Америке и даже снова в России...

* * *

Итак — первая американская ночь. Поздний ужин — здесь же, в гостинице. Накрыты столы, кажется, в каких-то служебных или даже подсобных помещениях, но, несмотря на поздний час, кормили сытно — стандартный набор: суп, второе, чай с булкой — и по номерам. Завтра ранний подъем. В углу комнаты на тумбочке телевизор. Господи, какой тут сон! — американское же телевидение —

хоть несколько минут, хоть просто взглянуть, увидеть что-нибудь по какому-нибудь из десятков каналов (так нам говорили), настоящую американскую передачу.

Несколько минут? Да я час уже бьюсь, пытаясь включить телеприемник, — кручу десяток ручек на передней панели, заглядываю за заднюю стенку, легонько (и не очень) по нему постукиваю — телевизор молчит. «Так... — думаем, — веселое начало: оказывается, и здесь в гостиницах не все гладко. Вот те и Америка». Утром жалуюсь, как могу, с учетом наличного, скромного английского: не работает.

Дальше происходит следующее: появляется служащий, он заметно огорчается, произносит «сорри», на всякий случай подходит к приемнику и... легонько тянет на себя ручку, которую я продолжаю демонстративно крутить во все стороны, — вот, мол, ваш хваленый сервис! Экран начинает светиться, звучит голос диктора — предают утреннюю сводку новостей.

Ну кто мог знать, что «у них» и это — «не как у нас». Теперь-то убедившись на личном опыте, что Америка страна не самая отсталая, мы повторяем, поднимая в очередной раз тосты за эту страну: и слава Богу, что «не так»! Хотя бывает и так... А казусы, и не только с техникой, случались у нас постоянно первые дни, даже месяцы.

Вот, например, знакомый, оказавшись в 76-м году единственным приглашенным в аризонский Финикс, утром в снятой для него квартирке пытается включить газовую плиту, чтобы зажарить себе первую американскую яичницу... Не успев поднести спичку к конфорке, он отдергивает в ужасе руку: вспыхивает огонь, сам! Пожар!.. Спустившись на первый этаж в квартиру управляющего домом, просит того немедленно подняться к нему. Здесь он, заикаясь, пытается объяснить: «Глядите, глядите, look! — сейчас будем гореть!» Поворачивает ручку, огонь вспыхивает — look!

Наконец управляющий начинает понимать, в чем дело. Потом он долго-долго смеется, втолковывая новому жильцу, как работает газовая плита в Америке. Может быть, когда-нибудь собрание на эту тему веселых рассказов появится на прилавках книжных магазинов. Может быть, но то, что без нашей помощи, это точно. Это сейчас смешно, а тогда...

Вот и нам с сыном совершенно не смешно, когда по пути из Хьюстона на пересадке в Далласе мы пытаемся найти дорогу к терминалу, откуда через полчаса наш самолет вылетает в Лос-Анджелес. Кто знает Далласский аэропорт с его терминалами — между ними ходят поезда, вроде метро, — поймет наше смятение...

Английский, каким мы располагаем к исходу первого американского месяца, уже позволяет задать вопрос «как, куда» — но ведь надо еще понять, что тебе отвечают. Негр-носильщик, проезжающий на электротележке по одному из бессчетных переходов, где мы блуждаем, останавливается и пытается понять, о чем его спрашивают, а потом и объяснить, в каком направлении нам следует торопиться.

Убедившись же, что его разъяснения не вполне доступны нашему пониманию, он переходит на испанский. Тут мы уже вообще перестаем что-либо понимать. Прошло время, пока до него доходит, что мы не из Мексики — выходцы оттуда, даже прожив в Америке годы, могут вообще не говорить по-английски — что сплошь и рядом.

— О-о-о, фром Раша! — его это почему-то ужасно вдохновляет. — У нас нет переводчиков с русского, — хохочет негр, я протягиваю ему наши билеты, взглянув на часы, он, не переставая смеяться, подхватывает чемодан, из которого, собственно, и состоит весь наш груз, забрасывает его в тележку-платформу, нас ставит рядом. К самолету мы успеваем в самые последние минуты посадки. Дай ему Господь здоровья — ведь мы могли бы и по сей день плутать по лабиринтам Далласского аэропорта — и тогда не было бы этой книги. И вообще многого бы не было...

Глава 3
КАЛИФОРНИЯ: ШТАТ АПЕЛЬСИНОВ — И ЭМИГРАНТОВ...

С первых шагов в Техасе, едва ступив на землю Хьюстона, вы знаете — это не то место, где хотелось бы жить. Даже совсем не то. Вы не сразу понимаете, что это все еще планета Земля и что не на другую, ближнюю к Солнцу, вас доставил из Нью-Йорка «Боинг»: обжигающе удушливый, густой, наполненный почти на ощупь вязкой влагой воздух, — это встречает нас великий, богатый и щедрый по-американски штат Техас. Но ведь не разгар лета, сентябрь уже! А что здесь — в июле?

Не понимают, однако, ваши гостеприимные хозяева из местной еврейской федерации: почему уже на второй неделе ты просишь их занять вам триста долларов, или просто купить билеты до Лос-Анджелеса — туда зовет московский приятель Валера.

— Слушайте, — говорят они тебе, и ты почти понимаешь их английский (техасский!), — мы сняли для вас квартиру, три месяца вам не нужно за нее платить... может, и дольше. С первого дня ваш холодильник полон еды, в шкафу посуда, две кровати застелены чистым бельем, во дворе вашего дома — бассейн, так ведь?

— Все так, — отвечаешь, — спасибо. Большое.

— И чего же вам не хватает?..

— Трехсот долларов на билеты в Лос-Анджелес, — смущенно повторяешь, правда ведь, неловко просить денег. — Да я верну их обязательно, сразу, как только начну работать!

— Слушайте, поймите же, наконец: вы же в Америке! У вас нет работы, нет медицинской страховки! В Калифорнии вас никто не ждет! Вы там пропадете. Да и английский ваш слабоват — здесь-то вы им быстрее овладеете.

Этот аргумент тебе становится понятен, когда через пару дней раздается стук в дверь:

— Хай! Я ваша учительница английского языка.

Наверное, при других обстоятельствах ты бы не нашел в себе решимости отказаться от помощи этой рослой, миловидной брюнетки, — настоящей американки! Тем более что при первой же вашей беседе она дала понять, что не замужем... пока. Эта беседа так и остается единственной, потому что на другой день ты повторяешь просьбу: нам бы билеты... пожалуйста.

Тебя по-прежнему не понимают — ну как объяснить этим милым гостеприимным людям: здесь, в Хьюстоне, нет и пяти семей, где говорили бы по-русски, тебе просто нечего делать! И как передать им вопль твоего сына, прозвучавший накануне вечером в вашем «апартаменте», когда вы готовились ко сну:

Книга первая. Свидетельства

— Папа, смотри! Таракан!! Еще!!! И здесь!!! И там, на стене!!!

Эти монстровидные техасские существа здесь невыводимы, объяснили вам потом: климат, как специально для них, — влажно, жарко.

Так и случается, что к исходу третьей недели американской жизни вас встречает в лос-анджелесском аэропорту — нет, не Валера, зазвавший вас с сыном сюда, — а его друзья, семейная пара из «старой» русской эмиграции. С ними он и сам познакомился не так давно, на церковной службе. И подружился, вскоре эта дружба и на вас распространилась. Ведь, правда, замечательные были люди — Мария Матвеевна, ей и тогда было уже хорошо за семьдесят, мужу ее Николаю — ему 50 с немногим, казалось. Его и звали все — Коля.

Фамилию они носили его — Йорк, конечно же, получилась она из переиначенной Колиной — Юрьев: не все недавние совподанные из числа перемещенных лиц, т. е. при разных обстоятельствах побывавших «под немцами» (...если не с ними), решались сохранить в Штатах свое подлинное имя, и причины тому бывали основательные. А Марию Матвеевну называли — только полностью, добавляя отчество, даже и земляки по Шанхайской эмиграции, откуда все они перебрались в Штаты.

Валера — он за год жизни в Штатах перепробовал множество работ, даже машинами пытался торговать у фордовского дилера, проявлял микрофильмы в лаборатории и, ошиваясь, как всегда, у дверей голливудских киностудий в поисках хоть какой-нибудь работы, совершенно неожиданно ее получил: кто-то из технарей, занятых на обработке пленки, не вышел вечером на работу. А Валера — вышел! — благо подвернулась кому-то под руку его анкета: Ленинградский институт киноинженеров, ЛИКИ все же... Вышел впервые — в ту самую ночь, когда вы прилетали.

Видите: «какой-нибудь»... «кто-то»... «кому-то»... — много, очень много неопределенностей в вашей новой жизни — вы это понимали почти сразу. А пока пристраиваетесь с сыном на матрацах, занятых Валерой у владельца дома, — он живет здесь же, по-соседству. С утра ты выходишь в город — надо что-то соображать насчет работы: деньги вот-вот кончатся. Хотя некоторое время будет приходить пособие ХИАСа, возвратное — его беженцы должны вернуть благотворителям. И обычно возвращают. Хотя, бывает, и нет. Ты — да, едва начав работать. Но это — потом. А пока...

Итак, год 76-й, бульвар Сансет. Бульвар знаменит не только одноименным фильмом — здесь существует знаменитый променад: вот клиент подбирает шлюху (или двух сразу, что не редкость), он не вылезает из автомобиля: опустив стекло, манит пальцем стоящую на панели негритянку. О, ее фигура способна вызвать зависть балерины высшего класса — что становится заметно, когда она склоняется к открытому окошку... короткий торг, открывается задняя дверца, машина откатывает, часто просто за ближайший угол. Здесь все и происходит — в самой машине, на заднем сиденье, или рядом, в мотельчике, где за гроши всегда найдется комната на полчаса-час. Правильнее сказать — происходило: к исходу восьмидесятых очистили бульвар, хотя мотельчики стоят те же, сюда приезжают из других кварталов и даже районов города. Так что не торопитесь сюда, любители экзотики, поздно...

Но ведь здесь же, на Сансете, почему-то множество вывесок небольших печатных и копировальных мастерских. Они, и только, уж поверьте, побуждают тебя здесь регулярно появляться — ну а куда с твоей профессией еще соваться поначалу? Для местной общины вы ведь, и правда, не подарок, вас здесь не ждали — в Лос-Анджелес и без вас стремятся из Рима советские беженцы — и вот их-то, уже приглашенных, в первую очередь должно принять, помочь им... А что делать с незваными? Сотрудников местной общины несколько успокаивает ваша первая встреча: все, что ты у них просишь, — медицинское обслуживание для сына. Только.

Вот и ходишь теперь по улицам и — честное слово! — по-настоящему ломаешь высокий каблук: туфли куплены в Италии, они остроносые, модные — старые, московские, похоронены в римском мусорном баке. Так, прихрамывая, и заходишь в двери под вывеской «PRINTING» — «Печатная», или что-то схоже. Никто не отказывает, дружелюбно улыбаются: «О, рашэн — как интересно!

Оставьте телефон, мы вам непременно позвоним... когда потребуется». До сих пор звонят...

А еще ты рассылаешь свои «анкеты-резюме», выполненные на английском (это отчасти с помощью местной общины) — здесь Валера тебе содействует в полной мере, он с утра приносит газеты с объявлениями «требуется»: помаленьку ему становится тесно с вами. А, может, просто опасается, что заживетесь. Ну да — он молод и холост, на что ему постояльцы. Да еще бесплатные.

Так... Что-то надо делать, деньги на исходе. Отстояв, даже отсидев, положенное в очереди, — скамьи, много стульев, хватает на всех — ты на бирже труда, здесь ты тоже по совету Валеры. Народу не так уж много, что явно вопреки легендам советской прессы. Итак, подходишь к столу, за ним восседает невероятных, ну просто нереальных размеров негритянка. Она приветливо интересуется — какая у тебя профессия? И что ты вообще умеешь? Оказалось, что ты знаком с фотографией. Полистав стопку лежащих перед ней бумаг с запросами от учреждений, принимающих новых сотрудников, — до компьютеров здесь еще остается лет 10—15... — вот! — выуживает она листок из стопки.

И уже через пару дней пытаешься понять, зачем ты здесь, в мастерской, где на ручных станочках переносят рисунки с шелковых трафаретов на виниловые сумочки, на майки... Оказалось, хозяин, молодой и прогрессивный, мечтает все процессы осовременить. И, конечно, сделать их дешевле. Вот, говорит: здесь один русский художник до вас купил эти штуки, так он сразу почти уволился, что с ними делать? И вскоре ты показываешь мексиканке — их здесь несколько, молодых, смешливых женщин, — как превратить фотоувеличитель в репродукционное устройство: вот фотокамера, она крепится на окуляр, вот боковые осветители экрана, — бац! — пленка в проявке, теперь можно через тот же увеличитель проецировать рисунок на будущую печатную формочку.

Все. Так ведь и правда — все: к исходу первого месяца Валера достает из почтового ящика — твоя корреспонденция пока продолжает приходить по его адресу — конверт: это приглашение тебе на беседу в издательство. Трудно поверить — в американское! Мексиканки уже все умеют без твоей помощи, — уходишь отсюда с чистой совестью.

Забавно: много лет спустя выяснилось, что этим русским художником был Лёва Мороз, твой нынешний близкий приятель. И выяснилось это как-то случайно, кажется, за общим застольем. Да, сейчас — забавно. А Лёва в свое время, чуть раньше тебя, получил здесь свою порцию хлопот обустройства жизни, которую надо было начинать заново. В его случае это прозвучит — разверни чистый лист бумаги. Или холст — не грунтованный, просто кусок материи. И рисуй... Нарисовал — и ведь совершенно замечательную картину: у него свои мастерские, может быть, даже лучшие в Штатах, тиражировать здесь свои работы дано не всякому художнику, даже знаменитому. Лёва сам их выбирает. Так-то...

Наверное, стоит остановиться чуть подробнее на описании этого периода. Не биография же пишется, в конце концов, хоть местами получается похоже. И все же, снова — о тебе.

Надо ли рассказывать, как с привезенной фотокамерой «Киев» (по тем временам — достижением советской промышленности «на уровне мировых стандартов», благо что вывезены из побежденной Германии оптические заводы Цейса) ты ходишь по дворам «русского» района города? Здесь кучно селятся эмигранты из Советского Союза — и, стало быть, должна быть клиентура: да и правда: плохо ли, опершись на сияющий под калифорнийским солнцем капот новенького «Шевроле» (машина — соседская, да кто там узнает...), позировать на фото, которое пошлется родным в Черновцы! Или не пошлется:

— Не... я плохо получился, нэ бэру! — А как ему получиться «хорошо», когда четыре подбородка и свисающее над ремнем брюхо в сочетании с багрово-синюшными щеками не способна спрятать самая замечательная оптика! Даже наоборот — выявляет оптика и подчеркивает все, на что в жизни внимания не всегда обратишь. «Взять бы, — думаешь, — тебя за твое мясистое ухо, подтащить к зеркалу — любуйся, красавец, какой ты есть!»

Дома пленка вместе с отпечатками отправляется в мусор, там теперь они — денежки за пленку, за печать в лаборатории... И твое время — тоже там, вместе с надеждой на приработок к ночной работе. Хорошо, если из пяти двое удовлетворятся твоей продукцией. Бывало, — и никто. Привыкаешь ты в эмиграции помаленьку к этим фигурам. А то ведь не знал, что они существуют. То есть, может, знал, догадывался, а вот самому встретиться — не довелось. Да...

Теперь довелось: солнечная Калифорния особо притягательна для южан — одесситы, киевляне составляют здесь большую часть быстро растущей числом общины эмигрантов из СССР, москвичей совсем немного, ленинградцев еще меньше. Кто-то уже неплохо зарабатывает, кто-то на пособии от общины, потом и от государства — пока, а то и навсегда. Однако на столах у всех красная икра, закуска эта рядовая — американцы «рыбьи яйца» не едят, поэтому стоит она здесь совсем недорого.

А какие тосты можно порой услышать в застольях!

— Да что ты мне такое говоришь, — твой следователь — козел, вот и все! Вот мой следователь был человек — это да!

Забавно? Ладно, переходим к другой теме.

Итак, теперь ты работаешь в издательской фирме. Сама фирма в Лондоне, в Лос-Анджелесе, и не только здесь — «Даймонд Интернейшенэл корпорэйшн» — звучит-то как — «интернейшенэл»! У фирмы своя типография, и эта работа нашлась по газетному объявлению, представьте себе! Вспомним: послал анкету — и Валера сообщает: тебе звонили, потом и конверт передает — приглашают на беседу. Он тщательно инструктирует, что надеть, как причесаться, как себя вести, — важна каждая мелочь! Очень, очень он заинтересован в твоем скорейшем трудоустройстве!

Ничего обидного, все правильно — пора снимать свое жилье.

И опять — матрасы на полу, у сына свой, у тебя свой, здорово! Обживетесь еще! Обжились, пусть не сразу — даже пишущую машинку купили. Английскую — зачем, вряд ли сам понимаешь, наверное профессиональное — как же без пишущей машинки! Прихваченная с собой из Москвы пока путешествует в «медленном» багаже морем, вместе с книгами, а больше в нем ничего и нет. Эта куплена на «гараж-сейле» — француженка, не очень владеющая английским, как и ты, переезжает, избавляется от ненужного хлама.

Практичный Валера предупреждал — у самих хозяев товара, не торгуясь, ничего не покупать, еда в супермаркете — другое дело, там цены твердые. Ваш торг в переводе с английского звучит примерно так. Ты: «Сколько стоит?» Она: «Пять долларов». Ты: «Нет, шесть!» Она: «Нет — четыре». Ты: «Хорошо, даю семь!» Она: «Три!» Ты — «Даю восемь!».

И так — пока ты (покупатель!) не поднял цену до десяти долларов. Присутствующий при этом сын посматривает на тебя с сомнением, прислушивается к торгу вполуха, его больше занимает витрина велосипедного магазина. В конце концов, француженка, понимая, с кем имеет дело, повторяет начальное — «Пять!» На том вы и сходитесь, и улыбаясь, довольные друг другом, расстаетесь.

Сын пока приглядывается к новому велосипеду, но и примеряется уже к твоему хорошо подержанному «Опелю», — ваша первая американская машина оказалась немецкого происхождения. Спустя несколько лет и сын сел на свою первую. Ему везет куда больше: где-то в негритянском районе города вы приобретаете спортивный «Понтиак — Трансам». У машины открывается брезентовый верх, у нее двигатель с турбиной! Сегодня — это был бы антик, бесценный, но и тогда, убоявшись расхода бензина, спустя год, вы продали ее — уже вдвое дороже купленного.

Появляется у вас, наконец, и новая русская пишущая машинка (теперь их и здесь можно купить: конъюнктура сложилась, вон сколько «русских» понаехало), следом за ней — ты начинаешь листок «Обозрение». Сначала это четыре странички тетрадного формата — ты и сейчас сохраняешь этот выпуск. Его твой новый товарищ Фрумкин, дай Бог ему здоровья и сил еще на много лет, показывает издателю местной американской газеты Блейзеру, — и вскоре «Обозрение» становится частью издания Фила. Ты пока сам пишешь статьи, сам их набираешь на пишущей машинке, сам выклеиваешь полосы — и так следующие два года...

А еще у Фила своя телепрограмма, своя радиопередача, — теперь ты и там получаешь время: на радио это ежедневные 10 минут — пленки ты наговариваешь дома, потом отвозишь их в редакцию. Телепередачи с твоим участием происходят от случая к случаю: одну из них ты проводишь с сенатором Генри Джексоном — это он автор поправки к американскому закону, принятой Конгрессом, и это он подвиг Кремль открыть эмиграцию, евреев, прежде всего, из СССР. Сначала — приоткрыть: ты и сам оказался в первых нескольких тысячах оставивших страну...

Огонь и вода. Засуха. Долго нет дождей, мелеют водоемы. Запасы воды в Южной Калифорнии близки к критической нижней точке отсчета. «Граждане, экономьте воду!» — это призыв муниципальных служб. Воду покупают по ценам, невероятно высоким, в других штатах. «Кризис, граждане!» — и граждане экономят воду: на кухнях, в душевых кабинах, реже поливают цветы во двориках, и даже фикусы в домашних горшках — того и гляди засохнут...

Не всем, однако, пришлось в эти дни менять жизненный уклад. Помню, минувшим летом, в самый разгар засухи, живущий в Санта-Барбаре приятель показывал мне угодья в полутора-двух милях от своего не бедного дома — с подземным гаражом, в котором мирно покоятся «Мерседес», спортивный «Ягуар» и... ладно, не стану продолжать, вроде все ясно. Так вот: по-настоящему роскошная, даже уникальная растительность в саду моего приятеля, составленная из самых экзотических представителей калифорнийской флоры, кажется, оказалась обречена — для ее полива не хватало воды... Когда он говорил это, я действительно видел в его глазах слезы. И это было не просто чувство собственника, теряющего принадлежащее ему *нечто*. Как и, наверное, не просто зависть побудила его комментировать журчание, издаваемое сотнями разбрызгивателей на аккуратно подстриженном зеленом поле, примыкающем к дому его соседа:

— Там-то все выживет: воду в цистернах привозят — за много миль.. Но ведь — 30 тысяч долларов...

— В год? — с уважением уточнил я.

— В месяц!

Так что все же — да здравствует капитализм, спаситель калифорнийской флоры! Ну, хотя бы ее части...

* * *

Моя невозмутимая мама. А еще было такое — потрясение настоящее, когда под городом затряслась земля. В тот раз ночевала мама у меня — такое было часто. В это утро мы проснулись от грохота — по комнатам летали книги, посуда, телевизор вообще оказался у противоположной стены. Раздался еще толчок, сопровождаемый гулом и грохотом.

Выскочив из спальни, перепрыгивая через опрокинувшиеся стулья, я вбежал в комнату к маме: она, невозмутимо оставаясь в постели, возмущенно произнесла:

— Саша, когда это кончится?!

Что, мол, за безобразие? Полураздетые, мы вскочили в машину и рванули к дому на недальней улице, где сын снимал квартиру. Его жена Ира, закутанная в одеяло, и сын с новорожденной дочкой на руках стояли на улице в толпе соседей по дому. И так было по всему городу.

Да, за радость, даже за счастье жить в благословенной Калифорнии приходится иногда платить. И страхом — тоже.

* * *

А эти заметки могли остаться в архиве автора в числе опубликованных некогда текстов и, скорее всего, оставались бы там невостребованными до поры...

Вот она — пора, десятилетие спустя.

Сменяются на экране телевизора кадры хроники: разграбленные жилые дома, зияющие провалами витрины магазинов и ресторанов — они разбиты не чудовищным разгулом стихии, обрушивший на побережье мириады тонн воды, — но самими людьми. Людьми ли? Сохраняют ли *эти,* громящие соседское жилье, человеческий облик?

Газеты, телекомментаторы политически корректно избегают этой темы. Мутация дармоедов — поколение за поколением, — неминуема. Тогда был Лос-Анджелес.

И вот теперь — Новый Орлеан. *Эти...*

123

ДВОЕ СУТОК ПОЗОРА

«...Градоначальник с топором в руке первый выбежал из своего дома и, как озаренный, бросился на городническое правление.

Обыватели последвали его примеру. Разделенные на отряды... они разом во всех пунктах начали работу разрушения... Пыль... затмила солнечный свет... От зари до зари люди неутомимо преследовали задачу разрушения собственных жилищ...»

Салтыков-Щедрин. История города Глупова

Год 1992-й, май. К утру над городом повисли черные облака. Столбы маслянистого дыма упирались в них клубящимися кронами: основания их, обозначив собою линию горизонта, сливались с едва различимыми силуэтами далеких строений. Там, в десятке-другом миль, догорали подожженные минувшей ночью дома.

Это потом стали вспыхивать новые. Орды вандалов квартал за кварталом перемещались к многоэтажным, мерцающим серебром застекленных фасадов, зданиям пристойного Мид-Уилшира и почти сразу — к вымершему вдруг без толпы праздношатающихся туристов Голливудскому бульвару... А здесь, совсем рукой подать — и Западный Голливуд, с его адвокатскими конторами, излюбленными околокиношной молодежью барами, с его ресторанами, где встречаются за ланчем снобы из контор по торговле недвижимостью и биржевые маклеры, с его лавками, торгующими антикварной чепухой, с его не очень дорогими бутиками. Здесь же рядом и наша редакция.

— Страшно? — спросила меня Эмма Тополь, позвонившая утром с радиостанции «Свобода». Нормальный вопрос. И я бы мог задать его свидетелю подобных событий. Эмма готовила передачу о... — здесь она, кажется, запнулась — «ну, в общем, о том, что у вас происходит».

Страшно? Да нет, в то утро страшно еще не было. Ну, несколько десятков пожаров — как раз там, где живут сами поджигатели. Несколько супермаркетов разграблено — как раз тех, что обслуживают их семьи...

Но вот на экранах телевизоров появились проломы, ведущие в торговые залы магазинов. Дверей больше не было, и не было огромных, во всю высоту стены прозрачных витрин: их заменили изкореженные остовы рам, обрамленные неровными зубцами выбитых стекол. И в этих рваных ранах возникали людские силуэты с пластиковыми мешками за спиной, набитыми всем, что в них могло уместиться, всем, что можно было унести. И оскаленные торжествующими улыбками физиономии. Джунгли...

Хотя — какие джунгли? Способен ли зверь — самый дремучий, самый безмозглый — сознательно или ненароком разрушить собственное логово? Зоологи утверждают — никогда! Инстинкт не позволит...

А человек может.

Когда в 65-м в Лос-Анджелесском районе Уотс происходило нечто подобное, сотни торговых и мелких промышленных бизнесов закрылись. Закрылись навсегда — в том числе первый в этом районе крупнейший супермаркет, незадолго до этого отворивший покупателям свои двери. Владельцы винных и продовольственных лавок, хозяева химчисток и ремонтных мастерских потеряли все, что имели, — и прежде всего, средства к существованию. Негры среди них составляли абсолютное большинство. Стоимость продуктов в Уотсе и соседних с ним районах резко подскочила — за продуктами приходилось ехать в самые отдаленные магазины. Ехать — если было на чем. И если было чем за них платить — десятки тысяч клерков, продавцов и рабочих за те три с половиной дня, что длились бунты, стали безработными.

Это было в 1965-м.

* * *

А сейчас... Первым я увидел выступление мэра Лос-Анджелеса. Потом один за другим на экране телевизора возникали — шеф городской полиции, шериф, начальник пожарной службы. Вот из своей резиденции в Сакраменто к населению штата обратился губернатор. И вскоре — сам американский президент. Руководители полицейских и пожарных обходили большинство вопросов допрашивающих их журналистов, подчеркнуто демонстрируя желание остаться строго в рамках своей служебной компетенции. Столько поджогов. Столько магазинов разграблено. Столько убитых.... Хотя нет — в тот час убитых еще не было.

По-настоящему все началось после выступления Брэдли. Многомиллионная аудитория, добрую четверть которой составляют чернокожие жители города, услышала своего мэра-негра: присяжные, оправдав полицейских, вынесли несправедливый вердикт — принимать их решение, смириться с ним невозможно!

Как следовало понимать его слова?.. Теми, к кому апеллировал мэр, его слова были поняты однозначно, — и все его последующие выступления и все его призывы к соблюдению порядка уже не могли ничего изменить.

Мэр — лицо избираемое, ему крайне важны голоса этой четверти лос-анджелесского населения, поставившего его на пост. Ну а чем, не переставал спрашивать я себя тогда, руководствуется глава городской полиции? Долгие часы — пока загорались первые десятки пожаров, пока громились первые магазины, пока избивались до смерти случайные автомобилисты и пешеходы, оказавшиеся в зоне досягаемости банд чернокожих подростков, пока топорами и револьверами эти деклассированные подонки пытались остановить пожарных, унимавших огонь, — долгие часы полиция города оставалась парализованной.

Неужели только амбиции? Хотите, мол, судить полицейских — посмотрите, каково без них!

Или — президент, потребовавший федерального расследования поведения полицейских, задержавших пьяного уголовника. А если и это расследование подтвердит правильность решения жюри — какой реакции американских нацменьшинств будем ожидать? Вся страна загорится? И — пресса... Казалось бы, за мои годы в западной журналистике давно пора принять очевидное: сенсация на экране — это зрительский рейтинг — это дополнительная реклама — это больше денег продюсерам телепрограммы. И лишние секунды, «горячие» секунды на экране — дополнительная возможность показать себя зрителю. Замечательная возможность!

Но вернусь к началу событий. Только что обнародован приговор. Присяжных, отказавшихся от интервью, быстро увозят в неизвестном направлении. Разочарованные репортеры бросаются к микрофонам в самую гущу протестующих, которых пока не так много. Пока это отдельные группки, размахивающие наспех намалеванными фломастером транспарантами. Пока все ограничивается словами. Правда, какими! Нескончаемы потоки ругани и проклятий — в адрес судьи, в адрес присяжных, в адрес белого населения страны, в адрес системы американского правосудия — и вообще, в адрес своей страны, в адрес Соединенных Штатов Америки.

Все истеричнее становятся доносящиеся из растущей толпы выкрики — и репортеры всех, я подчеркиваю, всех телеканалов и радиостанций, соревнуясь друг с другом, выискивают самых громкоголосых, суют *к самым их ртам* микрофоны. Цензоры уже не успевают снимать с фонограмм обильный мат, дополняющий тексты вопящих в микрофоны женщин.

Честное слово — за эти несколько часов, перескакивая с канала на канал, я не увидел ни одного кадра, показывающего хотя бы одно выступление, ну, хотя бы несколько слов в поддержку решения жюри...

* * *

Трудно было судить, насколько оказалась подмочена репутация шефа полиции в эти дни. Не думаю, чтобы она уж очень его тревожила — он все равно уходил.

А вот мэру города при ближайшем голосовании трудно будет удержаться, думал я, — если только у него самого не достанет мужества до всяких выборов подать в отставку. Он долго был в этой должности — в смысле, ничем особенным не отметивший свое правление, — каким он запомнится согражданам после нынешних событий?

Согласно «Глуповскому летописцу», 21-й по счету градоначальник города Угрюм-Бурчеев подвигнул жителей Глупова разрушить свой город — и тем вошел в историю. А какую память оставил по себе входящий в новейшую американскую историю Том Брэдли? Мэр-поджигатель? Поджигатель своего города... Его уже не первый год нет в живых. Но вот международный аэропорт в Лос-Анджелесе назвали его именем.

Книга первая. Свидетельства

Об одном предшественнике Угрюм-Бурчеева в том же щедринском «Летописце» было сказано: от него глупцовы «кровопролитиев ждали», а он чижика съел. При лос-анджелесском градоначальнике кровопролитие состоялось: когда я взялся за эти заметки, одних смертей было зарегистрировано уже больше 50. И каким «чижиком» накормил он своих горожан, загнав их на вечерние и ночные часы в дома. И тем исчерпав проблемы — потому что улицы города опустели, а значит, и усмирять стало некого.

Но, наперекор всему, город продолжал жить. Помню, ко мне в дверь постучала женщина. В эти дни открывать незнакомым не принято, — но увидев в глазок миловидное молодое лицо, я вышел на порог.

— Не хотите ли подписать петицию в пользу избрания президентом США Росса Пэрро?

Знаете, я, совсем недавно голосовавший за Буша, подписал. Наверное, не я один — потому что не я один слышал выступление нашего тогдашнего президента, убедительно сыгравшего на экранах миллионов телевизоров свое возмущение оправдательным вердиктом присяжных.

Ведь что интересно: негры его все равно не полюбят и их голосов он не найдет. У либералов есть Клинтон. И Браун. Так кому он хотел помочь — куклукскланновцу Дюку?

* * *

Надеюсь, Эмма Тополь поверила искренности моего ответа: тогда мне, действительно, страшно не было. Не потому, наверное, что я такой храбрый: просто банды громил были достаточно далеко — и от моего дома, и от редакции. А окажись в непосредственной близости, не уверен, что они вызвали бы у меня презрительную улыбку — улыбку Клинта Иствуда, поигрывающего у пояса парой пистолетов...

Страшновато стало чуть позже, когда я счел уместным досрочно завершить рабочий день редакции и просил сотрудников взять домой несколько компьютеров. Так, на всякий случай. И когда я решил, что маму лучше забрать из ее квартирки в Западном Голливу-

128

де. И потом, когда, рассовав в джипе наличный ружейный арсенал, я пробирался с ней через чудовищные пробки, образованные спешащими эвакуироваться из своих офисов служащими.

А тогда я действительно не испытывал страха. Поверите, я даже не испытывал особой неприязни к непосредственным участникам событий этих двух дней. Наверное, либералы правы — им действительно следует сочувствовать. И их надо жалеть — потерявших человеческий облик, попавших в капкан развратившей их системы, при которой можно получать не заслуженное и брать не заработанное. Ведь это так естественно, когда вдруг начинает казаться — дают мало! И тогда — почему не отобрать!

А мой страх... в эти часы он казался вытеснен куда более сильным ощущением: стыдно было за беспомощность самой демократической в мире демократии — в критические часы не способной действенно защитить себя от порожденной ее же добротой разнузданной армии варваров.

И еще — чудовищно стыдно за самого себя, за наше общее бессилие изменить что-либо в этом грустном раскладе.

Потом, когда Эмма, поблагодарив меня, остановила магнитофон и мы заговорили вообще об оправданности использования силы, о необходимой и предельной степени ее применения — не знаю, насколько уж кстати, я вспомнил Хиросиму. Сейчас вот говорят — можно было бы не бросать бомбу. Можно было бы обойтись...

Наверное, можно, но это — сейчас. А тогда мало кто сомневался в том, что ценой тысяч жизней были спасены миллионы.

Так где он начинается, этот предел? Правда, это уже другая тема...

Когда лет двадцать пять назад старожилы вспоминали о нью-йоркском районе Брайтон-бич, каким он был до поселения там эмигрантов из Союза, главным образом из Одессы и Киева, — плакать хотелось. Совершенно изумительное место: громады небоскребов Манхэттена, навсегда заслонивших собой небо, — они совсем не рядом... А здесь — прибрежная полоса с променадом, здесь можно пройтись вдоль набегающих на песчаный берег волн, полной грудью вдыхая океанический воздух, отчасти и это составляет счастье аборигенов района. Им завидуют горожане из всех «боро» — районов мегаполиса. Курорт!

Был курорт... пока уличные банды, большинство в которых составляли пуэрториканцы и чернокожие, не вытеснили отсюда местных жителей, главным образом людей пожилых среднего достатка. Члены банд и между собой не были дружны: рассказы о побоищах на Брайтоне не сходили со страниц газет. Полиция? — она, конечно, не оставалась в стороне, но что можно было сделать с этим отребьем — арестовать? Так судьи их на другой день отпускали из предварительного заключения...

Все волшебным образом переменилось с конца 70-х: жилье там сегодня по стоимости приблизилось к квартирам в престижных районах Манхэттена. Почему? Может быть, на этот вопрос может отчасти ответить такая история — хоть и произошла она на другом побережье Америки, у нас в Калифорнии. Я вот о чем...

...Иногда мне случается встретить Мишу где-нибудь в общественном месте или столкнуться с ним на улице. Киевлянин с забавным прозвищем Сусик, он оказался в Калифорнии в середине 70-х, примерно тогда же, когда и мы с сыном. Будучи человеком торговым и инициативным, он сумел и здесь продолжить карьеру, которая, надо думать, неплохо кормила его до эмиграции в Штаты — Миша был мясник.

Открыл он здесь мясную лавку в не самом, осторожно выражаясь, престижном районе Лос-Анджелеса, по соседству с домом, где тогда я снимал однокомнатную квартирку и где зачиналась предтеча «Панорамы» — крохотное изданьице «Обозрение». Миша оказался самым первым, кто предложил поставить свою рекламу в «Обозрение», почему и я к нему по-соседски заглядывал иногда — за новым текстом объявления и заодно отовариться продуктом.

А однажды, подойдя к дверям его магазинчика в условленное время, я обнаружил их закрытыми. Пожав плечами, решил позвонить ему на другой день.

— Приходи, — коротко сказал Миша, — магазин открыт, я на месте.

Зашел я к нему спустя еще несколько дней, а в один из них мне рассказали следующее.

В пустой в этот час магазин к Мише заглянул молодой негр, потерся у прилавка, вроде что-то рассматривая, вынул пистолет, и вертя им перед лицом Сусика, коротко бросил: «Мен, мани!». «Мани? — сейчас будут», — спокойно, по-русски, сказал Миша, нагнулся за прилавок, и хорошо отточенным мясницким топориком Сусик ударил негра. Тот, заливаясь кровью, еще как-то сумел выскочить из дверей магазина, где был подхвачен подругой, ожидавшей его с очередной добычей. Она впихнула дружка в машину и резко рванула с места — в ближайший госпиталь.

Говорили, что негр уже в приемном покое последний раз открыл глаза — и перестал жить. Миша же позвонил в полицию, вскоре приехали полицейские, допросили его, осмотрели место события, одобрительно похлопав Мишу по плечу и весело переговариваясь уехали. А больше Мишу по этому поводу никто не тревожил...

Мораль? Да нет здесь никакой морали, так просто вспомнилось: вчера Миша оказался в зале ресторана, куда и я заглянул на застолье по поводу дня рождения своего приятеля.

Глава 4
ЛОС-АНДЖЕЛЕС — НЬЮ-ЙОРК

— Валер, займи три сотни... Сумеешь? Лечу в Нью-Йорк, обратно через десять дней, верну сразу же: получка через неделю, а собрался сейчас, условился там с людьми... — На другом конце провода напряженное молчание.

— Знаешь... у меня сейчас напряженка... Может, обойдешься?

— Может, и обойдусь. Ладно, привет.

Конечно, обошелся. И слетал, и с людьми встретился, познакомился с самим Седыхом, с его коллегами. Кто такой — Седых? Ну да, сейчас мало кто его помнит. А ведь это корифей русской эмиграции, всех ее «волн» — послереволюционной, послевоенной, и теперь — нашей, советской, что ли, — как еще ее назвать, хотя в сущности-то, «антисоветской», верно? Издатель и редактор единственной тогда (монархический листок в Сан-Франциско — не в счет, кто его читал?) русской газеты в Штатах Андрей Седых, по рождению Яков Моисеевич Цвибак, действительно был человеком неординарной судьбы: Куприн, Мандельштам, Бальмонт, Милюков, Ремизов, Шаляпин, Бунин... их имена постоянно мелькали в его мемуарах.

Неутомимый потентант... Вот его газета отмечает семидесятилетие издателя. Кто-то в посвященных ему вполне комплиментарных (как же иначе!) стихах так его назвал. Боже! Полемика вокруг этого «потентант» не стихнет еще много номеров: затюканный автор будет цитировать римских классиков, энциклопедии с пояснениями — мол, следует понимать, что юбиляр есть человек еще не полностью реализованных возможностей. Куда там! — повод засветить свое имя в газете случился замечательный, вот и засвечивают...

Седых вполне радушен, он почти сразу предлагает представлять его «Слово» на Западном побережье Штатов. Чем-то ты внушаешь ему доверие, может, оттого, что кто-то к твоему приезду успел показать ему «Панораму».

Естественно, и у тебя с собой припасен свежий номер. Вот и «представляешь» ты «Новое Русское Слово» в Калифорнии пару последующих лет. Как, спросите? — да так: оформляешь подписку, добываешь «свежих» авторов, сам туда что-то пописываешь. Но — и рекламу, чем обретаешь новый для себя опыт, очень пригодившийся вскоре же.

Впрочем, кредитор, у кого приходится все же перехватить несколько сотен в дорогу, получает должок на другой день по твоему возвращению...

Повторить поездку в Нью-Йорк тебе случается лишь еще тремя годами позже. Нет никакой возможности (а если честно — решимости) оставить хоть бы и на несколько дней газету. И только теперь в, не скажешь, просторном, но все же удобном кресле «Боинга», ты оказываешься обложен грудами непрочитанных рукописей...

5 часов, 3 тысячи миль, их как не было.

Попробуем что-то вспомнить, из того, что стоило бы хранить в памяти и сегодня.

Первая ночь в Нью-Йорке, не в самом — за городом. Домашняя финская баня, при том, что жара на улице несусветная, короткое застолье. Несколько часов блаженного сна. На другой день — бытовое обустройство: жилье, машина, звонки приятелям и знакомым, а какие-то — и по службе.

В тот год «Панораме» исполнилось пять лет. Выжили, надо же! Отметить это собстоятельство собрались друзья — и твои личные, и редакции: между теми и другими грани стирались быстро. Просторный лофт у Славы Цукермана заполнили человек сорок, может больше. Надрывались огромные вентиляторы в окнах — проку от них было немного: вся заготовленная выпивка осталась почти нетронутой — это при том, что собрались-то журналисты и писатели... Только за пивом пришлось посылать доброхотов неоднократно.

«Новое Русское Слово». Теперь это совсем не та редакция, с которой знакомил тебя Седых. Ты не успел еще забыть три комнатенки в нелучшем райне Манхеттэна: допотопный линотип в подвале, допотопный же печатный станок и несколько коробок на деревяных поддонах — на них умещается весь тогдашний тираж газеты. Здесь же типография Мартьянова, его русские календари составляли не одно десятилетие самое массовое и самое востребованное в русской Америке издание. Не тот ли Мартьянов, кто участвовал в покушении на советского полпреда Воровского? Да, тот самый.

Разное теперь, в этот приезд говорили про Седыха: он субъективен... он не жалует другие газеты на русском языке (теперь его газета не одинока)... каких-то авторов он «зажимает»...

А ты снова вспоминаешь тот, первый визит в его газету. Были тогда у тебя в портфеле кроме свежей «Панорамы» несколько экземпляров книжечки «Анекдоты из СССР», это ими начиналась твоя книгоиздательская деятельность в Штатах, не считая нескольких мелких, грошовых заказных работ. И был тогда у тебя билет на обратную дорогу в Лос-Анджелес, купленный на занятые деньги. И был загородный дом, где накормят и спать оставят. А больше ничего.

Вот и попросил ты кого-то из сидевших за одним из двух столов, что были ближе к двери, ведущей в комнатку редактора, помочь встретиться с Седыхом. А тебе сказали: «Он занят. Он очень занят. И завтра тоже. И послезавтра. И вечерами. И ночами. Он, домой забирает с собой чемоданы рукописей. И утром приносит их прочитанными. Правленными. Отвергнутыми. Потому что днем ему некогда. Всегда».

И тогда ты поймал Седыха в коридоре. И загородил проход. И сказал:

— Я — Половец. Альманах. Лос-Анджелес.

Кажется, он понял только «Лос-Анджелес». И предложил:

— Пойдем ко мне в кабинет.

Его «кабинет» помнится тебе крохотной комнаткой, заваленной грудами, горами машинописных листов, книг, среди которых каким-то чудом умещался письменный стол с пишущей машинкой и телефоном. Спустя минут десять от начала беседы, Седых попросил секретаршу (это была местная поэтесса, ее стихи появлялись в «своей» газете с завидной постоянностью) — «полчаса не прерывайте нас». Через два с лишним часа ты вышел от него. Эти два часа сохранили тебе многие месяцы. Потому что Седых говорил об издательствах в Америке то, что ты и сам познал бы, только много позже.

А еще вспомни, как настороженно, год спустя, уже в Лос-Анджелесе, рассматривал Седых новые выпуски, окрепшей настолько, насколько это получалось, «Панорамы»...

И, завершая эту главку, заметим (не по злопамятности, а так — для справедливости), что друг твой Валера вскоре после твоего возвращения из Нью-Йорка купил свой первый дом: может, ему тех трех сотен как раз не хватило бы, одолжи он их тебе, и что бы тогда?..

Не будем держать на него зла, чего уж тут. Вот отец его, следом за ним приехавший в эмиграцию и знавший, как в свое время, еще там, в Москве, ты выручил его сына (да что выручил — от тюрьмы спас!), очень был на него сердит.

Все же, вечное спасибо ему: это он со своими «жигулями» помогал тебе с заболевшим отцом добраться при необходимости из точки «А» в точку «Б», когда у твоего «москвичонка» уже были другие хозяева.

Отец Валеры и его мать успели в Москве и с твоей мамой подружиться — перед их выездом из Москвы.

Вспомним мы еще, дело прошлое, как Валера, собравшись эмигрировать, увольнялся из «Патента» с должности руководителя службы микрофильмирования. Не тут-то было — обнаружилась недостача кинопленки — пустяшная, в несколько сот тысяч метров... Расходовали ее миллионами метров, не продал ее Валера, и не пропил, это было понятно — учет, наверное, был скверный.

Только для компетентных «инстанций» может ли быть лучше повод упрятать «подаванца» куда-нибудь подальше, откуда и Москва покажется вожделенной заграницей. А пока его привели к тебе бывшие коллеги из «Патента» — ты с ними сохранял и после ухода оттуда добрые отношения многие годы. «Надо помочь...» — просили они. Получилось — звонок в Таллин, начальнику филиала Паллингу: «Уно, пришли в Москву сколько можешь из запаса, можешь?». Звонок в Тбилисский филиал, его начальнику, Эдилашвили: «Гурамчик, поможешь?». В Ереванский филил Багдасаряну: «Эдик, выручай парня!».

Так и Господь с ним, с Валерой, думаешь ты теперь, да и раньше — тоже. А к Валере мы еще вернемся — в новых главах и по другим поводам.

Хотя можно начать и здесь, так, для памяти: ну вот, например, его поместье в Санта-Барбаре, с замком, включенном в книгу охраняемых государством архитектурных объектов, там только вода для орошения зелени обходилась ему во многие тысячи ежегодно...

Приобрел поместье твой друг Валера, избавившись с большой для себя выгодой от поначалу очень успешного предприятия: на добытой, ржавевшей где-то в американской провинции проявочной машине, восстановленной им самолично, — он, использовав доэмиграционный опыт работы в «Патенте» и обретенное там умение, научился дублировать черновые киноматериалы для последующего монтажа — не на дорогую пленку с серебряным фотослоем, а на дешевую с диазозаменителем. И теперь Валера сумел предложить студиям услуги по ценам, существенно меньшим, чем у его коллег.

Опуская технические подробности, отметим только, что пришедшая цифровая техника сделала его (как и его конкурентов) услуги студиям не нужными. Разумеется, купившие его предприятие (кажется, выходцы из Ирана) почти сразу обанкротились и долго потом таскали Валеру по судам — обошлось, однако...

А еще Валера косвенно упомянут в твоей документальной повестушке о загубленных жизнях его бывшей супруги, привезшей в Америку Валере сына, и ее друга, бежавшего в Штаты из киногруппы Бондарчука при съемках в Мексике ленты о Джоне Риде. Ни ее, «Куколки», ни ее друга Рачихина нет давно в живых.

Только все это было потом. Да мало ли еще чего было потом. Ну, например: еще у Валеры был дом, почти на самом берегу океана, и в гараже стояли там рядом спортивные «Мерседес» и «Феррари». Называть цифры — сколько они стоили? — обойдется, и так ясно: может, даже столько, сколько сам дом, где красавцы покоились в гараже. Да, все же *покоились,* по делам ездил Валера на обычном американском «Олдсмобиле» — а эти, так, выгодное вложение капитала, инвестиция...

Так вот, однажды ты приехал туда, в гости к Валере, с замечательным актером, близким другом твоим, Крамаровым — Савва тоже теперь жил в Калифорнии. Приехали вы в твоем новеньком двухместном спортивном «Ниссане»: у него открывалась крыша, мотор его был усилен мощной турбиной — лучшей машины у тебя с тех пор, пожалуй, и не было, а теперь, наверное, уж и не будет.

Только что купленный тобой, на Валеру впечатления он не произвел: «Садись лучше в "Феррари" — сам все поймешь!». Савелий легонько плечиком потеснил тебя: «Дай-ка я первым прокачусь!». Валере было все равно — и в машину рядом с ним, на единственное пассажирское место, сел Крамаров, они легко снялись с места и почти мгновенно скрылись с глаз. Ты же вернулся к столу, где оставалась еще пара гостей, и вы продолжили легкую трапезу, которую

136

вдруг прервал резко звонящий телефон: «Говорят из дорожной полиции, красный "Феррари" — Ваш?»

— Что, что случилось?

— Он в серьезной аварии!

— Где? Люди — живы?

Ровно через десять минут вы уже стояли рядом с тем, что осталось от «Феррари»: машина уткнулось передом, которого уже, собственно, и не было, в покосившийся от мощного удара электрический столб. Не вписался Валера в поворот, намереваясь развернуться в обратном направлении. Теперь он и Савелий с забинтованными головами лежали на носилках рядом, под надзором полицейских их уже перемещали в санитарную машину.

Последовав за ними в госпиталь, мы узнали, что Валера отделался ушибами и ссадинами, а Савелию аккуратно, под корень, оторвало ухо — это оно было прибинтованно к голове, когда мы его увидели на носилках. Савва только косил на нас своим глазом, не поворачивая головы, и носилки почти сразу скрылись в жерле санитарной машины.

Быть бы тебе на его месте, и была бы у тебя другая поза — чуть левее, или чуть правее — может, сейчас и некому было записывать это памятное событие. А ухо у Саввы прижилось, он с ним, с пришитым, потом еще снялся не в одном фильме. Так-то...

К Савелию мы еще вернемся — в будущих главах.

* * *

Хотя почему не сейчас, почему не здесь: вспомнить-то есть что и немало. Ну, хотя бы вот это.

В годовщину кончины вдруг о Крамарове заговорили сразу и чуть ли не все российские телеканалы, газеты... Хотя по-настоящему Савву никогда там и не забывали, разве что после его отъезда из страны — в эмиграцию, как все мы тогда знали, навсегда, — сняли с экранов фильмы с его участием, из других, с небольшими ролями, просто вымарывали его имя в титрах. А люди все равно знали — там будет Крамаров, и шли в кино специально, чтобы эпизод хотя бы увидеть с ним.

И вот — он «в подаче», власти растеряны... Еще бы — ситуация-то складывалась скандальная: секретов государственных Савва вроде не ведал, в «почтовых ящиках» даже и по ролям своим не служил... Так нет, ведь — не отпускали! Он даже и к американскому президенту обращался, просил, чтобы нажали дипломаты на советских коллег по своим каналам — не помогало: в овировских ответах оставалось все то же: «нет» и «нет» — года три провел Савелий «в отказе».

Но вот времена там стали меняться, и постепенно вернулись на экраны все его фильмы, а вскоре — и газетные, и журнальные публикации, где Крамаров был упомянут если не с любовью, ее-то всегда испытывал к нему российский зритель, но с благожелательностью, во всяком случае.

И однажды в этой связи, я стал жертвой крамаровского недовольства — очень он меня ругал, Савва — за то, что будучи по делам в Нью-Йорке, дал его телефонный номер корреспондентке «Комсомолки», фамилия ее была, кажется, Овчаренко: очень уж она просила, а отказать даме, пусть даже и обладательнице журналистского удостоверения, для меня всегда было непросто.

Нет, правда, я таким Савву просто не помню, как в тот раз: когда я вернулся из города «Большого яблока», на моем автоответчике было несколько его «месседжей», — настолько он был зол на меня, что не стал дожидаться моего возвращения, чтобы высказать все, что обо мне думает: позвонила ему таки эта дама и, видно, хорошо его «достала» своими расспросами.

А он... не хотел Савва возвращаться в СССР даже и просто упоминанием своего имени, и понять его было можно. Не то, чтобы он был рассержен на страну, а только не с чем было вернуться: работы в кино было немного, но была все же, на жизнь хватало — но куда до недавней славы!.. Хотя вот и слава стала возвращаться — не быстро, но вернулась, причем в полном размере, пусть ее пока и не прибавлялось. Не успел Савва — не стало его.

А теперь, даже еще в большем количестве: появились мемуары — «каким он был...» и тому подобное. Конечно же, как это всегда бывает, большей частью они были скроены шаблонно — что-то вроде «Я и Крамаров». Не все они, конечно, попадались на глаза, но одна радиопередача вызвала возмущение у меня и еще у нескольких человек, близко знавших Савелия и друживших с ним — Олега Видова, Мельниковой Сони, живущей в Сан-Франциско после многолетнего отказа, полученного одновременно с Савелием — они, действительно, были тогда рядом.

А еще некий литератор разразился премерзким текстом в адрес Савелия, не хочу здесь приводить ни имени его, ни содержания опуса, помещенного в «Огоньке», — его потом перепечатали несколько русских газет, и в Штатах тоже. Я просил его больше не присылать в «Панораму» свои тексты, что до того случалось, и даже какие-то из них публиковались. И вот...

Я не вспомню другого случая, когда у нашего с Савелием общего приятеля, человека мало сентиментального, скорее даже напротив, недоброго, были бы на глазах слезы. Помню, как сейчас, мы спускались по узкой дорожке, ведущей из стоящего на склоне холма дома Савелия к припаркованной машине: было до жути ясно — Савелий от нас уходит. А только что, ну почти вчера, Крамаров звонил мне, он в тот раз остановился в Лос-Анджелесе у Видова — Олег был первым, кому Савва сказал о том, что серьезно болен.

— Саня, — слышал я в трубке его голос, в котором легко угадывался и не то чтобы испуг, но, я бы сказал, негодование и даже возмущение, — Саня, у меня рак!..

Конечно же, я стал приводить случаи успешного избавления от этой страшной напасти: мол, медицина в Штатах сейчас такая!.. Вот ведь и Мишку оперировали — и все прекрасно, уже который год! Вот и у Алика было — и тоже обошлось...

Савелий расспрашивал меня о том и о другом — он хотел знать подробности, как и что было с ними. А ведь правда — было, оба наших друга вполне благополучны, оба продолжают трудиться, хотя по возрасту давно могли бы и пребывать в почетной отставке, пенсии нормальные. Так нет ведь! — и мои уговоры на них не оказывают влияния.

Ну и на здоровье им.

А про Савву всегда хочется помнить что-нибудь веселое, даже смешное — поводов для того в нашей жизни всегда хватало. И я охотно делился прежде всего именно этими воспоминаниями — с телевизионными группами, десантировавшими к нам из России одна за другой, с газетной публикой. А не так давно продюсер, тоже из эмигрантов, снял по заказу главного российского телеканала, «Первого», очень успешную ленту о Савелии. Ее там множество раз крутили — мне до сих пор позванивают москвичи: а мы тебя опять видели в этом фильме.

Ну вот, например, я рассказывал в камеру, как однажды, собираясь, в многодневный вояж предупредил меня Савелий, что завезет ко мне завтра несколько вещей — у него дома будет ремонт.

— Валяй, говорю, в чем дело! В гараже места достаточно.

Оказалось — почти *не* достаточно: я с легким ужасом наблюдал, как из припаркованного к дверям моего гаража грузовичка выносились чемоданы, дорожные мешки с одежой и, наконец — складной диванчик! Потом, когда оказалось, что в гараже все уложилось, нам оставалось обоим только смеяться, распивая за столом чаи — а больше ничего, я говорю о спиртном, Савва не пил — это вопреки легендам, на которые были горазды наши земляки: «Во, мы на прошлой неделе с Крамаровым так надрались!...»

Вообще же, Савва первым, из всех нас, побывал в Японии, в Индии, не говоря уже о «ближнем зарубежье» — для нас это Мексика, например, Панама...

Ну а в Австралии Савва оказался почти сразу, едва пересек советскую границу — на гастролях: в Венском аэропорту он был встречен импресарио, «из наших» же, с букетом, составленным из стодолларовых купюр. Виктор, это имя импресарио, знал, что не прогадает. Он загодя снял залы в Сиднее, Мельбурне, в Берлине, но и в Иерусалиме, и в Тель-Авиве... Разумеется, и в Нью-Йорке, и в Бостоне, и у нас в Лос-Анджелесе — и нигде «лишних билетиков» не оставалось.

Чуть ли не на другой день после выступления у нас Савелия, мы отправились подыскивать ему жильё — и скоро нашли недорогую квартирку как раз там, по соседству, где сохранял и я тогда свою первую обитель, или почти первую, в Лос-Анджелесе — теперь она служила подсобкой «Панораме» — жаль было расставаться, да, и правда, нужна она была для дела.

Что еще вспомнить: может, как Савелий появился в Лос-Анджелесе после операции — в Москве ему «исправили» косящий глаз, а заодно и подтянули складки на шее, хоть их-то у него почти и не было, отчего шея у него стала казаться совсем тонкой, с непривычки для нас. Вообще же, Савва всегда сохранял великолепную физическую форму, много ходил, особенно любил он прогулки по берегу океана, — вот и поселился там, в Санта-Монике, совсем рядом с набережной.

— Савва, ты знаешь, на кого ты стал похож теперь?

— На кого?

— На сперматозоид!

Любил наш приятель шутки, не всегда добрые. Только в этот раз Савелий не обиделся, а рассмеялся вместе с нами. Обиделся он в другой раз, когда в мое недолгое отсутствие в «Панораме» появился на странице юмора вроде бы дружеский, не очень остроумный, и даже пошловатый текст того же нашего приятеля.

Что вспоминается сегодня еще? Ну, например, как у меня дома, где гостил Савелий, пока жил в нашем городе, еженедельно, а бывало и чаще (сауна всегда оставалась его слабостью), он всегда появлялся не с пустыми руками — ну, пустяк какой-нибудь копеечный — книжка, картинка, рюмка, он обязательно что-то дарил, радовался, когда гостинец ставился сразу на полку, открывал принесенный термос с настоями каких-то неведомых трав или с морковным соком — он доверял только магазинам «здоровой пищи», а однажды, вообще увлекся сыроедением...

Или вот еще помню, как он представлял мне свою новую подругу, Наташу... Потом он потихоньку спрашивал меня: «Ну, как тебе она?», и я в ответ только поднимал большой палец. И ведь, действительно, замечательный, красивый во всех смыслах человек, Наташа вскоре стала его женой. Мы с ней с той поры сохраняем дружбу даже и теперь, когда у нее новый муж. А она все мечтает увидеть опубликованными воспоминания близких друзей о Савелии, и, конечно же, раньше или позже их увидит, нашими общими заботами.

Или вспомнить о том, как Савелий у меня же дома познакомился с Булатом, и, наверное, подружились бы, видься они чаще: у

Савелия был замечательный, живой ум, что не в последнюю очередь определило его актерские возможности. Думаю я, чтобы так, как это делал Крамаров, сыграть роли его всегдашних героев придурков, нужно было обладать незаурядным умом и способностями к размышлению.

Розовский Марик, — это в его самодеятельной студии «Наш дом» началась актерская биография Крамарова, — потом сетовал: «Савелия эксплуатировали в кино, а для него, под него надо было создавать фильмы!». Что есть совершенная правда.

Вот и получился, кажется, кусочек из будущей главы будущей же книги о Савелии Крамарове — я очень надеюсь, что в этом качестве мои строчки увидят со временем свет. До сих пор не могу простить себе, что не уломал я Савелия на такую беседу, вроде подробного интервью, чтобы ее текст можно было опубликовать, если не в газете — то хотя бы со временем включить в один из сборников, в которых я собирал разговоры с близкими мне людьми. Только Савелий все отмахивался — потом, как-нибудь...

А это потом никогда не наступило.

* * *

В том же разделе, что и текст несостоявшейся беседы с Савелием, могла бы войти и, тоже не состоявшаяся, беседа с Сичкиным. Этот раздел сборника я назвал «Жители волшебного мира» — там было и о Леночке Кореневой, и еще о ком-то из киноактеров... В общем не случилось такой беседы с Борей Сичкиным. Он и был для всех нас, его друзей, — Боря, несмотря на солидную разницу в годах. А для всех — Бубой Касторским.

Одно из последних воспоминаний о Сичкине связано с прожитым мной юбилеем, случившимся при моем яростном сопротивлении: вечер все же состоялся с участием прилетевших из Москвы, из Иерусалима друзей и, конечно же, Бори Сичкина, прибывшего за несколько дней до того, загодя, из Нью-Йорка. Боже — как он лихо танцевал на эстраде, повторяя эпизоды из «Неуловимых мстителей», как пародировал дряхлого Брежнева (он сыграл и серьезную роль в этом амплуа в фильме у американцев)! А потом —

после хорошего застолья мы погружались в пузырящуюся воду джакузи, и с нами, — спокойно, все было пристойно, — не вполне одетые девушки...

А еще Боря позванивал иногда из Нью-Йорка со словами: «Саша, ты же знаешь, как я тебя люблю, я всегда рядом! Ну скажи, чем тебе я могу быть полезен? Может, тебе нужны деньги? — немедленно звони мне. Нужен миллион? О чем разговор, ты только скажи, и мы побежим искать этот миллион вместе!».

Денег он мне, однако, никогда не присылал, что и правильно — все, зарабатываемое Борисом, уходило на инструменты и прочие профессиональные нужды его сына, композитора талантливого, что, как известно, не всегда сопровождается большими деньгами, зато новые записи Ермолая ко мне приходили часто.

А вот еще: мы собирали деньги на памятник Савелию — они тесно дружили и с какой-то даже, я бы сказал, нежностью относились друг к другу: Борис успел посвятить Савелию многие страницы своей книги, веселой и забавной (а Сичкин был великолепным рассказчиком — в застолье, и, как теперь оказалось, в писательском умении — тоже), изданной незадолго до его кончины в Нью-Йорке.

Так вот, когда не стало Савелия, мне удалось договориться с Михаилом Шемякиным — собственно, и уговаривать-то его не требовалось, надо было создать надгробный памятник Савелию. Шемякин сказал сразу:

— Да, конечно, за честь сочту, только не сразу — надо сдать срочные заказы. — Какие деньги, ты что? — возмутил его мой вопрос. — Только на литье потребуются — это будет сделано в Ленинграде.

И было сделано, причем превосходно, может быть, даже это одна из лучших работ замечательного художника и скульптора.

Вот и Сичкин прилетел из Нью-Йорка, и он снова был неподражаем, Журбин Саша с супругой Ириной, Круглова Вероника из Сан-Франциско. Эрнст Неизвестный на мою просьбу откликнулся, прислав для проводимого аукциона статуэтку — что тоже помогло собрать недостающую сумму. Привезли дочку Савелия Басечку — названную так Савелием в память о свой маме. Наташа Крамарова (она и сейчас сохраняет фамилию Савелия), первые деньги на памятник, конечно, были ее, едва скрывала слезы на протяжении вечера.

А однажды я проверял свой автоответчик, готовясь к возвращению из Москвы, и услышал такую запись: «Саша, мы вчера папу похоронили...» Это звонил Ермолай.

Ну вот, пока — все, остальное — в книге.

Глава 5
ТАМ, ГДЕ НАС ЕСТЬ...

> Здесь хорошо там,
> где нас нет...
>
> *М. Жванецкий*

Лёвушка Шаргородский тогда занимал должность председателя Ленинградского группкома драматургов; пьесы и постановки по сценариям, написанным им и Аликом, шли в десятках столичных и провинциальных театров.

Оставаясь в этом качестве, братья стали уезжать из СССР. Навсегда. Потому-то вполне естественно, а оттого вдвойне каверзно и даже опасно прозвучал вопрос, заданный Леве в соответствующих инстанциях — когда, казалось, разрешение уже в кармане и чемоданы, упакованные в дорогу самым, по тогдашнему нашему пониманию, необходимым в дороге скарбом, сдвинуты ближе к прихожей...

— Слушайте, — сказали ему инстанции, — не валяйте дурака! У вас с братом есть все. Ну ради чего вы оставляете нашу шестую часть планеты?

— Да ради остальных — пяти шестых, — почти не задумываясь, ответил он...

Теперь, спустя семь лет, Лёва ждет тебя в Каннах, давно уже ставших для клана Шаргородских чем-то вроде дачной зоны. Потому что от Женевы до юга Франции (до Португалии... Гонконга...

продолжайте произвольно этот список — не ошибетесь) и впрямь рукой подать.

Задержка на пару дней в Париже, чтобы встретиться там с Лимоновым, — как же иначе... Эд (теперь он предпочитал «Эд» недавнему приятельскому «Эдику» и тем более «Эдичке», принесшему ему первую американскую славу), — к этим дням достиг своей тогдашней цели, он теперь писатель интернациональный. Число изданных переводов его книг, как и тех, что находятся в разных стадиях издательского процесса, достойно зависти коллег — это и о тех, кому повезло родиться за пределами его родимого Харькова, но и вообще Советского Союза. И еще ты успеваешь встретиться с Димой Савицким — он работает на французские журналы и почти никогда — на русскую прессу.

Итак, ты впервые ступаешь ногой на землю французской Ривьеры...

Горит Монако. Путевые заметки, что в те годы появлялись в эмигрантской прессе, вызывали подозрение — рождение их казалось тесно связанным с бесплатными брошюрками для туристов, разложенными в гостиничных номерах на пути следования авторов этих заметок. И записывать их, и читать — занятие одинаково скучное. Хотя можно, конечно, предположить, что не всем путешественникам везло так, как повезло вам: вы видели горящий Монте-Карло.

Горящий — во всех смыслах. В прямом — потому что горели холмы, составляющие большую часть территории этого экзотического княжества и придающие ему совершенно неповторимое очарование. И в переносном — тоже... Об этом и сегодня стоит рассказать подробнее.

Представьте себе картину: арендованный вами крохотный, по американским понятиям, «Рено» на ста шестидесяти километрах в час (при официально дозволенном здесь пределе сто тридцать) несется по пустому шоссе — это в пятницу, к вечеру! — к столице столиц игорного мира. А на встречных полосах бампер к бамперу едва движутся машины: десятки тысяч туристов, да и постоянных жителей Монте-Карло, оставив отели, виллы, рестораны, казино, стремятся покинуть город, окруженный пылающими отрогами холмов и завесой дыма, относимой ветром за много километров в сторону — до самой Ниццы...

Вот уже неделю не удается съехавшимся из всех прилегающих районов пожарным и войсковым частям затушить огонь, пожирающий, как пишут европейские газеты, «со скоростью скачущей лошади» — гектар за гектаром кустарники и лес, своей фантастической красотой принесшие этим местам славу «жемчужины Франции». (Деталь: вы не видели ни одного пожарного вертолета — тушили только с земли... Может быть, в том и причина, что так долго?) Сгорело несколько богатых вилл, жители которых спасались от наступающего пламени в бассейнах. Погибла семидесятичетырехлетняя мадам Давид: будучи вывезенной из своего дома, оказавшегося в зоне пожара, она зачем-то вернулась в него. Ее обгоревшее тело находят только на третий день...

Словом, когда вы, воспользовавшись объездом (выезды на Монако со всего шоссе оставались закрыты) и наблуждавшись по горным дорогам, пробиваетесь, наконец, в Монте-Карло, город почти пуст. Кроме экзотически выряженной королевской стражи, на дворцовой площади никого нет. Если, конечно, не считать вас — Лёвы, его жены Лины и тебя. Все сувенирные лавки и магазинчики безлико таращатся задраенными ставнями и спущенными жалюзи.

Какая-то суета еще наблюдается внизу на площади, образуемой тремя зданиями, главным из которых, конечно, следует считать казино — оно своим, по-настоящему величественным фасадом отгораживает вид на море, перламутрово поблескивающее у самого подножия обрыва, сразу за узкой полосой набережной. И вот еще — о площади: с одной ее стороны — приземистое, почти полностью застекленное здание, вмещающее ресторан и залы с игорными автоматами; и напротив него — гостиница, в которой обычно останавливаются (лучше бы сказать, позволяют себе остановиться) гости.

Наверное, они богаты чрезмерно: они промышленники и кинозвезды. И издатели, литераторы, между прочим. Русского языка там слышно не было, — иное в девятнадцатом, ну и в началедвадцатого века — тогда было. Ну и, естественно, здесь всегда присут-

ствуют профессиональные, кому не изменила удача, завсегдатаи
игральных залов. Так вот: обычно эту площадь даже и в будние дни
можно пересечь, лишь проталкиваясь плечами между стоящими
на ней зеваками и наступая им на ноги. Сегодня площадь пуста и
лишь одинокие парочки изредка пересекают ее, чтобы поглазеть
на хозяев подзываемых к гостинице лимузинов.

— Ой! — не переставает восклицать Лева, хватаясь за голову. —
Они же горят!

— Вижу, — отвечал ты ему. — Вон, гляди — справа еще одна полоса огня, только что ее не было.

— Да нет же, — досадливо морщится он. — Это я сам вижу.
Я тебе о казино говорю, о ресторанах!..

Он так искренне переживает, что в какой-то момент тебе стало
казаться: не иначе, как получив гонорар за очередную теле- или
кинопостановку (братья Шаргородские к этим дням стали попу-
лярны уже и в Европе — за их сценариями охотятся известные режиссеры и продюсеры), Лёва вложил его в местный игорный бизнес — о чем ты ему немедленно сообщаешь.

— А что! — подхватывает он, — вот-вот вложим, да, Лина?

К чему все это вспоминать сегодня? А вот к чему: по возвраще-
нии домой, в Штаты, ты ожидаешь, что, может быть, даже первым
вопросом к тебе будет что-нибудь вроде: «Ну как, что там осталось
от Монте-Карло?». Оказывается же, что событие, вести о котором
в течение недели не сходили со страниц европейской прессы, не
удостоились и двух строк в американской. Во всяком случае, никто, буквально никто из тех, с кем тебе в эти дни доводится встретиться и кто расспрашивал тебя о поездке, никто из них ничего об
этих пожарах не слышал...

Ты подумал — тебя разыгрывают. Разобрав высокую стопку ско-
пившихся в твое отсутствие газет, после политических вестей из Европы ты обнаруживаешь сообщение о том, что на королевских скач-
ках в Англии лошадь, по имени Мюрель, сломала ногу и бедняжку
пришлось пристрелить. Во Франции в то же самое время еще у четве-
рых молодых людей, подверженных содомскому греху, нашли злове-
щий СПИД, группа протестующих против апартеида в Южной Африке, наскоро сменив плакаты, переместилась от здания МИДа

ближе к Министерству здравоохранения — фото этих демонстрантов занимает четверть газетной полосы. Ну, и все такое...

А о пожарах в Монако — ни полслова. И ты спрашивал себя, что же еще, кроме океанических миль, отделяет Старый свет от Нового. Что все-таки?.. Ответов, наверное, много.

А вообще-то выходит, и впрямь, — стоим антиподами ногами друг к другу, головами в разные стороны...

Так вот, знайте: в пятницу, 25 июля 1987-го года, горел Монте-Карло! И если кто-то при тебе станет утверждать, что ничего подобного не было, потому что «в газетах об этом ничего не писали». — Не верьте! — скажешь ты: видел ты сам. При свидетелях.

Они. Они — это советские. Не просто рядовые советские граждане, но — «выездные». Не забудем, о каком годе идет речь, сегодня этот термин не всем и понятен, разве что мы, эмигранты семидесятых, помним его полный смысл... Первый раз в этой поездке ты видишь *их* в парижском аэропорту имени Шарля де Голля.

В России привыкли повторять — «хорошо там, где нас нет...». Повторяли механически, не очень-то вдумываясь в смысл сказанного. А что, собственно, вдумываться: должно же, в самом деле, быть на свете ну хоть где-то, хоть за тридевять земель такое место, где людям хорошо. В общем — хорош сказ, да не про нас...

А эти — другие. Их философия, их кредо — *быть там, где нас нет.* Правильнее сегодня сказать — где нас тогда не было. В других компаниях. В других магазинах. В других санаториях... Но и в других больницах...

К тому же были и тогда (слава Богу, пока еще есть) Санта-Моника, 5-я Авеню и Мэдисон Сквер. Есть теперь и Брайтон-Бич, наконец, с его вызывающим изобилием и полным довольства населившим его сословием новых американцев. А еще есть земли, с совершенно таинственными названиями — Барбадос... Мартиника... Галапагосские острова...

Да, тогда нас здесь не было. А они — они уже были. Ну, не обязательно на Мартинике (хотя, почему — нет: рассказывал же тебе приятель сына Подгорного, как тот регулярно наезжал в Ливию, что ли, а может, Занзибар, охотиться на носорогов)... Но то, что бойкие табунки *наших*, подгоняемые «руководителем», бодро гало-пируя, пересекали лондонскую Оксфорд-стрит или нью-йоркскую Лексингтон, устремлялись в дешевые магазинчики, торгующие сомнительного происхождения «фирменной» радиоаппаратурой, — и то, что кто-то из них тогда уже краешком глаза косил в витрины стокгольмских «секс-шопов» и паскудной ухмылкой провожал взглядом девчонок с бульвара Клиши, — это уж точно было.

И сейчас есть — здесь достаточно россиян обосновалось фундаментально. Но это уже другие.

А в тот раз, слоняясь по залам международных рейсов в ожидании своего самолета (спасибо агенту из бюро путешествий, это его заботами ты провел там около шести часов, что косвенно способствовало появлению этой части заметок), ты лицом к лицу столкнулся с *ними*. В том, что это «они» — сомнения не возникало: скверно пошитые из дорогой материи костюмы, сбившиеся набок галстуки (составлявшие важнейшую часть туалета еще только у служащих аэропорта и группки японских бизнесменов, — одежда остальных транзитных пассажиров заключалась в шортах или джинсах и майках-тишотках)...

Двое мужчин... право, здесь затруднительно подыскать нужное слово: если бы можно было сказать о двоих «взяли в кольцо» — это было бы самым точным... Они именно взяли в кольцо третьего члена своей группки — женщину профсоюзного вроде бы вида, лет сорока, и таким манером, со скоростью спринтеров, перемещались от прилавка к прилавку «безналоговых» магазинчиков.

Их челюсти были плотно сжаты, я не заметил, чтобы кто-нибудь из них проронил хотя бы слово, обращаясь к другому. В одной руке у каждого из них было по добротному кожаному портфелю — по-моему, даже с навесными замочками, — не дай Бог джеймсы бонды из одной иностранной разведки соблазнятся их содержимым; пластиковые сумки с выпиравшими углами сигаретных блоков и каких-то еще коробок и свертков оттягивали другую.

— Бедные люди, — подумал бы, глядя на них, ты сегодня, — богатые бедные люди...

Хотя ты и тогда был готов подумать то же самое. «Бедные...» — но случайно глаза одного из них скользнули по тебе. Ваши взгляды встретились. Читатель, добрый друг, поверь, тебе стало страшно. Это был взгляд человека, который... который способен на все. С хозяином таких глаз ты бы не хотел служить в одном учреждении. Даже если в разных отделах. Ты бы не хотел встретиться с ним в общем застолье. Ты бы побоялся открыть ему дверь своей квартиры...

За те доли секунды, что вы смотрели друг на друга, ты почти прочел в глазах этого, находящегося в служебной командировке чиновника (ученого, инженера? — вряд ли в завоеванном им положении эти понятия существенно были бы отличны) его биографию. Тебе показалось, что ты знаешь его бывших друзей, которых он оставил, потому что с ними дружить больше не подобало... Его коллег, беспощадно отжатых локтями и затоптанных на пути к заветной должности — С Правом Выезда За Границу. За эти доли секунды ты прошел вместе с ним через десятки унизительных допросов, проработок и наставлений в комиссиях, от которых будет зависеть его дальнейшая карьера...

Дорогой читатель, советовал ты в заметках, частично опубликованных впервые в тот год: встретив человека с такими глазами, отойди в сторону, обойди его... А тогда — доли секунды, и вы прошли мимо друг друга. Ты постарался забыть — забыть как можно скорее об этой встрече. И, наверное, вскоре память о ней полностью сгладилась бы (ты давно умеешь забывать все, что не следует помнить), если бы... если бы не еще одна встреча — уже в Лондоне, перед самым возвращением домой.

Простившись с Анатолием Павловичем Федосеевым, крупным инженером и, вообще, человеком необычайно широкой эрудиции и замечательным собеседником (общение с ним по-настоящему скрасило тебе несколько дней), ты шел, кажется, по Оксфорд-стрит. Ты заглядывал в первые этажи магазинов, собственно и составляющих эту столь памятную всем небогатым туристам улицу. Через несколько часов — твой рейс: следовало позаботиться о друзьях, не сомневавшихся в том, что каждый из них имеет право рассчитывать на какую-нибудь памятную штуковину, из тех, что мы обычно привозим из дальних поездок друг другу. И ведь не только традиция — самому тепло на душе.

Войдя в один из небольших магазинчиков, ты задержался у прилавка, рассматривая разложенные на нем пустяки, могущие стать сувенирами, когда вдруг за своей спиной услышал чистую русскую речь. Естественной твоей реакцией было обернуться, поприветствовать земляков, поинтересоваться, откуда они — из Детройта, из Нью-Йорка ли, а может, из Мельбурна или Оттавы? Вспомни, что ты увидел: хорошо одетый негр лет сорока обращался по-русски к очаровательному чернокожему мальчонке. Ты онемел...

Оправившись от неожиданности, ты подошел к ним ближе:

— Какой сюрприз! До чего же приятно услышать родную речь на чужбине!

Негр широко улыбнулся и собирался что-то ответить, мальчонка тоже подошел поближе, с любопытством уставившись на тебя. Пакетик с мороженым, который он держал в руках, потек — белые густые капли растеклись крохотными лужицами по его ботинкам.

— Пошли, нечего здесь делать!

Ты обернулся. Низкий голос, которым была произнесена эта фраза, принадлежал женщине, она была, пожалуй, несколько старше негра, с которым ты пытался заговорить. Встретив подобную ей в московской толпе, ты ничем бы ее не выделил: сухопарая, с плоским лицом, с прямыми волосами, схваченными на затылке в жидкий пучок. Там она, скорее, выглядела бы приехавшей из какого-нибудь подмосковного городка в поисках убогого столичного «дефицита» — собственно, такие и составляли, в основном, дневную московскую толпу. Тебе даже показалось, что и нынешняя ее одежда не выдаст в ней «иностранку» — окажись она на советской улице. Женщина подошла вплотную, встала между вами, отгородив собою отца и его сынишку. Те, безмолвно подчинившись ей, направились к выходу.

Право, тебе затруднительно — и особенно сейчас, спустя столько лет, разгадать это явление, да и надо ли? Скорее всего, тебе довелось встретить семью, образовавшуюся из студента, направленного прогрессивным правительством какой-нибудь Гвинеи в кузницу своих руководящих кадров — спецфакультет саратовского (а может, московского) вуза, и подцепленной на танцплощадке расторопной потаскушкой из фабричной общаги. А может быть, брак этот спланирован и благословлен в «морганатических» инстанциях — тех, в чьем ведении находились подобного сорта ангажементы, — естественно, это было первым, что пришло тебе на ум...

В любом случае осторожность очевидной обладательницы «красного» паспорта в пояснениях не нуждалась: известно же было, что в каждом магазине и на каждом уличном перекрестке капиталистического города советского человека поджидает провокатор, направленный ЦРУ или эмигрантскими организациями (это, конечно, одно и то же). Изловить душу человека, разложить ее и обратить ее порывы во вред советской державе — вот что всегда следует помнить.

«Советские граждане, временно пребывающие за рубежом, — будьте же бдительны!» — этой закавыченной фразой полтора десятилетия назад завершил ты, помнится, заметки...

Твой обратный полет занял примерно сутки, вместо предполагаемых 10—12 часов. Словом, времени для размышлений выдалось у тебя достаточно. О чем ты думал? Ты думал о том, что почти две недели провел в поездке. Лондон и Париж, Марсель и Ницца, Канны и Сан-Рэмо... Все это — места, которые 365 дней в году остаются объектами массового паломничества туристов. Они съезжаются сюда отовсюду. И не было такого места, где бы ты их ни встретил.

Ты к ним присматривался с того дня, когда досыта наелся великолепным французским мороженым, оставил положенное число долларов в казино Монте-Карло и научился равнодушно проходить, осторожно ступая по раскаленному пляжному песку, между особ прекрасного пола всех возрастов и религий, обнаживших бюсты навстречу ласковым солнечным лучам.

Разумеется, среди отдыхающих чаще всего попадались французы — парижане, в частности, для которых Средиземноморское побережье то же самое, что для москвича Клязьма или Болшево. Были бежавшие от своих бюргерских будней западные немцы. Было много англичан. Как-то тебе даже встретились поляки и венгры — им, кажется, было можно... Даже вот советских встретил, дважды.

Были, разумеется, и твои нынешние земляки — из Аризоны и Техаса, из Монтаны и Коннектикута. «Земляки» — это ты об американцах, родившихся в этой стране: страховые агенты и секретарши, водители «траков» и пенсионеры, бизнесмены и фермеры...

А так хотелось бы тебе здесь называть земляками тех, кто стал американцем, уехав из СССР. Наших. Ну, не обязательно — американцем. Канадцем, например. Или израильтянином... «Наших» среди туристов тогда не было. Никого.

И сейчас, спустя годы, ты с трудом сдерживаешь себя от того, чтобы, не повторить:

— Дорогие, хорошие, трудяги! Да бросьте вы, ну хотя бы на пару недель, ваши бизнесы и конторы, оставьте ваши таксомоторы, прилавки и бормашины! Заприте двери ваших квартир и усадеб, садитесь в самолет — и неситесь! В Канны и на Аляску, в Мельбурн и Гонконг, в Сант-Яго и на Берег Слоновой Кости!.. Жизнь наша не так длинна, а мир необъятен... Он удивителен! Пользуйтесь же возможностью увидеть его! Перемещайтесь по его меридианам и параллелям, широко открыв глаза и вбирая в себя великолепие нашей планеты — великолепие, помогающее с еще большей полнотой ощутить то, о чем всегда следовало бы помнить: сегодня ХОРОШО ТАМ, ГДЕ НАС ЕСТЬ!

Глава 6

НАЗАД — В ШВЕЙЦАРИЮ!

Я... никогда не буду жить в Париже...
в молодые годы...

М. Жванецкий

Из Европы с любовью. С фотокамерой ты не расстаешься — почти с детских лет. И теперь, рассматривая только что проявленные снимки, ты вспоминаешь, как, прилетев в Амстердам, по совету гостившего у тебя недавно Севелы, заночевал в клинике его доброго друга, доктора, теперь ставшего иглоукалывателем, Наума Однопозова. И как он, будучи твоим любезным гидом, показывал тебе город, вовсе не такой строгий и чопорный, каким Амстердам может представиться на старинных литографиях или на фотоиллюстрациях в нынешних журналах.

153

Конечно же, Наум провел тебя через знаменитый квартал, даже через кварталы «красных фонарей» — их много, протянувшихся вдоль веселой набережной «Принца Альберта». И ведь правда, — впечатляют! Сотни окон первых этажей, в которых в купальных, что ли, костюмах красуются, предлагая себя, дамы разного (есть и даже весьма преклонного) возраста. Но, в основном, все же — студенческого: Наум утверждал, что среди них действительно есть студентки местных университетов... и никто, в общем-то, в Голландии не находит предосудительным такого рода приработок к студенческой стипендии.

Ну и ладно.

На следующий день — Париж, здесь поздним вечером тебя встречает на вокзальной платформе продрогший и злой Лимонов. Еще бы: поезд задержался часа на полтора, пришел позже, чем вы полагали, — просто не удосужились заглянуть в расписание. Обычные российские дела... И сегодня Эдику приходится мерзнуть. Хотя ты-то причем? Он парижанин, не ты. Зато в следующую неделю он на тебе отыгрывается вполне: тебе не доводилось столько ходить пешком со студенческих лет — да и тогда-то в походах разве что.

Лимонов принципиально не признает городского транспорта, хотя в Париже он совсем не плох — метро, одно из лучших в Европе, в чем ты все же скоро убеждаешься... автобусы, конечно. А вы ходите пешком — по Елисейским полям, по Монмартру, по Монпарнасу, и еще по десяткам улиц и площадей, названия которых задержались в памяти из прочитанных книг в далеком детстве...

На третий день ты смелеешь настолько, что, оставив Лимонова поутру за пишущей машинкой (он работает очень много и регулярно), вооруженный знанием трех или пяти французских фраз, начинающихся словами «Где... как... сколько», ты идешь сам — в Лувр, Нотр-Дам, на Радио «Либерти» к Гладилину, где вы с ним записываете 20-минутную передачу — понемногу обо всем. Даже почему-то о рабочем движении в Штатах: Господи, да что ты-то о нем знаешь?

Оказалось, все же знаешь.

Забегая вперед, вспомни забавный случай. Когда ваш с Гладилиным разговор записывает на пленку оператор, ты помнишь, что в России «Свободу» глушат надежнее, чем все остальные «голоса», — кто там вас услышит? Оказалось, услышали. Неделей позже, в Падуе, ты остановился у приятеля. В вечер твоего прибытия, едва хозяин накрыл стол, звонит ему из Москвы Жаворонков. Гена, журналист и литератор, начинает разговор со слов: «Ты знаешь, кого я сейчас слушал по радио?» — «Ну, кого?» — «Половца!». Андрюша (так зовут твоего друга и в прошлом коллегу, теперь он — профессор русской литературы в местном университете), спокойно его спрашивает: «А ты знаешь, где теперь Половец?» — «Где?» — «Да он сидит у меня на кухне и допивает свой стакан хорошего сицилийского кьянти...»

Это после десятка лет, в течение которых все вы не виделись...

Италия — будет после, а пока ты навещаешь живущего под Парижем Василия Бетаки, его супруга Иверни Виолета предлагает яства — слов нет! Они оба сотрудничают с «Континентом», с другими русскими изданиями. Еще успеваешь встретиться с Кирой Сапгир. Еще с кем-то, еще с кем-то...

Париж, Париж... Самое время вспомнить и о том, как в этот приезд ты разыскал в Медоне, что километрах в двадцати от Парижа, — вблизи от знаменитого Севра, где веками производят лучший в мире фарфор, — твоего армейского друга, Артамонова Сережу, его ты не видел лет 20. Или дольше. Это последний вечер в Париже, и ты звонишь Синявским: к ним случилось приглашение на тот же самый вечер, — трубку снимает Мария Васильевна, — извиняешься. А пойти к ним так хотелось...

Может быть, стоит вспомнить (с большой неохотой, чего уж тут...) и такое: малочисленная пока парижская колония «новых» русских эмигрантов живет здесь как-то странно, неуверенно. И, кажется, не очень дружно. Приходишь в гости в одну семью, рассказываешь, что завтра приглашен в другую, и слышишь: «Только не говорите, что обедали у нас, могут в доме отказать...»

Зато: вопреки установившемуся мнению, сами парижане вовсе не выглядят ксенофобами, неприветливыми к иностранцам, — неправда! — обнаруживаешь ты. Совсем напротив. Даже не зная ни слова по-английски, они пытаются при необходимости помочь — в магазине ли, на улице или в ресторане — иностранцу, не говорящему по-французски.

Книга первая. Свидетельства

* * *

Поезд из Падуи в Женеву идет часов восемь. Меняется форма пограничников, таможенников. Меняется язык станционных вывесок. Но меняешься и ты... Наконец — платформа вокзала, и на ней — Шаргородский. Узнает тебя Лёва не сразу. Да ты и сам ужасаешься, случайно взглянув поутру в зеркало, обнаруживаешь опухшую, с мешками под ставшими совсем узкими глазами физиономию — аллергия! Не иначе — после ужина, завершившего ностальгический день в Венеции. Не надо было, наверное, заказывать это блюдо. А как такого не отведать — рыбные рестораны в Венеции считаются лучшими в Италии.

В одном из них вы с Андреем отмечаете твое боевое крещение в местном казино. Рулетка.

— Смотри, как это делается! — Смотришь, ожидаешь: сейчас твой друг Андрей покажет и объяснит правила. Показывает и объясняет:

— Давай — сначала триста, начнем с малого.

— Лир?

— Каких лир — долларов! Твоих. Буду ставить я, а ты смотри. Учись.

Твои доллары из рук Андрея немедленно и одноразово перекочевывают на столик к крупье — и там остаются. Для тебя — навсегда. Андрей обещает за тебя отыграться — когда-нибудь, в другой раз. В другой жизни? Урок быстрый и впечатляющий.

Следовало ли учиться такой ценой? (Жаль, конечно, этих трех сотен — совсем они не лишние — и ты перекладываешь потощавший бумажник поглубже в карман — тот, что подальше.) Зато сегодня ты знаешь — следовало! Потому что эти три сотни сэкономят тебе в будущем, наверное, не одну тысячу: с той поры ты «упертый» скептик, ты не веришь в шальные деньги, и потому избегаешь игральный стол, обходишь стороной рулетку вместе с «черным Джеком», что есть разновидность игры в «21» — в «очко», попросту. Разве что так, в автомате оставишь десятку-другую.

А вот на ужин — не следовало тебе есть неведомых моллюсков здесь, в ресторане...

Обещал ты вернуться к рассказу о Левушке, что сейчас с удовольствием и делаешь. Известен благополучный и ухоженный вид женевцев и женевок, их маленьких женевят, их домов, их автомобилей. Во Франции, в Италии старых машин — пруд пруди. А в Женеве — нет. И еще в Швейцарии нет антисемитизма. Наверное, потому, что нет (ну, почти нет) евреев.

А те, что есть — около 30 тысяч на всю Женеву — люди состоятельные, живущие замкнуто; кажется, по принципу — «не высовываться». Хотя шли в свое время разговоры о том, что, мол, в центре города снесли старое историческое здание, смахнули со строительной площадки пыль веков и построили современный универсальный магазин, владеет которым еврейская семья...

И есть еще в Женеве полторы тысячи русских. Вспомним, что это пока восьмидесятые, так? Точнее, пока столько здесь «советских», не эмигрантов. Голоса их жен, вполне внятно окликающих друг друга в самом недорогом универмаге Женевы по-русски, здесь слышны всегда. Как-то Шаргородский спросил у начальника женевской полиции: «Сколько здесь советских?» — и услышал в ответ: «1,5 тысячи». Лёва не удовлетворился, он захотел уточнить:

— А сколько среди них шпионов?

— Я же вам сказал — полторы тысячи! — ответил полицейский.

И, наверное, поэтому Лёва, пробегая утром спортивной рысцой вокруг своего квартала (такой у него моцион) и встречая спешащих на работу в ООН по своим шпионским делам бывших соотечественников, бодро окликал их: «Ну что, сволочи, хорошо здесь?». Теперь они, завидя вдали плотную фигуру бегущего им навстречу Левы, немедленно переходили на другую сторону улицы, туда Лева за ними уже не бежит. Потому что ему надо спешить домой — скоро придут его студенты, изучающие русский язык. И ему совсем неохота специально тратить время на демонстрацию своего отношения к советским дипломатам.

А в это же время Алик, его брат, составлявший другую половину замечательного тандема юмористов, заводит свой «Фольксваген», чтобы отправиться в университет учить русскому языку и русской же литературе своих студентов. Кстати, не следует думать, что все они, их студенты, — швейцарцы. Значительная, если не большая их часть — приехавшие из других стран, они платят за учебу очень большие деньги. И очень напряженно занимаются, — чтобы получить диплом швейцарского вуза, столь престижный во всем мире. Говорят, теперь там и россиян предостаточно.

Пока же — восьмидесятые... «Новых» эмигрантов, как и «новых русских», в Женеве пока нет — кроме двух семейств твоих друзей, общим числом 9 человек, включая их родителей. Тебе Шаргородские показывают ресторан-поплавок — одна предприимчивая семья несколько лет назад пыталась приспособить его под русскую кухню. Не захотели женевцы голубцов и борщей. Сгорел ресторан.

Отсюда же, с набережной Женевского озера, видны холмы противоположного берега — там кажущиеся на расстоянии миниатюрными виллы. Лева объясняет тебе, что эти холмы — самое дорогое в мире место, и называет имена кинозвезд, богатейших промышленников мира — это им принадлежат дачные резиденции. Сами хозяева приезжают ненадолго — отвлечься от будней на недельку-другую. Или устроить прием, репортажи о котором появятся на следующее утро в колонках светской хроники.

Вспомни еще — эту пару часов на швейцарско-французской границе. Небольшое строение на краю деревушки — пограничная застава? Крохотная площадка со всегда поднятым над ней деревянным шлагбаумом пересекается аллеей. По аллее — из Франции в Швейцарию и из Швейцарии во Францию — спокойно, не замечая двух позевывающих в своем домике пограничников, прогуливаются степенные мамаши и бабушки с ребятишками, проезжают велосипедисты, спешащие по своим делам. День сегодня пасмурный, с неба моросит холодный дождь. «На границе тучи ходят хмуро...» — совсем не про эту границу. Что характерно.

Не забывается тебе и такое: чепуха, конечно, но и все же — перелет в багаже небольшого размера кофеварки-эспрессо из Амстердама в Лос-Анджелес обходится в 70 долларов. Можно, наверное, было взять ее в салон... Досадно — ведь везешь ты ее в подарок. А сколько «лишнее» место стоит сегодня? Этого ты не знаешь — не рискуешь без особой нужды. А вообще-то из подобной чепухи в большой степени состоит наша жизнь. Разве не так?

Эти заметки не были бы полны, если бы здесь я не вспомнил еще и это.

Все дни жизни своей ... Вы пытались когда-нибудь фотографировать из окна поезда? Даже если за плечами у вас немалый опыт, в руках приличная камера и поезд при этом едва ползет, позволяя почти не торопясь выбрать кадр и нажать спуск затвора... то и тогда вы знаете, что задача эта не то чтобы не простая, но почти невыполнимая.

Но если, зная все, вы все же решились взять в руки камеру, значит, за окном поезда происходит, проплывает (в худшем для вас случае — проносится) сюжет, упустить который вы не можете себе позволить. И хорошо еще, если оконное стекло не успело покрыться снаружи (а бывает — и изнутри) дорожной пылью и копотью — и тогда только его толщина являет собой почти непреодолимое препятствие к мало-мальски приемлемому качеству снимков, на которое вы хотели бы рассчитывать. К тому же вы никогда не знаете, что кроется за следующим поворотом, в который вот уже вписываются первые вагоны вашего поезда: может, сейчас в окнах откроется совершенно новая панорама — и новый сюжет. А может въедете вы в туннель, длиною во многие километры, в вагоне станет темно и зажгутся тусклые дежурные лампочки, постукивание колес по стыкам рельсов станет слышнее, а за окнами потянутся овальные стены, с мелькающими в них редкими огоньками щитов, напичканных какой-то дорожной техникой.

Все эти обстоятельства я знал, учитывал их — и все же... И все же почти четыре часа, что наш поезд неторопливо и почти неслышно для нас, пассажиров, полз по колее, протянувшейся вдоль узких террас, вырубленных на горных склонах, я не мог себя заставить спрятать дорожный «Пентакс» в чехол и обернуться к сидящим рядом спутникам, моим добрым старым друзьям. В этот день Шаргородские Лева и Лина, прервав свои городские будни, усадили меня на поезд — и теперь, в начале декабря, мы въезжали в самое, наверное, красивое в это время года место на земле — Швейцарские Альпы.

Красота за окнами была почти неправдоподобной. А впрочем, полистайте буклеты туристических агентств, откройте дорожные заметки, коими пестрят журналы и газеты (теперь и на русском языке подобного печатается предостаточно), соревноваться с рекламными брошюрами мне не по плечу. Замечу только, что не обязательно туристы, но и легко узнаваемые по достоинству и уверенности, с какой они ведут себя, хозяева этой страны (а их тоже оказалось немало в нашем вагоне), пока не стемнело, все мы не отрывали глаз от окон.

...Я это вспоминал, рассматривая вот уже который месяц остававшиеся не разложенными по альбомам пачки фотографий. Большая часть их была сделана именно там, в Швейцарии, хотя до того я успел провести какое-то количество дней в Риме и в Падуе, а после, застряв из-за нелетной погоды на пересадке, — в Париже. Здесь тоже было что снимать: Гладилин Толя, оставив свои писательские занятия, великолепно посвятил этот день нашей поездке по самым сокровенным местам города, хорошо знакомым ему, но не мне, нечастому здесь гостю: таким образом, все парижские часы моя камера опять же оставалась незачехленной.

— Вспомни вопрос, который я задал 15 лет назад тебе и Алику — тогда вы, отшутившись, ушли от ответа. Как вы пишете? — спросил я вас. — Попеременно, один диктует — другой печатает, так?

— А знаешь, почему мы не ответили? Потому что трудно было ответить: каждый раз мы писали по-разному. Иногда мы приносили заготовки: Алик — свои, я — свои. Мы спорили, обзывали друг друга последними словами. Потом заготовки уничтожались и, очевидно, все-таки отталкиваясь от них, мы делали что-то третье, часто совсем не похожее на принесенное нами. А иногда мы сидели и придумывали тут же тему. Причем мы работали, как писал Бабель, не с фразами, а с каждым словом.

Записывал текст, в основном, Алик. Сначала мы беседовали, потом записывали, думая над каждой фразой по 15—20 минут. Са-

Год 1966. Дача в Воронове: отец автора еще успел подружиться с внуком. Слева – Ольга, справа – бабушка Дина

1956. Так ведь не стоило тебя тогда обижать

Может быть, как раз с этим снимком отец ходил просить жильё на прием к товарищу Фурцевой?

А ведь, правда, с семистрункой Коля Лавров расставался редко

1975. Прощание с Ленинградом: здесь автор был солдатом… В кармане этой самой курточки сына уехали письма из ссылки – доктора Штерна и баптистского священника отца Винса

БУЛАТ ОКУДЖАВА
65 ПЕСЕН

Музыкальная запись,
редакция,
составление —
ВЛАДИМИР ФРУМКИН

Перевод стихотворений —
Ева Шапиро

*Дорогой Саша, у меня нет слов,
чтобы выразить тебе восхищение
твоей добротой. Пусть эти песни
хоть как-то выразят мои чувства.
Обнимаю
Булат
18.7.91*

BULAT OKUDZHAVA
65 SONGS

Musical arrangements,
selection and editing by
VLADIMIR FRUMKIN

English translations by
Eve Shapiro

ARDIS / ANN ARBOR

Окуджава в беседе с автором

За неделю до операции
на сердце: домаш-
ний концерт в доме
А.Половца – здесь
в те месяцы жил Булат
с семьей

1994. Летом в Переделки-
не – что за жизнь!

С доберманом Фобосом: его Булат нередко вспоминал при встречах и в письмах автору

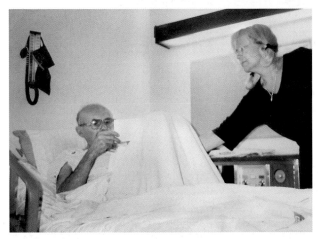

1991. Лос-Анджелес, госпиталь святого Винсенте. Скоро операция...

1991. Это Лос-Анджелесская Венеция, Тихий океан. Здесь замечательно дышится

1994. В гостях у Станислава Половца, сына автора, между ним и Булатом дочь Стаса – Даниела

Вашингтон, 1982. Спаниеля Аксеновых звали Ушик

С Булатом у автора во дворике: мать
А.Половца Дина Абрамовна – это ей Поэт
посвятил стихи «Звезда Голливуда»

БУЛАТ
ОКУДЖАВА

*милости
судьбы*

Дорогой Дине Абрамовне
с любовью
Булат
13. 10. 94.

Московский рабочий
1993

Сан-Франциско. Вышедший из советской тюрьмы Владимир Буковский с удовольствием фотографируется на фоне американской тюрьмы Алькатрац, здесь давно уже никто не сидит. Слева направо: диссидент Ярым-Агаев, Василий Аксенов, Владимир Буковский, Александр Половец. Начало 80-х

Филадельфия, В.Аксенов и А.Гладилин у стенда «Панорамы» на конференции университетских славистов. Конец 80-х

Автограф Аксенова на первом типографском издании «Метрополя». Там же потом расписались Попов, Ахмадулина, Ерофеев…

Вашингтон, конец 80-х, в гостях у «госдеповца» Ильи Левина. Слева направо: Миша Михайлов, Илья Левин, Василий Аксенов, Михаил Эпштейн, Владимир Матлин

1999. Анатолий Алексин в Лос-Анджелесе: с ним интересно и взрослым, и детям, Даниела и Дэвид — подрастающее поколение Половцев

Середина и конец 80-х. Белла Ахмадулина и Борис Мессерер в Калифорнии

В гостях у художника Льва Мороза, он в первом ряду второй слева. Сзади него – Борис Мессерер в окружении самых красивых дам Лос-Анджелеса и окрестностей: Мила Робин, Алена Гринберг и Мая Аксенова справа рядом с Ахмадулиной

Москва, 2003. Автор в квартире Ахмадулиной и Мессерера: за столом с нами Анатолий Приставкин, он живет совсем рядом

Москва, 2003. Заседания правления Российского фонда Окуджавы: слева от Ахмадулиной автор, справа Михаил Глузский

Ольга Окуджава и Белла Ахмадулина в перерыве заседания правления Российского фонда Булата Окуджавы

Середина 90-х, редакция «Панорамы». Легенда советских диссидентов Абдурахман Авторханов, автор «Технологии власти» и других книг, за обладание которыми грозил немалый срок

Конец 80-х. Юз Алешковский в Лос-Анджелесе гость редкий, но наш «дуэт» сложился быстро

1997. До чего же приятно вести вечер Арканова!

2005, «Библиоглобус»: на презентацию книг Половца друзья пришли поприветствовать автора. Спасибо им!

Начало 90-х. «А у нас во дворе...» – Аркадий Арканов, Элия Баскин, Александр Ширвинд и хозяин дома

Саше
Попову —
борьба с
алкоголизмом
в эпоху
перестройки —

АБ

Андрей Битов
приветствует Город
Ангелов (фото справа),
а автора – этой при-
мечательной открыткой
(верхнее фото)

День завершается у камина

В жизни раз бывает 70 лет... Михаил Жванецкий поздравляет в ЦДЛ Арканова (фото автора)

2005 год. В Переделкине, возле Домика Булата мы с Александром Городницким сфотографировались на память с Виктором Берковским — как оказалось, в последний раз: меньше чем через год не стало замечательного барда...

2005. В гостях у Бориса Васильева под Солнечногорском, писатель беседует с автором

Петр Вайль
и Александр
Генис до-
брались до
Голливуда...

Петр ВАЙЛЬ, Александр ГЕНИС

ПОТЕРЯННЫЙ РАЙ

ЭМИГРАЦИЯ:
ПОПЫТКА АВТОПОРТРЕТА

Художник — Бахчанян

*Саше Половцу
от двух заблудших
американских птенцов
еврейской национальности.*

*П. Вайль
А. Генис*

Москва–Иерусалим
1983

Москва, ЦДЛ, 2006 г.:
с Зоей Богуславской
и Андреем Вознесенским
всегда есть
о чем поговорить

Владимир
Вишневский
расцветает рядом
с красивыми женщи-
нами – как в Беверли
Хиллз с Ларисой
Голубкиной

**АЛЕКСАНДР
ГОРОДНИЦКИЙ**

И ЖИТЬ ЕЩЕ НАДЕЖДЕ...

Александр Городникий
дома у автора

Лос-Анджелес, 1998.
Александр Городниц-
кий в «Панораме»

Москва, 2005. «Библио-
глобус»: слева направо
Анатолий Приставкин, автор,
Аркадий Арканов, Анатолий
Гладилин, Александр Город-
ницкий (сидит)

Москва, ЦДЛ:
А. Гладилин,
как всегда, прав:
«Саша, не заливай,
пожалуйста, –
уж не столько
мы с тобой тогда
выпили!..» –
я с ним не спорю.
Никогда...

Мало что можно
добавить к этому
автографу Игоря
Губермана

Начало 90-х.
Лос-Анджелес:
Сергей Довла-
тов в «Пано-
раме»

мое трудное было придумать первую. Иногда все текло очень быстро, и Алик едва успевал записывать: мы говорили, и Алик писал одновременно. Ты же знаешь: самое лучшее обычно легко идет. Мы не «как Ильф и Петров» работали: один из нас не бегал за пивом, в то время как другой писал. Нет, мы писали вместе и мы придумывали вместе тему.

Мы писали, как один человек.

Иные считают, что мы избраны для страданий, но многие думают, что мы избраны для смеха. Я отношу себя к числу последних. Хочешь присоединиться?

Звучало очень соблазнительно — присоединиться к избранным, тем, для кого смех есть образ жизни. И профессия тоже — как для моих друзей Алика и Левы. Теперь только Левы...

Однако женевские дни подошли к концу, и следующим вечером я уже устраивался в купе вагона, где мне предстояло провести несколько следующих часов до Берлина. Об этом купе отдельный разговор: прельстившись возможностью отоспаться перед следующей остановкой, обещавшей быть весьма напряженной — там меня ждали коллеги из газеты «Европа-Центр», — я доплатил к стандартному билету в спальный вагон какое-то количество франков, чтобы оказаться, как вскоре выяснилось... в стенном шкафу. Купе было одноместным, как я и хотел, — но кроме откидной полки в нем оставалось место только для умывальника, откидного же столика и одного чемодана. Причем было оно фактически на втором этаже — потому что как раз под ним находились двери в точно такое же купе. Вам никогда не доводилось спать в шкафу, который бы при этом раскачивался, дергался и слегка подпрыгивал на стыках рельсов? Вот они, хваленые европейские дороги... Будь я чуть опытнее — потребовал бы место в нижнем купе, где тряска, наверное, не так заметна.

Но было в этой ночи без сна и свое преимущество: я лежал с открытыми глазами, припоминая подробности наших разговоров с Левой — и под утро при первом свете, просочившемся сквозь неплотную занавеску в окне, достав блокнот, я записал что-то из рассказанного Шаргородским. Важно ли какие именно части опубликованного потом текста были взяты из блокнота, а какие — приведены по памяти? Не думаю. Во всяком случае, за достоверность всего, что содержится на этих страницах, я могу поручиться — тем более что, признаюсь, многому из рассказанного Левой я был в свое время свидетелем.

Часть четвертая
ОСОБЕННАЯ СТАТЬ...

Ход стрелок снова скор — теперь они возвращают тебя в самое начало 90-х.
Итак...

Глава 1
ЧТО ОНИ ДУМАЛИ?

Пятеро били одного. Не так, как бьют, когда просто хотят проучить, — били насмерть. Паренька лет восемнадцати, пытающегося рукавами легкой матерчатой куртки прикрыть лицо, окружали его сверстники. Они по очереди наносили ему удары, норовя попасть в голову, в поясницу. В попытке устоять на ногах, не оказаться лежащим на земле, он наклонился, шире расставив ноги. И тогда один из нападавших, забежав со спины, по-футбольному со всего размаха ударил его сзади — в промежность.

— Юра, почему они все молчат?! — Твой выкрик относился к сравнительно небольшой, человек в двадцать, очереди, протянувшейся к окошку торгового ларька: никто из них, кажется, даже не пытался — не то чтобы остановить избиение — просто снять трубку уличного телефона (он был совсем рядом, в каких-нибудь двух шагах), чтобы вызвать милицию. Кто-то стоял отвернувшись и старательно не замечал происходящего. Кто-то вполне равнодуш-

163

но, а двое-трое с очевидным любопытством посматривали на творимую экзекуцию.

Кажется, ты не вполне контролировал себя, когда потянул на себя дверную ручку, пытаясь выйти из машины. Юра нажал педаль газа, и «москвичок», стоявший первым на перекрестке Садового кольца и Самотечной улицы, рванул вперед на красный свет. Зеленый зажегся уже над нашей головой.

— Дядя Саша, вы что? — племянник укоризненно косился на тебя, лавируя в густом потоке нещадно чадящих автомобилей. — У них же наверняка оружие!

Было светло — солнце еще только перевалило за зенит, и его лучи, свободно пронизывая невысокие жидкие облака, по-прежнему мягко ложились на расцвеченные осенью золотистые кроны деревьев, выросших по обе стороны Садового кольца, — пятнадцать лет назад их здесь не было. И на лица прохожих, толпящихся у перехода в ожидании зеленого света. Превосходные условия для съемки... Особенно, если снимать из окна стоящего автомобиля, — незаметно для окружающих. О лежащей у тебя на коленях камере, — ты всегда вынимал ее из сумки, садясь в автомобиль, — вспомнил только тогда, когда ее чуть не уронил, выходя из машины. Примерно полчаса спустя...

...В Москве ты не был 15 лет. Почти 16. Наверное, не спешил бы туда и сейчас: там «на территории», так теперь называют свою страну, люди избегают говорить — «СССР». Хотя формально Советский Союз существует.

И вот — твоя газета аккредитована при Министерстве иностранных дел Союза — это там больше года вылеживалось представление Госдепа США по этому поводу. И еще где-то.

Наверное, большую часть этой главы можно было бы опустить. Да ее просто и не было бы, если бы... если бы только оказался прав Фукаяма: идея ученого политолога заключалась в том, что с концом существования СССР завершена всемирная история, перевернута и закрыта ее последняя страница. Не случилось так — это нам, живущим в новом тысячелетии, теперь ясно. И история жива, и люди те, ее фигуранты, — здесь. Не все, почти все.

* * *

Все же — Москва. Визит к только что назначенному начальником Управления информации советского МИДа Чуркину. Виталий молод, интеллигентен — он совсем не похож на чиновника в ранге чрезвычайного и полномочного посла. Вот и первый признак перемен. И еще — это при нем и даже именно им впервые в истории здесь, в Москве, аккредитовано русскоязычное зарубежное издание.

И что это означает? А вот что: регулярное получение официальных пресс-релизов... участие в мидовских брифингах... и, между прочим, как признается твой корреспондент, открытый доступ в закрытый ресторан при пресс-центре, преимущества чего становятся очевидны при первом же вашем ужине. Коллективный, на 12 персон — да здравствует аккредитация! Но и в знак признательности друзьям, сумевшим организовать тебе приглашение, так называемый «вызов», в необъяснимо короткие сроки — за две недели... «Спасибо, Рустам! — век не забудется».

Что там дядя Гиляй с его описаниями старомосковских купеческих пиршеств или Молоховец («...если у вас неожиданные гости, спуститесь в погреб...») ну и так далее... Ты затрудняешься припомнить все заказанное и поданное к столу: виды икры, маринованных грибов, копченостей — это к закуске, горячее — само собой, естественно, и горячительное — изысканные коньяки, водки, да что там вспоминать! Запомнилась же сумма счета — 900 рублей. Ты долго разглядываешь этот листок с фирменной эмблемкой МИДа, незаметно показываешь его под столом Бегишеву — не ошибка ли? Нет, не ошибка: по-тогдашнему получилось что-то около тридцати долларов. Да...

Вообще-то это второй ужин с пригласившими тебя — первый состоялся в помещении ресторана ЦДРИ (Центрального Дома работников искусств) на Кузнецком, помните? Именно в помещении — ресторана как такового теперь не существовало: столик для вас накрыли на приподнятой площадке — бывшей эстрадке. В пустом зале выстроились в один длинный ряд столы, за которыми вскоре разместились человек 50 («кооператоры», — шепнул прислуживающий вам парень). Что им подали — вы не заметили, да вообще обратили на них внимание, когда из-за их стола донеслось нестройное «Боже, царя храни...». Ваши соседи стояли с рюмками в руках по обе стороны стола: трудно было признать в них новых охотнорядцев — скорее, напротив — лет сто назад, ну чуть меньше, в большинстве своем, как вам показалось, они могли бы сами стать жертвами тогдашних уличных беспорядков... по этническим причинам, понимаете?

Чтобы закончить с этим сюжетом, вспомни, что вам принесли тогда: селедочку, не лучшего качества, холодную картошку с какой-то скромной зеленью, ну и бутылку водки, естественно...

Да. С едой в городе сейчас не просто плохо, но очень плохо... предстоящая зима, по общему ожиданию горожан, обещает быть и холодной, и голодной. Если, конечно, не рассчитывать на чудо. Хотя большинство здесь в чудо верит все меньше и меньше, даже если приход его мог бы ожидаться с Запада...

Почему?

«Помогите нам сейчас, а то всем будет плохо!» — этот призыв постоянно повторяется в газетах, в частных встречах.

Итак — о еде?

Ты всегда спрашиваешь разрешения записать разговор, не забывая напомнить, что плёнку увезешь в Штаты. Никого это не останавливает: «...а чего теперь бояться-то?», но и нескрываемое безразличие... к собственной судьбе, в том числе. Такого еще месяц назад, в «разгар увядания перестройки», признаются они, быть не могло. Это тоже — примета времени.

* * *

Люди. Поначалу ты пристаешь к ним с вопросом — был ли путч? Или что это было? Путч — это когда к власти приходят *со стороны,* — те, кто ее не имел, так? — ну и как это можно отнести к августу 91-го? Сейчас — сентябрь. Что — теперь?

Скоро эта тема отходит куда-то — на второй план, на третий, на пятый... Постоянные встречи, большей частью случайные: студентки института, кассирша в продовольственном магазине, водитель, это он помогает тебе успеть повсюду, пробиваясь через пробки загазованных улиц, — столько машин здесь никогда не было. Ты оказался для него не самым легким пассажиром!..

Но вот — и загодя условленные: Битов... тассовец в большом чине Субботин... отставник Рясной Володя. И еще: недавно ведавший всей профсоюзной прессой страны Лавров Николай. И еще — руководитель Академического оркестра Всесоюзного радио и телевидения Николай Некрасов... Колька и Колька — обращение это сохраняется у вас многие десятилетия. А еще — Розовский Марк — заявление «восьмерки» его застает вместе с театральной труппой в автобусах, направляющихся в аэропорт Внуково. Театр везет в Одессу и Киев спектакль по пьесе, созданной писателем-диссидентом Юлием Даниэлем, кажется, в 60-м году, «День открытых убийств»... Вспомнив первые минуты смятения и принятое единодушно всеми участниками труппы решение «ехать!», режиссер рассказывает, как навстречу автобусам, катившим в аэропорт, двигались колонны бронетранспортеров. А по обе стороны подмосковного шоссе за деревьями стояли слегка — именно *слегка* замаскированные танки.

Что же они тогда думали? Каждый о своем...

* * *

Десять дней — такие короткие... и такие длинные. Пытаясь задремать, ты опустил шторку иллюминатора — прямо в него ярко светило дневное солнце, ты откинул назад спинку кресла и прикрыл глаза. И ты вспомнил читанный много лет назад фантастический роман забытого тобою автора. Его герой последовательно перемещался из обычного, своего, в параллельные миры, — число которых оказывалось бесконечно.

Начиналось же действие в Москве, со всеми присущими шестидесятым годам реалиями. Герой всегда оставался самим собой, но по мере перемещений и удаления его от своего мира, что-то менялось. В ближайших измерениях — чуть-чуть. Например, памятник Пушкину оказывался на другой стороне улицы. Или на месте пивного бара обнаруживался кинотеатр. По мере удаления, перемены становились существеннее, и вот уже оказывалось, что имя героя другое, и возраст его иной, Москва уже не Москва, и власть в стране принадлежит лидерам какой-то неведомой герою партии. Да и страна уже называется по-иному...

Ты читал этот роман — ну лет двадцать назад, может, чуть больше. И сейчас в твоей памяти мелькали картины, наполнившие эти десять дней. Пустой цоколь памятника Дзержинскому... Широкая, не по-западному, улица — не Горького, но Тверская... Незнакомое тебе огромное белое здание на набережной с развевающимся над ним российским стягом. Обожженный остов автобуса у здания бывшего Музея революции — символ остро осознанного состояния: да — мы люди!

И сами они: те, что в преддверии августовских дней оформляли на Псковском заводе заказ на четверть миллиона наручников, — и те, что взявшись за руки, встали на пути танковых колонн... Ссутулившиеся фигуры в нескончаемой очереди у дверей закрытого продовольственного магазина, — и сотни юношей, поднявших над головами конверты с дисками английской рок-звезды: она сама подписывала их сегодня у порога новоарбатского магазина грампластинок.

И еще пятеро — на перекрестке Садового кольца и Самотечной улицы... Выжил ли тот парнишка?

1991

Глава 2
ЦДЛ И ОКРЕСТНОСТИ

Итак — Москва.

— Пойдем обедать в ЦДЛ, — предлагает Булат.

Мы входим через главный вход, с улицы Герцена, и задерживаемся у киоска, пестреющего газетами, названия которых мне большей частью незнакомы. И книгами — теми, которые еще совсем недавно следовало обертывать плотной бумагой, а надежнее — переплести заново, чтобы на обложке читалось что-нибудь совсем безобидное...

Выяснив у вечной бабульки, ведающей всем этим богатством, что недавно завезенные сюда в порядке смелого эксперимента выпуски «Панорамы» разошлись полностью, мы следуем в сторону ресторана. Остается пройти просторное фойе Малого зала, мы приближаемся ко входу в ресторан и обнаруживаем здесь некую долговязую фигуру в темном костюме. Она полностью загораживает собою вход, не выказывая намерения уступить нам дорогу.

— Мы — в ресторан... — собираясь спокойно миновать фигуру, произносит Ольга, она оказалась у дверей первой.

— Отсюда — не положено!

— То есть как?.. — не понимаем мы.

— А так! Не положено. — И, снисходя до нашей непонятливости, фигура поясняет: — Будет ремонт.

С места, где мы стоим, хорошо видны двери, ведущие в ресторан: на всем пути к ним никаких признаков хотя бы готовящегося ремонта не заметно. Булат, не меняя привычной позы — руки в карманах, — делает шаг вперед.

— Мы пройдем здесь... — спокойно произносит он.

— Не положено! — повторяет фигура.

— Что?! — Редко, крайне редко доводится мне видеть Булата разгневанным.

Он оборачивается к нам — Ольга, Буля и я стоим чуть позади, готовые вернуться на улицу, чтобы обойти здание и оказаться у бокового входа в него — со стороны Поварской, тогда еще носившей имя Воровского.

— Идем! — Булат двигается вперед, мы — за ним. Фигура оторопело смотрит нам вслед, не делая даже попытки остановить нас.

— Поставили тут болванов! — громко, но уже почти спокойно говорит Булат. — Писатель не может войти в свой дом... Болваны, — повторяет он, не оглядываясь на нас, идущих следом.

Большую часть обедающих в тот год пока еще составляют литераторы, — и к нашему столику непрерывно кто-то подходит, чтобы выразить участие и радость по поводу благополучно завершившейся операции — ее в начале лета перенес Булат.

Потом мы сидим за столиком: слева от меня, лицом ко входу со стороны Поварской, — Булат, справа — Оля и Буля, я сижу лицом к залу. Ресторан почти полон, а посетители все подходят и подходят. Кто-то подсаживается к кому-то, создаются импровизированные компании. В ожидании неторопливых подавальщиц за столиками беседуют, прикладываясь к непустеющим рюмкам.

Все нормально, обед в ЦДЛ.

— Посмотри, писатели едят. — Сейчас Булат, сидя вполоборота, кивком указывает в сторону тесно уставленных по всему залу столиков. — Я, было, совсем перестал здесь обедать, противно стало: сплошь торговое сословие. Какие-то лица... А сейчас снова хожу: писателей нынче печатают, видишь — они могут заплатить за обед 50 рублей... — Булат задумывается и потом добавляет: — При средней по стране зарплате 350 рублей. А барахло — нет, не печатают.

Конечно, Булат говорит это о солидных издательствах, в чьих традициях (и утверждаемых где-то на самом верху тематических планах) значились, прежде всего, имена секретарей писательского Союза — отнюдь не обязательно самых талантливых и самых читаемых. Да, тогда, послепутчевым сентябрем 91-го, мы еще не догадываемся о грядущем засилье «барахла» на книжных прилавках России. Но «барахла» уже другого сорта, появление которого закономерно: оно спровоцировано активным спросом существенной части российского народонаселения.

Время от времени кто-то подходит к нам, здоровается, перекидывается несколькими словами. Ерофеев Виктор... Андрей Битов, проведший здесь, что вполне заметно по нему, уже не один час... Оставив свою компанию, он почтительно пожимает руку Булату, кивает нам, сидящим вокруг столика. Отходит, оглядывается, снова подходит, упирается в меня взглядом:

— Половец, это правда — ты?

Битова я не видел 2 года — с тех пор, как он останавливался у меня в Лос-Анджелесе. А здесь я не был почти 16 лет...

Отобедав, мы некоторое время остаемся за столиком. К Окуджаве подходит еще кто-то, разговор затягивается, я прошу еще кофе и посматриваю в зал, отмечая знакомые лица... В какой-то момент в широком дверном проеме возникает силуэт высокого, опирающегося на палку человека — Сергей Михалков. Слегка сутулясь, он оглядывается, неторопливо пересекает зал в поисках места. Свободный столик находится почти рядом со входом.

Прислонив палку к стене, Михалков садится. Сразу на его столике появляется суповая тарелка, он склоняется над ней, не поднимая головы. Сидящие в зале в его сторону не смотрят, не замечая его. А те, кто видит, быстро и, как мне кажется, демонстративно отводят взгляд.

Удивительно ли? Михалков — один из немногих открыто поддержал путч. И из первых: кто-то из его коллег просто не успел и, как вскоре оказалось, очень кстати, промолчал. В этот раз обычно острое чутье сановитого писателя подвело его — путч, не начавшись, провалился... А в зале сегодня — сплошь «апрелевцы».

Рассчитавшись с официанткой, мы поднимаемся и идем к выходу. Ольга за несколько шагов до дверей задерживается с кем-то в разговоре. Булат перед самым выходом сворачивает к столику Михалкова и через минуту догоняет нас.

Дождавшись Ольгу, мы выходим из здания.

— Булат, что ты сказал Михалкову?

Ольга выжидающе смотрит на супруга.

— Ничего. Поздоровался, спросил, как дела?.. А что?

— Он плачет. Склонился над супом — и плачет.

Булат хмурится и молчит.

Мы выходим — через двери, ведущие на Поварскую — для ресторана они пока единственные, сюда-то нас пытался направить дежурный «болван». Здесь группка, несколько человек, они пытаются пройти в ресторан — куда там: и здесь массивная фигура охранника, заградившая собой вход. От них отделяется Жуховицкий: «Черт возьми! — меня всю жизнь куда-нибудь не пускают, вот теперь и сюда. Держат столики для делегации из ГДР... Дожили — в свой дом, писателей не пускают...» — «Лёня, да плюнь ты на них, — иди!» — роняет Булат. Кажется, прошел тогда все же Жуховицкий. Не сразу...

Минуло 10 лет. Дурацкий эпизод у входа в ресторан московского Дома литераторов, наверное, следует прочно забыть. Но я по сей день размышляю: что же вызвало тогда гнев Булата — обычно спокойного, все понимающего, умевшего по-доброму не заметить людскую слабость? Ну, действительно, не этот же дурень, загородивший нам вход! Этот, скорее всего, если и помнил имя Булата, в лицо его узнать никак не мог. Что не удивительно: ресторан в тот год готовился шагнуть в реальный, каким его понимают в России, капитализм, место в котором литераторам отводится не самое первое. Коммерсантами, новыми хозяевами ресторана, набран был соответствующий контингент обслуги — что с нее взять...

— Да что ему эта фигура, — понимаю я. — Скорее всего, Булат и не очень-то ее заметил. «Болваны» для него, на самом деле, — те, стоящие за подлой, навсегда рухнувшей, как нам кажется, осенью 91-го, системой. Ее столпы и опора, с огромными мускулами и нелепо крохотной головкой, тогда они только еще явили свое мурло — открыто, уверенно и нагло.

А он, Окуджава, — вот так, не вынимая рук из карманов, а только силою слова, спокойно, почти не замечая, отодвинул *тех*, вместе с их «не положено». Он прошел мимо них, с гитарой, зажатой под мышкой, с мудрой и горькой усмешкой, — и вошел в бессмертие.

* * *

Мой рассказ был бы не полон, если не вспомнить одну передачу на «Эхо Москвы». Был «живой» эфир — ровно час мы с ведущей программы, Нателлой Болтянской, беседовали о том о сем: она расспрашивала об Американском фонде Окуджавы, об эмигрантах, и постепенно разговор перешел к московским событиям последних дней. Здесь я не удержался, чтобы не помянуть Сергея Владимировича Михалкова, сегодняшнего, его деяния последних дней.

Теперь это совсем другой Михалков: этот только что освободил помещения Дома Ростовых, испокон веков занимаемые писательскими союзами, — от писателей. Освободил в пользу, утверждают люди осведомленные, себя самого. Нет, конечно, формально — в пользу Международного сообщества писательских союзов. Основателем этого виртуального, как утверждают опять же осведомленные люди, Сообщества стал Михалков, спустя некоторое время после первых месяцев сумятицы и неразберихи, случившейся в 91-м.

Ну, чуть позже. Еще, добавляют они, но уже шепотком, акция по «очистке» помещений особняка на Поварской была поддержана где-то в самых высоких коридорах власти.

Где он, тот несчастный старик, в одиночестве хлебающий суп за дальним столиком ресторана Дома литераторов?

В этот день эфир станции был заполнен еще десятком бесед, — тезисы которых были вскоре, почти сразу, приведены на интернет-сайте станции. Были там и наши — из программы Болтянской. Я видел их сам, своими глазами... Продержались они в сети час, а может быть, и того меньше. Другие оставались на странице до следующего дня.

Есть о чем подумать, не правда ли?

Стрелки замедляют движение...
Теперь — ближе к нашим дням.

Глава 3
«...ГДЕ ТАК ВОЛЬНО ДЫШИТ ЧЕЛОВЕК»

— Вот, взгляни, — убеждал тебя Мессерер, — разве это плохо? Это было совсем не плохо и даже хорошо: новостройки, внешне выделявшиеся не только свежевыкрашенными фасадами, но и необычной для Москвы, какой ты знал ее, архитектурой жилых кварталов. К этому дню ты уже находился некоторое время в Москве и уже снова помнил, что есть такой транспорт — троллейбус, что существует репертуарный театр и что творог может быть похожим на творог.

Монолог Бориса был вызван вашим с ним спором по поводу новшеств в облике города, — и, прежде всего, тебя решительно не устраивали кованые монументы, вонзившиеся хищными металлическими шпилями в московское небо. В небо, и без того немало терпящее от климатических перемен и миазмов, источаемых теплоэнергоцентралями и химическими предприятиями, остающимися в черте города, а еще больше — от беспощадно ядовитых выбросов, извергаемых автомобильными моторами.

Борис же, известный театральный художник, больше из корпоративной солидарности, как тебе казалось, защищал творения Зураба Церетели, автора этих монументов. Москвичи утверждают, что, прежде всего, личная дружба архитектора с московским мэром привела к критическим и, наверное, долговечным изменениям в привычном силуэте города.

Спор ваш с художником начался в перерыве заседания правления Российского фонда Окуджавы. В повестке дня оказалось и твое сообщение об Американском фонде: вдова поэта Ольга сказала тебе об этом перед самой встречей. А участвовали в ней Приставкин, Ахмадулина и, конечно, супруг ее Мессерер, Михаил Глузский — теперь, спустя годы, больно говорить о нем в прошедшем времени — «был... выступал...». Он, и правда, замечательный был актер. И человек замечательный...

Сохраняется в памяти: идет спектакль с его участием, сегодня ты приглашен сюда Глузским... Вот, пока он приводит себя в порядок в артистической уборной, вы говорите о постановке — ее достоинствах, но не только... Потом вы долго идете по бульварному кольцу, он зовет зайти — Екатерина Павловна, его супруга, превосходно готовит, заверяет Глузский... Не зашел, — и теперь уже не зайти.

Кто-то из корпорации, которая обещает частично финансировать проект строительства дома на Старом Арбате, исполнен оптимизма — там разместится фонд памяти Булата, уже выделена под него земля... «Конечно, конечно...» — вторит ему архитектор этого района столицы. Егор Гайдар — тоже член правления фонда — больше отмалчивался.

И вот теперь, спустя несколько дней, ты ехал по московским улицам с Беллой и Борисом.

Всматриваясь в мелькающие за стеклом кварталы города, многие улицы ты уже просто не узнавал — не потому, что за минувшие четверть века забыл их — просто они стали другими. А между тем навстречу и следом за вами протянулись вереницы автомобилей, бесконечные пробки у светофоров и въездов в туннели: тебя всегда, когда ты оказываешься в Москве, занимает вопрос — почему тун-

174

нели здесь строят вдвое уже улиц, которые они соединяют? Ну, действительно, почему?

«Волги», «Москвичи», «Жигули»... «Иномарки» — этим словом обозначают все, что не создано в России — их много «Мерседесы», «Фиаты», «Хонды»... Затертые джипами благородного происхождения — «Ренжроверами», «Черокки» и «Тойотами», — их отдаленные родственники российского производства, уродцы на четырех колесах упрямо тарахтели моторами, измученными низкосортным бензином. В отместку своим создателям, они выплевывали из чрева дрянь, — смешанную с городским воздухом, порой казалось, ее можно было пощупать рукой.

Машина не быстро катила по улицам — Полянка, Якиманка, Ленинградский проспект, — и пока Борис переговаривался с Беллой, ты молча размышлял: москвичи *этим* дышат, они, кажется, уже перестали замечать, что с воздухом что-то не так... Хотя, говорят, — вспоминаешь ты: посетив в военные годы Россию, Черчилль заметил: «Людей, которые зимой на улицах едят мороженое, победить нельзя!». А московский смог — это уж точно не сливочный пломбир в шоколаде.

...Еще немного, больше для проформы, вы поспорили с Борисом по поводу архитектурных изысков московского мэра и перешли к другим темам. А еще раз вы решительно не сошлись с ним во мнениях по другому поводу. Спустя неделю, Савва Кулиш, замечательный режиссер, старинный друг Бориса, позвал вас на просмотр двух только что завершенных в работе лент.

Это вполне совпадало с твоими планами — там же, в Доме кино на Васильевской, вы условились в этот вечер встретиться с Леночкой Кореневой. Забегая вперед, отметим, что ее «приветы» американским друзьям заняли потом почти все пространство опустевшего за эти дни весьма вместительного чемодана, с которым ты приехал в Москву — разумеется, и тогда не пустовавшего.

Все еще Москва... Есть еще эпизоды, о которых и сегодня, спустя годы, не поздно рассказать. Ты не собирался оставаться там больше двух недель — да и билет был взят «двухступенчатый»: Лос-Анджелес—Москва, Москва—Тель-Авив. И срок был поделен ровно поровну: десять дней здесь — и десять там. Но вот... Госдеп рекомендует американским гражданам временно воздержаться от поездок в ближневосточный регион. Пришлось подчиниться — к тому же ты и сам чувствовал, что прибытие туда для отдыха выглядело бы в эти дни неуместным.

Как и теперь, через пятнадцать лет: та же рекомендация, той же инстанции...

Друзей, готовившихся встретить тебя в аэропорту, ты успел предупредить, а бюро путешествий в Лос-Анджелесе, где билет был куплен, — нет... Не трудно догадаться, что результат в финансовом смысле не был благоприятен.

Оставшись в Москве, ты сделал попытку компенсировать несостоявшийся отпуск в Эйлате подмосковным пансионатом «Лесные дали». Москвичи помнят Рублево-Успенское шоссе, с его «кирпичами» почти у всех съездов — здесь традиционно строились (и строятся) дома для партийно-правительственной элиты; сейчас к ним добавились особняки новых богачей и новых «слуг народа».

И что характерно: если в советское время подобные сооружения прятались в глубине леса за высокими оградами и шлагбаумами, останавливавшими путников за километры от них, теперь же коттеджи воздвигаются прямо на виду у проезжающих по шоссе автомобилей, и ограды, их окружающие, не столь высоки, чтобы не увидеть это великолепие и не восхититься им. Или оскорбиться — в зависимости от точки зрения.

Милицейские посты — через каждый километр. Каждая третья проносящаяся машина (ну — пятая) — с так называемой мигалкой на крыше, требующей от прочего транспорта (в том числе движущегося по встречной полосе) посторониться. Вот она, самая частая причина аварий... Ну что?

Пансионат, куда ты купил путевку, в самом тупике, здесь шоссе кончается, — тоже перестал быть признаком элитарности его обитателей; при том, что он остается в ведении Управления делами Президента России, путевки в него свободно продаются в туристической конторе, — чем ты и воспользовался. Для любопытствующих: неделя пребывания здесь стоила примерно две с половиной сотни долларов. Плюс несколько долларов в день на еду в местной, очень неплохой столовой — с почти ресторанным меню — дешевка, в захудалом отеле в Мексике дороже.

Но теперь прикинем: у твоих старых друзей сын, выпускник юридического факультета МГУ, попал по распределению работать в следственную часть МВД и дослужился там до звания подполковника. Какая у него зарплата? В переводе на американские — 80 «зеленых». Вот и судите, что дорого и что дешево.

И еще — из совсем недавнего визита в родной город. Читатели первых глав, удержавшие в памяти описание дома твоего детства у Красных ворот в Москве, поймут твоё желание заглянуть в свою квартиру. И в свой двор, где вы пацанами собирались для игр — в «классики», потом в «чеканку» и «расшиши», потом в картишки — «буру», «секу»... Ну и так далее: игры послевоенного двора были не всегда безобидны — нередко они кончались приводами в милицию. И кто-то из твоих сверстников возвращался оттуда лишь спустя несколько лет, после детской колонии. Если возвращался...

Так вот: тебя от подобной судьбы спасла не в последнюю очередь «баба Хайя», твоя бабушка, — мама отца жила на первом этаже вашего дома. Дверь ее квартиры выходила прямо во двор, — и она каким-то инстинктом чувствовала момент, когда, не взирая на протесты и мольбы внука, следует под любым предлогом забрать его со двора, сбить снег с ботинок, высушить их на калориферной батарее, накормить горячим супом.

А то и отвлечь от дворовых занятий проигрыванием на старом патефоне пластинок с довоенными записями: особенно нравились тебе почему-то неаполитанские песни в исполнении Михаила Александровича — хотя по-настоящему оценить искусство певца ты сумеешь спустя многие годы.

И теперь, впервые почти за четверть века, приближался ты к занимавшему весь квартал дому, что прямо позади метро «Красные ворота», старого, своим полукруглым фасадом разделяющего с середины тридцатых годов въезды на Кировский (ныне снова Мясницкий) проезд и Боярский переулок. Москвичи, вспоминаете?

В парадный подъезд ты заходить не стал — там, как тебе показалось, размещались какие-то охраняемые учреждения, и объяснять охране, почему тебе так необходимо подняться на 4-й этаж в квартиру № 13, не хотелось, да и времени не было. Обойдя дом, ты подошел к ведущим во двор воротам — теперь они были железными, а не крашеными дощатыми, какими ты их помнил. Ворота оказались закрыты.

Тебе ничего не оставалось, как только прохаживаться рядом, ожидая, что в какой-то момент в них въедет, или будет из них выезжать машина. Потом ты заметил, что как раз тот угол дома, где была бабушкина квартира, теперь занимает небольшой продовольственный магазин — и двери его открыты. В торце виднелась другая дверь, ведущая прямо во двор — и ты вошел в магазин.

Что делает человек, когда оказывается в таком положении, в каком оказался ты? Он идет и смотрит то, что ему надо. И потом — уходит. Ты же подошел к продавщице: не старая еще женщина, несмотря на жару, была закутана в какие-то рабочие многослойные халаты, на руках ее были перчатки с обрезанными пальцами. Склонившись над прилавком, она записывала что-то в толстую амбарную книгу. Покупателей в магазине не было, на тебя она внимания не обращала. Помявшись минуту-другую, ты осмелился отвлечь ее просьбой — нельзя ли пройти через помещение магазина и его заднюю дверь — во двор.

Теперь продавщица тебя заметила. «Зачем?» — «Да вот, — отчего-то теряясь под ее строгим взглядом, промямлил ты, — родился, вырос, бабушка...»

— «Нельзя». Продавщица больше не смотрела на тебя, она снова уткнулась в свой фолиант, а ты стоял и прикидывал: «Ну, хорошо — вот сейчас ты станешь к ней приставать, объяснять, настаивать или просто пройдешь мимо нее во двор, она вызовет участкового, который, конечно же, кормится от этого «объекта», потому что объект этот на его участке, и у хозяев подобного объекта всегда есть причина уважать и любить своего участкового.

«Мне это надо?» — совсем по-одесски спросил ты себя — и ретировался... Сопровождавший тебя Бегишев отнесся с пониманием к твоему решению и одобрил его — кому, как ни россиянину, знать правила поведения горожан в частной торговой точке любимого города.

А ты... Весь последующий год ты корил себя за проявленную робость. И дал себе слово: при следующем визите в Москву (если он когда-нибудь состоится) непременно проникнуть и во двор, и в квартиру, где прошло детство и юношество, откуда однажды в самой непрезентабельной одежке и с рюкзаком за плечами тебя проводили родители и друзья до теплушки на товарных путях Ленинградского вокзала. Ты отправлялся исполнять свой гражданский долг «сроком на три года» — столько тогда служили в рядах Советской Армии...

В этот дом ты больше не вернулся: пока ты служил, родители сумели пробиться на прием «к самой товарищу Фурцевой» — она тогда возглавляла Куйбышевский, то ли райком, то ли райисполком, и, козыряя твоей фотографией в солдатской форме и на фоне «боевого красного знамени», они получили как высшую милость родного государства новое жилье. Жилье? По тем временам — еще какое!

Это тоже была одна комната, и тоже в коммунальной квартире, но уже светлая, с нормальным окном, выходящим на открытую солнечную сторону, а не на лестничную клетку черного хода, как это было до сих пор, и сама комната была достаточно просторна для трех спальных мест, а не одного с половиной...

И еще был балкон — на нем почти свободно умещалась коляска с новорожденным сыном, ты привозил его из Измайлова, куда отселился к тому времени. На том же балконе отец в последний год жизни проводил многие часы. Устроившись в небольшом переносном кресле, он вскоре ронял на колени газету, снимал очки и, прищурившись, вглядывался в быстро меркнувшую линию горизонта, очерченную зубчатым силуэтом домов. Он уже догадывался о характере своей болезни, хотя вы тщательно скрывали от него беспощадный диагноз, прятали куда-то медицинские учебники, которые он стал приносить из магазинов...

И вот, спустя еще полтора года, ты снова здесь, у Красных ворот. На этот раз ты никуда не торопишься. При входе в парадный подъезд ты уже не обнаруживаешь охраны — то ли охраняемое учреждение съехало, то ли сказалось общее смягчение нравов. И вот ты смело поднимаешься на 4-й этаж. Дверь, ведущая в твою квартиру, почему-то теперь стеклянная, через нее можно видеть часть помещения: это две ближние комнаты, вмещавшие в свое время две семьи — в каждой по 3—4 человека. А всего тогда было семь комнат — и семь семейных очагов.

И были паркетные полы старинной укладки, и двери, ведущие в эти комнаты из потемневшего за прошедшие десятилетия дуба, и были лепные потолки: вся эта роскошь (опять вспомни, читатель, первые главы) принадлежала чудом уцелевшему меньшевику Кливанскому, доживавшему здесь же свои годы с престарелой дочерью. Где она, эта роскошь?

Квартира вдвое уменьшилась, пол ее теперь устилал потертый линолеум, стены и двери, ставшие фанерными, оказались выкрашены в какой-то невероятный салатовых тонов цвет. Открыты были только две, ближние ко входу в квартиру, комнаты — в них размещалась теперь контора по продаже и аренде недвижимости, замеченный тобой персонал состоял из нескольких молодых людей потрепанной наружности, они зажимали между плечом и ухом телефонные трубки и что-то быстро записывали в развернутые на столах папки.

Делать тебе здесь было совершенно нечего — это ты понял сразу. Щелкнув несколько раз камерой, что заставило обитателей конторы наконец обратить на тебя недоброе внимание, ты покинул некогда родное гнездо и, обойдя дом, свободно зашел во двор через распахнутые настежь ворота. Что можно было понять как большую открытость нового российского общества, но и объяснить прозой жизни: внутри двора на асфальте копошились работяги, занятые какими-то ремонтными делами.

Окинув взглядом территорию, некогда казавшуюся тебе гигантским полигоном, специально спланированным для ваших дворовых забав, ты приблизился к черному ходу, ведущему в секцию дома, где когда-то жил: именно сюда выходили окна вашей комнаты, — сейчас ты прочел на небольшой укрепленной здесь у входа вывеске: «Театр-студия Михаила Козакова».

Вот так — не больше и не меньше...

На втором этаже обнаружилось некое подобие театральной кассы — столик, в скромных размеров комнате, служившей, видимо, театральным фойе. Ни Козакова, ни его жены и соратницы по театру Ани здесь не оказалось. И на следующий день ты позвонил ему (благо оказался с собой номер его телефона) и сообщил о замечательном совпадении. Вы поохали-поахали, он рассказал о том, как на недавних гастролях в Канаде, провалившись в люк на сцене, повредил руку и теперь вынужден отсиживаться дома; вы условились перезвониться и встретиться — чего в тот приезд не произошло.

Возвращаясь же к дому, остается сказать, что жилых квартир в нем больше нет. Ни одной — что, как ты успел заметить, стало судьбой многих строений в черте Садового кольца.

Нынешний, так сказать, «Вишневый сад»: капитализму чужды и ностальгия, и наши сантименты...

Глава 4
ВЫСТРЕЛЫ В ПАРИЖЕ

— Саша... — голос в трубке звучал совсем не так, как обычно, и не так, как еще вчера, когда, увезенный Аксеновым из Филадельфии в Вашингтон прямо с читательской конференции, Гладилин звонил в редакцию — просто чтобы спросить, как дела, ничего более.

— Саша, вчера убили Сергея.

Убили Сергея...

Три недели, что Гладилин гостил в Штатах, оказались примерно такими, какими мы видели их, сговариваясь минувшим летом о его приезде. Хотя не вполне. Сколько мы не виделись — лет семь? Да нет, кажется, все восемь — столько прошло от нашей встречи в Париже, где вот уже почти три десятилетия живет писатель. Гладилин — человек ночной, ужин после 11 вечера для него традиция.

Только в эти часы и удавалось нам как-то расслабиться, вспомнить то да се из московской жизни, обменяться новостями. И новости эти были отчасти многолетней давности... Да еще перед самым нашим отлетом на конференцию славистов в Филадельфию, — когда в первом часу ночи нагрянул Розовский со своей театральной командой. Знал Марк, что у нас с Гладилиным ранний самолет, ну и что? Просидели мы, однако, — ко всеобщему удовольствию, — кажется, часов до 4-х утра. Вот тогда и поговорили...

Потом замелькали часы — в самолете, в автомобиле; поклонники «Хроники времен Виктора Подгурского», с которой четыре десятилетия назад начался писатель Гладилин, читатели его книг, увидевших свет в России и тех, что были изданы потом на Западе, готовились к встрече с автором. Его ждали в Калифорнии — в Лос-Анджелесе, в Сан-Франциско, в Сан-Диего... И еще на Востоке США — в Филадельфии, в Нью-Джерси, в Нью-Йорке.

До Нью-Йорка писатель в этот раз не доехал — поменяв дату и место вылета, он возвращался из Вашингтона в Париж. Выступить он успел только у нас.

— Анатолий Тихонович! Анатолий Тихонович! — перебивали друг друга сидящие в зале. — Над чем вы сейчас работаете? Почему вы ушли со «Свободы»?.. Что на самом деле случилось с Галичем?.. А с Кузнецовым?.. Где сейчас Максимов, что он делает?.. Ну, и так далее.

И Гладилин отвечал на вопросы, читал отрывки из написанных в разное время рассказов и повестей, снова говорил — о людях, о себе, о времени. О том, что задумал новый роман — в нем будет Россия, перестройка, ее вожди... О коллегах с радиостанции «Свобода», о человеке необычайных мужества и честности — Викторе Платоновиче Некрасове, дружба с которым осветила годы его парижской эмиграции, о том, как пытался он помочь замечательному писателю, выбивая у начальства дополнительные часы радиоэфира...

Поговорить нам все же удалось, — только совсем не к такому разговору готовились мы оба. Совсем не к такому.

О Сергее Мажарове Гладилин рассказывал много, посвящая меня в события семейной жизни последних лет. Главными, конечно, в его рассказах были два чудесных малыша, внук и внучка, подаренных ему дочерью Аллой в супружестве с Сережей. И после развода Мажаров продолжал заботиться о семье: они жили в хорошем районе Парижа, лето проводили на лучших курортах, куда Сергей прилетал к ним на частном самолете, — если не забирал малышей на месяц-другой к себе.

— Словом, отношения в семье сохраняются добрые, — рассказывал Гладилин. — Правда, и сама Алла работает, вполне, между прочим, успешно. Вот уже ждет ребенка от своего нынешнего мужа, француза...

Здесь — самое время вернуться к телефонному разговору. К беседе, если угодно. Хотя, какая там беседа — это был монолог Гладилина, и я лишь изредка перебивал его наводящими вопросами.

— 22 ноября, — негромко звучал в динамике телефонного аппарата голос писателя, — в Париже в своей квартире профессиональными выстрелами через дверь (явно работали профессионалы, — подчеркивая мысль, повторил Гладилин) был убит Сергей Мажаров, крупный российский коммерсант. Эта акция — продолжение систематического истребления верхушки российского бизнеса, а также наиболее независимых журналистов, которое вот уже долгое время происходит в России. Это — не мафия. Я в это не верю! — Голос писателя стал жестким.

— Потому что до сих пор, — продолжал он, — по всем этим преступлениям еще никого не нашли. Здесь явно работают некие структуры, связанные с государственными звеньями. Цель запланированных убийств — уничтожить строптивых «новых русских», запугать всех остальных и подмять идущий в России процесс — болезненный и очень постепенный, но направленный на капиталистическое переустройство общества, — подчинить его себе. Почему — запланированных?

Некоторое время назад Сереже показали список, в котором он был на 15-м месте. На 14-м был Березовский — его машину взорвали, шофер погиб, а сам он чудом выжил. Вспомним: Березовский в то время еще оставался председателем акционерного общества знаменитого автозавода в Тольятти, «ЛогоВАЗа», это там вы-

183

пускают «Лады»... Тринадцать человек до него были убиты. Во всем просматривается четкий почерк определенной организации...

За годы, прошедшие с того дня, погиб не один десяток коммерсантов, промышленников — да и мало ли чего еще случилось за эти годы? — и журналистов. Листьев, Боровик, Щекочихин... — продолжать?

Гладилин сказал: «определенной организации». Я не стал спрашивать, какую именно имел в виду писатель, да и вряд ли был у него готовый ответ. Как нет по сей день ответа у российской прессы, пытающейся своими средствами расследовать серию совершаемых одно за другим политических убийств. Политических, потому что убийство коммерсанта, директора завода или журналиста сегодня в России есть и политическая акция.

После нашего разговора, день спустя, на моем столе собралась стопка последних выпусков российских газет. Вот они — напечатанные мелким, ставшим непривычным для нашего глаза шрифтом полосы «Аргументов и фактов», «Собеседника», «Известий»... Открываю наугад:

«Сколько стоит подстрелить Президента?.. Фанатик подрядится сделать это бесплатно, но шансы его минимальны. Профессионал моего уровня, я думаю, запросит 500—700 "зелененьких" — и не промахнется. Так что Президент может спать спокойно, чего я не могу сказать о президентах банков и концернов...» Это — из «Совершенно секретно», журналист интервьюирует профессионала-убийцу.

— В этом списке, — продолжал говорить Гладилин, — были известные коммерсанты братья Квантришвили, — оба они убиты. Был в нем и Сергей Дубов, владелец крупнейшего в России издательского дома, созданного на базе «Нового времени», — он, в частности, издал всего Солженицына. Застрелили Дубова на пороге собственного дома в Москве...

Жаль, не сохранил я письма Графова... Эдуард (для меня вот уже лет сорок — Эдик) — известный журналист, чьими фельетонами в «Неделе» еще на моей памяти зачитывалась российская интеллигенция. Он и «Панораме», по нашей с ним старой московской дружбе, предлагал время от времени свои тексты.

Так вот, в одном из писем ко мне он назвал Сергея Дубова блестящим организатором издательского дела, чуть ли не новым Сытиным, и от его имени предлагал осуществить совместные издательские проекты — например, публикацию дайджеста по российской прессе. Спустя какое-то время от заместителя Дубова пришел по факсу короткий, но вполне конкретный текст, содержавший предложения о сотрудничестве. Пожелтевшая страничка хранится где-то в моём архиве. Ответить на письмо мы не успели, — через несколько дней Дубова не стало.

Простите мне, читатель, это отступление — я не мог его не сделать...

Возвращаюсь, однако, к монологу Гладилина.

— Убивали директоров крупнейших заводов, связанных с экспортом металлов, например. Эти люди, по-видимому, не шли на какие-то вещи, которых от них требовали. Они не подчинились. Гибли и журналисты, — ровным голосом, как бы зачитывая текст заявления для прессы, говорил Гладилин, — тот же Холодов из «Московского комсомольца». Холодов не был в этом списке — наверное, есть и другой, для таких как он: журналист вышел на какие-то очень крупные дела, творимые очень сильной армейской мафией — где-то на самом верху. И его убрали.

«...За несколько дней до гибели Холодов побывал в одной воинской части и обнаружил, что там проходят суперподготовку профессиональные убийцы... В том, что диверсия (убийство Холодова. — А.П.) — дело рук профессионалов — сотрудников спецслужб — сомнений уже не остается. Вывод делается на основе анализа технических деталей взрывного устройства. «Аргументы и факты» собщают нам... что в этот день Холодов должен был получить от сотрудника ФСК (Федеральной службы контрразведки. — А.П.) компрометирующие ГРУ (Главное разведывательное управление. — А.П.) документы...»

Это — из «Собеседника», номер 44 за 94-й год. Дальше автор публикации размышляет о том, кто же все-таки стоит за кулисами диверсии — ГРУ или ФСК? Так ли уж важно это в контексте моих записок — право, не берусь судить. Разве что из любопытства следую за рассуждениями автора — вот еще цитата из той же статьи: «Внимание публики было умело отведено от ФСК и приковано к ГРУ! Что могло и требоваться». И дальше: «Тут мы подходим к самому главному — кто был источником информации Дмитрия Холодова, кто давал ему материалы о военных коррупционерах, кто сообщал ему нечто о ГРУ и спецназе? ...Министр обороны Грачев, человек не слишком далекий и потому прямой, не мудрствуя лукаво, в интервью "Независимой газете" так и заявил: "Дмитрия Холодова использовали как подсадную утку"».

И затем автор рассказывает о загадочной гибели двух экспертов из ФСК, которые могли иметь отношение к убийству Холодова, из чего следует предположить, что организовано оно именно этой службой. Собственно, этим тезисом он и завершает свою статью, помещенную, кстати говоря, в разделе «Расследования».

Интересно все же, до каких уровней власти, до каких ее структур позволено добраться сегодня российской журналистике в своих расследованиях? — этот вопрос и спустя 10 лет остается без ответа.

— Сереже Мажарову 36 лет, — продолжил после минутного молчания Гладилин.

— Было... — невольно вырвалось у меня.

— Да, было. — Гладилин опять умолк. Молчал и я. — В эмиграции в Вене, — снова зазвучал голос Анатолия, — он оказался, когда ему было 17 лет. Там до сих пор проживает семья, с которой он выехал, его отец — музыкант, пианист, хорошо известный в Европе, Леонид Брумберг. То есть Сергей принадлежал, как теперь принято говорить, к еврейской эмиграции. Мажарова — фамилия его матери.

Есть у него и сестра. А теперь остались два маленьких человека с искалеченными судьбами — его сын четырех лет, Алеша, Алексей... И дочь Аня — ей 6 лет. Ну как им сообщить, что у них теперь нет отца — этого никто не знает...

Голос в трубке сорвался.

— Сережа переехал в Париж, где начинать ему пришлось с самых низов, — после недолгой паузы заговорил Гладилин. — Никакого отношения к бывшим советским структурам, как и к так называемым «деньгам партии», ставшим основой многих успешных зарубежнх бизнесов, он не имел. Первую коммерческую сделку он вообще заключил с бельгийцами.

А потом, когда открыли границы, он успешно продал в Россию партию компьютеров — с этого, собственно, и начался этап его бизнеса, приведший Сергея к вершинам финансового Олимпа. У него было несколько компаний, его московское бюро насчитывало, кажется, сотню сотрудников. А когда он увидел этот список и когда произошло покушение на Березовского, чья фамилия предшествовала его, Мажарова, Сергей закрыл бюро, — и все эти люди потеряли работу...

Он никогда не делился со мною подробностями ведения бизнеса, да я никогда и не спрашивал его о них, но было понятно, что в своих делах и связях он вышел на очень, очень высокий уровень. Повторю: в списке, который ему показали, он был на 15-м месте, всего же там было 27 имен.

— А кто шел после него? — я не мог не задать этого вопроса, хотя ответ предвидел. И, конечно, оказался прав:

— Никаких имен, следующих за ним, мне Сергей не называл... Но все же предшествующие — имена тех, кого уже нет в живых, разве что за исключением Березовского, — это капитаны российской промышленности, экономики, торговли. В России у Сергея была хорошая охрана, здесь же он ни от кого не прятался, жил вполне открыто.

Ну, был у него охранник, он же шофер, с которым они расставались в конце рабочего дня. Вот совсем недавно, — вспоминал Анатолий, — Сергей появился на детской площадке, где я гулял с его детьми, без всякой охраны, и мы целый час играли с ними, бегали, дурачились. А охранника он на этот час отослал куда-то... Да и вообще жил он достаточно открыто, в дом к нему часто приходили друзья.

Правда, телефон его в парижском справочнике не значился, а был лишь в так называемой «красной» книге, не предназначенной для широкой публики. И квартирного кода его, кроме самых близких, никто знать не мог. К тому же, набравший этот код должен был появиться на телеэкране в квартире жильца, прежде чем получить возможность подняться на нужный этаж. Значит, привел убийц кто-то из своих?..

Подробностей покушения Гладилин в тот день не знал; он много раз говорил с Парижем, где дочь его почти целый день провела в полиции, давала какие-то показания — там ей и сказали следователи, что «работу» выполнили профессионалы. Немногое стало известно и на следующий день, когда Гладилин улетал: убит Сергей был квалифицированно, наповал, хотя стреляли через глухую дверь его квартиры. В сегодняшней России все, кто чувствует необходимость и может себе это позволить, устанавливают бронированные входные двери, укрепляют косяки и рамы. А в Париже-то, казалось, — зачем?

Какие-то подробности, не обязательно достоверные, появились на следующий день после гибели Сергея в газетах «Паризьен» и «Фигаро» — разве что как-то значима может показаться информация о том, что разыскивается полицией для допроса некто Макаров, компаньон в одной из фирм, принадлежавших Сергею.

Да, Сергей был способным предпринимателем, наверное, очень способным, — одним из тех, чьими усилиями только и возможно привести к порогу цивилизации страну, заблудившуюся в лабиринтах новейшей истории, бредущую по колено в крови вот уже которое десятилетие.

— К нормальному хорошо отработанному капитализму с человеческим лицом, — употребил я расхожий оборот.

— Я думаю, что такими способами они построят капитализм со звериным лицом, — заметил Гладилин.

— Говорят, похоже на Америку 20-х — начала 30-х годов: «великая депрессия», расцвет мафии — и убийства, убийства, убийства...

— Знаешь, скорее все же — нет. Американцы, при всем тогда происходящем, работали, производили ценности, строили и совершенствовали страну, а здесь они только... — Гладилин оборвал фразу, не договорив.

— К тому же в Америке никогда не было столь тесного переплетения, даже срастания государственных структур с преступными, — согласился я.

— Самый главный показатель происходящего — сколько за это время убито людей, и ведь ни один преступник не найден! Убивают не только промышленников — журналисты, сотрудники прокуратуры и милиции, депутаты Госдумы в том же скорбном перечне. Ну что это за система? Славящаяся превосходно отработанным полицейским аппаратом, она сегодня оказывается не в состоянии найти виновных.

— Остается предположить, что происходит все это не без участия того же полицейского аппарата.

— Из чего можно сделать столько выводов...

И опять обращаюсь я к российским газетам:
«После серии громких убийств стало очевидным, что убийц, как правило, не находят. Власть в этом не заинтересована. Иначе и самое загадочное преступление было бы раскрыто. Об этом говорит бывший шеф КГБ В. Семичастный». Авторитетно звучит, не так ли? Это — из «Аргументов и фактов».

И, наконец, взгляд мой останавливается на столбце, логично завершающем этот мини-обзор российской прессы:
«Анализ... показывает, что почти каждый случай порожден стихией складывающихся новых экономических отношений. Почти в каждой оперативной сводке фигурируют коммерческие предприятия или должностные лица из этих структур. Так, только в столице за неполный год уже пострадали АО "Альтернатива", "ОТОН", "Мега" и "Росстройинвест", корпорации "Виктор" и "Айсберг", фирмы "Бертон" и "Митра", МП "Россия", ГОО "Черкизово", клубы "Манхэттен" и "Найт Флайт", СП Интернэшнл автоцентр», "Финтранскомпания", банки "Столичный" и "Российский кредит", ТОО "Элита", АО "ЛогоВАЗ" (дважды)... Глубоко заблуждаются те, кто рассчитывает на стихание этой войны. Пока государство не начнет жестко контролировать процесс становления экономических отношений...»

А может, оно, государство, так их и контролирует?

— Америке на выздоровление потребовалось лет десять, ну пятнадцать. А сколько потребно России?

— Да, сколько?.. — повторил мой вопрос Гладилин.

На этом, собственно, можно было бы и поставить точку. Или многоточие...

Остается только добавить несколько слов к сказанному о Сергее Мажарове. Имя его в списке нынешних российских меценатов занимало не последнее место: с первых серьезных денег, пришедших к Сергею, он постоянно и щедро оказывал помощь художникам, артистам, музыкантам.

Одной из самых известных его акций, которую, скорее всего, тоже можно было счесть благотворительной, — ибо российское кино, как правило, продюсерам денег не приносит, — стало финансирование московских съемок фильма «Лимита». Лента эта явилась первой самостоятельной режиссерской работой Дениса Евстигнеева, сына замечательного артиста.

До того Денис был известен своей операторской работой в фильме Лунгина «Такси-блюз», награжденном множеством премий, в том числе международных. Фильм «Лимита» тоже не остался незамеченным — Сочинский фестиваль «Кинотавр» сделал его лауреатом конкурса.

В сюжете фильма история двух близких друзей.

К развязке фильма одного из них убивают.

Ноябрь—декабрь 1994 г.

* * *

В последние годы мы с Гладилиным чаще видимся в Москве. Хотя случилась однажды совершенно замечательная встреча — в Париже. Я летел из Берлина домой, в Лос-Анджелес, почему-то рейс «ЭйрФранс» казался самым подходящим, хоть и с пересадкой в Париже. Но так только казалось — поначалу. И совсем иное — когда из-за нелетной погоды в Париж мой самолет прибыл часа на два позже, и самолет Париж—Лос-Анджелес со счастливчиками на борту уже пролетал где-то над Атлантикой.

Утро в Париже, наверное, прекрасно, если ты не на скамье в зале ожидания «Орли» — аэропорт от города совсем не близко. А ожидание по плану продлится часов десять, до следующего рейса в Лос-Анджелес... «Не тревожьтесь, — успокаивали нас служащие аэропорта, — ваш багаж сохранен, он на складе, получите его дома». Ну, ладно — а что сейчас? Читать весь день газеты? — это в Париже-то!

Листаю свою телефонную книжицу: с кем бы из парижан поделиться? — такая, мол, проблема... Ага, вот телефон Гладилина — звоню.

— Ты где? — слышу в трубке.

— Да, вот, застрял, понимаешь...

— Через час встречу тебя внизу — будь у выхода.

И встретил, и мы поехали, и это была совершенно замечательная поездка! Может, это ради нее погода задержала наш рейс, подыграв мне, думаю теперь я. Потому что именно в этот день парижане, вся Франция отмечала праздник молодого «божоле»: на украшенные флагами улицы выкатывали бочки с замечательным, едва созревшим вином, вытаскивали из них пробки, что было дальше — понятно.

Французы отмечали этот день так, будто с ними праздновал весь мир. Вот и мы с Гладилиным обошли не один подвальчик в старых, правильнее сказать, «старинных», районах города. Бедный Анатолий Тихонович — он-то был за рулем, ему было нельзя. Ну только так, чуть-чуть, чтобы не было совсем уж обидно. Остается надеяться, что он, проводив меня обратно в аэропорт к исходу дня, причем к моему рейсу мы едва не опоздали, поддержал галльскую традицию, конечно, из сугубо патриотических соображений. А я с тех пор каждый ноябрь проверяю наши магазины — не пришло ли из Франции молодое «божоле»? А молодым оно и может-то быть всего-то несколько недель.

Ну, а Москва, так отчего — нет? Если там родные, если там есть ЦДЛ, если там магазинов, торгующих книгами, наверное, больше, чем в любой другой столице... Другое дело — какой книгой. Да разными, часто и просто замечательными, а больше все же переводной мурой, хотя и своей хватает. Ежегодные книжные ярмарки в Доме художников, почему-то названные на американский манер «нон-фикшн», удивительны по обилию издательских стендов.

Туда меня однажды зимой привел Гладилин. Пока мы дошли до здания от оставленной на стоянке машины, уши Гладилина успели сначала покраснеть, а потом, почти сразу начали белеть. Как он в лютый мороз оказался в Москве без ушанки, он и сам почему-то не знал: я едва его уговорил закутать голову моим шерстяным шарфом, так что в тот раз писательские уши оказались спасены. За «потом» — не ручаюсь: я через день улетал, Гладилин оставался в Москве по издательским делам — его снова обильно печатают.

А в другой приезд в Доме литераторов была презентация (о, это модное, если не самое модное слово в России — ПРЕЗЕНТАЦИЯ!) его новой книги, только что изданной московским издательством. Правильнее все же сказать — творческий вечер писателя Анатолия Тихоновича Гладилина.

Все же, для большинства пришедших и выступивших — Толи, — они пришли и говорили хорошие слова, вспоминали что-то, часто только им известное и памятное... Нашлось и у меня что сказать и, кажется, удалось попасть «в струю» — язык у меня легко развязался: так случилось, что в ЦДЛ я прибыл сразу после встречи с Лимоновым. Мы помянули с Эдом Наташу Медведеву, так я его теперь называю — 60 лет все же, не Эдиком же звать по старинке, — он очень трогательно описал в недавно изданной книге на нескольких страницах историю его знакомства с Наташей — произошедшего в самом начале 80-х при моем активном посредничестве и участии.

В общем, было у меня основание соответствовать тону, заданному выступившими предо мной, и я, получив слово, с трибунки вспомнил эпизод, произошедший со мной однажды после вечера с Гладилиным, проведенного у Аксеновых, — они тогда некоторое время снимали квартиру в Лос-Анджелесе. Приехал я туда поздно, задержала служба, еды на столе не оставалось, только толпились в небольшой гостиной гости, в числе которых помню Кончаловского с Ширли Макклейн.

Открытая спина актрисы оказалась обильно покрыта крупными веснушками, наудивлявшись им, я просочился на кухню в надежде обнаружить там что-нибудь из остатков, что могло бы послужить закуской. А закусить очень было надо — все же мы с Гладилиным, оставшись за столом вдвоем, за разговорами «усидели» значительную часть пузатой «Смирновской».

«Обожди! — сказала Майя, — я тебе сделаю чай». И бухнула в небольшой чайник полную пачку чая; стакан этого глубокого черного цвета напитка (как только я не взорвался?) хоть и приглушил аппетит, но вскоре же сослужил мне куда более важную службу. Вот это я и вспомнил на творческом вечере моего доброго друга Гладилина.

В первом часу ночи я пытался выбраться из лабиринта незнакомых мне улочек к фривею, чтобы по нему докатить до дома — там-то уж дорогу я знал. Но где он, это фривей, пытался я сообразить, меняя ряд левый на правый, правый на левый, и наверное, все же выбрался, если бы не... Стоп, тут я должен перевести дыхание: слепящий луч, направленный мне в спину и отраженный от зеркала, предлагал мне немедленно остановиться: полиция.

Так — сейчас проверят «на трезвость». Не чувствовал я себя сильно выпившим, только какая проверка не выявит принятую дозу, а значит, — ночевать в полиции и, наверное, прощайте водительские права.

И вот тут случилось чудо. Конечно же, сначала проверка «на запах», вопрос — сколько выпил, пройти вперед-назад, пальцем до носа, счет от единицы к десяти и наоборот... «Спасибо тебе, Майя, за тот чифирь!» — я и сейчас говорю: выдержал все проверки, даже высокие, модные тогда, каблуки не помешали.

— А все же, сколько вы выпили? От вас пахнет, я должен вас задержать и отвезти в отделение на проверку количества алкоголя в крови, — огромного роста негр-полицейский продолжал испытующе смотреть мне в глаза. Или он только казался мне огромным?

— Да чуть-чуть, рюмку одну, «уан шот»...

— Вы что, не знаете, что за рулем не пьют?

— Офицер, ну пришлось, ну не мог не выпить, друг приехал из Франции, мы столько лет не виделись!..

— Какой еще друг?

— Как, какой — Гладилин! — Уже в полном отчаянии, с нивесть откуда взявшимся пафосом, я подтвердил: «Гладилин!».

— Гла-ди-лин? — переспросил полицейский.

— Да, Гладилин!

— О, Гла-ди-лин... — с уважением повторил за мной полицейский. Не знаю, с чем у него ассоциировалась фамилия писателя. — Гла-ди-лин, — и он протянул мне права. — Смотрите, езжайте осторожно.

— Конечно, офицер, спасибо! — и уж совсем наглея, возвращая карточку водительских прав в бумажник, я почему-то решил сказать, — а, вообще, почему вы меня остановили?

Полицейский обернулся: «А почему Вы ехали вот так...» — и он показал руками, как я плутая, вилял, переходя из ряда в ряд.

— Езжайте осторожно! — повторил он. Его машина отъехала и почти сразу он включил сирену, догоняя кого-то что-то нарушившего, а я положил руки на руль и так просидел минут пять, а может, все пятнадцать, не решаясь тронуться с места...

Вот так имя писателя Гладилина магическим образом уберегло меня от крупных неприятностей в личной жизни и соответственно на работе, о чем я с удовольствием вспомнил вслух на его творческой встрече в Центральном Доме литераторов. Да.

Глава 5
ДИПЛОМАТИЯ — НАУКА ТОНКАЯ

Помню свой первый приезд в Москву — спустя полтора десятилетия после того, как оставил свой город. Уезжали мы тогда навсегда...

Не все, не все здесь, встреченное теперь, было доступно пониманию гостя, — каким оказался вдруг я, в недавнем прошлом сам москвич, урожденный, чей разум и поныне не вооружен сакральным знанием обстоятельств начального накопления капитала. Да и откуда бы?.. Так ведь все мы, одним прыжком перемахнувшие через пропасть, разделившую два мира, оказавшись на Западе, были такими...

Теперь я бываю здесь регулярно. Российская столица кажется мне той же, что полгода назад. Уличные пробки и загазованность воздуха как были, так и остаются почти неразрешимой проблемой города, так же суетна пристойно одетая вереница прохожих в деловых и торговых районах.

Прибавилось со вкусом и выдумкой декорированных, с подсвеченными витринами, бутиков... да прибавилось ресторанов, кафе, ночных клубов, игорных заведений — в центре города: кажется, не осталось кварталов, даже в стороне от главных улиц, где бы первые этажи (и жилых домов тоже), не были ими заняты. Да поубавилось в подземных переходах число попрошайничающих неопрятных бомжей...

Но сегодня — не об этом...

Хотя и об этом: сохраняется славная московская традиция — люди здесь не упустят возможности добавить аргументов в пользу собственной уверенности — что и здесь сейчас жить можно. Ну, конечно же, можно! — и даже лучше, чем когда либо раньше, если взять последние лет восемьдесят. Хотя, кому как — это и сами они знают...

А все-таки — как?

Эта невыносимая легкость незнания. Характерно сегодня для россиянина, и прежде всего для москвича, отсутствие, по крайней мере, явного намерения оставить страну, «свалить» оттуда, эмигрировать — а кроме Москвы, я нигде и не был, и потому оговариваюсь.

Ну, а если такое намерение все же есть? Так ведь и спрашивали меня об этом чаще добрые знакомые, но бывало и при случайном разговоре: оказаться в США, например, хоть бы и с коротким визитом — насколько затруднительно и реально ли вообще это сегодня? Поднималась эта тема чаще всего не конкретно, а так, вообще... Соблазнительно ощутить себя полномочным представителем великой державы и, надув щеки, произнести что-нибудь вроде: «Оф коз, вери уэлком ту Юнайтед Стейтс!». Пока поостерегусь...

А по городу ползут слухи: визы получают единицы, и если «отказ» — в последующие несколько лет и не обращайтесь, посольский компьютер ничего не забывает!

...Вот и сетует журналист, трижды побывавший в Штатах: «Если мне сейчас откажут, а мне уже хорошо за 60... Значит не дождусь». Опасается медик, известный ученый, доктор наук, профессор — он-то совсем не стар и тоже бывал в Штатах, но его многократная виза кончилась в прошлом году: стало быть, не попасть ему, в случае первого «отказа», и на конференции, что запланированы американскими университетами — в следующем году... и еще год спустя...

Эх, нам бы — тогда, в середине семидесятых, думаю я сегодня, эти заботы — «впустят — не впустят». Мы загадывали — «выпустят — не выпустят». И если «не выпустят» — то куда?.. А «не выпускали», сами знаете, куда, — особенно самых настырных «подаванцев»...

Опасения моих друзей сегодня мне не безразличны — я и сам кого-то из них жду в гости. Словом, был повод поспрашивать Генерального консула США — кто лучше его знает правду? А так — чего бы: только раз и довелось мне побывать в нашем посольстве — и это как раз в 91-м, когда «Панорама» была в числе трех первых русскоязычных западных учреждений массовой информации аккредитована при тогда еще советском МИДе (радиостанции «Голос Америки», «Свобода» и наша газета).

Итак, я здесь уже второй месяц: оставшееся перед возвращением домой время неумолимо сжимается, а своих вопросов у меня к нашему консулу как не было, так и нет — что, скорее всего, и хорошо... У Джеймса Уорлика сейчас на учете каждый день и даже каждый час: он возвращается в Вашингтон, где его ждет новое назначение, серьезно повышающее дипломатический статус, однако он охотно откликнулся на предложение встретиться.

Запись нашей беседы, счел необходимым я предупредить его, возможно, будет опубликована не только у нас в Штатах, но и в российской периодике — об этом меня просили москвичи, знавшие о предстоящей встрече. «А в каких газетах?» — поинтересовался Уорлик и, конечно, были у него основания для вопроса. Мне оставалось только заверить его, что издание это будет респектабельным и никак уж не «желтым».

Так что в первую очередь я имел в виду тогда американскую аудиторию: в Штатах всегда хватает тех, кто ждет гостей из России.

Едут, едут и в Россию наши американцы, и «новые», и «старые», — по делам, в отпуск, навестить близких...

О мухах и дипломатии. Собственно, рассказ американского Генерального консула занял час, а то и больше, и при публикации я привел его содержание, по возможности, конспективно.

Но сначала — это. Заглянул я в Интернет на несколько русских сайтов — что там нового? И не напрасно.

Не могу сегодня не вспомнить моего коллегу давних лет и доброго приятеля Артура Абрамяна, в начале 70-х неожиданно переменившего профессию: он уехал из Еревана, поступил в Высшую дипломатическую школу, поселился в общежитии МГУ, и, готовясь к новой карьере, просвещал меня, забегая выпить рюмку-другую коньяка.

В Армении его не забывали и регулярно поставляли отборнейшие сорта этого замечательного напитка, так вот он поучал меня:

— Знаешь ли ты, Половец, что такое дипломатия?

— Ну, примерно... — простодушно отвечал я ему.

— Слушай! — перебивал Артур. — Ты видел когда-нибудь, как муха писает? Так вот, дипломатия — это еще тоньше!

Мы оба смеялись и переходили на свежие анекдоты, которые Артур помнил в невероятном количестве.

Мне даже казалось, что все самые свежие новости «Армянского радио» исходили именно от него, что не помешало ему оказаться по завершении учебы в ВДШ то ли вторым, то ли пятым секретарем, а может, помощником пресс-атташе нашего посольства в Конго, — сейчас не вспомню. А вот почтовую открытку, однажды от него полученную, правда, запечатанную в конверт: обнаженная по пояс чернокожая красавица, — я сохранил. Где он сейчас, мой друг?..

Мистер Уорлик, остроумный, милейший в обиходе человек, опытный дипломат. Подозреваю, что там, где он овладевал тонкостями профессии, приводили студентам близкую по смыслу аллегорию — что-нибудь вроде этой мухи.... И потому нет у меня к нему претензий. Просто интересно было бы понять (хотя бы для накопления опыта), и, может быть, рассказать читателям (если это не есть государственная тайна), какие причины не позволили господину Уорлику, с энтузиазмом рассказавшему мне о заинтересованности Соединенных Штатов Америки в максимальном увеличении числа россиян — представителей всех категорий: бизнесменов, студентов, ученых, просто туристов, посещающих Штаты, — не упомянуть о так называемых «уточнениях» в процедуре выдачи виз для россиян...

А ведь они уже тогда созрели в недрах Госдепартамента и спустя всего месяц были приняты к руководству всеми консульскими службами США. Эти уточнения, очевидно, усложняли процедуру оформления и получения россиянами въездных виз в США — заинтересованному читателю они давно известны....

И теперь о нашей встрече. Принял меня Генконсул у себя в квартире, что как бы определяло неформальность предстоящей беседы. (Некоторые предпосылки к этому имелись: я уже был с господином Уорликом знаком — мои внуки и его дочь ходят в одну школу, они и каникулы проводили вместе.) Высокопоставленные сотрудники живут здесь же, на территории посольства — на расстоянии поездки на лифте до места службы.

Пропуск мне был загодя заказан, но дипломат сам встретил меня у проходной (так будет быстрее, пояснил он), после чего последовали стандартные формальности: проверка паспорта, изъятие его взамен пластиковой карточки, удостоверяющей мой статус — «гость», металлоискатель, проверка содержимого моей планшетки, магнитофона и фотоаппарата. Аппарат мне предложили оставить в проходной, но после заверений, что территорию и объекты, расположенные здесь, я фотографировать не стану и поручительства за меня Генконсула, мне разрешили оставить и камеру у себя.

Кстати, в московском представительстве Сохнута (я и туда заглядывал к известной писательнице живущей в Израиле, возглавившей это представительство) служба охраны, пожалуй, покруче нашей, американской посольской, — я до сих пор не перестаю удивляться, что выдержал испытание, мне устроенное там на входе: пришлось вспомнить чуть не всю свою биографию, связи, знакомства и всю родословную...

Такая служба там безопасности.

***Госбезопасность — она* везде *госбезопасность*.** Здесь позволю себе отступление: лет несколько назад я оказался в круизе, включавшем в маршрут, кроме прочего, и Мальдивские острова. И теперь, где бы я ни оказался, даже помыслить нарушить местные правила, а тем более пытаться фотографировать «запретные» объекты — самое последнее, что мне пришло бы в голову.

А было так. Столица странного государственного образования Мальдивское королевство — один из островков, на которых и размещается все государство. Обошли мы (десяток туристов, главным образом, американцев) столицу часа за два. Прошли по узкой центральной улице — одно-, двухэтажные домики, сплошь занятые сувенирными магазинчиками, — прогулялись мимо парка, в глубине которого виднеется королевский дворец — этому строению, по крайней мере, внешне, даст фору любой из недавно выстроенных состоятельными горожанами подмосковных коттеджей (да и у нас в Калифорнии есть не бедные дома, рассчитанные на одну семью).

Трудно сказать, что там сохранилось сегодня — после катастрофы, обрушившей на островное государство мириады тонн морской воды...

Так вот, завершилась наша двухчасовая прогулка на площади, примыкающей к причалу (пристани здесь просто нет — поскольку мелководье, корабли швартуются в нескольких милях от берега, а туристов доставляют сюда гребные или моторные лодки). Со стороны «материка» площадь, где мы ждали нашего лодочника, ограничена высоким забором с будкой часового — сам он, вооруженный карабином, рассматривал нашу группу в бинокль, хотя разделяло нас метров пятьдесят, не больше.

Сразу за забором на фасаде приземистого двухэтажного дома можно было разглядеть вывеску. Я и сумел прочесть ее, наведя объектив фотоаппарата, который, естественно, всю поездку болтался у меня на груди: «National Security Council». — Ха! Мальдивское КГБ! Можно ли было упустить такой кадр? — и, я прицеливтись, щелкнул пару раз затвором.

Опустив камеру, я заметил бегущего ко мне с карабином наперевес солдата, или полицейского, кто их разберет? — машущего свободной рукой и что-то кричащего на мальдивском языке (если такой есть), — но и не требовался переводчик, чтобы понять, что сейчас меня заберут. И я сгину навсегда в подземных казематах этой неведомой мусульманской державы, о существовании которой знают разве что штатные эксперты ООН и сотрудники бюро путешествий, специализирующихся на экзотических турах.

Я стоял, соображая, что следует сейчас делать, и лишь когда солдат, подбежав ко мне вплотную, схватил меня за рукав и потащил в сторону проходной, я вышел из оцепенения. Я видел, что стоявший на вышке часовой держит свой карабин, нацеленный на нас, и оглянулся на спутников, ожидая от них хотя бы моральной поддержки...

Куда там — они, экономно тратящие в круизах скопленный на банковских счетах в предпенсионные годы жирок, — тонконогие старички (цветастые шорты, светлые панамки), изморенные диетой бабульки в огромных солнцезащитных очках, — все вдруг (я не успел заметить, как) оказались на расстоянии двадцати шагов от меня и, отвернувшись в сторону океана, старательно не смотрели в мою сторону. «Трусы, предатели!» — хотел я крикнуть им, но от страха, растеряв весь свой запас английских слов, только и прошептал: «Гады...»

Едва отняв свою руку у пленившего меня мальдивлянина, я принял, кажется, единственное возможное решение. Я открыл камеру и, засветив пленку, содержавшую бесценные кадры, только что снятые в Таиланде и, кажется, в Малайзии, развернул и помахал ею над его головой для убедительности и протянул ему загубленную фотолетопись части этой поездки. Но что значили все эти кадры, если я уже видел себя где-то в темном подземном узилище — как герой «Полночного экспресса». Так о нем хоть знали родные где-то в Америке, а кто бы знал, где искать меня? Бедный мой сын! — только и подумалось мне.

Наши шлюпки отчаливали к теплоходу через считанные минуты, а следующий заход судна с туристами сюда предстоял где-то через неделю-другую, предупредил нас местный гид, еще когда мы только перешли из шлюпки по шатким мосткам на берег... Я так себя жалел, забытого узника, навечно запертого в каменный мешок, за тысячи миль от дома, что готов был отдать солдату саму камеру следом за засвеченной пленкой.

Часовой, наблюдавший со своей вышки за этой сценой, а продолжалась она минуты две, но мне казалось, да и сейчас так кажется, когда я ее вспоминаю, — целую вечность, наконец опустил карабин...

Вот и теперь в проходной американского посольства я зачехлил фотоаппарат, и на всякий случай поглубже запрятал его в планшетку.

Господин Уорлик проводил меня до своей квартиры: двухэтажные «таунхаузы» протянулись во дворе в трех десятках метров от служебного здания посольства и прямо напротив него, — со стороны Садового кольца этого здания не увидишь, разве что с набережной Москвы-реки.

«Вот он, тот самый дом, — рассказал мне дипломат, — после признания Бакатина, бывшего недолгое время российским Министром государственной безопасности (может, как раз потому и недолгое) — дом, нашпигованный прослушивающей гэбистской аппаратурой (возводили его прорабы, не с улицы взятые мидовским Управлением по делам дипкорпуса), и теперь его пришлось полностью разрушить и выстроить заново силами приглашенных американцами из-за рубежа рабочих.

Сейчас здесь такие меры приняты и такие установлены устройства, которые полностью обеспечивают конфиденциальность происходящего в стенах посольства.

Но ведь и наука не стоит на месте...

Конец книги первой

Книга вторая

...РАЗГОВОРЫ И ВОКРУГ

Глава 1

ВМЕСТО ВСТУПЛЕНИЯ

Год 2005-й. Кажется, мало что здесь меняется: мне довелось за последние несколько лет посетить Москву дважды, или даже три раза. Разве что явно прибавилось на улицах машин — главным образом «иномарок» — им отдают предпочтение автомобилисты всех родов и разного достатка. «А как же, — объясняют они, — за те же 10 тысяч (долларов, разумеется, остающихся мерилом несмотря на инспирированное сверху внедрение в расчеты европейской валюты — "евро"), лучше я куплю подержанную "тойотку", чем новый "жигуль"». И объясняют — почему. Хотя ясно и без объяснений: по-прежнему не надежны, не выносливы отечественные легковушки — так и не научились здесь их делать, даже с иностранной помощью. А может — не захотели. Значит — не судьба.

Да и грубости на дорогах не поубавилось тоже. И мздоимства постовых не поубавилось, хоть и пытаются побороть лиходеев — любимая тема газет. На этом автомобильная тема для меня казалось бы исчерпана.

Но не совсем. Моя личная транспортная проблема обычно остро не стояла: всегда была запасная машина в офисе сына — она-то меня и выручала. Но в этот раз — водитель уволился вместе со своим автомобилем. Поиски среди друзей поначалу результата не дали, разместили объявление в Интернете — «нужен временно водитель с машиной», получили несколько звонков.

Однажды это была девушка. При знакомстве Аня объяснила, что вообще-то она альпинистка, только что вернулась с гор, нужно немного подработать. О цене мы сговорились быстро — пятьдесят долларов в день нас обоих устроили. Ее — конечно: сумма, соизмеримая с пенсией россиян интеллигентных профессий. Аня казалась разговорчивой — сначала со мной, выпытывая подробности — где и как я живу, состоятелен ли.

Рассказал — жалко, что ли? Мало ли что, — предположил я после: может, ищет «папика», как там называют пожилых не бедных покровителей. И не оттого ли она настороженно приняла ситуацию, когда в машину ко мне подсела попутчица, сопровождавшая меня до конца дня. Но и с кем-то еще Аня непрерывно переговаривалась по мобильному телефону, одной рукой выруливая между тесно прижатых, почти до касания зеркалами, автомобилей.

В расчете на последующие поездки я оплатил заправку полного бака машины — в самом начале Аня сказала, что бензин на исходе. К исходу дня я оставил сумку в машине — мы со спутницей зашли в писательскую организацию, предупредив, что пробудем там совсем недолго. Едва мы зашли туда, зазвонил мой мобильный телефон: «Вы еще долго там будете?» — «Да нет, вот-вот возвращаемся...» — «Да?.. — в голосе Ани звучала неуверенность, даже растерянность. — ...а то я хотела отлучиться... ненадолго, рядом...»

Мы вышли на улицу — наша машина стояла метрах в ста, сзади нее, вплотную к ней, была припаркована точно такая машина — тоже «Жигули», тоже вагончик, и того же синего цвета. А у дверцы Аниной машины, склонившись к опущенному стеклу, стоял высокий мужчина, о чем-то переговариваяь с ней. — Мало ли что? — подумал я, может знакомый, может спрашивает дорогу — как проехать.

С Аней мы поработали один день — договорившись созвонить после 9 вечера. Ровно в 9 она, действительно, позвонила и сообщила, что не сможет работать со мной. — Что? Как? — внятного ответа я не получил.

— Ты с ума сошел, — объясняли мне друзья, когда я рассказал им заключительный эпизод этого дня. — Кто же ищет водителя по Интернету! Тебя же могли подсадить в другую, такую же машину, ты бы и не заметил — и водитель бы оказался другой. Будь счастлив, что не нашли тебя раздетым где-нибудь в лесу через неделю. С проломленным черепом..

Кто знает — может, друзья правы...

...Тогда же, в конце 2005-го, случилось мне возвращаться из Москвы одним рейсом с приятелем — тем самым, владельцем ночного клуба в Москве. Я заметил его в первый же час полета в отделении «эконом-класса», из чего можно было заключить, что дела у него в Москве не столь блестящи. Он спал, прикрыв глаза матерчатой повязкой, и снял ее только на подлете к Лос-Анджелесу.

Перекинуться несколькими словами удалось мне с ним уже возле вращающейся карусели, на которую выкидывались из жерла транспортера наши чемоданы. Он был крайне немногословен, и, мне показалось, не очень любезен, когда я поинтересовался: «Как, жизнь, как дела? Держишься там?». Что-то явно было не так. Продолжать тему смысла не имело да и не хотелось — все было понятно...

А ведь он был самым первым эмигрантом, с кем я познакомился в те первые три американские недели в Хьюстоне. Из трех наличных там эмигрантских семей лишь у него была купленная только что машина — огромный «шевроле», водить он ее не умел, прав не имел, вот я и отвез его за покупками на ней в супермаркет. И он был счастлив. А сейчас, спустя тридцать лет, — не знаю. Хотя искренне ему желаю того.

К рассказанному выше примыкает еще одна московская история. Мой добрый приятель, главреж известного столичного театра, получил замечательный подарок от городских властей — большую часть дома, в котором ютился его театр вот уже лет тридцать. Ютился — потому что в зале умещалось зрителей 80, плюс еще два десятка там же на ступенях. И ступени обычно не пустуют — даже при показе спектаклей давно в театре идущих.

Так вот, была составлена смета ремонтных работ и обустройства нового, гораздо больших размеров, зала — куда вместительнее старого. Стали понемногу осваивать новую территорию, и однажды в кабинет главрежа заглянул вежливый молодой человек и с легким кавказским акцентом стал уговаривать хозяина кабинета отказаться от только что переданной ему части здания.

— Зачем вам это, не нужно вам, будет столько неприятностей... Он очень убедительно рассказывал, что может случиться с семьей главрежа, с ним самим в конце концов, не говоря уже о его театре...

Вежливый молодой человек представился, после чего выяснилось: он владеет кавказским ресторанчиком, тем, в цокольном этаже того же здания, в котором теперь будут размещаться новые помещения театра (или представляет интересы владельцев ресторана, что было уже не столь существенно). Говорил молодой очень убедительно... Главрежу стало страшно — и в тот же день он попросил о встрече другого известного в мире искусства, и не только, человека, и получил у него аудиенцию.

— Не тревожься, ступай в театр, занимайся своими делами, все будет хорошо, — услышал он в ответ.

И ведь правда, все стало хорошо — на другой день его посетили уже двое представителей соседнего ресторана:

— Извини, дорогой, ошибка вышла, все в порядке, никто тебя не тронет. Мы не позволим.

Я намеренно не называю здесь имен — они на слуху у россиян, и не только: главреж нередко бывает в Штатах со своей труппой. Его покровитель, деятель искусства, но и серьезный предприниматель, — тоже здесь бывал, и даже чаще других. А теперь — нет: Госдеп не пускает, говорят, за ним тянется, криминальное — ну, мол, его, от греха подальше. Так ли — не так ли, а только не пускают его в Штаты.

Вот я и боюсь, не за него — за главрежа: вдруг наврежу ему каким-то образом, чего совсем не хочу.

Вычитал я в каком-то российском издании цифры: 40 процентов населения имеет доход ниже официально-прожиточного минимума, составляющего, кажется, долларов 60 в месяц.

На фоне этого неполного благополучия не могу не вспомнить случай, поддержавший мою веру в изначальное добро, заложенное Создателем в человека. Находка компактной, но не дешевой фотокамеры между кресел в заполненном театральном зале на тысячу мест не каждого заставит задуматься — что с ней делать? Представляете, — три или даже четыре килограмма стодолларовой рыбы турбо! Погоревал я пару дней и купил новую камеру, подешевле, походную. Но ведь в потерянной были какие-то кадры, может быть, невосполнимые...

Дама, ее я сопровождал в тот вечер, так она горевала не меньше моего — ведь по ее инициативе мы приняли приглашение администратора театра-студии МГУ на юбилейный спектакль. Спектакль оказался так себе, и если бы не случай с моей «Лейкой», я бы не вспомнил о нем. А теперь буду помнить: кто-то подобрал ее и отдал в администрацию, так что теперь у меня две походные «мыльницы». *Кто-то...* Это его, никогда мной не встреченного, я запомню.

Именно его (или ее), а не грубиянку в нотариальной конторе — мне случилось туда обратиться...

И не отчаянно-наглых шоферюг на московских улицах, ежеминутно рискующих своей и чужими жизнями...

И не бомжей-попрошаек с испитыми, навсегда обмороженными лицами...

И не дебильного, «раскрученного» до всенародной популярности исполнителя пародийно педалированного «уличного» репертуара, — его я услышал на концерте памяти Владимира Высоцкого. В утрированно-приблатненной манере прохрипел он в этот вечер со сцены Кремлевского театра: «...Где твой черный пистолет — на Большом Каретном...»

Мне, знавшему послевоенный московский уголовный мирок не понаслышке, подумалось тогда: да за такое его бы самый неуважаемый урка с того же Большого Каретного... — умолкаю, что бы он сделал с ним: не любили в той Москве примазывающихся к блатным «фраерков» и иногда жестоко с ними поступали... Да услышь его сам Высоцкий, — не пожалел бы бард инструмента, разбил бы свою любимую гитарку об его башку! Простите меня, читатели, в этот приезд большей мерзости я в Москве не встретил...

Вот и будь благословен этот «*Кто-то*», нашедший мой аппаратик, — потому что это *он*... и это режиссер Кончаловский... это молодежь, едва уместившаяся на ступенях в зале театра Розовского у Никитских ворот... и это люди, составившие собой живую стену у стендов Ноябрьской книжной ярмарки в Москве... и это энтузиасты, поддерживающие существование Домика-музея Окуджавы в Переделкине, и это приезжающие туда на школьных автобусах подростки — это все они настоящая Россия.

И ее, хочется надеяться, будущее...

Пришло и будущее — об этом в следующих главах.

* * *

Вряд ли мне удастся соблюсти дальше хронологию: память наша дискретна, и когда возвращаемся мысленно назад, получаются, скачки, чтоли — так, от человека — к человеку, от события — к событию. Помогает подшивка «Панорамы» — там скопилось за четверть века куда больше тысячи выпусков. Листаешь — вот они, люди, вот с этими виделся совсем недавно, а тех уже нет не первый год, ушли в вечность.

Гости в газете бывали у нас разные, порой самые ножиданные — особо «оттуда», когда граница была очевидна, не размыта, как теперь...

Вот, например, однажды заглянул Товстоногов, не вспомню уж, кто его привел — был еще кто-то из актеров его театра. Ленинградцы с любопытством рассматривали фотографии — на стенах редакции их всегда было множество — писатели, режиссеры, политики, даже с Клинтоном была фотография. Тогда она была единственной: пока один раз только случилось мне позировать рядом с президентом. Потом были еще случаи — об этом как-нибудь в другой раз.

Товстоногов, сидя напротив моего стола, поверетел в руках свежий выпуск «Панорамы», «Новое русское слово», что-то еще из эмигрантской прессы и отодвинул газеты в сторону, не скажу брезгливо — скорее с опаской. Я, извинившись, отошел в корректорскую, пробыл там с полчаса, а вернувшись застал Товстоногова внимательно читающим первые полосы «Панорамы» — на них традиционно помещались политические обзоры.

И ведь так — не только Товстоногов, вспоминаю я: в те годы зачастившие к нам гости оттуда были еще вполне «советские» — надо ли удивляться, а тем более осуждать их, знали мы. И не осуждали, а только сочувствовали.

А еще были такие встречи. Однажды в середине 90-х пригласил меня хозяин русского ресторана, их тогда уже было с десяток — заходи пообедаем вместе, с друзьями тебя познакомлю. Иногда случалось и такое — наверное, будет просить рекламу, хотя знает ведь: я ею сам не занимаюсь. Однако пошел — выдался свободный час, да и время обедать подошло.

Зал был совсем пуст, и только за дальним столиком сидели несколько человек: сам хозяин, его жена, партнер тоже с женой, и с ними мужчина, занимавший место, как минимум, для двух человек, с чудовищным размером живота. Бедняга явно страдал ожирением. Познакомились. «Сеня», — представился он. Разговорились — о том, о сем: оказалось, он как раз в этой связи здесь — сделать операцию, убрать жир, где можно.

Узнав же, что я собираюсь в Европу и, в частности, в Венгрию, «Сёма» стал усиленно приглашать: там у него, оказывается, свой ночной клуб — «Вот адрес, телефоны, заходи обязательно!» Не случилось мне воспользоваться его любезностью, и не зря: потом приятель из Нью-Йорка орал мне по телефону: «Ни в коем случае не иди туда — это же мафия!» Приятель знал, что говорит: его родственник, некто Ласкин, был вскоре убит в Германиии — был это один из известных бандитов, эмигрировавших в Европу из СССР. В общем, темная фигура был этот Фима Ласкин. Может, и наговаривали лишнее, кто теперь скажет — только ФБР — да и кто будет интересоваться сегодня...

Оказалось, и правда, не следовало мне туда ходить: Сёма — Семен Могилевич, фигура теперь широко известная, называют его чуть ли не наследником Иванькова, «Япончика» — крестного отца русской мафии в масштабах обоих континентов, состоит на учете всех полиций в мире. А совсем недавно прочел я в Интернете: проживает на Рублевском шоссе по соседству с самыми, самыми из нынешней российской элиты — деловой, но и политической...

Откуда я знаю это? — да из всеведующего интернета. Вот диалог из популярного сайта:

Смешко: Вот это вот, кстати, возьмите и просто пролистаете. Это Министерство внутренних дел и СБУ в официальных документах называет этих людей «бандитами», ведет расследование по ним на уровне низовом.

Кучма: Та понятно. Он [Могилевич] купил дачу в Москве, приезжает...

Смешко: Он уже получил паспорт. Причем паспорт на другое имя в Москве. А в Москве его уровень... Когда выборы были президента — не эти, а предыдущие, Коржаков [начальник личной охраны Ельцина] послал двух полковников к Могилевичу в Будапешт, чтобы получить компрометирующие данные на человека, потому что в тот момент при тех выборах еще надо было придержать до команды Коржакова. Я знаю, кто давал это задание. Он [Могилевич] сам не встретился. «Лейтенант» его организации, Король, встретился с этими двумя полковниками и дал им по «Нордексу» документы. У него сильнейшая служба аналитической разведки, у Могилевича. Но сам Могилевич, сам Могилевич — это особо ценный агент КГБ, ПГУ (Первое Главное управление КГБ, внешняя разведка) причем. Когда Могилевича хотели... Когда распался Союз, еще не было управления «К» УКГБ. Когда по Могилевичу один полковник хотел — он отставник, у нас здесь живет — когда он попытался его арестовать, ему так дали по мозгам, сказали: «Не лезь! Это номенклатура ПГУ». У нас ПГУ не было. У него связи с Чубайсом. У него, в общем...

Да только записки мои не об этом.

В те дни я дописывал последнюю главу «Рачихина»: умер он — в приютном доме для самых бедных. Тоже был непростой человек. Незадолго до того звонил мне Булат из Вашингтона — я в дорогу дал ему только что вышедшую в Нью-Йорке книжку — первым изданием.

— Молодец, — слышал я в трубке его голос, — хорошо написал... Вот только конца нет, кажется... Продолжи, что ли.

Я и продолжил, только вскоре сама жизнь дописала — умер Рачихин.

Этой фразой я рассчитывал завершить часть заметок, связанных с «Панорамой», так нет ведь, вернул меня к ней междугородний звонок:

— А все-таки посоветуйте — как построить работу нашей газеты, чтобы можно было уехать от нее в отпуск — ну хотя бы на неделю? — спрашивала редактор русской газеты. Это — после получаса нашей беседы.

— Так и езжайте, в чем дело-то? Вот, вы говорите, газете уже второй десяток лет, так?

— Ну, так — но ведь ненакого оставить ее!

— На помощников, — отвечаю. — Есть они у вас?

— Таких — нет... Бухгалтерия, отбор материалов — нужны специалисты, а их нет.

— То есть как это нет — наймите, народу в вашем городе пруд пруди — со всеми видами образования и опытом соответствующим, думаю.

— Да, но ведь им нужно хорошо платить... хотя бы тысяч пятьдесят.

— Да, тогда другое дело, если газета не зарабатывает столько...

— Почему, зарабатывает!

— После всех расходов?

— Да, это после всего.

— Ну вот и поделитесь доходом, — а тогда уж езжайте и отдыхайте сами.

Трубка на некоторое время замолчала, видимо, редактор переваривала полученную информацию. Наверное, она продолждала ждать, что вот сейчас я назову ей некое «петушиное слово», только мне и ведомое. А я в эти самые минуты вспомнил, как оставлял себя без зарплаты неделями, потому что нужно было сначала заплатить сотрудникам и авторам. Типографии и почте, конечно, — тоже сначала. Деньги-то потом появлялись, конечно, — только не сразу: медленно расплачивались с нами за наши услуги, — а тогда и себе платил, сколько получалось...

Не знаю, скоро ли соберется в отпуск моя собеседница — это уж как решит.

213

Глава 2

ОТКУДА ЕСТЬ ПОШЛА...

Сказать, что «Панорама» всегда приносила новые дружбы, да нет — бывало, разрушала старые. Вот Юз Алешковский — с ним мы оставались в приятелях от московских времен, познакомившись на проводах в эмиграцию одного актера. Наверное, уже тогда Юз подумывал об отъезде. Я вспомнил чуть выше, как высылал ему через «контору» книги «Ардиса» и многие другие. И годами позже Юз уехал. Да так дружба и продолжилась здесь.

Приезжал Алешковский в гости, учил правильно жарить на раскаленной сковороде бифштексы — действительно, вкусно получалось. А еще рассказывал он, как приставал к нему в языковой школе эмигрант, грузин с виду, в широченной кепке-«аэродроме»:

— Вот ты писатель, да?

— Да — отвечал Юз, — вроде да.

— Значит, в картинах понимаешь?

— В каких? — удивился Юз.

— Мне вот совет нужен — я из Кутаиси вывез картину, очень много заплатил кому надо. Картина — Рембрандт называется. Сколько она стоит, а?..

Я и по сей день люблю рассказывать эту байку. А еще из Нью-Йорка Юз присылал в газету рассказы — чаще всего это были из серии «Последние слова подсудимого», советского, разумеется. Написаны они были говорком улицы — здесь так не говорят даже те, кто раньше говорил. И однажды я ему сказал:

— Юз, ну хватит, давай что-нибудь еще, другое.

— А эти — что? У меня еще много их заготовлено для книги.

— Вот для книги их и побереги — в газете они как-то изжили себя: читатель-то наш оттуда давно уехал, может, хватит с него...

Юз грохнул трубкой, кажется, я даже и в Лос-Анджелесе слышал этот звук. И больше он не звонил. Лет двадцать прошло с той поры — а нам не случилось больше говорить с ним. Разлучила нас редакторская принципиальность... Так-то.

Что-то похожее было и с Левой Халифом: не показался мне его стих, хотя охотно его прозу печатал, и вот даже книгу целую издал — «ЦДЛ», чем и по сей день горжусь. А тут — заперло: ну не очень был стих, честно. Рёв Халифа в трубке у меня по сей день в ушах: «Как?!! Не нравится?!!» И тоже пропал лет на несколько. Вспыльчивый. Я ему сам как-то потом позвонил, отошло все, дружим снова, хотя и живем на разных побережьях.

Губерман... один день пробыл в городе Игорь в тот раз, всего-то. На ночь он все же остался у меня, улеглись мы далеко за полночь, при том, что вылет из Лос-Анджелеса предстоял ему где-то часов в 7 утра: это устроитель его выступлений в Штатах сэкономил на билете, думаю. А может, еще почему, только рано я не встаю, и уже в отсутствие Игоря нашел записку, оставленную им на столе: «Спасибо за разговоры...»

Говорили мы о том, о сём, о людях — участниках так называемого «литературного процесса», вспоминали россиян прежде всего, но и тех, кто за ее пределами. И, естественно, о самом «процессе».

— Ну вот, например, — говорил Игорь, — смотри, что происходит: поэт счастлив, что напечатал стихи, это теперь возможно и, в общем-то, доступно — издал сборник за свои деньги или нашел себе мецената. Другое — чтó от этой легкости появляется на прилавках? Хотя, конечно, помимо мусора, много стоящего.

Много все же... Вот публицистика, статьи, появились хорошие имена — так это, преимущественно, для газет, для тонких журналов, верно? Романы... одна из возможностей опубликоваться — толстый журнал. Только потерял, по-моему, сегодня такой журнал свое назначение.

И здесь я не мог не согласиться с Игорем:

— Вот я начал тебе говорить по поводу чупрининского журнала, (понятно, я имел в виду «Знамя») — смотри, что было: несколько лет подряд мы, в меру наших возможностей, поддерживали этот журнал скромной премией за лучшую публикацию по предложенной нами номинации «Россия без границ». И на протяжении трех лет она вручалась от имени «Панорамы» — случились среди ее лауреатов поэтесса из российской провинции, превосходные были стихи, потом Андрей Волос, в другой год — Войнович Владимир...

А потом... я вообще, веришь ли, ничего не смог в нем найти, ну не удалось мне обнаружить нечто, на наш взгляд, значимое в годовом комплекте журнала. А ведь «Знамя» традиционно считалось одним из достойнейших литературных изданий!

— Памятен мне в этой связи такой эпизод, — продолжал я. — Итак, в тот раз был «год Войновича». Деньги, естественно, были скромные, в пределах нашего бюджета, и может быть, даже где-то вне этих пределов: однако поддержка живущих в России писателей сегодня дело вроде бы святое, и я не должен тебе объяснять — почему. В общем, фактически делились мы с ними своим гонорарным фондом.

На вручении наград каждый лауреат выступил с ответной речью. Валера Бегишев, наш представитель в Москве, был на той встрече, слышал выступление Войновича и потом прислал мне его текст. Чуть позже речь писателя была опубликована и в самом журнале, и в «Литературке» (наверное, и еще где-то) — в сокращении. Но и из того, что осталось, было понятно: Войнович высказался тогда в том смысле, что, с одной стороны, премии — это хорошо, но, с другой стороны, брать награды из рук новых богатеев, которые как кость, как подачку кидают их оскудевшим литераторам, — обидно... Дословно я слов Войновича, конечно, не вспомню, но что-то было вроде «вот, жируют, а нам, как купцы, со стола подбрасывают куски...». Ну каково, а?

— Но выступил-то он после того, как взял премию?.. — полувопросом перебил меня Игорь.

— Вот-вот. После того.

— А Чехов — при таких убеждениях — он бы не взял. Короленко, Успенский — и они, если бы выступили, то уж точно не взяли. Но — если уж ты взял, то не выступай хотя бы! Не знаю, — продолжал Игорь, — я как человек, который ни от кого никогда не получал премий, может быть, несправедлив, но я уверен: если взял, то не выступай!

Очень близко к тому, как прокомментировал Гладилин, когда ему стал известен этот эпизод.

Вскоре и Гладилин позвонил из Парижа: «Ну, и не брал бы, если так видишь, а коль все же принял — "спасибо" скажи или просто смолчи», — возмущался Анатолий Тихонович, и ведь по делу.

— Ну а в связи с журналами, да и вообще... — продолжил Игорь. — Я ничего не могу сказать аргументированного, может быть... но я точно знаю: в России все будет хорошо, и, наверное, это основа моего оптимизма. Чудовищно талантливая страна! В смысле людей талантливая.

Потом стало совсем поздно, и мы разошлись по спальням, а перед тем условились, что соберусь я, наконец, вот уже спустя два десятилетия в гости к нему — в Израиль. А то все здесь да здесь — в Калифорнии... Ну, иногда в Москве еще. Я и собрался, взял билеты: через Франкфурт на «Люфтганзе» — прямых полетов из Лос-Анджелеса не было, нет их, кажется, и сейчас, и дальше уже — на израильскую «Эл-Ал». Упаковался, дозвонился тамошним друзьям, Губерман уже был готов встретить меня назавтра...

Я и сейчас помню, как трубка звенела голосом сына — «Папа, какой Израиль! Сдай билеты! Там война!». Война — не война, а «интифада» в тот день, действительно, началась. И в общем, даже не опасения за собственную безопасность, хотя и это тоже, конечно, но и очевидная неуместность отпускных удовольствий была явна: людей же убивают на улицах!..

Билеты я пытался сдать — взять-то их взяли, только денег за них не вернули. «Какая война?» — с наигранным удивлением ответили сотрудники агентства путешествий, куда я принес билеты. «У нас нет никакой войны... Деньги за билеты мы не возвращаем».

Ну, нет — так нет. Жаль, конечно, было полутора тысяч долларов, только разве сравнится это чувство с тем, которое ощущаешь здесь, в домашнем уюте на расстоянии в тысячи миль, когда в телевизоре начинают снова и снова мелькать кадры хроники из Израиля... Хроники воюющей, — на своей территории, — страны.

* * *

Не случилось тогда, а Губермана снова встречал я — в нашем аэропорту, здесь, в Лос-Анджелесе. Вот и в тот вечер, разговоры — разговорами... а помню, не в первый раз убеждал Игорь, листая страницы фотоальбомов: «Напиши книгу...»

— Какую же? — спрашиваю. — Давно написан «Вертер», — отшучивался я, укладывая высокими стопками альбомы с фотографиями обратно на полки.

— Да ты полистай их, — Игорь провожал взглядом альбомы, — открой старые номера газеты — вот и вспомни фигурантов твоих заметок, обстоятельства... Интересно же!

— Может, прав Игорь? — все чаще возвращаюсь я к этой мысли. — Вот и Таня Кузовлева, близкий мне человек, — тоже...

— Зачем, — спрашиваю теперь ее, — теперь-то кому, ну кому это интересно? Было — и было. Быльем поросло.

— Всегда, — возражает Таня, — сохраняется круг тех, кому не безразлично проживаемое здесь, сегодня. Да и нам самим, — категорически завершает она спор, — нам это надо знать!

Может быть... может быть... А еще вот что: даже и теперь, когда редакция перестала для меня быть обязательной и повседневной службой, представляется мне, что газета остается притягательным полюсом, на который все собиралось: обстоятельство за обстоятельством, встреча за встречей...

Вот только что позвонил мне Лёва Мороз — приходи на выставку в галерее. «В *моей*, — сказал он, — галерее!» Конечно — приду. Да и как не прийти — ведь это после него, тогда мне не знакомого, началась служебная часть моей американской биографии. Впрочем, об этом уже было в первых главах...

Сейчас же — из того, что сохранилось в записях, в публикациях, — я пытаюсь выбрать «самое-самое».

Начать надо бы, наверное, вот с чего.

А было такое: в Мичигане молодой ученый-славист основал небольшое издательство — с двумя-тремя сотрудниками.

Слависта звали Карл Проффер.

* * *

В самом начале 80-х, в одном из самых первых выпусков «Панорамы», я писал предисловие к тексту о замечательной художнице-литовке Алиде Круминой. Мы говорили о ней с Игорем Димонтом, ленинградским режиссером, ее близким приятелем — где они сейчас? Знал я Игоря шапошно. Однажды он заглянул ко мне, когда я дожевывал прихваченный из дома бутерброд, заменявший и ланч, и обед — пойти куда-то, даже в соседний «Макдоналдс» времени всегда не хватало.

— Тебе не противно? —Игорь брезгливо косился на остатки бутерброда.

— Противно — что?

— Да вот это! Что это? — он показал на остатки моего ланча.

— Как — что? Еда: хлеб с колбасой...

— Вот, вот — с колбасой!

— Не понял, — отвечаю, — колбаса телячья, из русского магазина, свежая. Все нормально.

— Именно — телячья. Это же плоть убитого животного... Убили ребёнка у коровы, не дали ему вырасти. А ты знаешь, — укоризненно продолжал Игорь, — что в мясе убитого животного сохраняется ужас смерти. Оно же знало, что сейчас умрет! Убили теленка, а ты ешь его.

Вот так мыслил Игорь. К этой теме мы больше не возвращались, хотя виделись двольно регулярно.

Вегетарианцем я не стал — люблю рыбу, креветки, моллюсков всяких при случае поглощаю с удовольствием, пью молоко, ем куриные яйца. А мяса — не ем, не хочется. Ну это так, к слову.

Так... В тот раз или в другой мы говорили с Димонтом совсем не об этом. Вот после этого разговора и родились строки, которыми я открывал заметки об Алиде Круминой. После их публикции у меня дома пояилась одна из ее удивительных картин.

Приведу же начало этих заметок, кажется, оно и здесь к месту.

Итак:

«...Когда город спит, когда он ест, смотрит телевизор, когда он пьет, обсуждает, соблазняет и мечтает, когда город строит планы на следующий день, и когда город спит... есть еще какой-то небольшой не видимый никому мир. Этот мир обособлен и не причастен к суете города.

Это — мир творцов, особых людей среди нас, как бы иронически или не серьезно мы порой к ним не относились. Пианист, не имея зала, не имея слушателя, часами остается у фортепиано, композитор исписывает тонны бумаги, зная в своем сердце, что никакой оркестр никогда не исполнит его музыку. Художник подолгу просиживает за мольбертом и не тратит время на мечты о том, что кто-то его оценит, кто-то восхитится его образами, кто-то поймет и озолотит его. Эти люди творят, не расчитывая на будущие доходы, не думая о своих будущих успехах или неуспехах, не ожидая компенсации или высокого места в обществе.

Творить для них — внутренняя потребность. Это их способ жить, выражать себя, «строить мосты» к другим людям. Сопротивляемость обстоятельствам у них высокая... общество может их не признавать, они творят, не ожидая аплодисментов ни сегодня, ни завтра... никогда».

Продолжив эту мысль сегодня, добавлю и следующее: всегда жила русская литература потайная, скрытая, недоступная. Рукописи передавались надежными друзьями, от одного — другому. Ни официальной издательской редактуры, ни цензуры...

Саша Соколов, Бродский, Цветков, Лимонов... В том же ряду оказались и Аксенов, и Алешковский, и Копелев — все они оставили страну при разных обстоятельствах, но причина все же была одна. Теперь — это история. «Не приведи, Господь, — слышу я сегодня, бывая там, — чтобы она вернулась...»

А сейчас — о том, что сохранилось в записях, в публикациях, — я попытаюсь выбрать из них «самое-самое». Начать надо бы вот с чего.

Так и жила эта литература в подполье многие годы, но вот томики с эмблемой старинного экипажа, маркой «Ардис», заняли место в *тамиздатовской* библиографии — рядом с изданиями «Посева», «Граней», «Имки-пресс». Вот я достаю Набоковские — из него у меня сохранилась почти вся серия — от «Подвига», датированного 1974-м годом (это прямой репринт с парижского издания 1932-го года, там сохраняются все «ъ»), — здесь еще нет «экипажика», появится он в 79-м на томиках «Стихи», «Король, дама, валет», а изданные в 78-м «Весна в Фиальте» и «Другие берега» его не содержат.

Издания «Ардиса» стали знать в России. Даже и при том, что на книжных полках они могли оказаться лишь в спецхранах, оставаясь доступными лишь тамошним *литературоведам*.

И вот ночами застрочили по всему советскому пространству пишущие машинки, страница за страницей перепечатывались из этих томиков дневники вдовы Мандельштама, записки Анатолия Марченко, просочившиеся на волю сквозь тюремные стены, — там, в заключении, их автор и закончил свою земную жизнь. А книга его осталась.

С той же целью изводились тысячи и тысячи листов фотобумаги в домашних лабораториях. И не только в домашних — я уже вспоминал в связи с моим старинным приятелем журналистом Жавронковым лабораторию в Институте мединформации. Генка тогда в числе еще нескольких беззаветно доверявших друг другу приятелей доставал и доставлял сюда «исходный материал» для последующего копирования. Нам с ним тогда обошлось, а кому-то — нет...

Но и за рубежами первые же выпущенные «Ардисом» книги известили о «неофициальной» русской литературе — существует, оказалось, кроме экспортируемых томиков Шолохова, Фадеева. Правда, и Достоевского, и Чехова — валюта же! А эта — она не вдруг, но вошла все же в университетские программы на кафедрах славистики.

Авторитет Карла Проффера (кстати, «полным профессором славистики» стал он в 29 лет) признавался теперь безоговорочно. Университетские друзья мне рассказывали: теперь ежегодный каталог «Ардиса» — основа пополнения русских разделов их библиотек, в чем вскоре я и сам убедился.

Кажется, с 69-го исчисляют начало «Ардиса». Мне до отъезда из Москвы тогда оставалась еще полная семилетка. Сегодня я вряд ли вспомню, что нам там досталось хоть бы и просто подержать в руках из обнаруженного потом в каталогах Карла. В Риме существовала, наверное, и сейчас существует Толстовская библиотека, говорили, с самым полным за рубежом собранием русских книг. Она, правда, после обязательных, на последние лиры (а других у нас, естественно, и не бывало) экскурсий по стране, оставалась предметом нашего паломничества в те дни, что мы ждали виз, — кто американских, кто канадских. Хотя какое там — дни! Месяцы...

А теперь — что-то сразу обнаружилось на полках этого крохотного, в одну комнату лос-анджелесского магазинчика. Назывался он почему-то «Терек» — наверное оттого, что хозяином его я застал пожилого армянина по имени Артем, перекупившего недавно магазин у грузина. Грузин? Здесь, пожалуй, уместно вспомнить, что существовала в те годы небольшая калифорнийская колония кавказцев — оказавшихся после революции в Харбине, в Шанхае, еще где-то.

Недавно, разбирая архив, обнаружил я чудом сохранившийся розовый листок, корешок чека — первой американской зарплаты сына, полученной им в качестве «баз-боя» (убиральщика посуды, что ли) в ресторане «Кавказ», владельцем которого был тоже армянин, в прошлом хозяин ресторана с тем же названием в Харбине. Ерванд Маркарян рассказывал, выступал там и Вертинский до своего возвращения в Союз.

«Терек» книжным был лишь отчасти: немалая часть его помещения, отнятая от репринтов раритетного «Стрельца», изданного в 1915-м году, была занята морозильниками и прилавками, содержавшими пельмени, русские колбасы, доставленные сюда их Сан-Франциско — там их готовили умельцы из самой многочисленной в те годы колонии русских эмигрантов. О них будет у меня еще случай вспомнить чуть позже.

И все же на полках у Артема среди совписовских изданий разных лет оказались представлены и изданные «Ардисом»: Блок, Бурлюк, Крученых, Кузмин, Хлебников, Ремизов, ранний Маяковский. При мне уже там появились повести Войновича, «Метрополь». Правда, при мне же, то есть к середине 70-х, возникли и другие места, где можно было купить русскую книгу.

Созданию одного из них поспособствовал и я — обнаружив в «Городе ангелов», небольшую тогда колонию говорящих по-русски жителей, я подумал, что, может, как раз этим, то есть торговлей книгами, и стоило бы здесь поначалу заняться. «Поначалу» — это когда, при в общем благополучном течении службы в местном рекламном издательстве (там я преимущественно отсиживал свои часы ночью, иногда вечерами), оставалось еще дневное время.

И вот, условились мы со стар#еньким и почти глухим хозяином букинистического магазина на бульваре Святой Моники, обычно

222

пустовавшего, в чем я скоро убедился, но зато расположен он был в районе преимущественного расселения активно прибывавщих в те годы новых советских эмигрантов.

Теперь в моем распоряжении оказались несколько полок, которые я заполнил купленными у приезжих книгами: помимо действительно книгочеев — владельцев домашних библиотек, брали их с собой эмигранты в большом количестве, заполняя дозволенный к вывозу вес. Случалось, деньги еще у людей оставались, при ограничениях на провоз через границу мало-мальски ценных вещей, и тем более ювелирных, именно книги казались богатством, и они в понимании «отъезжантов» становились самым выгодным вложением капитала. И теперь, осовободив чемоданы и коробки, горе-коммерсанты не знали что с книгами делать.

Эксперимент по взаимному согласию с хозяином магазина мы в тот же год остановили, хотя «товара» я закупил достаточно, при сложившихся темпах реализации книг, хватило бы их до морковкина заговенья, как выражались наши деды.

Только теперь стала все больше увлекать меня другая идея. Еще и сейчас, бывает, в компании приятелей-эмигрантов середины семидесятых, мне напоминают: помнишь, мы смотрели на тебя как на сумасшедшего и говорили — «больше ему не наливайте!», когда ты сообщал нам: есть идея — здесь нужна русская газета. Да...

А ведь, и правда, оказалась нужна.

Но это все — потом. А пока я листал в «Тереке» возвращенные читателю Карлом «Зависть» Олеши и «Египетскую марку» Мандельштама; и еще — «Неизданного Булгакова»; и еще — «Пушкинский дом» Андрея Битова. А потом — и повести Искандера. Потом был издан «Ардисом» Юрий Трифонов — уже в английском переводе, чего, естественно, у Артема не было... Кстати, переводили с русского на английский (и на другие языки тоже) сами Карл и Эллендея, его жена.

И еще — 15 томов Набокова, часть которых впервые увидела свет в русском переводе в «Ардисе». Вспомним, что Набоков писал по-английски — могло ведь случиться, что русскоязычному читателю его романы оставались бы недоступны еще долго, до нынешних перемен в России.

Было тогда такое помещение в жилом доме, в самом центре Манхэттена: там одна из просторных квартир оказалась складом русской литературы, изданной за рубежами СССР. Запамятовал я название этого учреждения за давностью лет, зато хорошо помню даму, руководившую пополнением этого хранилища, но и пересылкой разными способами книг за «железный занавес» — ее фамилия была Штейн... Да, Вероника Штейн, и мне довелось переслать с ее помощью Алешковскому книги по составленному им списку — в нем оказались, главным образом, издания ардисовские... Наверное, не случайно. Юз знал, что заказывать.

А Проффер... не боялся он и умел рисковать: в 1977-м году привез Карл на Московскую книжную ярмарку сотни книг вроде бы для своего стенда — ни одна из них не вернулась в Америку, все они начали подпольную жизнь в России — чаще всего в виде тысяч фотографических и ксерокопий, ими ночами зачитывались и Москва, и дальние окраины России. А Карлу отказали во въездной визе на все последующие книжные выставки и ярмарки в Москве...

И ведь надо понять такое: почему юноша, не имеющий никаких славянских корней в своей родословной, стал профессором-славистом, причем крупнейшим ученым? Правда ведь, ну почему именно ему досталось выполнить эту миссию?

«Русская литература в изгнании» — так назвали устроители конференцию, устроенную в 81-м году Калифорнийским университетом. В изгнаньи? Это по строчке Нины Берберовой — «Мы не в изгнаньи, мы в посланьи...» Съехались тогда в большом числе посланники русской культуры, и правда, изгнаные разными способами из своей страны. А теперь на табличках, прикрепленных к лацканам курток участников, значились Франция, Англия, Германия... И конечно — Америка.

Кажется, именно после этой конференции Алешковский дописал приведенную выше строку Берберовой, предварив ее словами, «Не ностальгируй, не грусти, не ахай...» — «мы не в изгнаньи, мы в посланьи...» (охально уточнив — «в посланьи... *куда*»). Может быть, даже и не без основания.

Я перебираю фотографии, которые сделал тогда — стареньким фотоаппаратом, в условиях, совсем не павильонных... Вот перед входом на кафедру на скамью присел Некрасов... Сейчас перерыв — Виктор Платонович говорит со мной, рядом — кто-то еще из гостей. Неподалеку — Коржавин: нас и здесь сфотографировали незаметно, потом мне эту фотографию подарили, теперь она хранится у меня рядом с другими — на этих Коржавин в нашей редакции. А теперь добавились еще московские — совсем недавние.

В той же папке его записка: «Столько авангардных изданий — почему бы нам с тобой не затеять журнал с названием "Арьергард"?» «Успех гарантирован!» — уже по телефону убеждал меня Коржавин. — «А деньги?» — «Достанем?» Достаем до сих пор. Совсем недавно оказался в московском Доме литератора на его творческом вечере: блестящий ум, не замутненный возрастом, превосходная убедительно звучащая речь, множество стихов, прочитанных по памяти, его долго не отпускали с трибунки. Правда, меня он узнал «на ощупь» — зрение Эмма потерял совершенно...

— Ну и как там в Лос-Анджелесе?

— Да все так же, — отвечаю. Вездесущий цедеэловский фотограф Миша и здесь запечатлел нас — спасибо ему. Память все же — когда еще раз свидимся...

А вот снова черно-белая продукция моего фотоаппарата, скверная, — слабая оптика, мало света, плохие проявка и печать. И все же: длинный стол на сцене, за ним Довлатов, Аксенов, Соколов Саша, Лимонов, Алешковский, вот Боков, он только что из Парижа, Лосев — он прибыл из Бостона, американец Боб Кайзер (его томик, переведенный на русский — «КГБ», тоже досталось когда-то, до эмиграции, подержать в руках), вот Войнович, он живет в Германии... Рядом — Оля Матич, она заведует кафедрой славистики, конференция — это ее инициатива, ее труд. Уникальный кадр. На трибуне — Проффер, сейчас его сообщение.

А вот тоненькая папка с письмами Карла ко мне. Часть их машинописная, часть — написанная от руки, есть по-русски, есть и по-английски, среди тех и других. Многие касаются нашей с ним кооперации: моя редакция, бывало, выполняла для изданий Карла набор, «Ардис» не всегда справлялся сам, а Карл хотел — чтобы быстрее, быстрее!..

Да и мы не всегда справлялись, и тогда я поручал набор кому-то из знакомых, бывало и иногородним (так, к примеру, набирались томики Набокова, новый роман Аксенова): комьютеров в редакциях, наших, во всяком случае, тогда еще не было — но были композеры со сменными головками. А как-то Карл через нас передал Наташе Ш. эти головки. Цитирую его письмо мне: «Я отправил ей... — она упорно не возвращает. Наша работа остановилась, потому что второй комплект сломан. Хочу убить ее, но передумаю, если она возвратит проклятые фонты. Поможешь?..» Это письмо датировано 24-м январем 84-го.

Писем немного, всего несколько, чаще все решалось по телефону, «по-американски». Но было еще одно письмо, кажется, последнее: Карл сообщал в нем, с долей юмора, — наверное, в те дни ему этот тон давался непросто, — о том, что вот, ему поставили скверный диагноз, и тут же добавлял что-то вроде — «все равно придется выжить...» Этого письма в папке не оказалось, есть другие, этого — нет.

А сегодня я вспоминаю нашу с ним последнюю встречу. Было это в Вашингтоне, в доме Аксеновых, куда мы вернулись после прогулки по умирающему от летней жары городу к вечеру, в кондиционированную прохладу квартиры. Майя, жена Василия Павловича, примостилась на ковровом покрытии рядом с кондиционером, почему-то устроенным над самым полом и чуть ли не припадая к нему ртом, ловила струю холодного воздуха — она едва нашла силы подняться с пола, чтобы нас встретить.

Часам к десяти квартира вдруг стала наполняться людьми, один гость, другой... Правозащитники Людмила Алексеева, Алик Гинзбург — он только что из Парижа... Ближе к полуночи в дверь позвонили, это были Карл и Эллендея Профферы, нагруженные невероятным количеством бутылочек и банок — пиву Карл отдавал предпочтение перед другими видами хмельного. Он был бодр, много шутил, легко переходя с английского на превосходный русский, когда чувствовал, что так его собеседнику легче.

А спустя месяц пришло то письмо. Выяснилось вскоре, что Карл болен неизлечимо. Неизлечимо? Почему? Да не может быть такого! Оказалось — может. Были испробованы все доступные методы и лекарства, апробированные и экспериментальные. В конце концов врачи вынуждены были опустить руки. И однажды утром его сердце не выдержало огромных доз наркотиков, снимающих боли.

Карла Проффера не стало. Ему шел 46-й год...

А русская литература продолжилась — и в Америке тоже, от той точки, которую успел поставить последней изданной им книгой Карл.

Глава 3

ДА, ЛИТЕРАТУРА ПРОДОЛЖАЕТСЯ!..

ВАСИЛИЙ АКСЕНОВ

...Помню, кто-то позвонил Аксенову: Вася, сейчас по радио передали — тебя советского гражданства лишили!

— А пошли они все... — спокойно, почти без паузы прокомментировал писатель услышанное, будто давно готовый к подобному обороту. И правда — чего еще, собственно, было-то и ждать от них.

В Вашингтоне, где тогда вот уже 15-й год жили Аксеновы, я оказался почти неожиданно. Решившись в последний момент участвовать в конференции Американской газетной ассоциации, я позвонил ему уже из отеля, находящегося в «городе Пентагон» — да, да, есть, оказалось, такой в американской столице, названный по расположенному здесь военному ведомству.

Спустя день мы зашли к общему приятелю, к Мише Михайлову. Ему давно «за полтинник», а все его — Миша, Миша... И ведь идет ему так — не чиниться, чтобы по отчеству. Вернувшийся только что из Югославии, он выставил на стол привезенные оттуда потрясающие деликатесы. И наливки — что при тогдашних событиях на его родине стало для нас неожиданностью. Отведав всего понемногу под Мишин отчет о поездке — а рассказ, учитывая его диссидент-ское прошлое и его писательское настоящее, был красочен — мы с Аксеновым отсели в дальний угол комнаты.

Поговорили о том, о сем, вспомнили университетскую конфе-ренцию в Филадельфии, где недавно провели несколько дней, пос-ле чего обратились к другим темам. Здесь, с согласия Аксенова, я включил магнитофон, и весь последующий час старался как мож-но реже его перебивать — лишь тогда, когда мне казалось возмож-ным направить определенным образом нашу беседу.

Кто-то из подошедших чуть позже гостей пытался вернуть нас за стол, втянуть в общую беседу — что мы и сделали, но позже. Здесь я приведу отрывок — небольшую часть первой публикации нашей беседы, ту, что ближе к нынешней теме.

ОБРАТНО — НИ ЗА ЧТО!

Аксенов молча перебирал страницы какого-то оказавшегося под руками русского журнала. За столом громко заспорили Мишины гости.

И здесь я вспомнил. Вена, 92-й год. Уже была перестройка — и прошла. Был и августовский путч — свои против своих. На обрат-ном пути из Афин я оказался один в австрийской столице — мой самолет в Штаты улетал следующим утром. Недавно мы провели здесь с друзьями три дня и потом еще столько же в Будапеште, при-ходящем в себя после десятилетий социалистического благоден-ствия. С друзьями здесь все было нормально. А сейчас — один... И к вечеру, выйдя из отеля, я направился пешком в сторону самой цент-ральной и самой экзотической улицы Вены — Кернтнер-штрассе.

Слабое, очень примерное представление о ней для тех, кто там не был, может составить, например, воскресный променад в лос-анд-желесской богемной Санта-Монике. Клоуны, музыканты, акро-баты, фокусники... Броские витрины дорогих и не очень магази-нов, знаменитые венские кондитерские, кафе, рестораны, крохот-ные пивные заведения — на несколько столиков.

Я неторопливо брел вдоль скамеек, установленных в централь-ной части улицы под низко нависающими кронами деревьев, рассматривал вывески и размышлял, где бы перекусить. Вдруг до меня донеслось нечто, совершенно выбивавшееся из контекста этого вечера. «Раскинулось море широко...» — нахально, учитывая наличные вокальные возможности, выводил молодой голос.

Я обернулся — и увидел поющего: парнишка лет двадцати, может, чуть старше, водил пятерней по струнам гитары. Неподалеку от него расположилась на скамье группка сверстников, вполне российского происхождения. Перед поющим на земле валялась картонка, на которой в свете фонарей поблескивало несколько монет. Наверное, сегодня я бы уже не удивился, может быть, даже не задержал шага, проходя мимо. Но — тогда...

— Ребята, перекусим вместе?

Я ожидал чего угодно — испуга или, наоборот, хамства, осторожных вопросов — но только не мгновенного и безоговорочного согласия.

— Сейчас, он допоет — и пойдем.

Пицца и пиво быстро установили доверие — и вскоре я уже знал, что все они оказались в Вене где-то около полугода назад, все — «нелегалы»: кто-то отстал от туристской группы здесь или в Италии, а кто-то сумел незаметно пересечь аж две границы — польскую и австрийскую. У троих за плечами институт, у одного — техникум и два курса университета. Условия, в которых они живут в лагере для «перемещенных лиц», курортными не назовешь: кровать, скудное трехразовое питание и несколько шиллингов в неделю на все про все — при том, что пачка «Мальборо» стоит те же 5 шиллингов. При том, что права на работу нет. И при том, что надзиратель — скотина-бюргер, ненавидящий славян: «русские свиньи» не сходит с его языка. Но и этот «рай» на исходе — через месяц лагерь закрывается.

— И что будет с вами?

Ребята пожимают плечами.

— А в Америку трудно попасть? — это говорит, кажется, тот, который пел.

— Ну, и что ты там будешь делать, если попадешь? — спрашиваю его.

— Петь, например...

— Ребята, — говорю я, — может, вам податься назад: там сейчас свобода, ничего вам за побег не будет. Можете заняться коммерцией, например...

— Я вчера звонил отцу в Минск, — рассказывает один из них. — У отца там свой магазин. Я говорю — может, вернуться? А он мне в ответ: сюда — ни за что!

Все четверо согласно кивают головами. Это звучит как общий ответ.

Вспомнил я это к тому, что Аксенов в разговоре не раз повторял: «Мало, мало в России человеческого материала, а он там так нужен...»

Так и откуда бы ему там было взяться — вон куда он устремился. Говори мы сегодня, было бы что добавить к этому тезису. А тогда...

БРАТЬ ИЛИ НЕ БРАТЬ?..

— Поговорим о другом, — предложил я. — Вот сейчас пришла из России информация: толстые журналы — те, что являлись носителями российской литературы, средством ее сохранения — лишаются государственной поддержки. Как бы ты оценил такое обстоятельство?

Годы спустя в разговоре с Губерманом мы вернулись к этой теме — она по-прежнему оставалась злободневна и для нас не стала безразлична. А тогда Аксенов рассуждал примерно так:

— Толстые журналы — наша традиция, которую не хотелось бы терять. Может быть, если бы нашлись среди промышленников, среди хозяев частного капитала люди, которые обеспечили бы стабильную финансовую поддержку, организовав некий комитет...

— То есть помощь должна быть обезличенной? Не так, что конкретный меценат дает деньги на конкретный журнал...

— Нет, я говорю об образовании специального фонда для поддержки — не вообще русской литературы — это слишком абстрактно, а именно толстых журналов. Что было бы куда лучше, чем правительственная поддержка. Какая-то помощь журналам должна происходить. Другое дело, что некоторые редакторы уже начинают искать альтернативные источники, и успешно: сейчас они гораздо меньше зависят от подачек правительства. «Знамя», например, более или менее успешный в этом смысле журнал — он уже меньше зависит от государственной дотации. А «Новый мир», он только на этом и держится: там специально сокращают тираж, чтобы уложиться в выделенный государством бюджет.

Ну, закроются эти журналы — и что? Можно, конечно, сказать так — забудь, их время прошло! И вообще, они все коррумпированные, советизированные, столько уже там грязи напечатано — надо их вообще забыть! А все равно не хочется: ведь кроме дерьма в них много было хорошего. И борьба шла, и время ломалось... Там жила задавленная, но какая-то мысль, какой-то талант жил все-таки. Да и вообще, толстый журнал вошел в традицию русской интеллигенции.

И еще новое обстоятельство — эти журналы в Москве никогда и не купишь. Я был поражен, узнав, что их покупают прямо в редакции: просто приходят читатели в редакцию — и покупают.

* * *

Спустя год или два — в Лос-Анджелесе гостила Иванова Наталья, заместитель главного редактора «Знамени», Чупринина. Мы ужинали у ее однофамильцев, только ударением отличны их фамилии — у Ива́новых Комы и Светы оно на втором слоге, у Наташи, как у большинства — на третьем. Из ее рассказа следовало, что жизнь журнала трудна, гонорары мизерны и что для поддержки авторов введены ежегодные премии по нескольким категориям публикаций.

Сказать, что «Панорама» к тому времени вполне преуспела в финансовом отношении, было бы явным преувеличением. Но и при этом мы захотели, и сумели, из скромного бюджета издательства выкроить некоторую сумму, а точнее — полтысячи долларов: для нас она не являлось критической, но россиянину той поры, да и вообще литератору, если он живет от получаемых гонораров, было явно кстати. Об этом было чуть выше в связи с нашей премией Войновичу.

А то, что я собираюсь сейчас рассказать, я бы, наверное, и не вспомнил, если бы, не...

Так вот, об этом «не»: кажется, в 82-м или в 83-м году, я в сопровождении приятеля, Бори Мухамедшина, живущего в Германии не первый год художника, шел по платформе железнодорожного вокзала Мюнхена, направляясь к кассе, за билетами, поскольку пора было продолжить знакомство с Европой — о чем уже было в предыдущих главах. А этот эпизод... На самом подходе к кассам мы лицом к лицу столкнулись с Булатом, чуть позади него, с небольшим чемоданом шел Войнович.

Обнялись — «привет», «привет», «как дела» — ну, словом, все, как происходит в неожиданной встрече. С Войновичем мы знакомы были слабо, почти никак, не случилось, и не было ничего удивительного в том, что он после первых «здрасте», почти сразу отошел от нас с Булатом на шаг и заговорил с Мухамедшиным. Мне даже показалось, что он старательно не смотрит в нашу сторону — ну что ж, деликатность проявляет, подумалось. Так и ладно...

Простояли мы так совсем недолго, от силы минут пять, и только перед самым прощанием он обернулся вдруг ко мне со словами — «Зачем же, так печатать?» Честно, я не понял, о чем он, пока он не продолжил — «...вот и Соколов». И теперь я сообразил, что Войнович прочел незадолго до того опубликованный в «Панораме» текст моих разговоров с Сашей Соколовым, где он со свойственной ему прямотой заметил, что-то вроде: «Ну, если то, что делает Войнович, — это литература, то я занимаюсь чем-то совсем другим...» Наверное, чуть ниже будет повод привести сказанное им дословно.

Там он и по поводу романов Аксенова выразился как-то нелицеприятно. Ну и что, дело вкуса. А Аксенову, может, не нравится то, что делает в литературе Саша Соколов. Сказал Соколов — ну он так думает, и что с того? Так примерно я и ответил тогда Войновичу — что ж тут обижаться-то...

«Как, что? — не согласился Войнович, — мало ли что кто скажет! Надо все же отбирать, что печатать, и что — нет». Признаюсь, я не нашелся тогда что ответить, кроме как — «Ну выразился так Саша, это он так сказал...», — да и что я мог ответить писателю, который и страну-то свою оставил как раз от того, что там отбирали у него же — *что* печатать, а что нет. Да ведь не только тексты — и квартиру отобрали... Правда, вернулся со временем писатель в возвращенную с переменой власти московскую квартиру — и в час ему добрый.

С того года и до последнего времени почти не пересекались больше наши пути. Войнович продолжает писать, много, зарубежные издания его охотно печатают, да и российские не обделяют вниманием — имя все же. Что-то мне нравится, что-то меньше. Его роман «2002» так и совсем показался неудачей писателя. А кто-то им восторгается. Бывает...

Это было уже потом, когда заметил я замечательный рассказ Войновича, опубликованный в «Знамени», явно тянувший на премию, названную нами «Россия без границ» — для авторов, оказавшихся в силу разных причин на жительстве в российской диаспоре.

О сопутствующих обстоятельствах вручению премии было выше — забыть бы пора, так нет ведь...

Вернемся, однако, к нашей беседе с Аксеновым, это так, вспомнилось — к вопросу о поддержке журналов. Поддержали, значит. Ладно, проехали, подумал я тогда — так что и после этого были вручения нашей премии.

— И вот, — вспоминал Аксенов, — в 93-м я приехал зимой и смотрю: они все, мои друзья-литераторы, оживленные ходят. С тусовки — на тусовку. Стоят с коктейльчиками, треплются: кто, чего, куда... А тут еще премии появились, и вокруг этих премий начинается некая возня... В общем, какая-то литературная жизнь идет.

— Чтобы с коктейльчиками стоять и говорить «за литературу» — наверное, не обязательно быть большим писателем...

— Но это — часть литературной жизни! Это очень важные вещи. Коктейльчики и даже сплетни литературные, сведение счетов уже говорят о том, что литература существует. Хотя, собственно литературный процесс замедлен. Но он все-таки есть! Я вот в прошлом году летом в Керчи познакомился с молодыми 20-летними поэтами — и я увидел, что они как-то могут сохранить литературу, там что-то есть обнадеживающее. Такая богема, понимаешь!

Но пьют — пьют слишком много. Хотя там все это всегда было... И это тоже говорит о чем-то: существует жизнь. Так что поле пустым не останется — оно может временами хиреть, и, кажется, вот уже совсем ничего не остается... А потом новое начинает снова пробиваться. Русские мальчики — они не могут без литературы. Ну, хотя бы для удовлетворения своего тщеславия...

— Но вот, представим себе: Аксенов сегодня живет в России. Живет постоянно. Сохранилась бы охота к писательскому занятию?

— Не свали я оттуда, — видимо, писал бы. Но *иначе*, потому что как-то иначе бы все воспринимал. У меня, как у нас у всех здесь, образовалась определенная ментальность. Сегодня мы просто не сможем вернуться туда. Не физически — физически, так сказать, мы постоянно возвращаемся. У меня и квартира теперь есть в Москве, так что я как-то даже не чувствую, что совсем уж оторван от страны. И я возвращаюсь туда — но *совсем* вернуться не можем. Мы «испорчены» эмиграцией, мы еще не стали американцами и немножко перестали быть русскими.

Квартиру Аксеновым дали после августа 91-го — хотя решение Моссовета по этому поводу было задолго до него. «Путч потребовался, чтобы вернуть жилье!» — шутил по этому поводу Аксенов. Правда — не то чтобы вернули, другую дали — но в том же доме, на «Котлах», на набережной. Хорошая квартира, был я там как-то: Майя показывала мне на стеклах окон, до того дня сохранившиеся, не смытые, намалеванные белой краской послания «на волю» — дом строили «зэки».

— ... Ненавидят меня за то, что я за границей живу — как они полагают, на всем готовом... — продолжал Аксенов.

Можно только представить себе, как теперь завидуют писателю, поселившемуся в Биарице, на юге Франции, — думаю я сегодня, спустя годы после нашей беседы...

— Думаешь — откровенная зависть? — допытывался тогда я у Аксенова.

— Да нет — не зависть, — поправился он, — а какое-то раздражение: приезжает, мол, некий мэтр, тут печатается... какого, спрашивается, хера — пусть к себе едет! Ну, и так далее... Я не исключаю еще и такую вещь: параметр художественности не любят. Почему, например, на Булата набросились — особенно после присуждения ему Букеровской премии — как свора собак? Да потому, что художественно слишком! Не любят, не чувствуют художественности. А когда сталкиваются с ней, когда видят своими глазами — приходят в ярость.

— В принципе, ты удовлетворен тем, как все складывается здесь у тебя? Я не говорю сейчас об университетской работе... — Аксенов уже не первый год сетовал: «Вот бы завязать с ней совсем — и только работать, писать бы больше — так ведь кормиться надо, от одних изданий пока не прожить».

Пришло время — проживает, что и замечательно: врученный ему престижнейший «Русский Букер-2004» — не в последнюю очередь есть результат того.

Но и тогда он говорил:

— Пишется мне хорошо. Думаю, я в хорошей писательской форме. Сейчас начал новый роман и чувствую себя как бы заведенным на это дело. Роман очень сложный, в отличие от «Московской саги» написанный традиционным образом, но с такими постмодернистскими местами, с элементами сюрреализма. Это мой первый роман, где все действие будет происходить в Америке, частично в Лос-Анджелесе. Почему, кстати, я и хочу приехать в Лос-Анджелес, оживить в памяти обстановку.

После заседаний и множества пресс-конференций в связи «Букером-2004», и после вечера, в Большом зале Дома литераторов, за сценой, в неформальной обстановке удалось нам все же общнуться. А спустя год читаю в газетах: председателем жюри премии «Русский Букер 2005-го года» избран, кто? Точно, Василий Павлович Аксенов.

И на этом вручении довелось мне быть — спасибо председателю. Правда, в этот раз не обошлось без коллизий вокруг премии, да таких, что вручать премию поручили кому-то из жюри: Аксенов отказался категорически, были тому причины... А кому интересны подробности — полистайте газеты, там их предостаточно.

— А публицистика — пишешь в периодику? — спрашивал я Аксенова тогда, в Вашингтоне.

— Обращаюсь я к ней периодически. Иногда пишу по-английски. Когда приглашают... Потому что, если ты сам что-то предложишь, — ну, прочтут, скажут: спасибо, интересно. И на этом — все! Другое дело, когда тебя приглашают...

А вот забавный отрывок из давнего его письма ко мне: «Собираюсь в Копенгаген на уникальную литконференцию... Маята, как ты знаешь, вернулась из последнего вояжа, как говорится, «ин уан пис» (здесь В.П. употребил англицизм: «не по частям — целиком»), однако без чемодана. В чемодане было много хороших вещей, в частности, пара кирзовых сапог от Жени Попова, ватная телогрейка, от него же (я уже представлял, как еду в этой телогрейке в Копенгаген)...»

Уже который год у меня на полке в числе самых дорогих мне, даренных авторами книг, стоит репринт первого издания «Метрополя».

Вот как вспомнил Аксенов историю сборника в одной из первых российских публикаций, ставших возможными в конце 80-х:

«Идея... зародилась в начале 78-го года в стоматологическом центре Тимирязевского района столицы... В двух соседних креслах полулежали два обвисших пациента, 45-летний с чем-то я и мой младший друг, 30-летний Виктор Ерофеев. Наш общий мучитель доктор Гуситинский, сделав нам уколы новокаина, удалился. Лучшего момента для разговора о текущей литературной ситуации не найти.

Виктор пожаловался, что у него опять что-то зарубили, да и у Женьки, мол, Попова положение ничуть не лучше. Я сказал, что хорошо бы нам всем уехать на какой-нибудь остров и там издать что-нибудь неподцензурное... Да что там острова искать, промычал Виктор, давай здесь издадим альманах чего-нибудь хорошего. Так, под влиянием не исследованных еще свойств зубной анестезии, зародилась идея...»

Десяток лет спустя юмор по этому поводу кажется уместен — а тогда все же было не до него: визиты чекистов, вскрытые письма, прослушиваемый телефон, уличная слежка... Однако «Метрополь» состоялся — всего 26 имен. Хороших имен. Теперь — неподцензурных. Недавно я заглядывал в мастерскую Мессерера Бориса — это там, на мансарде, в близком тылу Нового Арбата — рождался «Метрополь»... Удивительное место — кажется там сохраняется аура той поры — чреватой нешуточной опасностью для собиравшихся здесь, но и увлекательной.

В общем постановление Московской писательской организации в 79-м году вовсе не было неожиданным: «...Крайне низкий писательский уровень... организаторы, по-видимому, и не помышляли о литературных целях. Они ставили перед собой совершенно иные, далекие от литературы, искусства и нравственности задачи». Ну, и т. д.

Это — по поводу сборника, выпущенного машинописным способом в количестве нескольких экземпляров, ставшего чуть позже оригиналом для репринтного его издания Карлом Проффером в Америке. И вскоре из уст первого секретаря Московской писательской организации Феликса Кузнецова Аксенов услышал: «Твой отъезд устроил бы всех».

— Это звучало, — вспоминал Аксенов, — как санкционированное руководство к действию. В тот же день я позвонил знакомому профессору Калифорнийского университета... и вскоре выехал с женой в гости на полгода...

На титульном листе моего репринта, того самого, надпись: «Альманахи всех стран — соединяйтесь! Саше Половцу привет от всей банды. В. Аксенов, 14 июня, 1981». Вообще-то, я люблю автографы Аксенова, как и самого их автора, а их у меня набралось немало, век не рассчитаться. А однажды, был случай, в Калифорнийском университете произошел фестиваль, футуристический, в связи с чем Василий Павлович явился с разрисованным лицом и морковкой в нагрудном кармане, а мне, чтобы не выделялся, вывел на лбу фломастером три латинские буквы: «XYZ...» Издали, если не вглядываться, выглядит, скажем так, вызывающе. Вот она эта фотография, передо мной она сейчас.

Кто-то из состава «банды» участников неподцензурного альманаха, со временем, уже здесь, в Калифорнии, поставил и свою подпись. В. Ерофеев... А. Битов... Е. Попов... М. Розовский... А кому-то я забыл в их приезд раскрыть альманах на нужной странице.

Или — не успел. Значит — в другой раз, но сделаю это обязательно, они обязательно будут сюда приезжать. Не будет только другого «Метрополя» — как, не перестаю надеяться, потому что не потребуется (даже и сейчас, когда столько всякого на глазах меняется), потому что никогда больше не будет повода в России к самодеятельному изданию неподцензурного литературного сборника.

Очень хочется в это верить.

Кажется, в те же дни, или в другой раз, я завел Аксенова в кавказский ресторанчик, где хозяином и шеф-поваром был армянин, Харут, на американский лад называвший себя Гэри. Ну Гэри — так Гэри, важно же то, что в свое время он служил главным поваром в павильоне Армении на ВДНХ, и такие шашлыки, как в его ресторанчике, тогда в Лос-Анджелесе никто и нигде не готовил.

Заглядывал и я к нему, чаще с друзьями — показывал им, как и где следует обедать. И потому Гэри, завидя меня с друзьями, не спрашивая, накрывал стол закусками — самыми разными, и называлось это у него «шурум-бурум по-половецки», что означало всего понемногу.

То же начало было нам с Аксеновым предложено и в этот раз, и мы, приняли под капустку по-гурийски, копченную осетринку (и, конечно, под кинзочку, петрушку, укропчик), рюмку-другую холодной водки. Это тогда Василий Павлович немного себе позволял, не то что теперь — ни грамма! А тогда Гэри, хитро улыбаясь, поинтересовался у нас: «А ти горный улитка ел?» «Ти» — относилось к нам обоим одновременно, и так же одновременно мы отрицательно покачали головами — нет, не ели. «А что это?» — «Сейчас угощу!» И так же, хитро улыбаясь, он удалился, а минут через десять пред нами дымилось аппетитное, даже на вид, блюдо — куски сероватого цвета размером с кулачок ребенка и примерно той-же формы.

— Вкусно! — отметили мы, запивая «горных устриц» холодным бадвайзером.

— Ага! — восторженно, громко так, что было слышно во всем небольшом зальчике:

— Ти знаешь, что ти ел! — барани яйца!

Сказать, что на нас это сообщение не произвело впечатления — было бы неправдой. Произвело, но не настолько, чтобы немедленно бежать с двумя пальцами в горле — да нет. Просто приняли мы еще по несколько граммов водки, что в нашем положении было оправданно, запили их крепчайшим кофе из джезвы и, уходя, посмеялись вместе с Гэри.

ЧЕТВЕРТЬ ВЕКА СПУСТЯ

Что было потом — никто, конечно же, предположить не мог. Не сразу имена ставших по разным причинам и поводам эмигрантами русских писателей, начали упоминать — не в сопряжении с привычным «отщепенец» и тому подобными эпитетами, — пионерской явилась статья в «Известиях» — а потом стали и печатать их тексты. Сначала Аксенова вспомнил, кажется, «Огонек» Коротича.

Хотя незадолго до того (подсказал мне недавно Гладилин, по долгу парижской службы на радио «Свободная Европа», следивший за советской прессой), опрастался мерзким фельетоном «Крокодил» — и это стало первым упоминанием там имени Аксенова. И пошло: Зиновьев, Максимов, Гладилин... Появились и новые имена — главным образом тех, кто стал писателем, уже будучи в отъезде, «в изгнаньи» — Довлатов Сергей, например. Хотя кто его изгонял? Просто стало можно уехать...

Теперь росийские издательства стали охотиться за их рукописями, переиздавать книги, вышедшие за рубежами России — в Штатах, в Европе...

Бывает, нам с Аксеновым случается видеться в Москве. Помню, в первый из приездов сюда, я зашел в книжный магазин, один из «самых-самых», на улице Тверская (для нас, уехавших в семидесятых, она остается «Горького», даже — если по-студенчески — «Бродвеем»). В одном из залов магазина было особо тесно — там скопилось человек пятьдесят, они окружили Аксенова, читавшего отрывки из нового романа, только что опубликованного здесь, в России.

Кажется, в тот же приезд мы зашли с ним обедать в ресторан Дома кино на Васильевскую улицу. Зал на четвертом этаже пустовал, и только в стороне, у стены, стоял накрытый «под банкет» стол. Закуски были почти не тронуты — только с краю заметили мы две-три тарелки, с которых недавно ели.

«Ждали гостей на поминки — сегодня хоронили Евгения Могунова... Никто не пришел», — пояснила официантка. Случается и такое. И ведь, правда, хороший был арист, даже очень... Жаль.

А, возвращаясь в 2005-й, несколькими днями позже «Букера» Аксенов председательствовал поочередно с Сашей Кабаковым на творческом вечере Гладилина, устроенном в ЦДЛ. И я там был, и мед пиво пил, передав перед тем юбиляру памятную медаль Американского фонда Окуджавы, но также и выступил с коротеньким мемуаром, соответствуя тону этой встречи, заданному ее участниками — примерный текст его приведен в главе книги, посвященной моему замечательному другу Анатолию Гладилину.

Аксенов в тот же день должен был получить премию «за достижения русской литературы в зарубежье» — как-то так она называлась. Отказался В.П. и здесь — прознав, что вместе с ним награждались некие «писатели-чекисты», так он пояснил за ужином, последовавшим за официальной частью вечера Гладилина, причину этого «отказа».

Глава 4
БОЖЕ, БЛАГОСЛОВИ АМЕРИКУ
(из культовой американской песни)

БУЛАТ ОКУДЖАВА

Сейчас, десять лет спустя, все, случившееся в те дни, порою кажется вычитанным, услышанным от кого-то... Но это было — на твоих глазах и с долей твоего участия в череде неожиданных, не всегда последовательных событий мая 1991-го.

Время уходит, но не уходят вместе с ним из памяти, а наоборот, видятся значимыми даже мельчайшие обстоятельства, при которых все, что случилось, — случилось.

Но и не только в памяти дело... Не всегда чувствуешь себя готовым отвечать на расспросы даже близких, а нередко и вовсе незнакомых тебе людей. Все они участливы, доброжелательны, они бережно сохраняют память о замечательном человеке. И все же...

Потому что, рассказывая, надо возвращаться в ту ночь, когда мы с Ольгой Владимировной сидели у телефона и думали... нет, просто пытались сообразить: кого из друзей мы упустили, кто еще не знает о беде, настигшей ее мужа.

* * *

Начало, казалось, было совершенно замечательное. Застал я их телефонным звонком, когда Булат, Оля и Булат-младший — Буля, больше известный публике под сценическим именем Антон, оказались в нашем штате: там, в Сан-Франциско, предстояла встреча со съехавшимися со всей Северной Калифорнии бывшими россиянами. Когда-то, порывая, а люди это точно знали, навсегда со страной своего рождения, они везли все же с собой в необратимое, как путь через Стикс, странствие самый драгоценный свой багаж. Этот багаж не по силам было отнять у них вместе с гражданством чиновникам ОВИРов: с ними оставался язык, на котором они учились говорить.

И еще — песни...

Тогда, перед приездом Булата с семьей, в короткой и оставшейся анонимной газетной заметке я, помнится, писал об удивительной смысловой емкости каждой строфы, рождаемой талантом Окуджавы, о совершенно особой афористичности его поэзии. Сейчас я добавил бы: тот, кто может не просто уловить, но принять ее философию, ее глубинный смысл, заключенный в бесконечной любви, даже в обожествлении живого и сущего, тому доступно понимание счастья — быть.

Вот вы берете в руки его сборник, ставите на проигрыватель привезенный с собою диск, остаетесь с ним — ну, хотя бы на полчаса...

Замечаете? И потом, может быть, спустя недели, вы слышите вдруг собственный глос, повторяющий строки Окуджавы. Как сейчас: я ударяю пальцами по русским буковкам, наклеенным поверх латиницы моей клавиатуры, наблюдаю на экране рождение этих абзацев — а из памяти не уходит его

...не запирайте вашу дверь,
пусть будет дверь открыта...

Говоря сегодня о творчестве Окуджавы, обращаясь к его человеческой сущности, постоянно чувствуешь опасность соскользнуть в выспренную фразу, употребить нечто высокопарное, — а ведь делать этого ни в коем случае нельзя, как бы ни тянуло: сам он не просто избегал, но активно не принимал подобных речевых оборотов, особенно в свой адрес. Дома у меня, вспоминаю я сейчас, если в его присутствии кого-то заносило в эту зону (всегда и вполне искренне), Булат либо сразу переводил разговор на другую тему, либо, быстро найдя себе не срочное на самом деле занятие, покидал место беседы, и минутой спустя мы видели его уже в дальнем углу комнаты — у рояля, например, проигрывающим несложные гаммы, нащупывающим новую мелодию...

* * *

Да. В том разговоре я повторил сказанное по телефону неделей раньше, когда они еще были в Вашингтоне и в вечер после выступления гостили у Аксеновых: жду, буду рад, если решат остановиться у меня — хоть сразу по приезде, хоть после выступления. Правильнее было бы сказать — «выступлений», потому что, помимо лос-анджелесской, предстояла отмененная Булатом позже (как принято у наших импресарио объяснять — «по техническим причинам») поездка в Сан-Диего.

Здесь позволю себе цитату из его письма, пришедшего примерно за год до того: «Дорогой Саша... Приехать, к сожалению, не можем, но, надеюсь, как-нибудь выберемся». (Соблазнительно привести и концовку: «...в Переделкино осень. В России бардак.

Но не столько по злому умыслу, сколько по недомыслию. Обнимаю тебя от всех нас. Булат».)

А в этот раз почти условились! Правда, еще тогда, у Аксеновых, как бы между прочим, Булат посетовал на недомогание: шалит сердце, особо почувствовалось это здесь, в Штатах, в поездках по стране. Мне запомнилась его интонация — как он с досадой произнес: «Стенокардия замучила».

— Покажемся врачам в Лос-Анджелесе...

Прозвучало у меня это не очень уверенно: я помнил о некоторой дистанции, которую Булат установил между собой и медучреждениями — и старательно хранил ее...

Так и в этот раз.

— Не знаю... В Нью-Йорке сделали кардиограмму, Оля настояла, вроде ничего тревожного. Да и в Бостоне, на обратном пути, хотел посмотреть кардиолог. В общем, ты поговори с Олей, она ведает этими делами...

Словом, мы не в первый раз загадывали: вот, завершится гастроль — и они задержатся в Лос-Анджелесе, безо всяких уже дел и обязательных встреч, просто перевести дух. И задержались — почти на полгода...

* * *

Поставив автомобиль в дальнем углу двора (мы и там-то с немалым трудом нашли место, хотя по протяженности он занимал солидный голливудский квартал), мы шли следом за группой зрителей к зданию самой школы, где готовилось выступление Окуджавы. На самом подходе к ней нас остановил Квирикадзе — кинорежиссер и сценарист, к тому времени автор нескольких оригинальных лент; последняя из них носила название «Путешествие товарища Сталина в Африку», и это вполне говорило само за себя. Ираклий в Америке оказался именно с этим фильмом, картина имела успех, и настигший его здесь инфаркт никак не был связан с результатами его визита — не вовремя подвело здоровье. Хотя когда это бывает вовремя?.. Ираклию сделали операцию на открытом сердце и теперь, несколько месяцев спустя, он вдруг запрыгал

243

перед Булатом. Он подпрыгивал и, подобный большой веселой птице, махал руками-крыльями, на лету объясняя, что американская медицина — лучшая в мире, и вот он, Ираклий Квирикадзе, после такой операции готов ставить рекорды в любом виде спорта.

* * *

Был концерт. Нет, Окуджава не любил это слово — была встреча его с русским Лос-Анджелесом. Бесконечно трогательное свидание, наполненное непрерывным диалогом зала и исполнителя: когда Булат пел или когда он читал стихи, а зал безмолвствовал — все равно этот диалог не прекращался, и, казалось, насыщенные живым электричеством нити протянулись от сцены к слушателям, они как бы продолжали струны инструмента, который держал в руках Булат. Окуджава ощущал это и, воспринимая реакцию сидящих в зале, произносил слова, которые они помнили и которых ждали от него.

* * *

Кардиограмма оказалась скверная настолько, что Юрий Бузи (фамилия доктора Бузишвили здесь, для американских коллег и пациентов, оказалась бы совершенно непроизносима), едва взглянув на длинную полосу бумажной ленты, по которой протянулась прыгающая чернильная линия, предложил — да нет, почти потребовал: немедля сделать катетеризацию сердца. Заглянуть вовнутрь, установить точный диагноз и решать — что делать дальше.

— Как? — с грузинским темпераментом восклицал он, опять и опять рассматривая ленту, — как можно!

Он искренне не понимал, «как можно» было отпускать Булата из Нью-Йорка, где симптомы болезни обострились и впервые дали о себе знать по-настоящему, и где врач, наскоро осмотревший его, похлопал весело поэта по плечу и со словами «Все в полном порядке!» дал «добро» на его поездку — дальше, по стране. Нет, не просто поездку — но напряженную работу, протянувшуюся на многие тысячи миль, на меняющиеся временные и климатические пояса, на восемь огромных концертных залов, появление на сцене которых требовало не просто особой собранности выступающего, но свойственной выступлениям Булата полной и самоотверженной отдачи.

* * *

За три или четыре дня до операции — а о том, что в ней будет необходимость, никто из нас тогда не подозревал, — собрались человек тридцать моих приятелей. Это были те, кто хотел слышать Окуджаву вблизи, не будучи отделенным от него рядами кресел. И еще они надеялись перекинуться с ним хотя бы парой слов, пожать его руку.

К этой встрече он, Ольга и младший Булат уже с неделю жили у меня — и я мог наблюдать, как все чаще и быстрее утомлялся он от самой, казалось бы, нетрудной работы, от незначительных усилий, даже от неспешной ходьбы. А в тот вечер...

Ольга, почти не мигая, смотрела на Булата, пристроившегося как-то с краю, в привычной ему манере, на высоком деревянном стуле. Булат читал стихи... поднимал на колени гитару и пел — две, три, четыре песенки... нет, баллады, недлинные, спокойно-размеренные и удивительно мелодичные, но порою вдруг взрывающиеся изнутри неожиданным мажорным импульсом.

Небольшая домашняя видеокамера, установленная на треножник, фиксировала каждое слово и каждое движение Булата, каждый звук, извлекаемый аккомпанирующим ему сыном из старенького рояля. Эта лента теперь хранится у меня отдельно от всего видеоархива, но вместе с другими — где он, Оля, Буля в художественной галерее на бульваре Беверли, на набережной лос-анджелесской Венеции, в Китайском городе...

Потом, много дней спустя, мы — Ольга, Булат и я, сгрудившись вокруг портативного кассетника, слушали двухчасовую передачу калифорнийской радиостанции, часть которой была посвящена Булату: записывал я ее просто так, для памяти. Характерное пощелкивание иглы, задевающей царапины на вертящемся в эти минуты в студии диске, безапелляционно свидетельствовало: пластинка (а это была запись, сделанная несколько лет назад в Париже) не лежала в конверте, дожидаясь своего часа: ее слушали — часто и подолгу.

И я в какой уж раз пытался разгадать тайну, которую знал, правильнее сказать, которой от рождения был награжден Булат, — обходиться без перевода на английский... или японский... или шведский...

Не кажется удивительным, что его строфы растаскиваются по заголовкам в русской периодике, отечественной и эмигрантской. «Возьмемся за руки, друзья...» — придумывать не надо, Булат уже все написал. Или исполненный отчаяния и горечи текст недавнего по тем дням интервью Майи Плисецкой: «Ах, страна, что ты, подлая, сделала».

Но вот сейчас: что, что могло побудить хорошо известного в США и не знающего трех слов по-русски искусствоведа подготовить передачу, а одну из самых популярных калифорнийских радиостанций пригласить его специально для этой цели? Ну сколько русских слышали в тот час передачу — тысяча? Слушателей должно быть десятки тысяч: время в эфире дорого, даже очень дорого. Стало быть, продюсер программы должен быть сумасшедшим, чтобы предлагать передачи, которые разорят радиостанцию. Значит, не разоряют...

* * *

Вернусь к тому вечеру. Когда все расходились — где-то в первом часу ночи, — Ольга шепнула мне: «Видел? Вот так всегда, когда его слушают... Господи, откуда он силы берет? Ты же помнишь его днем сегодня».

Помню. Конечно, помню: он ходил мрачный, сутулясь, по двору, руки в карманах, освобождая их время от времени только затем, чтобы потереть грудь. Ольга горестно смотрела на него и ни о чем не спрашивала. Она знала — жмет. Так, что порой трудно дышать. Вот уже почти месяц. И почти каждый день.

Вечер этот был, кажется, в четверг. А в понедельник следующей недели к 6 утра мы «прописывали» Окуджаву в медицинском центре Святого Винсента: здесь, в госпитале, принадлежащем католической епархии, базируется один из лучших в стране «институтов сердца» — клиника, где умельцы с медицинскими дипломами пытаются помочь Всевышнему исправить Его упущения и недосмотры.

Собственно проверка — серия медицинских тестов — была назначена на 7:00, именно к этому времени появился Юра Бузи, и Булата, уже переодетого в больничный халат с забавными, затягивающимися на спине тесемками, усадили в кресло, оснащенное по бокам большими велосипедными колесами. Рослый санитар и смешливая круглолицая филиппинка, подталкивая и направляя сзади кресло, покатили Булата по бесконечным коридорам, наказав нам ждать результатов теста в отведенных для отдыха комнатках (они были здесь на каждом этаже) — или в местной столовой.

Мы выбрали второе: нагрузив поднос картонными стаканчиками с плещущимся в них американским подобием кофе, крупными, не вполне зрелыми персиками и сладковатыми плюшками, провели чуть больше часа здесь же за столиком, время от времени звоня по внутреннему телефону на санитарный пост 4-го этажа, куда вскоре обещали вернуть Булата.

* * *

— Операция неизбежна. Желательно — как можно скорее... Может быть, даже сегодня. Аорта перекрыта на 90 процентов.

Бузи выжидательно смотрел на Ольгу. «На 90 процентов...» Это значит: в сердце на столько же меньше поступает крови.

Мы спустились на первый этаж — здесь, в просторном помещении, смежном с коридором, ведущим в административную часть здания, и разделенном легкими переборками на небольшие клетушки, сидели сотрудники финансовой части и беседовали с выписываемыми или только еще поступающими сюда пациентами. Чаще — с членами их семейств.

Предъявленные Ольгой бумаги, свидетельствующие о купленном ими по приезде в США страховом полисе, произвели должное впечатление на принимавшую нас чиновницу — молодую восточного вида женщину, по имени, кажется, Зизи. Или — Заза, сейчас не вспомнить. Удалившись ненадолго в глубь офиса, она вскоре вернулась, приветливо улыбаясь.

— У вас все в порядке, страховка покрывает 10 тысяч.

— А сколько может стоить операция? — это спросил я: разговор, естественно, велся на английском, причем мне не без оснований казалось, что принимавшая нас сотрудница госпиталя живет в Америке не так уж давно. Однако друг друга мы понимали.

— Тысяч 25. И поскольку пациент не является жителем США, вам придется оплатить разницу сейчас. Во всяком случае, до начала операции.

— Но, позвольте: в кармане никто 15 тысяч на всякий случай не носит. И если операцию назначат на сегодня?..

Чиновница заученно (не мы же первые оказывались в подобной ситуации), но при этом и смущенно улыбаясь, пожала плечами... Так...

Бузи, переговорив с доктором Йокоямой, блестящим, может быть, даже лучшим в Калифорнии хирургом, работающим на открытом сердце, и заручившись его согласием на немедленную операцию, уехал в свой офис — его ждали больные. А мы, Ольга, Буля и я, оставив Булата в палате с кучей газет и журналов, советских и местных, спустя полчаса хлебали у меня дома остатки сваренной третьего дня ухи, заслужившей, кстати, высшую оценку моих нынешних гостей. («Дорогой Саша! Если мы приедем, не забудь приготовить уху!» — это приписка в мой адрес из письма, адресованного Лиле Соколовой. Я и приготовил...)

Что же касается русских газет, их Булат всегда ждал с нетерпением: его волновало все, что происходило на родине, — где бы и как далеко он от ее границ ни оказывался.

Здесь не могу не вспомнить эпизод — вроде бы мимолетный, вроде бы забавный, но и оказавшийся столь значимым в контексте зашедшей как-то у нас беседы, что я запомнил его почти дословно.

При одной московской церкви состоял служкой или кем-то в этом роде парень, слагавший стихи. Булат, сопровождавший Ольгу в дни посещений ею церковных служб, что случалось более-менее регулярно — настолько, насколько позволяла жизнь, — внутрь обычно не заходил, но прогуливался неподалеку от святого храма, ожидая жену.

Служка, назовем его Коля, прознав, что видит вблизи настоящего поэта, показывал иногда Булату свои стихи — хотя то, что Коля
делал, и стихами-то можно было назвать с большой натяжкой. Булат, однако, внимательно его слушал, даже иногда давал советы,
но всерьез творчество Коли по понятным причинам не принимал.

Заметим в этой связи, что для россиян желание самовыразиться
в поэтической форме есть нечто органичное, может быть, как раз и
составляющее частицу «загадочной», как ее называют, русской
души. Так вот, нечто схожее случалось и в Пушкинском музее, где
сторожем служил парень по имени Сергей Волгин — это имя на-
помнила мне в одном из наших недавних разговоров Ольга. И однажды тот прочел четверостишие, поразившее Булата настолько,
что он запомнил и вот теперь по памяти смог его воспроизвести.
Я его тоже запомнил:

*Обладая талантом,/ Нелюбимым в России,/ Надо стать эмиг-
рантом,/ Чтоб вернуться мессией...*

Черт меня дернул тогда влезть со своей шуткой:

— Неплохо, — прокомментировал я, — хотя редакторский опыт
подсказывает: стихи можно урезать вдвое.

Булат вопросительно посмотрел на меня, и я продолжил:

— Здесь явно лишние 2-я и 4-я строки. Смотри, как хорошо без
них: «Обладая талантом... надо стать эмигрантом...» Вот и все.

Булат улыбнулся. И почти сразу нахмурился: шутка моя была
явно не в жилу — она могла быть понята как намек (хотя, видит
Бог, ничего я такого в виду не имел).

Булат же и в шутку не мог помыслить, что таланту в нынешней
России ничто больше не светит... При этом к так называемым «на-
ционал-патриотам» Булат относился с большой осторожностью и
недоверием. Помню, как-то, отложив просмотренные номера российских газет, в числе которых оказался и прохановский «День»,
он заметил: «Кошка — тоже патриот. Это же, в конце концов, био-
логическая особенность — "русский"... Чем же тут хвастать-то?
Что дышу местным воздухом?».

— Ну, что будем делать? — вопрос этот относился исключительно к способу немедленного, в течение ближайших двух-трех часов,
получения требуемой суммы. Сама сумма не казалась столь уж не-

вероятной, и располагай мы двумя-тремя днями... Но двух-трех дней не было. Не было и одного — было только сегодня.

Сейчас, добравшись до этих строк, я понимаю степень самонадеянности, с которой начал эти заметки — все, мол, помнится, будто было только что: на самом же деле события тех суток смешались в памяти в одну непрерывную ленту, и точную их последовательность установить сегодня вовсе нелегко...

Кажется, Эрнст Неизвестный был первым, кого мы застали телефонным звонком в Нью-Йорке. Сначала с ним говорила Ольга, потом трубку взял я.

Его реакция была мгновенной:

— Старик, я могу заложить дом — но ведь это недели... А где же сразу взять столько?..

Естественно, это первое, что мне пришло в голову — и за нереальностью было отвергнуто. Все же спустя час мы уже знали, что здесь, на месте, мы можем располагать если не всеми 15 тысячами, то значительной частью этой суммы. Следовало торопиться — тогда в три часа дня большинство банков закрывали двери. И было около часа, когда раздался этот звонок.

— Вас беспокоят из госпиталя. Извините, но вас проинформировали не совсем точно: стоимость операции составит около 50 тысяч. И внести их надо сразу. Предпочтительно — сегодня. В противном случае мы выпишем больного.

— Как? Куда выпишете? — его же готовят к операции!

— Не обязательно домой — мы можем перевести его в другой госпиталь. В государственный...

Что такое государственный госпиталь, я знал: мне доводилось навещать в одном из них, далеко не худшем в Америке, Володю Рачихина: заместителя директора картины, он бежал в Мексике из группы Бондарчука, снимавшего там «Красные колокола». И стал героем моей только что вышедшей книги — я приносил ему в больницу ее сигнальный экземпляр.

Потом... потом Рачихин умер, в книге была дописана «последняя глава», где я привел описание той больничной палаты в бесплатной (для неимущих пациентов) университетской клинике, — и с сохраненным редакцией предисловием В.Максимова книга была издана заново. А за много лет до того я навещал в Боткинской больнице, что почти в центре Москвы, на Беговой улице, приболевшую тещу.

Благодаря каким-то моим тогдашним связям в медицинском мире, ее вскоре перевели из коридора, ставшего ее первым больничным пристанищем, в палату, где тесно, ряд к ряду, одна к одной умещалось несколько десятков коек. «Царство скорби! — комментировала Елизавета Николаевна окружение, в котором она оказалась, — видел бы это Боткин, он бы в гробу перевернулся!»

Не стану утверждать, что нечто подобное я застал, навещая Рачихина. И все же... В общем, о том, чтобы переводить Булата в государственный госпиталь, речи быть не могло. И не было...

* * *

Да, не все способна сохранить наша память: ну как удержать, например, в голове последовательность звонков, которые мы с Олей безостановочно производили, листая наши телефонные блокноты в попытках застать московских друзей, берлинских, нью-йоркских, бостонских... Здесь день — там ночь, этот в отъезде, тот в больнице...

И почти сразу — шквал ответных звонков.

Не только ответных: весть о болезни Булата распространилась со скоростью, потребной на то, чтобы, узнав о ней, набрать на телефонном аппарате мой номер. Аксенов, Суслов, Надеин — из Вашингтона, Шемякин — из Нью-Йорка... Вознесенский... Коротич... Яковлев Егор — это все из Москвы... Ришина Ира, давняя приятельница и соседка по Переделкино, — от себя, но и от «Литературки»... А еще «Комсомолка», «Известия»... и вот — сама официозная «Правда».

Очнулись советский консулат в Сан-Франциско и посольство в Вашингтоне: «Что с Окуджавой? Какая помощь нужна?» — «Нужны деньги!» — «Сколько?» — «Много — 40 тысяч, по меньшей мере! Хотя бы гарантии на эту сумму — чтобы провели операцию». После продолжительного молчания: «Будем связываться с Москвой...»

Связываются — до сих пор.

Выручка пришла с неожиданной стороны: один из первых, кто сказал «все сделаем», был живший в Германии Лев Копелев. И сделал, убедив крупнейшее немецкое издательство «Бертельсман», собиравшееся, кстати, печатать сборник Окуджавы, прислать письмо, в котором гарантировалась компенсация госпиталю требуемой суммы. Главное — чтобы операция не откладывалась! Чуть позже позвонил Евтушенко: «Смогу набрать тысяч 10». — «Спасибо, пока — подожди», — Ольга уже держала в руках телеграмму Копелева. Похоже, все устраивалось.

Потом дни и нередко даже недели спустя, после первых наших бессоных ночей, после операции и после публикаций в калифорнийской «Панораме», ударили в колокола русские газеты и радиостанции Восточного побережья США — когда надо было рассчитываться с госпиталем. И ведь, в основном, рассчитались: небольшую часть, кажется, тысяч 10 госпиталь взял на себя, тысяч 20 собрали эмигранты. Я и сейчас храню их письма — трогательные, преисполненные почтительной любви к поэту, — которыми сопровождались денежные чеки: на 5, 10, 50 долларов...

И ни копейки из России.

Правда, дошли до нас газетные заметки, что где-то в Донецке или Ростове развернули кампанию по сбору средств «на операцию Окуджаве» — где те деньги, никто до сей поры не ведает.

Не молчала и американская пресса: журналисты в «Лос-Анджелес таймс», например, с изумлением отмечали энтузиазм, проявленный новыми жителями США при сборе средств на операцию российскому поэту. И помещали фотографии, особо часто ту, трех- или даже пятилетней давности, где мы с Булатом гладим устроившегося у наших ног добермана по кличке Фобос. Откуда газета достала эту фотографию, понятия не имею: может, у наших друзей, может в «Панораме», где я в те дни появлялся на самое короткое время.

Санитары в голубых халатах катили кровать Булата в операционную, мы до какой-то двери сопровождали его, и я изумлялся абсолютному спокойствию, с которым он встречал эти часы. Уже потом, много позже, снова оказавшись в Штатах, он признавался, что да, боялся операции — но еще больше боялся уронить, как он выразился, достоинство — «показать, что боюсь». А так — «...два раза вдохнул — и уснул».

И знаете, что было одним из первых вопросов Булата, когда он отошел от наркоза и нас допустили к нему? Поглядывая сквозь сеть проводков и трубочек, протянувшихся от его кровати к установленной рядом хитроумной медицинской аппаратуре, он спросил: «Как там Фобос?..» И улыбнулся. Кажется, это было первой его улыбкой после перенесенной только что операции. И своего рода сигнал нам: «я — в порядке». Так мы его и поняли... Да и потом Булат будет часто вспоминать Фобоса в своих письмах. Вот, к примеру, еще цитата: «Нет-нет, да и представляю себя, ходящим вокруг твоего бассейна, и Фобоса, с недоумением вышагивающего следом...»

Наверное, будет тому достойный повод, я еще не раз вернусь к текстам писем Булата, бережно мною сохраняемым вместе с самыми дорогими сердцу реликвиями.

* * *

Операция прошла благополучно — настолько, что на второй день после нее врачи подняли Булата на ноги и заставили ходить, хотя бы от кровати до двери палаты. Есть у меня несколько фотографий, сделанных тогда в госпитале, одна из них совершенно курьезная: под койкой Булата — судно для известных целей, с фирменной надписью изготовителя «Bard». То есть «Бард»... Но это — потом. Пока же команда медиков колдовала над Булатом, сердце его, как и положено, было отключено, и длилось это действо часов шесть.

Ольга и Буля в ожидании вестей из операционной не находили себе места, я пытался как-то успокоить их; право, не знаю, насколько успешны были мои попытки — все понятно и так... Где в эти часы был сам Булат? Я спрашивал его потом, ощущал ли он хоть что-то, был ли пресловутый туннель со светом в самом его конце?

— Не было ничего, — коротко отвечал он, не оставляя места для дальнейших расспросов.

БП. Между прошлым и будущим

На четвертый день мы уже застали его в коридоре. «Понимаешь, — чуть улыбаясь, рассказывал он, — иду и вижу: прямо навстречу мне идет Ганди. Ничего не могу понять. Подхожу ближе — а это зеркало!» Он, исхудавший больше обычного, действительно, становился удивительно похож на знаменитого мудрого индуса.

«Отдали» его нам на 5-й день — после подписания всякого рода финансовых и прочих деклараций. И медицинских наставлений, причем одно из главных было — много ходить. Что Булат впоследствии и делал — именно те недели вспоминал он в своем письме: бассейн... собака Фобос...

* * *

Предпочтительным, по мнению врачей, должно было быть местонахождение выздоравливающего где-нибудь ближе к воде, к морю. В нашем случае — к океану, что спустя полтора примерно месяца удалось реализовать с помощью моих друзей, больших почитателей творчества Окуджавы: Миша и Лида Файнштейны, живущие в пригородном доме, располагали небольшой квартиркой в многоэтажном здании прямо на океанском берегу в прелестном районе Лос-Анджелеса — Марине-дель-Рей. Там я почти ежедневно навещал Булата с Олей (Буля, убедившись, что отец выздоравливает, по рабочей необходимости отбыл в Москву).

Так прошел еще месяц. Тогда, да и потом, уже вернувшись ко мне, они регулярно показывались врачам, производившим операцию; Оля залихватски, будто прирожденная калифорнийка, водила по городу спортивный «Ниссан», в другие дни выполнявший роль дублера моего большегрузного джипа; не однажды навещал Окуджаву на дому и Юра Бузи. Кажется, это он предложил Булату взглянуть на рентгеновские снимки — «до» и «после» операции. Булат отшутился, наотрез оказавшись: «Не хочу смотреть на сердце — противно!». И, обращаясь уже к Ольге, Буле, мне, стоящим рядом, добавил, улыбаясь: «Оставляю это развлечение вам».

Когда я на несколько дней улетел по делам в Нью-Йорк и звонил домой, чтобы справиться, как там дела, Оля передала мне: разыскивает меня кто-то из «Вашингтон пост», влиятельного столичного издания. Я «вернул» телефонный звонок, журналистка долго расспрашивала меня — о Булате и о событиях этих недель, с ним связанных.

Мне показалось, она была крайне разочарована, когда вместо того, чтобы посетовать вместе с ней по поводу «жестокости, корыстности американской системы здваоохранения», проявившейся, в частности, в ситуации с Булатом, я стал, напротив, хвалить эту систему и в особенности госпиталь, где столь блестяще была проведена операция. Статья ее, однако, появилась, после чего вице-президент госпиталя, ответственный и за его коммерческую деятельность, звонил мне, чтобы засвидетельствовать свою признательность по поводу проявленного мною «понимания ситуации».

Так что хочется верить: может, отчасти и после этого разговора госпиталь взял на себя долю расходов по операции — к тому же некую часть ее стоимости в добавление к собранным нами деньгам покрыло и американское государство. Мы же, вспоминая те дни, чаще стали повторять замечательную фразу, которую искренне произносят по разным поводам и урожденные американцы, и новые жители этой страны: «God bless America!» — «Боже, благослови Америку!».

Америку Булат любил, что дает мне основание добавить несколько слов к сказанному выше. Он охотно приезжал, когда была возможность выступить перед университетскими студентами и профессорами, перед бывшими россиянами. Или поработать в летней русской школе в Вермонте — этот красивейший североамериканский штат нам однажды довелось пересечь вместе, на пути из Бостона, где мы условились встретиться в один из его приездов, — в Нью-Йорк. Так что упомяну напоследок два эпизода из тогдашнего путешествия.

Первый — бостонский. В этом городе жило к тому году тысяч 10 выходцев из разных мест и местечек бывшего СССР; народ, естественно, был разный — не только университетская публика, гордость тамошней эмигрантской общины. Но все они сохраняли привязанность к привычным продуктам питания, что и вызвало к жизни два-три продуктовых магазина, где на прилавках рядом с русскими книгами предлагалась краковская колбаса и сыр сорта «мадригал».

255

БП. Между прошлым и будущим

Хозяйка одного из них, Инна, принимая нас у себя дома, рассказала, как однажды некто из числа ее покупателей, почувствовав себя чем-то обиженным, вышел из очереди и произнес следующую тираду: «Я вас выведу на чистую воду! Нам-то известно, чем вы здесь занимаетесь!» — «Чем?» — испугалась хозяйка. И правда, кто знает — может, что с санитарией не в порядке, может, продукт попался несвежий... «Вы, — продолжал, разоблачая владельцев магазина, клиент, — вы покупаете товар дешевле, а продаете его дороже!» Рассказ этот вызвал веселье в компании, но и размышления об устойчивости советского опыта, прочно укоренившегося в сознании наших земляков; Булат его потом не раз вспоминал.

И, наконец, набившись в машину Юры Понаровского, брата известной певицы, живущего под Нью-Йорком, мы за несколько часов одолели мили, отделявшие Бостон от Города Большого Яблока, и, изрядно проголодавшиеся, въехали в Манхэттен. Перекусить следовало срочно — вселение в гостиницу заняло бы определенное время, есть же хотелось сейчас. Я вспомнил, что мои знакомые — художник Гена Осмеркин и его супруга, бывшая ленкомовская актриса Марина Трошина, готовились на месте купленной ими пельменной открыть русское кафе, и имя ему было уже придумано — «Дядя Ваня». Адрес я примерно знал — и вскоре мы въехали в узкую улицу, залегающую, как ущелье, среди небоскребов центральной части города.

Знаете, что мы увидели, подъехав к нужному дому? На ступеньках, ведущих в будущее кафе, сидела Марина и листала только что пришедшую по почте «Панораму». Хотя почему «будущее»? Для нас быстро накрыли стол и, несмотря на то, что кафе открывалось только завтра, накормили, чем Бог послал — главным образом, пельменями из запасов доживающего последние часы русско-американского кулинарного предприятия. И было это совсем неплохо — как и все то время, что мы провели в этой поездке.

Повторить бы ее сейчас...

После нескольких дней в Нью-Йорк, была «Аленушка» — пансионат в Лонг-Айленде, существующий заботами концертного импресарио Виктора Шульмана. Имя это знакомо российским исполнителям, гастролирующим по всему миру — и по его антреп-

Всё тот же «Библиоглобус»:
Вероника Долина и выступила,
и спела на презентации
книг автора

ЦДЛ, Москва, 2004 год. После
встречи автора с читателями, куда и Евтушенко успел
заглянуть, и потом, конечно
же, прошел час-другой в ЦДЛ.
Здесь хорошо беседуется...

Виктор Ерофеев
в Лос-Анджелесе,
а в России – разгар
перестройки, и в книжном
деле – тоже...

Евгений Евтушенко – однажды на мексиканской ярмарке в Лос Анджелесе…

В театре Современной пьесы – после традиционного концерта в память Окуджавы – как ни помянуть нашего замечательного друга! Марк Розовский, Виктор Ерофеев, автор и Аркадий Арканов (в просвете виден Макаревич)

Начало 90-х: Александр Иванов: отдых под Нью-Йорком не хуже, чем, например, на подмосковной Клязьме…

2005, Лос-Анджелес. Традиционная встреча в доме у автора: Татьяна Кузовлева, Светлана Иванова, Вениамин Смехов (стоит), Вячеслав Иванов, Калерия Озерова, Владимир Паперный и автор (стоят во втором ряду)

Между этими снимками – двадцать лет: Наум Коржавин в редакции «Панорамы» (1985) и в ЦДЛ после выступления (2005)

Владимиру Кунину в лосанджелесском доме автора уютно!

Владимир
КУНИН

ПРИВАЛ
ТЫ МНЕ ТОЛЬКО ПИШИ...
ОЧЕНЬ ДЛИННАЯ
НЕДЕЛЯ

Лос-Анджелес. Карловы Вары с Куниными, Владимиром и Ириной, – сокращаются любые расстояния...

Юлий Ким живет в Израиле, но и в московском ЦДЛ присутствует, по возможности, – это его дом вот уже которое десятилетие

1985, Лос-Анджелес. С Феликсом Канделем – весело! Еще бы – это он был «Камовым», когда создавал «Ну, погоди».

В редакции «Панорамы» Аркадий Львов (конец

В ЦДЛ не чаем единым жив человек... Алла Гербер, Юрий Карякин, Юлий Ким и автор (слева направо)

1981. Роберт Кайзер (автор «КГБ» и других книг, хранение которых обещало значительным тюремный срок). А здесь, в Лос-Анджелесе, после славистской конференции, нам уже не страшно

Эдуард Лимонов
По тюрьмам

*Ну что сказать, Саша, –
вот тебе отчёт о тюрьме,
той самой, от которой не
зарекался.
Твой Э. Лимонов*

1981, Лос-Анджелес. Щи Лимонов
сварил точно по рецепту из «Эдички»,
и теперь расхлебывает их с автором
в квартирке, где на полу начиналась
«Панорама»

1983, Париж. За нашими
с Лимоновым спинами –
Триумфальная арка:
дальше отступать
некуда…

1981, Калифорния.
Первый год Лимонова
с Наташей Медведевой –
они в гостях у автора,
он их познакомил
совсем недавно

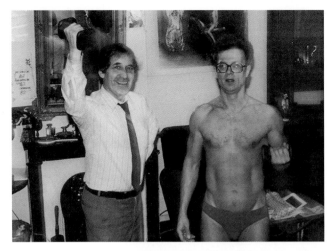

1980. Парижское жильё Лимонова: физическая форма – это очень важно!

2005. Москва. В гостях у Новеллы Матвеевой

1987, Нью-Йорк, русский ресторан в Бруклине. Владимир Максимов сейчас пьет только минералку. Недавно он предложил предисловие к первому изданию повести о беглеце Рачихине. Здесь же – Рашель Валк, жена издателя книг В.Максимова (и моих)

1994, Лос-Анджелес.
Бостонская гостья,
писательница Ирина Мура-
вьева, и автор навестили
девяностолетнего Николая
Юлиановича Пушкарского,
просветителя и пропаган-
диста русской культуры
в Штатах

1981. Виктор Пла-
тонович Некрасов
прямо из Пари-
жа – к нам, в Лос-
Анджелес на конфе-
ренцию славистов.
В центре журналист
Сергей Левин

Конец 90-х. Юлии
Латыниной нравится
Беверли Хиллз

2005. Москва, после «Букера». Евгений Попов с Василием Аксеновым ста-а-арые друзья, «Метрополь» они готовили вместе...

2002. Во дворе дома на Ленинградском проспекте. Здесь с Поповым соседствуют Ахмадулина и Мессерер. У Попова в руках – только что вышедшая книга Половца. Мы отправляемся смотреть новую Москву. И потом, естественно, ресторан Дома кино – там автор в самый последний раз отобедал с Саввой Кулишом

Дмитрий Пригов – в редакции «Панорамы» (начало 90-х)

Лос-Анджелес, конец
90-х. Олега Попцова и его
коллегу автор знакомит
с Лос-Анджелесом

Нью-Йорк, 1993. Только что здесь завершила работу конференция славистов. Слева направо: писатель-проповедник Михаил Моргулис, автор, Феликс Розинер, Марк Поповский с участницами конференции

1985. Слушавшие «Голос Америки», кто из нас не помнит
голос ведущей Людмилы
Фостер? Она в беседе
с автором и Львом Халифом

1982. Андрей Седых (Яков Цвибак), владелец и главный редактор «Нового Русского Слова», – А.Половцу: «Ну и сколько же человек у вас в редакции?»

1993, Переделкино, на даче у Анатолия Рыбакова с Булатом Окуджавой

1979, Лос-Анджелес. Саша Соколов, автор, Лимонов, его приятель и пудель Пушкин

Нью-Йорк, середина 90-х: Саша Соколов и автор демонстративно обменялись своими изданиями

Лос-Анджелес, середина 80-х. Илья Суслов здесь всегда желанный гость

1992, Лос-Анджелес. Эфраим Севела (справа), рядом с ним зачинатель советского звукового кино Леон Канн, автор и Савелий Крамаров

Юлиан Семенов –
в «Панораме» гость
неожиданный…

Мария Розанова, Андрей
Синявский, автор
и профессор-славист
Ольга Матич в редакции
«Панорамы»

В фойе ЦДЛ, место
встречи изменить нельзя:
Анатолий Гладилин, автор
и Евгений Сидоров

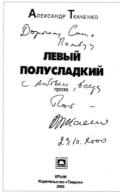

В фойе ЦДЛ, место встречи изменить нельзя: Анатолий Гладилин, автор и Евгений Сидоров, справа Аркадий Ваксберг

Лос-Анджелес, 1995. В гостях у автора Татьяна Толстая

Середина 90-х, во дворе у автора. Валерий Фрид, Александр Митта, Инна Аленикова

1984, Женева. Братья Шаргородские –
Александр и Лев

2000. Лев Шаргородский –
постоянный автор «Панорамы» и её друг

Лос-Анджелес, середина 90-х. Юра Щекочихин гостит у автора

2005. ЦДЛ. После творческого вечера автора: возможно, это самый последний снимок Юрия
Щекочихина. С гитарой – Григорий Гладков

1999. Никита Михалков в гостях у «Панорамы» – автор даже уступил неожиданному гостю свое редакторское кресло

После кинофестиваля в Лос-Анджелесе. В центре – Лариса Удовиченко и ее дочь, справа – Галина Логинова и Олег Видов

У автора гостит Леонид Хейфец. Недавно в Москве режиссер пережил экстремальные ситуации в тетатре Советской Армии, – а здесь он отдыхает

Лос-Анджелес, 80-е годы. Мирель Мирон оставила свой театр в Лондоне, чтобы сниматься в голливудской «Космической Одиссее 2010».

Лос-Анджелес, 1990 год. Люба Успенская – она уже звезда русской эмиграции, а скоро станет и популярной на российской эстраде

Лос-Анджелес, начало 80-х. После съемок – Рой Шайдер не против расслабится в русском кафе

Конец 90-х, Лос-Анджелес. Людмила Касаткина нашла здесь коллег-друзей Галину Логинову, Олега Видова, Надежду Репину и Светлану Тому (она сидит с автором)

Саша!
Никто тебя не
любит так, как
я.
твой Борис
Сичкин.
2 февраля
1997 г.

Борис Сичкин — наверное,
он был самый веселый
человек из всех друзей
автора, самый остроумный

Редактор «Панорамы» в гостях
у автора музыки к десяткам
голливудских фильмов — Мише-
ля Мишле: композитор рядом
с только что законченным его
портретом

Рудольф Баршай
в «Панораме», 1999

1999, Лос-Анджелес.
С Максимом Дунаевским
мы и в тот раз славно по-
говорили

Конец 80-х, Лос-Анджелес.
На выставке новых картин
и скульптур Шемякина:
художник в беседе с авто-
ром. Справа от Михаила —
Сарра, секретарь, супруга
и верный друг

1984, Лос-Анджелес. Певец, чьи записи продавались в СССР из-под полы, Борис Рубашкин с одним из выпусков «Панорамы» первых лет – он оказался первым, кто заночевал в только что купленной автором квартире

Середина 80-х. Владимир Буковский и Михаил Шемякин полагают – в Беверли Хиллз жить можно! Соответственно, автор сними согласен. Здесь при отеле очень недурной ресторан, предлагающий русско-французскую кухню

Год 2002, Лос-Анджелес: «Мы не просто любили музыку…»: Олег Лундстрем – гость автора

Москва, 2004. За кулисой Зала Чайковского: дирижировал Николай Некрасов, народный артист СССР, главный дирижер Всесоюзного академического оркестра русских народных инструментов

На Тихом океане... свой продолжили поход – с Андреем Разумовским

2000, Кловердак. Поместье М.Шемякина: его мастерские занимают изрядные площади. Здесь автор получил поистине королевский подарок – оригинальную картину художника

2000. На юбилее автора. Сичкин с Ларисой Голубкиной, Александром Журбиным и Владимиром Вишневским

Лев Мороз – это он первым оказался в шелкотрафаретных мастерских, куда вскоре, в 1976 году, попал на свою первую американскую работу и автор

ризе, и по дому отдыха, расположенному на берегу невероятной красоты озера. Были лодочные прогулки, была сауна и, конечно, долгие вечерние разговоры за обильным столом: здесь же отдыхал в ту пору составивший нам компанию замечательный пародист Саша Иванов с женой.

И были еще годы творчества. Были вместительные, и все равно переполненные почитателями поэта залы в самых окраинных, самых отдаленных от России уголках нашей планеты. И в Америке — тоже.

Но об этом — когда-нибудь потом.

Глава 5
УЧИТЬСЯ СВОБОДЕ

ВИКТОР ЕРОФЕЕВ

Сейчас я при встречах приветствую Виктора — «Привет, крестный!». Подразумеваю — Виктор стал одним из двух, рекомендавших меня в Союз писателей Москвы. Другим был Городницкий. Не требуй традиция непременно двух рекомендаций — одного, любого из них хватало бы заглаза.

А в тот его приезд в Лос-Анджелес, мы были подолгу вместе — на университетских семинарах, в поездках по городу, да и просто дома. О чем мы говорили? Темы приходили сами: иногда на них наводило уличное происшествие, случайными свидетелями которого мы становились. Это мог быть отрывок разговора, подслушанного в супермаркете... Иногда — статья в последнем выпуске «Московских новостей».

В чем-то мы с Виктором соглашались, в чем-то — нет, и, бывало, спорили. Но все же больше — мы расспрашивали один другого. И тогда по общему согласию мы включали магнитофон: Виктор преследовал свою писательскую цель, я — свою.

И потом, потратив часов несколько на прослушивание этих записей, мы разделили пленки на две примерно равные части: одну из них Виктор увез в Москву, другую я оставил у себя.

257

Из историй издательских

Помню, гостивший в Лос-Анджелесе Окуджава с большим энтузиазмом рассказывал в компании наших друзей, собравшихся у меня дома, о подготовке к созданию издательского кооператива. «Вот там-то, — говорил он, — мы будем печатать и того, и эту...».

— Тема, Виктор, как ты понимаешь, мне очень близка, и я задавал ему вопрос за вопросом. Например, я спрашивал: «А где вы будете брать бумагу? И кто будет продавать книги?» — «Ну, — отвечал он, — над этим мы работаем, главное, что уже можно...». И вот недавно выясняется, что на самом деле совсем «не можно»... Так ли это? — обращался я к Ерофееву.

— В общем — да. Сегодня кооперативных издательств просто не существует. Была попытка их организовать, но она провалилась, просто потому, что им всем было отказано... Пока, во всяком случае... Так же, как было отказано и кинокооперативам. То есть монополию на печатное слово разрушить пока что не удается.

Шел год 1988...

— Надо сказать, — рассказывал тогда Виктор, — что идет большая дифференциация журналов, газет и книжных издательств — среди которых есть более смелые и менее смелые. Вот, например, смело действует «Московский рабочий» — там сейчас издают книжечку рассказов, название которой будет соответствовать напечатанному в твоей «Панораме» рассказу «Тело Анны, или Конец русского авангарда».

И знаешь, это очень любопытная идея: издательство собрало общественный совет, в него вошли наши независимые критики, поэты, писатели — Алла Латынина, Алеша Парщиков, Таня Толстая, Женя Попов — в общем, люди достаточно самостоятельные. И они предложили издать целую серию небольших книг. Они выбрали авторов, но не из своего состава, — причем отбирали не тексты, просто имена. И вот моя книга выходит первой или второй по счету в этой серии.

Ну и возникают какие-то общественные издательства — они и не кооперативные, и не государственные... на базе новых общественных организаций — хотел и я с Таней Толстой — помнишь, я тебе рассказывал в прошлом году — создать издательство... мы не

натолкнулись ни на одно «нет», но я просто не располагаю для этого временем, этому надо было бы посвящать всего себя. Поэтому у
нас ничего не получилось.

Получилось, у одного из первых — это я пишу сегодня, в 2005-м.
На то он Ерофеев. Лежит в его в издательстве и мой сборничек на
полтыщи страниц — обещают, вот-вот... Дай-то Бог.

А тогда он говорил:

— Все чаще и здесь, и у вас высказывается мысль: сложись по-
добная ситуация лет десять-пятнадцать назад, многие из тех, чьи
произведения составили сегодняшний день зарубежной русской
литературы, не уехали бы, они оставались бы там... Ну, сделали бы
кому-то из них мерзость — плюнул бы он на все и поехал бы поработать год-другой где-нибудь в Каталонии...

— И еще раз скажу — это вовсе не значит пока, что у нас есть
гарантированное будущее. Все может закрыться в любой день.
И наши с тобою приятные беседы могут оказаться последними...
А может быть — первыми в ряду еще многих таких. И пока нет у
меня никаких оснований сказать, как это будет — так или иначе...

Пока, слава Богу — не оказалось...

Глава 6

СУДЬБА КНИГИ

ЛЕВ ХАЛИФ

*«Родина — это место, где человек пытается стать счастливым.
Чтоб на могильной плите оставить оптимистическую надпись».*

Эта и последующие цитаты,
выделенные курсивом,
приведены из книг Л. Халифа
«ЦДЛ» и «Ша, я еду в США» .

Рукопись прислал мне из Нью-Йорка Каган (прочитавший первые главы вспомнит имя этого неординарного человека) — в чемо-

дане, упакованном доброй сотней килограммов макулатуры, напечатанной впоследствии их авторами на собственные средства — к ужасу взыскательной части местной читательской аудитории. А эту стопку машинописных страничек я выудил почти сразу, распознав ее каким-то неведомым чутьем и почти на ощупь. Бог навел?..

И вскоре она увидела свет, будучи набрана Тасей, женою Кагана, на электронном композере, который я к тому времени купил в рассрочку и который тогда казался чудом наборной техники. Потом этот композер долго еще украшал стеллаж в кладовой издательства — рядом с первой купленной мною здесь пишущей машинкой — готовясь стать экспонатами будущего музея.

Пока — не стал, но, как говорится, еще не вечер. Может и станет, когда придет правильный час. А томики «ЦДЛ» — заняли полки в университетских библиотеках и в домах нескольких сот любителей русской литературы, став уже вполне раритетным изданием. Даже и для меня — сохранился чудом один экземпляр — его я никому в руки не даю: унесут ведь, как уносили дареные Сашей Соколовым его томики. Да мало ли что затерялось, исчезло с моих полок...

* * *

Как-то Халиф стал героем документальной ленты, снятой и показанной телевизионным каналом «Паблик», — о российских эмигрантах в Америке. Он оказался в числе тех, чьи судьбы, по замыслу авторов фильма, не сложились: книги раскупались не скоро, в магазин он отправлялся с продуктовыми талонами, выдаваемыми в Америке бедным в качестве социальной помощи.

Потом настала «перестройка», а вместе с нею «гласность». И тележурналисты снова связались с Халифом, чтобы спросить его — не думает ли он теперь вернуться в Россию — там все же его читатель, его писательская слава...

— Нет, — ответил Халиф. Твердо ответил, не задумываясь.

— Почему же? — удивились журналисты.

— Да потому, что там я уже жил! — ответил писатель Халиф. Этот разговор он передал мне году в 87-м.

* * *

Когда мне приходится рассказывать или писать о Нью-Йорке, почти всегда вспоминается чувство напряженности, неуюта — почему-то его у меня до сей поры, после многих туда поездок, вызывает этот город. И все равно есть в Нью-Йорке нечто, заставляющее помимо служебных обстоятельств, время от времени, забросив все домашние дела, вдруг обнаружить себя сходящим по пологим лестницам аэропорта — навстречу тревожащему (другого слова и не подберу) меня городу.

К этому «нечто» я отношу, в частности, и свои встречи с моим давним другом — Лёвой Халифом. Ну, не могу выразиться положенной формой — Львом. Он Лёва.

В этот раз условились мы встретиться в первый же день моего приезда, но дела сложились так, что сумел я к нему приехать в Квинс, где тогда снимал он для себя и сына тесную квартирку, лишь в последний вечер, перед самым моим возвращением.

И мы снова сидим у небольшого кухонного стола, уставленного случайно собранной закуской, и обмениваемся последними новостями — моими, с Западного берега и с Восточного — его. Вскоре я замечаю, что Халиф полностью захватывает инициативу разговора, а я своими вопросами пытаюсь направить его в интересующее меня, и только потом — говорю я.

Тогда я догадываюсь, что фразы, которыми мы сейчас обмениваемся, могут составить главу книги, с которой я работаю, записать бы их, что-ли... — и почти сразу сознаюсь в этом Халифу.

— Парадокс, но именно здесь, в эмиграции, многим видится спасение русской литературы. Так считает Аксенов. Так не однажды говорил Саша Соколов, — заметил я в какой-то момент разговора.

— Если взять за основу понятие «письменный стол», то эмиграция — это мой лучший письменный стол, — произнес Халиф. — В отличие от московского, в который совали нос все, кому не лень. И где мне мешали работать. Более того: я должен был прятать все, что уходило с него. Да, в эмиграции я избавлен от такой необходимости — прятать свои рукописи, скрывать их, чтобы они остались.

Но это — физическое спасение. Выживание. Не более того. Российскую словесность жгут в кислоте.

Возьми пример Гроссмана: даже черновики романа изъяли и сожгли — именно в кислоте. А его роман все равно выходит, хотя и не в факсимильном варианте.

Эмиграция — это тыл, который перестал быть фронтом, но который спасает фронт и помогает ему. Да, русская словесность спасается. И все же — это был огромный стимул для творчества, когда нам мешали писать. Видимо, так устроен художник: чем крепче нас держат за глотку, тем интенсивнее мы дышим!

В России мы приспособили плаху под письменный стол. И, наверное, именно поэтому литература, возникшая в России — самая великая в лучших ее проявлениях. Шекспир велик. Да, его никто не давил, разве что нужда. И тогда он писал халтуру для своего театра. А театр сгорел... Но еще, попутно, он писал «Гамлета».

Да, там мы рисковали не столько своей жизнью, сколько жизнью своих произведений. И эта обостренность жизни в какой-то степени двигала нашу талантливость, наше подвижничество. И подталкивала нас к откровению — подобно войне, обостряющей гениальность народа.

Скажем, Англию спасли два открытия — радар и расшифровка кода немецкой разведки. Код расшифровали ученые, занимавшиеся расшифровкой клинописи. Война перестроила их поиски, и они смогли прочесть донесения немецкой разведки, планы врага. Также с радаром — не было бы войны, он появился бы много позже. И то же самое я бы сказал о литературе. Вечной литературе.

Если *там* меня давила цензура и *там* я не был в безопасности, то здесь я в относительной безопасности, и рукописи мои — тем более. Но сам факт моей безопасности меня уже не радует. Мои рукописи здесь никому не нужны. Так же, как и я здесь никому не нужен. Там меня «опекало» КГБ, боясь, что я могу что-то сказать. Это меня подогревало — значит они видели во мне талантливого писателя: раз они меня опекали — значит знали, что я могу, я в состоянии сказать нечто значительное.

Здесь я могу сказать все — это никого не волнует. Максимальная свобода творчества — настолько неограниченная, что это становится безразлично для всех. Настолько большая, что ты становишься никому не нужен! И эта свобода нас потрясает...

«Назым Хикмет считал, что за первую книгу стихов поэт должен получить кроме гонорара минимум 8 лет тюрьмы. За взрыв общественного спокойствия. За возмущение».

— Вот я вспоминаю такой случай, — продолжает Халиф. — Как-то в троллейбусе кто-то осторожно трогает меня за рукав и говорит: «Судя по внешнему виду, вы — интеллигентный человек. И, возможно, — порядочный», — «Безусловно», — охотно откликаюсь я. «Ну, тогда — нате! — и сует мне в руку какой-то скомканный папиросный листок. — Только, ради Бога, не читайте здесь!» — предупреждает он меня и на всякий случай тут же выходит из троллейбуса. Естественно, я не удержался и сразу развернул листок — это было мое собственное открытое письмо в Союз писателей СССР, уже переданное по радио «Свобода» и, естественно, циркулирующее в самиздате. На Западе такого со мной не случится — и это, как я понимаю, очень большая для меня трагедия.

В России для художника одна стена — и для расстрелов и для выставок. Здесь, слава Богу, стены раздельные. Правда, не расстреливают — слишком гуманное общество...

«Семену Кирсанову заказали песню. Пристали, как с ножом к горлу, — вспоминал Кирсанов, — напиши!

— Не хочется.

— Напиши, ведь это выгодно.

— Нет, не выгодно.

— А что же выгодно?

— *А то, что хочется...*»

...В это время в прихожей хлопает входная дверь. Это Тимур, сын Халифа. Недавно ему исполнилось 16, и он удивительно похож на отца. Славный, умный, увлеченный музыкой парнишка, к тому же способный художник — по свидетельствам наших приятелей Бахчаняна и Нусберга, а они-то понимают...

— Когда я приехал в Москву, мы очень подружились с Евтушенко, — рассказывал Халиф. — Еще в Ташкенте я прочел его первый сборник «Разведчики грядущего». Это были очень посредственные стихи, но написанные «по-современному», лесенкой. Тогда так писали трое — Горностаев, Луконин и Евтушенко. Это казалось новаторством. Узнав, что в издательствах платят построчно, я тоже стал разбивать свои стихи, ломал строку. И вместо 70 копеек получал за ту же строчку 2.10.

И меня приняли в круг новаторов с распростертыми объятиями. В Ташкенте меня посчитали чуть ли не классиком, и, при всей наивности моих первых стихов, надели на меня тюбетейку и послали на слет поэтов в Москву. Нам были выданы мощные кальсоны со штампом Союза писателей Узбекистана, и наши тюбетейки парадного образца были вышиты парчой. А приехав в Москву, я стал, как говорится, невозвращенцем — к великому огорчению руководителя нашей делегации Гафура Гуляма.

Он, кстати, — один из величайших восточных поэтов. Его первая книга буквально потрясала. Он получил за нее Сталинскую премию. Книга называлась «Я — еврей». Более того — Гафур усыновил 15 еврейских детей, оставшихся в живых после трагедии Бабьего Яра. В Ташкент тогда привезли группу спасшихся мальчиков. Все они были седыми... И они выросли прекрасными людьми.

В Литературный институт меня не приняли — все же я еврей. На приемном экзамене я сдал все. Академик Петров, директор Литинститута, спросил меня: «А где ваш отец?» — «Погиб на фронте, в 42-м, на Северном Кавказе». «О, я-то знаю, как евреи погибали на фронте!» — иронически протянул академик.

Поверишь — я по-настоящему врезал ему по физиономии — так, что он влетел в угол библиотечного шкафа. А я собрал свои рукописи и ушел. Не знаю, почему это обошлось для меня без особо серьезных последствий...

— Часто, говоря о выживании на Западе русского писателя, приводят пример Севелы, успешность его книг в нашей эмиграции: он сам порой затрудняется ответить, какими тиражами расходятся русские издания его книг. А ведь основные-то тиражи их изданы на других языках — на немецком, на английском...

— Севела — на мой взгляд — не писатель, он — хороший, талантливый и умный документалист. А его читатель переместился вместе с ним на Запад. Что произошло оттого, что он переместился из Одессы, скажем, на Брайтон-Бич в Бруклин? Он что, полюбил Джойса? Бабель — типичный «брайтон-бичевский» писатель, но здесь и Бабеля не читают. Читают Севелу. Есть четкое определение читательского интереса — дорос он до писателя или нет.

Из чего твой панцирь, черепаха? —
Я спросил и получил ответ:
— Он из пережитого мной страха,
И брони надежней в мире нет...

Этим четверостишием Халиф навсегда вписал себя в российскую литературу — его хватило для этого, даже если бы после него он ничего больше бы не писал...

А он пишет.

Глава 7
ЭТОТ СЧАСТЛИВЫЙ ЧЕЛОВЕК СЕВЕЛА

В ГОСТЯХ — ХОРОШО ПИШЕТСЯ!

Продолжая тему писательского счастья, вспомним Эфраима Севелу — одно время Фима, так зовут его друзья, был самым популярным писателем в русском зарубежье. И был он одним из тех, кто чувствовал себя вполне счастливым: потому что выехал он после долгих мытарств из России почти первым в «третьей волне», можно даже сказать, открыв своим выездом эту волну.

И теперь он, бывший киносценарист, делал уже вне СССР то, что действительно умеет хорошо делать: он писал забавные книги, которые потом переводились на многие языки и расходились тиражами фантастическими, недоступными здесь для русских писателей. Книг — десятки: от почти швейковского «Мони Цацкеса — знаменосца» до озорной «Русской бани» — мужского (веселого и скабрезного) разговора, который ведут в ней хорошо «врезавшие» и разомлевшие от духовитого пара и обильных закусок хозяева жизни обкомовского масштаба.

Вот об этом мы с ним и говорили, запивая аппетитный шашлык сухим винцом в ресторане кавказского профиля на нью-йоркском Брайтоне.

— Ничего! После Калифорнии — ни строчки! (если не считать одного американского сценария) — говорил мне Севела теперь, спустя полгода после того, как провел месяца два у моих друзей в излюбленном бегущими от шума больших городов нашими литераторами Монтерее.

— Но прошлую зиму — с декабря по май — я бы назвал одним из самых продуктивных периодов. Калифорния — прекраснейшее место для работы, нигде мне так хорошо не пишется, как у вас. Вот посуди: в эти месяцы я успел завершить два романа — «Тойота-Королла» и «Все, не как у людей», который уже куплен нью-йоркским издательством «Харпер энд Роу» и немецким издательством. У вас же я написал и сценарий художественного фильма «Сиамские кошечки» — кажется, он скоро будет сниматься.

— Почему-то люди убеждены, что у писателя-юмориста и в жизни должны случаться какие-то забавные истории — ведь откуда-то ты черпаешь сюжеты для своих книг? Было ли что-нибудь подобное, например, во Франкфурте? — поинтересовался я, вспомнив, что он только что вернулся с традиционной книжной ярмарки в Германии.

— Ну, конечно же! — с нескрываемым энтузиазмом заговорил мой собеседник. — Один эпизод, очень для меня приятный, произошел с книгами, выставленными на немецком стенде. Кроме одной на витрине, каждая книга на выставке представлена еще в двадцати девяти копиях — про запас. На третий день выставки все 29 запасных копий моих книг были растащены... самими «сейлзменами» — они должны были их продавать! Главный редактор издательства, присутствовавший на выставке, заверил меня, что это ограбление стенда — лучшая рецензия на книгу.

И еще один эпизод: на выставке я встретился с Евтушенко. Мы и в Москве были с ним соседями, вместе «пасли» детей — я свою

Машутку, он — своего Петю. И здесь мы вдруг оказались соседями — наши книжки были выставлены рядом. Я сделал вид, что не узнал его, и прошел мимо — был уверен, что ему не очень захочется встречаться со мной. Но он узнал меня и бросился ко мне с криком: «Ты что, старик, не узнаешь! Неужели я так постарел? — Обнял меня, подозвал свою жену, англичанку Джейн: — Иди сюда, я тебя познакомлю с Севелой! Помнишь, я тебе рассказывал о нем?» — «Рассказывал? Да я сама его читала!» — рассмеялась новая супруга Евтушенко. Он попросил надписать ему «Зуб мудрости», что я и сделал с удовольствием — пусть «гэбешники» прочтут, глядишь — может, после них и к кому-нибудь из знакомых в Москве попадет.

— Да, представь себе, не избегает Евгений Александрович таких встреч. Мне и Лимонов рассказывал о подобных эпизодах, — прокомментировал я этот эпизод. И добавил: — Фима, ты опять где-то у эмигрантов здесь, на Брайтоне, пристроился — почему не в отеле? Ведь не бедный человек, правда?

— Знаешь, Саша, — не смутился Севела. — В отелях я просто не могу работать. Я не люблю быть один, это очень тяжело. А среди друзей и знакомых создается как бы видимость семьи. Когда ты с кем-то рядом — возникает какое-то наше, из России, человеческое тепло. Это очень важно, потому что оно создает настроение работать, питает его. А для этого мне просто нужна удобная квартира и доброе отношение. И за это не жаль любую плату.

Полученное объяснение звучало вполне удовлетворительно, но и предупреждающе — теперь оставалось только ожидать нового приезда Севелы в наши края и стало быть, готовить логово для моего доброго приятеля Фимы Севелы, что всегда было для меня не в тягость. И даже — наоборот.

Январь 1983 г.

Приезжал Севела в Калифорнию после еще не раз, но чаще — в Нью-Йорк. Один из таких визитов совпал с событием печальным: мы навестили с ним умирающего Юру Ойслендера. Госпиталь, куда поместили нашего приятеля, был бесплатным, то есть для неимущих. Совсем неимущих, каким и был здесь Ойслендер.

Он знал, что у него рак, усугубленный циррозом печени, и все равно надеялся жить, мы же как могли с Севелой пытались поддержать эту надежду все же — какая там вера...

ПЕЧАЛЬНОЕ ОТСТУПЛЕНИЕ

Я знал, что Юра тяжело болен. Знали об этом и те немногие друзья его, с которыми он в последние месяцы своей жизни находил силы и, наверное, желание поддерживать отношения. А их, друзей, действительно, оставалось совсем немного. И сил — тоже...

Болезнь пришла незаметно и сразу.

Еще летом прошлого года во время моей поездки в Нью-Йорк выкроилась, выпала каким-то чудесным образом пара свободных дней из сумасшедшего ритма, в который каждый раз оказываешься втянутым, попадая в этот город. Усадил я Юру в арендованный «Мустанг», и через несколько часов мы уже распивали чаи и что-то еще в гостеприимном доме Ильи Суслова, что милях в десяти от Вашингтона. А на следующий день, соединившись с Аксеновыми и под их добрым руководством, исследовали столицу нашей нынешней родины. И еще через день, возвращаясь в Нью-Йорк, умудрились где-то под Нью-Джерси въехать не на тот «хайвэй», что обошлось в добрых три часа потерянного времени. О чем мы, правда, не очень жалели — в дороге всегда есть о чем посудачить, если видишься не часто.

Будничное воспоминание, оно стало приобретать особое значение, когда в следующий мой приезд мы с Севелой навестили Юру в больнице после его первой операции. Как оказалось вскоре — далеко не последней. Юра с трудом поднялся с койки, выпутавшись из покрытых ржавыми пятнами простыней; придерживая под руки, мы вывели его в коридор. И пробыли вместе час, может, немного больше.

Всего за год до того я арендовал в Нью-Йорке машину, чтобы доехать до Вашингтона: там я хотел навестить Аксенова, там же жил и Суслов Ильюша, вот и друживший с ним Ойслендер упросил взять и его в машину — потом, мол, и вернемся вместе: обратный билет у меня был из Нью-Йорка.

«При условии, — предупредил я Ойслендера, — в дороге — ни грамма. Условились?» — «Конечно!» — легко пообещал Юрка. Едва мы выбрались из паутины городских хайвэйев и встали на прямое шоссе, ведущее к Вашингтону, я оглянулся, Ойслендер (он удобно разместился на заднем сиденье), полулежа, посасывал виски из плоской бутылочки-фляги.

«Юра! — мы же условились...» — «Да я так, чуть-чуть». Это «чуть-чуть» продолжалось все четыре часа, что мы ехали. Заночевали мы у Сусловых, там, естественно, встретили нас за столом.

Пьющий Юра был человек, да что уж теперь говорить — давно нет его. Не знали мы тогда, что осталось Юре жить совсем мало. Совсем — наверное, его фотографии с того вечера стали самыми последними.

— Вот, — говорил он мне тогда, а кажется совсем недавно, — встану на ноги, переберусь к тебе в Калифорнию, возьму в аренду такси — и буду водить, на еду и жилье заработаю — много ли мне надо?

А ведь и правда — он заработал бы, если бы... «Надежды — никакой», — сказал мне вполголоса врач, вышедший в коридор, где я поджидал его, после визита к больным — там в палате лежало еще человека три. Кажется, все безнадежные, потому и комната была малолюдная.

— А что, хорошо в Калифорнии? — снова спрашивал он. — Вот бы переехать к вам... Хорошо бы... Я знаю, я бы там быстро поправился...

Дежурный врач, у которого мы уже без Юры пытались выпытать что-нибудь, только покачивал головой, разводил руками и улыбался. Улыбчивый был врач.

И вот такая весть. Севела рассказал мне по телефону, что, вернувшись только что из Европы, собирался сразу заехать к Юре в госпиталь — в скверный государственный госпиталь «для бедных», где-то на задворках Нью-Йорка. И не успел.

Юра умер в полночь 26 октября. А на следующий день его хоронили. На похороны пришли Севела и... трое почти посторонних Юре при его жизни человек. И еще одна девушка, которая, познакомившись с Ойслендером, когда он был уже безнадежно болен, провела с ним его последние дни и часы, бескорыстно и самоотверженно ухаживая за умирающим писателем.

Больше никто не пришел с ним проститься. Никто. Не было тех, кто в общем-то совсем недавно проводил вечера у голубых экранов, когда показывали «Кабачок 13 стульев» или «Голубые огоньки», подготовленные Юрой Ойслендером. Не было тех, кто, начиная листать «Литературку» с 16-й полосы, многозначительно улыбались, читая его миниатюры — во, мол, дает!.. Из редакций нескольких нью-йоркских русских газет, где печатались его последние юморески, тоже никто не пришел. То ли узнали поздно, то ли редакционная текучка не отпустила...

Месяца за два до того Юра начал писать роман. Севела подбадривал его, что-то подсказывал. Сейчас он говорит мне, что роман мог получиться.

Мог бы...

Юрию Ойслендеру было 44 года.

В моем альбоме десятка два фотографий Юры, сделанных в разное время — дома, на нью-йоркских улицах, в Вашингтоне.

Я не обнаружил среди них ни одной, где его лицо было бы серьезным. И тогда я подумал — может быть, так лучше: пусть читатель запомнит его именно таким, каким он всегда был в жизни.

Только сейчас — не о нем. А с Севелой мы встретились после дли-и-и-нного перерыва, лет, наверное в десять, уже в Москве. За эти годы он был издан и переиздан многократно и на многих языках, успел снять фильм на Одесской студии. А теперь он осел все же в Москве и женат на вдове Дунского, переболел — недуги случились серьезные, сбросил вес на треть примерно, постройнел — дай Бог ему здоровья надолго.

ВОЗВРАЩЕНИЕ ЭФРАИМА СЕВЕЛЫ

А это было лет 15 назад, может, даже больше — но уже после того, как Севела провел, думаю, не самые худшие в его жизни дни в Калифорнии... И в том числе — в крохотной квартирке, которую я снимал в те годы и где на линолеумном полу верстались самые первые полосы «Панорамы». Если вспомнить сегодня, кто там только ни останавливался! Но в этот раз мы встретились с ним, где встречаются все, а именно — в Нью-Йорке.

Помню, мы прогуливались по Брайтону, остановились где-то перекусить — кажется в «Кавказе», у гостеприимной Риммы. Потом я фотографировал его на фоне русских вывесок продуктовых и еще каких-то магазинов. А он тем временем рассказывал, какой он счастливый человек — что дало мне повод так и назвать вскоре появившуюся публикацию в «Панораме» — «Интервью со счастливым человеком». И правда — именно таким он себя чувствовал тогда: в творческом багаже его уже насчитывался десяток книг — отчасти переведенных на немецкий, французский, английский и даже японский языки.

Удивительно, что при этом жизнь Севела вел кочевую, редко где задерживаясь больше чем на месяц-другой — разве только у нас, в Калифорнии, и вот теперь — в Нью-Йорке, где он жил уже не первый месяц. И уезжать, кажется, в этот раз никуда не спешил.

Как он умудрялся работать в таких условиях — Бог ведает. Но факт остается фактом — почти после каждой «остановки» появлялась новая его книжка.

А потом он исчез из нашего поля зрения. Причем надолго. Понемногу книги его на прилавках магазинов и лотков оказались завалены грудами хлынувших из России дешевых изданий, и имя писателя Севелы в эмиграции стало забываться. Время от времени доходили сведения из России, где полным ходом шла перестройка, что он там. И что книжки его издаются, и что, кажется, он там что-то снова снимает — на одной провинциальной студии. Время от времени даже приходили от Севелы приветы через зачастивших туда и оттуда визитеров...

Но вот он снова здесь. И мы сидим с ним во дворике позади дома; вдоль ограды тянется высокий холм, за который сейчас закатится багровый диск солнца. Севела, щурясь, поглядывает на него и, почти не останавливаясь, говорит.

Вы слышали когда-нибудь, как он рассказывает? И о чем? Тогда — читайте.

Властелины мира
носят брюки в клетку

Есть в Америке небольшое число людей, о которых очень мало знают не только в мире, но в самой Америке. Это своего рода закрытый клуб. Он и составляет тот, можно сказать, скрытый от глаз, но очень важный пласт вершителей судеб — не только Америки, но и мира. Они, эти люди, решают, кто будет следующим президентом — и не только в США. А я попал туда! Мне разрешили выступить перед ними. Вот как это было.

Где-то в начале 80-х некто Немайер, очень занятный человек, профессор университета Нотр-Дам в городке Саутхемптон штата Индиана, антикоммунист и такой же антифашист, предложил мне следующее. В Чикаго, сказал он, начинается ежегодный съезд очень правой организации — она, может, даже правее общества Джона Берча. Это группа богатейших людей, объединенных своим происхождением — они потомки первых пилигримов, высадившихся в районе Филадельфии с парусника «Мэйфлауэр». Со временем они захватили большую часть богатств Америки, по крайней мере, ее недра. Так что на самом деле не у евреев главные деньги Америки, как многие думают, а у них.

Посуди сам: большинство евреев с зарплатой, превышающей 100 тысяч долларов, — кто? Юристы, врачи и т. п., т. е. профессионалы, интеллигенция. А по-настоящему богатых евреев в Америке вообще-то немного. Я где-то читал, что евреи, составляя 6 процентов населения Америки, владеют 12 процентами ее богатств. Возможно. Но среди евреев нет Рокфеллеров, Морганов, Гетти... «А эти, — рассказывал мне профессор, — собираются ежегодно, обсуждают всякие проблемы, и в этом году в Чикаго они арендуют целый этаж в "Шератоне". Две тысячи делегатов прибудут туда для встречи. Я, правда, не уверен, что мне дадут пригласить вас, — заключил свой рассказ Немайер. — Они очень строги в отборе: ни евреев, ни негров, ни женщин. И ни католиков — они все протестанты. Но все же я попробую вас провести туда».

Из скудных сведений, которые я почерпнул у профессора Немайера, мне стало казаться очень заманчивым попасть к ним, посмотреть на эти страшноватые лица. И, представь себе, он сумел убедить их: мне было дозволено двадцать минут выступления. 500 долларов за 20 минут. Это я говорю не потому, что меня волновало, сколько мне заплатят — сейчас поймешь, почему я подчеркиваю эту цифру. А еще я был предупрежден: если с самого начала, с первых слов я не понравлюсь аудитории, меня немедленно выпроводят оттуда, мне просто не дадут больше говорить.

И я включился в эту гонку, мне захотелось все же их победить — и в то же время что-то новое узнать для себя.

На возвышении, где разместился президиум, уже появилась карточка с моим именем — прямо напротив огромной тарелки с чикагским стейком. Меня тут же представил председательствующий на этом ежегодном собрании Филадельфийского общества (Philadelphia Society), так они себя называют — и предупредил аудиторию: «Наш гость необычный, у нас никогда не выступали евреи, а на этот раз мы решили дать слово человеку из этой группы населения, которая все ж с нами сталкивается — и очень часто. Нам нужно знать этих людей. Особенно если они из России, из страны коммунистической. Может быть, они что-нибудь интересное и нам поведают...»

А публика... Когда я глянул сверху на эти сотни столов — посредине каждого торчал микрофон на гибкой ножке, и за каждым сидело по четыре человека, — я ахнул: это были персонажи — ну, я бы сказал...

— Что-нибудь из карикатур Бориса Ефимова? — догадался я.

— Точно! Персонажи Бориса Ефимова с четвертой страницы газеты «Правда»: широкие челюсти и узкие макушки голов. Все они были очень пожилые. Клетчатый пиджак или брюки — обязательно что-то в клетку. Потом, они носили очки, совсем «по-ефимовски» сделанные — широкие сверху и узкие к низу. Розовые склеротические щечки, фарфоровые зубки и хохолки редких седых волос. И этим людям, таким милым дедушкам, которых, кажется, боялся сам председательствующий, он сказал: «Я вас прошу потерпеть — если вам не понравится, мы это быстро закруглим». Я подтянул к себе ближе шнур микрофона и обратился к ним — непривычно для них.

Я им сказал: «Джентльмены! Я не могу сказать "леди и джентльмены", потому что ни одной леди в зале я не вижу. Прошу прощения за то, что вам придется немножко напрячься, потерпеть мой акцент; я и сам не терплю людей, говорящих на моем родном, русском языке с акцентом. Я понимаю вас. Так что не только потерпите, но и прислушайтесь к тому, что я буду говорить. И постарайтесь запомнить это — ибо, возможно, завтра вас поднимут ночью с постели и поставят к стенке!»

После этого я заткнул себе пасть куском стейка и глянул робко в зал. Зал онемел. Никто не шевелился, только иногда очки поворачивались друг к другу — они молча переглядывались, затем, как по команде, вскочили и зааплодировали. Я им понравился, и они меня приняли — я оказался так называемый «славный малый». Потом меня долго не отпускали, они меня просто закидали вопросами — о России, о коммунизме. Они, оказывается, очень мало о нем знали...

— Но боялись, — предположил я.

— Но боялись страшно. Ровно час меня пытала эта аудитория. Председательствующий просто умолял их прекратить: «Хватит, больше нельзя, потому что ломается график всего дня!».

— Английский у тебя приличный? — поинтересовался я.

— Да, приличный, но акцент железобетонный, русский. Язык я выучил в эмиграции — никогда его до этого не знал. Я его выучил в гостиницах Америки, слушая тексты реклам. Они повторяются в течение дня по 5—6 раз. Я их запоминал и без словаря догадывался, о чем идет речь. А так как я начинал учить английский в отелях, да и чаще всего слышал английскую речь из уст персонала, обычно негритянского, то и произношение у меня было, как у негров. Я через слово вставлял «you know», так что это был не самый лучший английский.

Господа евреи, с кем вы?

В общем, председательствующий поднялся и поблагодарил меня, даже похвалил и потом добавил: «Пользуясь тем, что вы, как я знаю, выступаете большей частью перед еврейской аудиторией Америки, я хочу воспользоваться этим и передать мое послание евреям — потому что напрямую у нас никакого контакта не получается. Попробую через вас, и, пожалуйста, постарайтесь это сделать: оно будет полезно и евреям, и нам. Дело в том, что мы приближаемся к огромнейшей, кровавейшей бойне, которая разразится в скором времени в Америке на расовой почве, и она решит, будет ли продолжаться белая цивилизация или отдаст Богу душу. И вот в этой битве, — повторил он, — евреи, люди одного с нами цвета кожи, находятся на другой стороне — там, где черные и многоцветные латиноамериканцы. Пожалуйста, поговорите с вашими соплеменниками откровенно, напомните им, что в Америке скопилось евреев ровно 6 миллионов. Цифра роковая и зловещая для еврейства. (Он, конечно, имел в виду Холокост, в котором погибло то же число евреев.) Пожалуйста, передайте им, до того как затрещали выстрелы на баррикадах: мы просим их переходить к нам и занимать боевые позиции в наших порядках, а не стоять между или, чаще всего, против нас.

— А ведь, правда, — самые активные либералы в Америке преимущественно евреи...

— Да, конечно, да! — согласился Севела. — И он напомнил мне о еврейских молодых парнях, которых скормили крокодилам в Алабаме, когда они защищали там права черных. А черные оказались при этом, самыми страшными антисемитами в Америке.

Честно говоря, я в этом монологе ничего не понял.

— Так кто кормил ребятами крокодилов?

— Кто кормил? Белая полиция Алабамы. Евреи шли во главе колонны черных — и полиция натравила на них собак, которые их загнали в болота. Между прочим, я сам видел жутковатую картину много лет спустя. Был огромнейший митинг черных в Центральном парке в Нью-Йорке. И туда прорвался отец этого Джерри Гудмана, съеденного крокодилами: он порывался выступить в защиту так называемых негритянских прав — а его, человека с белым цветом кожи, сбросили с трибуны. И вот, после моего выступления председательствующий сказал мне, что евреям не выжить на стороне черных, потому что те — антисемиты. И он, мол, предлагает, пока не поздно, перейти к ним — потому что, сказал он, «битва будет страшной, и цифра 6 миллионов должна быть в памяти у каждого вашего соплеменника. А вместе мы можем выжить». Когда я вышел из зала, какой-то служащий протянул мне конверт, и уже в машине я открыл его: там было не 500 долларов, а все 1000. Это замечательная американская черта — сходу оценить ситуацию и все переделать. Меня они оценили...

— А сам-то ты — как ты их оценил?

— О, они были страшны! Именно тем, что напоминали сказочных гномиков — а я уже понял, какая сила за этими людьми.

— Ну, хорошо — по существу ты разделяешь их идею?

— Абсолютно! — не задумываясь, произнес Севела. — Я полностью попал под ее влияние. У меня и до этого уже были такие предчувствия, собственные выводы, что в стране назревает расовый конфликт, который приведет к резне. Старички эти только подтвердили их. Потому что они это уже знают.

— И ты кому-то передал их призыв? — спросил я.

— Нескольким людям, которые близки к главным еврейским кругам, начиная от «Юнайтэд джюиш эпил»... да и к другим организациям — я рассказывал им об этом. А те усмехались только почему-то... Они, как я понял, посчитали, что их пугают. На мой же взгляд, эти старички никого не пугают — а наоборот, пытаются спасти, перевести евреев в защищенный лагерь.

— Я сейчас вспоминаю один эпизод третьего, кажется, года моей эмиграции. Да, шел 79-й. Я с сыном снимал квартиру в доме, преимущественно заселенном американскими евреями пенсионного возраста — так уж случилось. Как-то меня остановила во дворе соседка. В те дни предстояли президентские выборы, и она спросила, за кого я собираюсь голосовать? «За Рейгана, конечно!» — ответил я.

В те годы большинство нашей эмиграции было решительно настроено против демократов: в них мы видели продолжателей дела социализма здесь, в Штатах — что нам, по понятным причинам, нравиться не могло. Рейган же с его противостоянием «империи зла» нам вполне импонировал. Моя пожилая собеседница всплеснула ручками: «Боже мой, какой ужас! Неужели вы за республиканцев?». Я говорю: «Да!» — «Но евреи не могут быть за республиканцев! — искренне удивилась она. — Евреи всегда были за демократов!». Я думаю, это та самая линия, которая проходила и проходит до сегодняшнего дня в политике еврейских общин.

— Несомненно, — согласился Севела. — Линия очень сильно, ярко выраженная. А эти старички приглашали всех. Они никому не грозили, но просто предсказывали, что может произойти в недалеком будущем...

Глава 8
КТО ВЫ, ЭДИЧКА?

РАЗГОВОР ПЕРВЫЙ С ЛИМОНОВЫМ

КАЖДЫЙ ЧЕЛОВЕК — МИФ

В конце семидесятых — сначала в Париже, в издаваемом тогда Николаем Боковым журнале «Ковчег», а вскоре и в Нью-Йорке отдельной книгой вышел на русском языке роман Лимонова «Это я — Эдичка». И почти сразу, даже те, кто не читал романа, стали иметь о нем свое мнение. При этом все знали, что книга — необычная, смелая, вызывающе-откровенная.

Кто-то вообще не считал роман литературой, но лишь упражнениями в порнографии, отказывая Лимонову в наличии писательского дара. А было — и что называли его провокатором, льющим воду на мельницу советской пропаганды. Другие же посчитали Лимонова одним из самых ярких и талантливых писателей, работающих в русском языке.

Мне роман показался крайне, даже болезненно поэтическим. Я потом возращался к его главам, перечитывал, чтобы утвердиться в этом ощущении — или от него отказаться. Не отказался — я и сейчас, когда писательская популярность Лимонова поддерживается ежегодно новой книгой, — а они выходили даже и при его двухлетней отсидке в заключении, — так думаю.

Вот и получается, что его первая книга стала не просто заявкой автора на свое место в современной литературе — но утвердила своим появлением жанр, в котором Лимонов продолжает работать и сегодня при всем разнотемьи его новых опусов. А тогда, почти сразу книга была издана во Франции, в Западной Германии и в Голландии.

Не случайно, наверное, в 1981 году в Лос-Анджелесе на упомянутой во вступлении к этим главам писательской конференции не было выступлений, так или иначе не касавшихся Эдуарда Лимонова — и личности тоже, не только его творчества. Вот она, слава, о чем мы тоже говорили с ним в тот год, но об этом — ниже.

* * *

Конечной целью поездки был Сан-Франциско: кому доводилось ездить по этому шоссе, имеющему свой номер, как и все другие знают, у этого — номер был «1». Наверное исчисление их начинается с западной части североамериканского материка, потому что западнее был только океан. Тихий. Великий. Потрясающий — тоже было бы верно: своей необъятностью, даже когда линия горизонта сокрыта ночной тьмой, угадывается эта его необъятность, его величие.

Днем же она видна (а ночью я бы теперь не рискнул пробираться по узкой дороге, где двум встречным машинам с трудом разминуться, зажатой между каменной стеной — склоном горы и пропастью, на дне которой плещет прибой). Жуть — но и безумно красиво. А тогда, ровно четверть века назад — рисковал. Итак — в Сан-Франциско. Но не сразу: в прибрежном Монтерее, отстоящем в двух часах длительности автопути от Сан-Франциско, меня ждали, как мы условились, поселившиеся там на какое-то время Саша Соколов и Лимонов.

Избегая подробностей, — а их было немало приведено при тогдашней публикации текста наших разговоров, — я сохраняю лишь то, что помогает мне и сегодня утвердиться в своем отношении к тому, что тогда существовало и что состоялось в творчестве и в судьбе писателей, но и к последующим коллизиям в их судьбах, вплоть до нынешних дней.

Ну вот, например, я спрашивал его:

— Эдик, один из самых частых вопросов, на который можно услышать ответ от тех, кто читал твой первый роман: не о себе ли он? Наделив героя своим именем, ты неизбежно оставил место для вопроса — насколько аутентичен герой автору. Тем более что биографические данные во многом совпадают. Так кто же он, Эдичка — ты?

— Это секрет, — рассмеялся Лимонов. — Куда интереснее, если я не отвечу на этот вопрос. Пусть сами догадываются.

— Ты хочешь сказать, что для литературы это неважно?

— Да. Оставим хлеб будущим исследователям.

И продолжил:

— Эта тема заведет нас далеко. Конечно, есть советские писатели, которые пишут на совсем неплохом уровне. Они есть и пишут иногда лучше, чем многие уехавшие писатели. Но в той же России существует целый ряд запретных тем. Например — секс, за который на меня все дружно набросились два года назад, а теперь не менее дружно начинают хвалить. Тема совершенно не изведанная русскими писателями, даже слов соответствующих не имеется в нашей письмености. Вот я и столкнулся с необходимостью употреблять отвратительные ругательства. Может быть, через одно литературное поколение эти слова станут вполне приличными. Область секса — только один пример.

Русские люди и русская литература не очень «флексибл», не гибкие они. Видимо, это результат более чем шестидесятилетней изоляции — и духовной, и культурной. Я считаю, что России пора приобщиться к общемировым ценностям. А потом разберемся — что плохо и что хорошо в этих ценностях.

— Несмотря на шокирующие читателя элементы, «Эдичка» может казаться произведением лирическим, даже трогательным... Сам-то ты как это представляешь? — спросил я Лимонова. В его ответе сегодня следовало бы, и мне безумно хочется сделать это сейчас, — поставить подряд три восклицательных знака, читатель без труда заметит — где именно.

— Конечно, — согласился Лимонов. — Это «лав стори», история любви — все остальное потом. Я и не пытался писать книгу о политике, я далек от всего этого. Я далек даже от социологии. И включил я эти элементы в книгу только как неотъемлемую часть сознания моего героя. Не писал я книгу и об эмигрантах, как это многие поняли. В сущности, я написал экзистенциалистскую книгу о любви.

Почему я дал герою свое имя, рискуя многим? Мне хотелось максимально усилить эффект правды, правдивости всего происходящего. Я хотел так дать в лоб, чтобы все поняли — это серьезно и правдиво. И я никого не хотел эпатировать. Можно было бы написать для нашего сумасшедшего русского читателя массу вещей пострашнее, чем те, что в книге, но я убрал наибольшие страшности просто потому, что психология человека такова, что он не верит в самые большие ужасы. Есть и предел того, до чего можно доходить в литературе. Я надеюсь, что остался как раз на границе позволительного. Эффектом я доволен, все-таки это была моя первая книга. Кажется, я, наконец, почувствовал себя по-настоящему свободным.

— Потому что — пришел финансовый успех, ты это приравниваешь к свободе?

Что он ответит, думал я: ведь ответит его характер, если ответ будет откровенным. А мне и правда это было интересно, не обязательно в связи с моим собеседником, а так — вообще. Признаюсь, мне это и сейчас интересно. Даже особенно — сейчас: в одной из наших недавних встречь я спросил Лимонова — не хотел ли бы он побывать в Штатах? «Может быть... — только ведь потом меня не впустят обратно, в Россию». Выходит, свобода имеет свои пределы... А тогда он ответил следующее:

— Безусловно. Как и для всякого благородного человека, деньги для меня никакой ценности не представляют. Но те возможности, которые они дают, я бы с удовольствием использовал. Мне, например, очень хочется поехать в Гонконг! И пожить там, скажем, год. Как здорово! И я бы поехал, но не могу себе позволить...

— А почему именно Гонконг?.. — Сегодня я бы этого вопроса не задал, знаю — почему.

— Любопытный город, — ответил Лимонов. — Я очень люблю фильмы о Джеймсе Бонде. В них действие часто происходит в городах вроде Гонконга. Погоня, стрельба... я это очень люблю. Люблю приключения. Просто поехать в Гонконг, пожить там год и посмотреть — что произойдет.

— Ну, хорошо, получил ты, скажем, миллион, — приставал я к Эдику. — Что бы ты стал делать? Отгородился бы от мира, как Солженицын — стал бы новым «вермонтским отшельником» — и писал бы, писал бы... — так?

Ответ Лимонова впечатлил меня ровно настолько, насколько может впечатлить удачная шутка. А сейчас я знаю — не шутил Эдик:

— Ну, нет! Я бы закупил оружие, нанял бы мерсенерис (наемники — *А. П.*) и сделал бы маленький переворот в Латинской Америке или в какой-нибудь азиатской стране. И сам бы участвовал, это же интересно! Погибнуть с честью — какой конец для русского писателя! При захвате острова Санта-Люсия или как он там... Это моя любимая тема. Я всегда говорю: ну вот, исполнится мне 40, потом — 50. Что впереди? Стать неповоротливым старым писателем, менять жену на более молодую — неинтересно же. Вообще надо вовремя уйти. Этот вопрос пока еще не подошел ко мне вплотную, но я о нем думаю. Уйти, закрыв за собой дверь! Это ничего общего не имеет с политикой, это — чисто персональное. Каждый должен вовремя уйти, как боксер уходит с ринга, и уйти надо хорошо.

— О, выходит, ты любишь власть! — полушутя прокомментировал я, надеясь продолжить безумно интересную тему, — не так ли?

— Конечно, — не задумываясь, он даже привстал, отвечая, — это одно из самых больших удовольствий в жизни!

— Ну, хорошо, армии у тебя вроде нет, разве что читательская, и как ты мог бы реализовать свое стремление к власти — владея умами людей как любимый писатель, так что ли? — Я ожидал, что сейчас мы оба рассмеемся, но нет — Лимонов оставался серьезным и продолжал:

— Быть духовным вождем совсем неплохо! Это очень приятное занятие. Я, конечно, иронизирую, но все же власть — это хорошо... Кстати говоря, моя книга «Дневник неудачника» как раз и посвящена этим скрытым желаниям человеческим, часто насильственным. Там у меня тоже есть о власти: «Хорошо стоять в смушковой шапке на Мавзолее, когда сотни тысяч, миллионы юношей в военной форме проходят перед тобой, старым пердуном — это очень приятно!»

В каждом из нас, нормальном человеке, тысячи всяких людей, — неторопливо продолжал Лимонов. — Это не большое открытие, но часто об этом забывают... В «Дневнике неудачника» я пытался передать насильственные желания человека, который находится на дне общества. А ему так хочется всей этой жизни — красивых автомобилей, красивых женщин... много женщин. Это же нормально!

Эта беседа была записана в июле 1981 года... Потом мы не раз виделись с Лимоновым, многажды...

РАЗГОВОР ВТОРОЙ
«Я — ПРЕДСТАВИТЕЛЬ БОГЕМЫ»

Вот, например, сентябрь 82-го.

Лимонов снова оказался в Калифорнии: отчитал лекции в калифорнийских университетах, встретился с читателями — незадолго до того при нашей редакции образовался самодеятельный клуб любителей литературы. Какой там клуб! — клубик: человек пятнадцать пытались не пропустить нечастые приезды литераторов — из других штатов, иногда из Европы. Советских в наших краях тогда почти не случалось. А если приезжали — то почти всегда, в университеты: те приглашали и даже платили. Доллары.

Остановился Лимонов у меня — в небольшой квартирке, которую я снимал в тот год в не лучшем, не боюсь признаться, районе города. Но это как раз здесь, года за четыре назад, на электрической машинке отстукивались столбцы первой начатой мной газетки — «Обозрения»... здесь же записывал я передачи-пятиминутки для американского радио, конечно, на русском языке... И здесь же незадолго до приезда Лимонова, на полу, покрытом истертым ковром, верстались и клеились первые полосы самого первого выпуска «Панорамы».

Теперь же это помещение использовалось, главным образом, как гостиный двор для прибывающих ко мне иногородних коллег и знакомцев (разумеется, тех, прежде всего, кого следовало приютить у себя). И вообще квартирка очень годилась для подсобных нужд издательства.

Уважив мою просьбу, Лимонов изготовил щи — по рецепту, приведенному им в «Эдичке». Ели мы их два последующих дня. И когда дно емкой кастрюли обнажилось, оказалось, что разговоров у нас набралось достаточно для нового текста, условно говоря, интервью в газету. Хотя какого там интервью — трепались не переставая. Будучи впоследствии записанным, этот треп приобрел следующий вид.

— А помнишь, еще год тому назад ты говорил: «Мне репутация серьезного писателя не грозит...» Ты и сейчас так думаешь? — Эдик нахмурился, а потом сказал примерно следующее:

— Трудно понять о себе — серьезный ты писатель или нет... Меня приглашали и в Оксфорд, и в Корнелльский университет. Вот сейчас еду в Стэнфорд. Наверное, для того чтобы считаться «серьезным» писателем, нужно обязательно «быть приглашенным» в Кэмбридж или в Гарвард. А туда меня еще не приглашали, — смеясь, добавил он. — Моя первая книга поставила меня в позицию как бы литературного хулигана. Все люди, как люди, пишут о серьезных вещах — о «пробуждении религиозного сознания», например, или нечто тому подобное. И занимаются они чем-то серьезным — например, ненавидят советскую власть... А я вроде как шпана от литературы.

И герой у меня такой — шпанистый. Занимается он совсем «несерьезными вещами» — секс, «драгс». Кто-то философствовал и говорил о том, что нужно себя перестроить, ходить в церковь, «жить не по лжи»... А мой герой вроде бы и не очень к этому стремился. И я говорил вместе с ним: «Лив ми элон!» *(оставьте меня в покое — англ.)*. Но сейчас, по-моему, читатель начинает понимать, что секс — это тоже достаточно серьезно. Он, секс, может букально угробить всю жизнь. Или, наоборот, превратить ее в цветущий рай, сделать «парадайз». Тело — это очень важно в нашей жизни. И если говорить серьезно — наверное, я все же серьезный писатель. Потому что я обращаюсь к основным, к глубоким жизненным проблемам, к фундаменту этих проблем.

В другой раз я спросил Эдика... Нет, сегодня все же следует писать — Лимонова: недавно он вошел в свое седьмое десятилетие, а это и правда серьезно. А я все — Эдик, Эдик... При первой публикации было так уместно. Но не сейчас, когда он столько себе напридумывал в жизни (или, может, точнее сказать — себя в жизни), что она попросту вышла из под-его контроля. Теперь другие люди и другие обстоятельства ведут Лимонова. Но и он — их... А тогда я спросил его:

— Сам-то ты что сейчас читаешь из написанного по-русски? И следишь ли за периодикой?

— Отвечу: знаешь, о других, конечно, сказать легче. Вообще же, честно говоря, мне все зарубежные русские журналы кажутся провинциальными. Литература, которую они публикуют — она вся находится в периоде, я бы сказал, «модернизма». Это все еще пеленки — и для писателя, и для литературы. Я, между прочим, всегда говорил, что русская литература последних двадцати лет ужасно подражательна. И поэзия, и проза. В поэзии, например, целое поколение людей подражало Пастернаку. Потом — Мандельштаму. А свой голос — очень редок. И тогда, и сейчас. И это сгубило огромное число пишущих, множество талантов. Потому что каждый такой путь хорош для одного-двух писателей. Платонов, например, очень хороший писатель. И он — один. И не может быть триста Платоновых!

Эмиграция же, в основном, состоит из «нормальных людей» — бухгалтеров, продавцов, инженеров и так далее. А я таким никогда не был. Я — представитель богемы, и я много взял из этой среды — и хорошего, и плохого. И развивался-то я, вероятно, как-то искривленно, на обычный взгляд — странно. У меня всегда был интерес к каким-то извращенным с точки зрения нормального человека ситуациям. Для меня это — нормально, а для них — нет. И с этим ничего не поделать...

— Тебе все еще хочется произвести переворот в какой-нибудь южноамериканской республике? — напомнил я ему.

— Почему же нет, хочется, конечно! — Я ожидал, что он рассмеется, как хорошей шутке. А он отвечал очень серьезно. — Хочется поучаствовать в каком-нибудь беспорядке. Что я и сделаю. Мне всегда хотелось этого, просто я себе не позволял. Но мог бы давным-давно. Видишь ли, я еще очень честолюбив. Мне не хотелось бы подставлять себя под пули «ни за фиг собачий», умереть никому не известным. Это неинтересно. Но я наверняка пересекусь в своей жизни где-нибудь с подобными событиями. Я на жизнь смотрю очень фаталистически. И я всегда ощущал себя не только писателем.

А вообще как было бы славно, если бы не было национальных различий, этого разделения по национальностям! Я вот не хочу чувствовать себя русским. Я стараюсь меньше себя чувствовать русским. Я желал бы, чтобы и шведы, и французы, и евреи чувствовали себя членами одной общечеловеческой нации. Я, например, с удовольствием женился бы на негритянке. Даже «мор фан» (*больше веселья — англ.*) — теперь он рассмеялся, и было непонятно — он все еще серьезен или шутит.

Примечание. Декабрь 1982-го — эта дата стояла в первой публикации наших разговоров, за ней следовал рассказ Лимонова «Press Clips», вызвавший очередную волну читательских писем в редакцию. Впрочем, так случалось всегда.

Не верил я тогда серьезности намерений Лимонова — принять участие в каком-нибудь государственном перевороте, или в чем-нибудь таком же, «веселеньком». Выходит, был я не прав: где-то сохраняются у меня фотографии, присланные Лимоновым из Сербии: вот он в окопе, целится куда-то из пулемета, что ли, или какой-то другой убойной штуковины, с его припиской, что-то вроде: «Несколько албанцев уже уложено...».

Я чуть ли не умолял его в ответном письме: «Эдик! Да брось ты, ради Бога, эту фигню, заигрался, будет с тебя! Садись, работай!» И вот его ответ, дословный: «Ты был последний, кто меня понимал...»

Да нет, ошибался, Эдик: этого я, как раз, никогда не понимал.

Но и при этом сохраняется очень ностальгическое отношение к тогдашнему Лимонову, в общем-то еще едва выросшего их харьковского мальчишки-хулигана, из московского поэта богемноого андерграунда, жившего шитьем брюк для модников из его круга. И не только... Отношение это в большой степени переносится и на нынешнего Лимонова — и с этим ничего не поделаешь: так уж мы устроены.

Что же касается сантиментов — мои заметки казались бы мне неполными, если бы я не упомянул сегодня визит к Лимонову, чья неприязнь ко всему советскому и казарменному мне была хорошо памятна с давних времен. Не то — теперь...

Если не ошибаюсь, в 2000-м навестил я Лимонова в квартире добротного арбатского дома, что почти напротив Вахтанговского театра. Казалось бы, чего желать лучше? Только он готовится к переезду куда-то в Алтайский край. Там у него, объясняет он, много товарищей по основанной им «национал-большевистской» партии, «партайгеноссе» — что ли?

Дверь мне открыла белобрысая девица, коротко, почти наголо стриженая, на вид лет пятнадцати, вся такая «панковая» и очень серьезная. Лимонов оттеснил ее от двери и почему-то сразу стал меня заверять: «Ей уже есть восемнадцать!» Наверное, последним, что мне пришло бы в голову, это интересоваться возрастом его подруги, было о чем помимо этого поспрашивать друг друга — ведь последний раз мы виделись в Париже, лет десять назад.

Я осмотрелся в квартирке — скудное убранство, мебели почти нет, на стенах — плакатные портреты: какие-то красноармейцы, красные знамена и звезды. Очень было похоже на его парижское жилье — хотя, кажется, об этом уже было выше... Оттуда, рассорившись вдрызг, от него убегала Наталья, и потом сюда возвращалась. Просидели мы недолго — оба куда-то торопились, условились встретиться в другой раз.

Другой раз, даже другие разы, — я стал бывать в Москве чаще, произошел спустя два с лишним года, уже после его отсидки — добился все же.... (Ахматова, когда ей сказали: «Сослали Бродского», говорят, даже как-то и не очень огорчилась: «Они же "Рыжему" биографию делают!..» Вот так и с Лимоновым.)

И совсем недавно, в его новой квартире, где-то за Курским вокзалом — «новой» очень условно — то же убранство, квартирка совсем запущенная, в подъезде строительный мусор.

И еще появилась собака — щенок, крупный годовалый, питбуль, он все норовил зайти со спины, пока мы сидели за кухонным столиком, и тогда я начинал себя чувствовать неуютно. Эдик это заметил, и Настя, все та же, и так же стриженная, и так же похожая на подростка, увела собаку в другую комнату. Я оказываюсь за этим столиком каждый приезд, в этот раз я занес бутылку водки и какую-то снедь: была годовщина кончины Медведевой.

Эдик признался, что, по его мнению, Наташка ушла из жизни из-за непрошедших чувств к нему... Может быть. Хотя настоящая причина — передозировка наркотиков — могла быть и случайной. Кто сегодня скажет... Они же давно, очень давно не были вместе.

— А его партия, — рассказывает Эдик, — численно выросла многократно — за время, что он оставался в заключении. Все же мне казалось, что многие его приверженцы и сами-то не очень понимали — за что надо бороться, хотя против кого — было ясно и без программы, которая сама по себе не очень внятно изложена. Но все они изначально задиристы, хулиганисты и только имя их вождя для них священно. При этом мне представляются очевидными истоки этого поклонения — они, конечно же, лежат в литературном даре Лимонова, в его книгах. Он сейчас издается, действительно, массовыми тиражами, что для нынешних лет есть чудо.

Когда-то Лимонов признавался мне, что самая большая его писательская мечта — взять интервью у Каддафи. Наверное, тогда уже можно было обнаружить у «Эдички» черточки, присущие *вождизму*, но я как-то об этом не задумывался. Не то — он: вернувшись из эмиграции и начав с вмешательства (разумеется, на личном уровне) в балканскую сумятицу, он в какой-то момент, почти перестав писать, появился вдруг на первых полосах московских газет.

Со стороны я видел в этом своего рода эпатаж, забаву уже не вполне молодого человека — о чем честно и сообщал ему в нашей тогдашней переписке, призывая вернуться в литературу. Ответ его я уже цитировал: «Ты был последним, кто меня понимал». А я и вправду перестал — искренне опасаясь последующих похорон незаурядного литературного дара, которые казались мне не за горами.

Слава Богу, в этом я обманулся: подаренную им новую его книгу я прочел не отрываясь. Хотя были к тому и свои причины. С его согласия приведу несколько страниц из «Книги воды» — здесь он не впервые вспоминает эпизоды из наших калифорнийских лет —

287

а ведь я и сам забыл, честно говоря, что это я его знакомил тогда, в начале восьмидесятых с Медведевой — потом он забрал Наташу в Париж. А он — не забыл, оказывается, и еще много чего не забыл: мне говорили, что и в других книгах он вспоминал что-то из нашей молодости.

И еще: Лимонов пишет, не переставая, — как только управляется за всеми сопутствующими его политической активности обстоятельствами? Но он и много читает: по его просьбе я передавал ему из Америки английские книги — биографию Клинтона, еще что-то...

Что будет дальше с Лимоновым — один Господь знает. И, наверное, еще те, кто политическую активность писателя Лимонова принимает всерьез и близко к сердцу — вот и отсидел он, хоть и не весь срок. Пока же с отрощенной бородкой и усами «а-ля Дзержинский» он стал почему-то мне внешне напоминать не этого палача, но стареющего китайского кули. Так он и тянет телегу, в которую некогда впряг себя то ли из мальчишеского азарта, то ли из честолюбия. А телега эта своей тяжестью набирает инерцию и уже толкает его самого в направлении, которое, может быть, он и не выбирал. И с ним в упряжке — его ребята, во многом честные и отчаянные, этого у них не отнимешь, да что говорить — вон, все есть в газетах.

А вообще-то выбирала ли его, это направление, страна, в которой снова живет Лимонов?

В самый недавний приезд в Москву я вез Лимонову скопированные на компьютерную дискету фотографии четвертьвековой давности — где он с Наташей, здесь, в Лос-Анджелесе, мы вместе на парижских улицах. И те, что сделала наша знакомая Люба, профессорша из Техаса — это когда мы с Эдом поминаем Наташу бутылкой «Гжелки»...

Не случилось передать ему эту дискету, хоть и два-три раза мы перезванивались — то он не мог, то я был занят. Квартиру Эд снова поменял, звал меня куда-то на Павелецкую, только предупредил, что у метро встретит не он, а *некто* и отведет куда-надо. Куда? Не поехал я к Павелецкой, сославшись на какие-то домашние обстоятельства, а если честно — побоялся: пасут ведь его, как пить дать, соответствующие службы, а у меня въездная виза на год, хоть и «многократка», да долго ли ее закрыть. Была — и нету. Сын-то мой пока в Москве, внуки с ним.

Эду я что-то объяснял, наверное, он все понял — ладно, говорит, мы друзья были и остаемся, я всегда помню присылаемые тобой очень нужные тогда доллары: ты печатал меня, а больше — никто...

На том мы и попрощались. А вернувшись домой, я переслал ему фотографии электронной почтой — с третьего раза вроде прошло: один из трех продиктованных им адресов, кажется, сработал.

А теперь — ну как удержаться от соблазна привести несколько страниц из недавно вышедшей в московском издательстве новой книги Лимонова. Название поначалу кажется странным — надо прочесть ее, чтобы понять почему — «Книга воды». Может, она и не попала бы ко мне в руки — но кто-то позвонил, говорит — прочти непременно, там про тебя. Про меня? Оказалось, правда — про нас, точнее, молодых, про «тридцать лет назад». Вот они, эти строки.

«ТИХИЙ ОКЕАН / ВЭНИС-БИЧ»

«...В один из этих нескольких дней мы приехали на машине Олега на Вэнис-бич, где жил тогда Феликс Фролов, наш общий знакомый.

Все-таки, кажется, к Феликсу Фролову мы приехали в 1980 году и приехали вчетвером: я, поэт Алексей Цветков (не путать с ответственным секретарем "Лимонки"), писатель Саша Соколов и редактор лос-анджелесской газеты "Панорама" Александр Половец. Собственно, ну и пусть, ну и черт с ним, с годом, важен Вэнис-бич, просторная местность, атмосфера парилки.

Кайф вечного отдыха, вечного фланирования, вечных неспешных разговоров хозяина магазина спортинвентаря с седовласым атлетом, остановившимся пожать руку. И через сто лет здесь будет так. Запах марихуаны над асфальтовым променадом, просветленные лица святых старых хиппи, усохших индейцев, запах бо-

бов от мексиканской забегаловки (никогда не научился варить бобы).

Передо мною был проигран тогда (ну хорошо, сойдемся на 1980 году...) один из вариантов судьбы. Остаться здесь, найти легкий job, не найти никакого job, писать в газету "Панорама" статьи Половцу по 40 долларов штука, бродить по Вэнис-бич, пока жена — официантка в мексиканской забегаловке — не очень утруждается. Идти с ней купаться. Курить марихуану, думать до дури об ацтеках, о Монтесуме, о грибе "пайот", о вулкане Попокатепетль, произносить "Попокатепетль", "Попокатепетль", называть жену Кафи... а если выпьешь, "Катькой".

Тогда, в феврале 1980-го (я отпраздновал свой день рождения в Лос-Анджелесе), судьба приоткрыла передо мной свой театральный тяжелый занавес и показала мне будущее. Жену Наташу Медведеву вперед срока. За два с половиной года вперед. Вот как это случилось.

Ресторан "Мишка". Действующие лица и исполнители те же: Соколов, Цветков, Лимонов, Половец. Сидим в ресторане в отдельном зале на банкете. С нами еще два десятка людей. Время от времени дамы и господа встают и произносят тосты. Вдохновитель всего этого Половец. Подают шашлык. Хозяин ресторана Мишка — армянин, потому шашлык подается с толком. Дымно пахнет шашлыком — жженым уксусным мясом и жженым луком. Меня тоже заставляют говорить; я говорю, ведь заставляют. Табачный дым. Алкоголь. Самое время появиться женщине. Женщина на выход!

Банкет рассеивается, люди исчезают. Стоим у выхода, рядом с баром. Ждем: я, и Половец, и Соколов. Следовательно, ждем Цветкова, тот, хромая, отошел отлить в туалет. Из зала, противоположному тому, где происходит наш банкет, выходит высокая, стройная девушка, юбка до колен, шелковая блузка, длинные рыжие волосы, резкие движения. Всплеск юбки, всплеск волос. Подходит к бару: протягивает бармену широкий с толстым дном стакан. Бармен без слов доливает. Девушка берет стакан и подходит к стеклянной двери, задумчиво смотрит на освещенный

Сансет-бульвар. Некоторое время стоит так. Не глядя на нас, уходит в тот зал, откуда появилась.

— Кто такая? — спрашиваю я Половца, не отрывая взгляда от решительной стройной фигуры, скрывающейся в табачном дыме.

— Наташа... Певица. Поет здесь.

— Хороша.

— Она не для тебя, Эдуард...

Я некоторое время обдумывал, что сказать.

Половец приходит на помощь:

— Хочу сказать, что она не нашего круга. С бандитами крутит.

— Ну, это еще не помеха, — говорю я.

И мы выходим из ресторана. На следующий день я улетаю в Нью-Йорк, у меня куплен обратный билет.

В октябре 1982 года именно Половец познакомит меня с Наташей здесь же, в ресторане "Мишка". И я и он давно забыли о сцене у бара в 1980 году. Познакомившись, мы, конечно, прошлись по Вэнис-бич. Я ее пригласил»...

Закрыв цитату, добавлю, что спустя несколько лет Наташа признавалась мне, что всегда мечтала жить в Париже. И жила, и хорошая семья сложилась с Эдиком, хотя, конечно, не без коллизий — ну это Эдик сам описывал в книгах, не раз возвращаясь к теме. А Наташа работала в хороших ресторанах — пела, пока какой-то шизофреник не изуродовал ей лицо, напав в фойе ресторана после очередного ее выступления.

Потом Наташа уехала из Парижа в Москву — ее стали печатать, приглашали выступить в клубах и клубиках, в светские (какими они представляются сегодняшним москвичам) салоны — со своими стихами тоже.

А потом — что было потом, об этом читатель уже знает... Славная она была девчонка, все — кто знал ее, по сей день вспоминают добром Наташу. Царство ей Небесное, разбитной компанейской девчонке, какой она всегда оставалась для своих — Наташке, поэтессе, певице, Наталье Медведевой.

Глава 9
КОНКРЕТНАЯ ЖИЗНЬ МЕШАЕТ...

САША СОКОЛОВ

Наверное, это была средина 90-х. Саша позвонил из Канады, и очень осторожно осведомился — стану ли я с ним говорить. Почему — нет? Хотя было *почему,* и сомневался он не напрасно...

Мало кто вспомнит сегодня — но было такое: прожив в Штатах лет десять — а перебрался сюда он после развода с дамой из Австрии, женившись на Лиле. Тогда она носила фамилию мужа-американца, Паклер, преподавала в унивеситете Южной Калифорнии, жила в Лос-Анджелесе в небольшом доме, доставшемся ей после развода, неподалеку от океана — здесь же теперь оказался и Саша.

Все это происходило в конце 70-х, а в 80-м он принял приглашение на радио «Голос Канады», Лиля уволилась, поехала за ним. Только там они вскоре развелись, Лиля вернулась в Лос-Анджелес, где оставался ее пудель, умнейшая собака, Пушкин. Честное слово, он умел улыбаться, этот пес: я заметил это, когда однажды мы зашли к Лиле с друзьями, ведущими на поводке болонку. Пушкин подошел к ней, обнюхал — и улыбнулся...

Друзья, а это были Каган с супругой Тасей, только что перебравшиеся в Калифорнию. Они остались жить в этом доме: Лиля сдала им две комнаты из наличных трех, к болонке Пушкин быстро охладел — так, ни любви, ни дружбы, сосуществовали. Потом жильцы съехали, нашли квартиру в «русском» районе города, что при их несовершенном английском было очень кстати. А к Соколовым (Лиля взяла фамилию Саши) наезжали Лимонов, Цветков Алеша, замечательный поэт, живущий в Вашингтоне.

Тогда-то из сложившегося в редакции портфеля рукописей я собрал стихи Цветкова, Лимоновские поэтические опыты и забавные поэмки Кости Кузминского, Саша написал предисловие — и получился сборничек, который получил название «Трое». Точно, это был 82-й — у меня чудом сохранился единственный экземпляр, его я никому в руки не даю: где остальной тираж — Бог ведает.

Часть его, конечно досталась авторам, часть разошлась постепенно по университетским библиотекам. Да и части эти были невелики — в сумме, кажется, составляли пять сотен книжечек.

Свои же стихи, из тех, что не вошли в изданную тем же Проффером вторую книгу Саши, он передал мне для «Панорамы» — там они почти все и увидели свет — самобытные, не похожие ни на чьи другие:

> *...Шел по льду инвалид,*
> *Костыли его были в крови...*

Мало кто сегодня знает стихи Соколова — он никогда отдельно их не публиковал: я, во всяком случае, таких публикаций не знаю, почти все, к тому времени написанные, он включил в эту, вторую книгу — «Между собакой и волком», ставшую вершиной творчества Саши — на тот период. Появившаяся же вскоре «Палисандрия» представилась мне откровенной творческой неудачей — изменой жанру, а может, и самому себе, каким я Соколова знал. Так мне кажется и теперь, годы спустя.

Так вот, после этого отступления остается пояснить причину Сашиной острожности, заключалась же она в следующем. Помотавшись по миру — жил он в Италии, жил в Греции, где сгорел сарай, его временное место ночлега, вместе с новым романом, над которым Саша работал (так он говорил, когда его спрашивали — «а новые книги, где они?»), — Саша оказался в России. Здесь он давал интервью, иногда сам в газетах появлялся со статьями, в которых крайне нелестно отзывался о наших Штатах.

Видел я эти тексты — очень несправедливо ругал Соколов Америку, не по делу, хотя, конечно, всегда есть за что, только у Саши все получалось как-то неправильно. И — неталантливо. Наверное, он и сам это понимал, вот и спрашивал — не откажусь ли с ним говорить. Не отказался — мало ли какие заскоки у друзей случаются. А мы дружили: я и в Вермонт к нему ездил — там он лыжным тренером одно время прирабатывал, жил неподалеку от Аксеновых (Василий Павлович преподавал в Вермонтской летней школе). Примерно тогда же досталось мне помочь Саше через газетные связи — нашелся канадский госпиталь, где он родился, и стало быть теперь он мог претендовать на канадское гражданство. Вскоре он его и получил...

А родиться там ему повезло, поскольку отец Саши служил в советском посольстве, в Канаде. Причем повезло дважды: сначала — потому что он успел появиться на свет прямо перед тем, как отец в числе сотрудников, в полном составе посольства, внезапно бежал из Оттавы вместе с семьей, будучи разоблачен ушедшим «на Запад» шифровальщиком посольства Гузенко, понятно в чем — все они числились в штатах КГБ или в ГРУ. Тем, естественно, они все и занимались по месту заграничной службы. Вот Саше и теперь, вторым везением, удалось найти документы, записи о его рождении.

К слову: папа Саши Соколова, к 75-му уже отставник, председатель профкома Российского общества автомотолюбителей, места моей самой последней — предэмиграционной — службы, требовал исключить меня из профсоюза как изменника родины. — «Не имеете права!» — нагло я заявлял. — «Как это — не имеем?!» — я отвечал подсказанной кем-то из друзей-«отъезжантов» причиной: «Если я заболею, не будучи членом профсоюза, я не смогу получать деньги по больничному листу, а это против конституции», — и еще Бог знает, что я там плел — терять-то было нечего...

А больше — уже неоткуда меня было исключать: партбилет уже в порядке «самоисключения» — был сдан в райком незадолго до того, повергнув в столбняк пожилую даму с прической «кукишем» в окошке орготдела. Честное слово, мне даже в какой-то момент стало ее жалко...

Только сейчас не об этом — когда-нибудь вспомню в подробностях и об этом — они того стоят.

Итак, в 81-м, после развода и вернувшись из Канады, Саша жил в спокойном уединении, в Северной Калифорнии. Снимал он небольшую квартирку неподалеку от Монтерейского залива — туда мы с Сашей похаживали небольшой компанией, спускаясь с крутых отрогов, подступавших вплотную к заливу холмов. Вообще-то, были там, конечно, и удобные спуски, пологие — и даже со ступенями. Но это — в местах оживленных.

Мы туда не ходили, избегали даже улицы с прелестными ресторанчиками — там можно было бы провести час-другой, смакуя превосходное и недорогое в этих местах калифорнийское шабли, и рассматривая видневшиеся где-то на границе моря и неба, у самой линии горизонта, паруса рыбачьих шхун.

В один из не по сезону прохладных дней мы не пошли к заливу. Воспользовавшись случаем, нагрянула с фотоаппаратом некая профессиональная (в фотографии) дама, имени ее я не запомнил, и отняла часа два, может больше, на съемки Саши и его тогдашней подруги Карин — кажется, для какого-то печатного альбома.

День уходил. Карин хлопотала где-то на кухне. У стола в крохотной комнатенке, служившей Саше кабинетом, сгрудились вокруг кофейного столика мы — то есть Саша Соколов, Сережа Рахлин, трудившийся в редакции со дня ее основания, сопровождавший меня в этой поездке, и я.

Помню, заглянул Рахлин ко мне домой. На полу в комнатухе (о ней рассказывал я чуть выше) были разложены монтажные листы с выклеенными на них текстами статей для «Обозрения», которому со следующего выпуска предстояло стать «Панорамой», и, стало быть, уходил год 80-й. Я ползал по полу, перекладывая и перетаскивая с полосы на полосу гранки, время от времени отрывался от этого занятия, чтобы встать под душ, смыть пот, да и просто освежиться — жара стояла невыносимая, августовская, кондиционера здесь не было.

— А я? — спросил Сережа.

— Что, ты?

— Я бы тоже мог что-то делать.

Конечно, мог бы! — с его-то десятилетним стажем в рижских газетах. Пока же он, совсем недавний эмигрант, подрабатывал в крохотной ювелирной компании, состоящей из пожилого американского еврея-хасида в неснимаемой ермолке и его жены. И еще Сережи: ему здесь было доверено раскладывать золотые и серебряные магендовиды, но и католические крестики — ювелирный бизнес поистине экуменистичен... За этим занятием я его и застал как-то в подвальном помещении, где ютилась контора и складик хасида-ювелира, и привез к себе — в колыбель «Панорамы».

Так Сережа остался в редакции — несмотря на предупреждение: штатов нет, денег нет, зарплаты не предвидится, будущее темно и покрыто... ну и так далее. Все эти обстоятельства не смутили Рахлина, как не смутили меня, оставившего незадолго до того приличную работу с приличным заработком в рекламном издательстве — но и об этом уже было — и мы поплыли в неизвестном, но желанном для нас направлении.

К дням, о которых сейчас я пишу мы плыли вместе уже год, чуть больше — выгребали как-то, но плыли — от выпуска к выпуску, которые уже стали еженедельными (правда со сбоями, нечастыми, но иногда неделю и пропускали).

Так вот, расселись мы у столика, я вытащил блокнотик и попытался предложить тему, потому что к формальному интервью ни мы, ни Соколов тем более не готовились. Из нелюбви к жанру, наверное.

— Саша, — спросил я его, — как ты стал писать?

Нормальное начало беседы — не так ли?

— Первый рассказ я написал, видимо, лет в девять, — охотно поддержал тему Саша. — Естественно, все это было наивно, глупо; не хватало слов. Но хотелось писать — единственное четкое и явное ощущение детства. Может быть, это у многих бывает в детстве. Во всяком случае, во мне это было всегда — ощущение внутреннего мотива, какого-то ритма. Вот это всегда и заставляло писать. Начал я с прозы, стихи пришли потом... Где-то лет в двенадцать я написал первую большую повесть про каких-то бандитов. Не помню ее сейчас...

— Позже пришли стихи, — продолжал вспоминать Саша. — Очень смешные, пародийные. В школе их многие знали наизусть. Выпускали мы «сборники стихов». И еще я писал псевдонаучные статьи, сочинял эпиграммы на учителей... Потом — военное училище, где я тоже пытался что-то делать. Вскоре решил бросить его и поступать в Литинститут, а попал на факультет журналистики. И несколько лет работал в газетах, потому что учился на заочном.

Я слушал Соколова, почти не перебивая, да этого и не требовалось — казалось, вспоминая, он и сам увлекся, негромко рассказывал, останавливаясь только чтобы глотнуть из стакана остывший чай. Как ведь хорошо, думаю я сегодня, что сохранилась лента с той записью — ведь теперь я могу воспроизвести текст Сашиного рассказа почти дословно. Вот его продолжение:

— После третьего курса уехал я в провинцию: нашлась работа в Марийской республике, в совершенно глухом селе, где по странной случайности была районная газета. Там я много экспериментировал. Редактор, в силу того что очень уважал меня как человека из Москвы и будучи не очень грамотным, не исправлял у меня ни одной запятой, ни одной точки, и писал я все, что хотел.

Например, в течение года я писал очерки о людях деревни, о трактористах, каких-то народных умельцах. Но все это по жанру были не очерки, а рассказы. Я все придумывал сам, это были сюжетные вещи. Для меня главным было — не что я пишу, не о ком, а как я пишу. Для меня это всегда было важнее — *как*, а не *что*. Поэтому я, например, многие из этих очерков писал ритмической прозой.

Никто, конечно, этого не замечал, но мне самому было интересно. То есть шел постоянный эксперимент... Я, ничего не читая Андрея Белого к тому времени, примерно вот так же писал... Мне было интересно. И должна была выйти книга. Но, поскольку я уехал из Марийской Республики, ее рассыпали. Она уже была в наборе — книга очерков.

А потом я работал в «Литературной России». Вот это была отличная школа. И там я почувствовал впервые, что действительно научился писать. В газете работали люди, у которых было чему поучиться. Я ездил по России, писал очерки — о писателях, в основном. Статьи писал — лирические. Потом мне надоело: ну зачем я должен писать все время о тех, кто пишет — я сам хочу писать!

И я уехал на Волгу. Начал работать егерем в Калининской области. Ехал я туда с твердым убеждением, что именно там должен написать свою настоящую первую книгу прозы — роман. Я знал, что это единственное место, где у меня будет достаточно для этого времени. Так и случилось. А написав книгу, я ее сразу же отправил на Запад: потому что мне стало совершенно ясно, что все, что я пишу, для советских издательств неприемлемо. И вскоре я получил от Карла Проффера, к которому попала рукопись, совершенно замечательное письмо, где он писал, что насколько он может судить, он и

Набоков (еще живший тогда), — «ничего подобного в русской прозе не было пока». И что жаждет меня увидеть, хочет познакомиться...

— Меня вообще раздражают реалии, особенно в литературе, — продолжал Саша. А мы с Рахлиным слушали его, не перебивая: текст получался роскошным, на такой подробный и открытый я и не рассчитывал — обычно Соколов на людях был сдержан, даже с друзьями.

— Ведь реалии — преходящи, и непреходящ только дух человека, — говорил Саша, глядя куда-то за окно, там синело удивительно чистое небо, в котором то и дело возникали силуэты пролетавших ширококрылых птиц, наверное чаек. Или альбатросов — пород для меня и поныне неразличимых. А Саша завершил свою мысль следующим пассажем:

— И чем больше связан текст книги с конкретными вещами, тем он более приземлен, а значит — не вечен. Поэтому поэзия как бы парит все время, она на взлете. Но в лучших своих проявлениях проза может и должна, по моему мнению (так, во всяком случае, я вижу свою прозу), достичь вот этого самого уровня поэзии, который и делает ее «изящной словесностью». Проза может, она должна быть изящной словесностью — это единственный для нее способ выжить на протяжении многих десятков и даже сотен лет.

Дальше я опускаю наши вопросы, реплики и другие подробности беседы, приведенные при ее первой публикации, сегодня мне кажутся они привязанными к тому времени, к тем дням, да просто излишни. Сашин текст самодостаточен, из его ответов все и без того ясно, — им и ограничусь:

— Читатель вообще удручает, — тихо, вполголоса неторопливо говорил он, — современный читатель... Читательская масса, она вообще с очень низкими запросами и вкусами, ей нужны какие-то там анекдотцы, написанные простым, понятным языком. Скажем, про Чонкина. Я пишу и, наверное, сознаю, что я не вижу, я не знаю этого читателя, я не знаю, кто он. Я знаю, что меня всегда прочтут и поймут двадцать человек.

Как не вспомнить сейчас, когда я заново записываю нашу беседу с Сашей, — именно эти тезисы Саши и послужили причиной сценки на Мюнхенском вокзале с участием Войновича. А тогда Саша продолжал:

— Я еще в России думал, что если вообще найдутся двадцать или сто человек, которые поймут то, что я делаю, — их вполне достаточно. Этим уже оправдывается все, что ты делаешь. Может быть, даже важен вообще один, гипотетический, читатель. Меня, казалось бы, должна удручать ситуация с читателями здесь, в зарубежье... Но я больше надеюсь на русского читателя в России.

— Не думаю, что начнут писать лучше, — прокомментировал он мое предположение. — И пояснил: количество пишущих никакого отношения не имеет к качеству. Потому что, все равно, как я уже говорил на конференции, в нашем поколении из всей огромной массы пишущих, признанных — три человека, максимум — пять. То есть, я считаю, что по-настоящему это делают сегодня всего пять человек — Битов, Катаев (там просто никого больше нет), а здесь — вот Лимонов, ну, скажем, Цветков, Бродский — в поэзии, Синявский делает эссе совершенно классически.

Может быть, я забыл кого-то — подскажи, я просто не знаю... Это ужасно, вообще, с моей точки зрения, то, что происходит. Если они делают литературу, если Войнович — это литература, то, с моей точки зрения, я занимаюсь чем-то другим... Ведь идет-то все от слова. Если человек не владеет словом, если он не чувствует слово, если у него нет абсолютного слуха — значит, он не писатель. Ну разве можно быть композитором без абсолютного слуха?

Здесь я пытался ему возразить:

— Почему не допустить, что существуют, и так было всегда, разная литература и разные литераторы — все те, чье творчество отвечает определенным эмоциональным потребностям сегодняшнего дня и сегодняшнего читателя?

— Может быть... может быть... — ни согласившись, ни споря, тихо, как бы про себя, произнес Соколов. Он снова смотрел в окно, сейчас там совсем стемнело. Сколько времени мы проговорили — два часа? Три?

Все же не удержусь, чтобы не привести и вопросы, что я задал Саше последними. Помнится спросил я его:

— Недавно ты в телефонном раговоре сказал мне, что никогда себя не чувствовал столь счастливым, как в этот год. Замечательное состояние души! Отчего оно?

— Во-первых, я впервые по-настоящему, как профессионал, живу на литературный труд. И потом — я живу в том месте, где хочу жить. Я почувствовал себя счастливым, когда понял, что могу писать, умею писать. И это — безотносительно места. А когда я это понимаю, мне абсолютно все равно, что происходит вне меня. Вне моей лаборатории. И мне совершенно неинтересны проблемы большинства человечества, меня не интересует политика, заботы моих соседей.

— А какие у тебя вкусы, как у читателя, что ты читаешь?

— В последнее время — почти ничего. Когда я много пишу, я просто не могу читать. Меня это сбивает, как посторонний шум. Но когда я кончаю свою вещь, я начинаю много читать. Тогда уже я не могу из этого долго выйти, взять свою ноту. Чтение теперь мешает. Я уже достаточно много прочитал. Мне еще такое сравнение в голову пришло. Вот я думю, что меня прочитает какой-то ряд советских или русских писателей, прозаиков современных.

Или, я вот в конференции в Лос-Анджелесе участвовал, был среди этих людей. Они много сделали, их читают. Но у меня такое ощущение, что я попал на собрание лесорубов или сотрудников дровяного склада, — а я краснодеревщик, человек, который совершенно другим занимается. Я умею делать комоды, такую тонкую филигранную вещь, а они просто дрова рубят.

Вот такое у меня ощущение...

Саша, Саша — где твои комоды, где твоя филигрань, где ты сам сегодня? — дописываю я ровно четверть века спустя.

Кто-то говорил — в Канаде он, в Канаде... и вдруг — бац! Появляется интервью, взятое у него совсем недавно каким-то российским изданием — заметил я его в перепечатке, скорее всего пиратской, местной, американской.

Может, и Лимонов тогда заметил этот текст — а то он всегда при встречах спрашивал: «Где Соколов-то, не знаешь ли?» Спрашивает и теперь... Не знаю, где он, но знаю все же — где-то он есть.

И слава Богу.

Глава 10
НОВЫЙ КАПИТАЛИСТ

ЮЛИАН СЕМЕНОВ

День был как день. На наборном участке, будто переговариваясь друг с другом, попискивали компьютеры. В приемной, она совсем крохотная — стол секретаря да пара стульев для гостей — надрывно звонил телефон, почему-то никто не снимал трубку... Там сейчас два-три посетителя дожидались кого-то из наших сотрудников — кажется, тех, с кем как раз в эти минуты у нас шла рутинная редакторская летучка.

— К вам гости, из Москвы... — Людочка, извинившись, стояла в дверях моей комнаты. — Спрашивают, когда вы сумеете с ними встретиться?

ОТСТУПЛЕНИЕ ПЕРВОЕ

Из Москвы... Я никого в этот день не ждал из Москвы. Да и вообще... совсем недавно встречи с первыми посланцами новорожденной советской гласности казались — и наверное, действительно были — информативны и занятны сами по себе... Теперь же, с катастрофическим (в самом доброжелательном смысле этого определения) ростом их числа, ситуация решительно переменилась.

И надо было наскоро учиться искусству уклоняться, не нарушая этикета, от ставших здесь традиционными файвоклоков, на которых приходилось бы вежливо пожимать ладошки советских товарищей, похлопывать друг друга по плечу и изображать при этом неподдельную радость от того, что вот встретились ведь!..

Или еще так: бывало, завершив в очередной раз подобный ритуал, лавируешь между тесно стоящими гостями, незаметно пробираясь ближе к выходу и стараясь при этом не уронить картонную тарелочку с худосочным бутербродом, которой ты балансируешь на отлете. Вдруг краем глаза замечаешь: кто-то из них, помешивая ненужной уже соломкой кусочки льда в пластмассо-

301

вом стаканчике, протискивается к тебе и снова оказывается рядом.

— Ну, — как бы в продолжение незаконченного разговора склоняет он голову ближе к собеседнику, изображая своей фигурой определенную степень любезности, — так какие же у вас к нам предложения?..

Вот так... Предложения. Выходит, его появление здесь вызвано не более как желанием выслушать нас. И, может быть, потом, при удобном случае, подумать — чем же нам здесь помочь... Господь с ними, со всеми.

Словом, сообщение помощницы было мною воспринято без должного энтузиазма. Тем более, что были у меня собственные планы на оставшуюся часть дня, загодя и достаточно обдуманные. А все же... а все же — из Москвы... Ну, не условились заранее. И, может, вовсе не по делу — так, на пару минут, просто с приветом от друзей...

— Они хоть назвались, кто такие?

Людочка, как бы проверяя себя, заглянула в крохотную розовую бумажку — на таких она обычно записывает для передачи мне телефонные сообщения...

— Да, вот один — Семенов, писатель. И другой — его помощник...

— Семенов? — не понял я, — какой Семенов? Уж не Юлиан ли? — как бы пошутил я...

— Да... Юлиан.

Мы, все, кто был в комнате, замолчали. Я переваривал Людочкину информацию. Мои собеседники приготовились прервать летучку.

— Хорошо, попросите несколько минут подождать. Предложите кофе...

ОТСТУПЛЕНИЕ ВТОРОЕ

СЕМЕНОВ, Юлиан Семенович (род. 8.X.1931, Москва) — рус.-сов. писатель. Окончил Ин-т востоковедения (1953). Начал печататься в 1958. Автор повестей: «Дипломатический агент» (1959) — о востоковеде И.Т. Виткевиче, «49 часов 25 минут»

(1960), сб.рассказов и повестей «Уходят, чтобы вернуться» (1961), повестей «При исполнении служебных обязанностей» (1962), «Петровка, 38» (1963), «Дунечка и Никита» (1966), «Майор Вихрь» (1967), «Семнадцать мгновений весны» (1969). По сценариям С. поставлены кинофильмы «Пароль не нужен» (1967), «Майор Вихрь» (1968) и др.

Соч.: Новеллы, М.,1966; Пароль не нужен, М.,1966; Вьетнам, Лаос (Путевой дневник), М.,1969.

Лит.: Аннинский Л., Спор двух талантов, «Литгазета», 1959, 20 окт.; Борисова И., Чего хочет победитель?, «Литгазета», 1962, 19 апр.; Филиппова Н., Турков А., Спорить, но верить!, «Комс. правда», 1962, 19 окт.; Светов Ф., «Просто» или «не просто» детектив?, «Новый мир», 1964, № 1; Кармен Р., Так держать! Письмо в редакцию, «Литгазета», 1967, 9 мая; Сурганов Вс., Уроки истории, «Правда», 1970, 27 апр.

Так выглядел далеко не полный мартиролог моего гостя в «Краткой литературной энциклопедии», изданной в 71-м году в Москве — более поздний ее выпуск мне пока не попадался. Да. А ведь с той поры прошло без малого 20 лет...

* * *

— Ну, привет! Как дела? — приветствие Семенова звучало так, будто мы в прошлый раз виделись с ним вчера. Его спутник, пожав руку, присел на стул, устроив его сбоку и чуть позади Семенова. Молодой, мне показалось — лет тридцати с небольшим, славное интеллигентное лицо... И в этот раз, и при нашей встрече на другой день, он больше отмалчивался.

А я краем глаза наблюдал, как он вытаскивал наугад из стопки последних выпусков «Панорамы» случайные ее номера, рассматривал их, будто вовсе и не участвуя в нашей беседе, но вдруг, в каких-то ее местах, когда Семенов умолкал — то ли подыскивая нужное слово, то ли пытаясь вспомнить чье-то имя или дату события — как он легко завершал оборванную Семеновым фразу нужной справкой. И я не могу вспомнить, чтобы Семенов, не согласившись, возразил ему...

— Александр Плешков, мой ближайший помощник и заместитель по всем новым начинаниям, — представил его Семенов, одновременно вываливая из пузатого портфеля на мой стол с полдюжины поблескивающих черными глянцевыми обложками томиков.

— Вот, смотри: это — первые три тома серии «Детектив и политика» — издание московской штаб-картиры Международной ассоциации детективного и политического романа, — быстро надписывая мне на память титульные их листы, демонстрировал Семенов вполне прилично изданные книжки.

Я взглянул на оглавление первого сборника: Гийом Аполлинер — прозаическая новелла «Матрос из Амстердама» открывала собою рубрику СОСТАВ ПРЕСТУПЛЕНИЯ. В других разделах я обнаружил очерк Гдляна и Додолева — журналист, вероятно, помогал литературной записью известному своими разоблачениями следователю — «Узбекское» и прочие скандальные дела с главными действующими лицами из числа советской правящей элиты... (Господи, прости мне этот принятый на Западе трюизм, — подумалось по завершении последней фразы: какая уж там «элита»...) Потом шел отрывок из цикла «37—56», принадлежащий перу самого Семенова, и ...рассказ Лимонова «Дети коменданта» — без ссылки на «Панораму», в которой он был впервые напечатан — кажется, с год тому назад...

— А вот, — продолжал мой гость, развертывая газетные листы формата нашей «Панорамы», — вот наша новая газета, пока ежемесячная, название ее — «Совершенно секретно», потому что в ней будет публиковаться впервые, — Семенов поднял вверх указательный палец, как бы обращая мое внимание на значительность того, что он готовился сказать — все, что у нас было НЕЛЬЗЯ.

Я разглядывал газету, гости молчали.

— Ну, и что будем делать? — прервал молчание Семенов.

— А что... что, собственно, мы должны делать? — смешался я.

— Как это «что?» Мы должны сотрудничать!

— Должны? — опять не понял я. — Допустим... А в чем?

— В чем?! — удивился моей непонятливости Семенов. — Вот, например, у нас нет бумаги, а у вас ее навалом. И с набором у нас пока проблемы...

— А как у вас с долларами? — стал нащупывать я для Семенова почву, на которой, как мне казалось, его издание могло бы в Америке стоять достаточно твердо. «— Кто знает? — думалось мне. Человек он, конечно, многоопытный... за границей его видят чаще иного советского дипломата... Но писатель ведь, романист...»

— Доллары-то у меня есть, — нисколько не удивившись моему полунамеку, быстро отреагировал Семенов. — Я их экономлю для своих ребят, — он кивнул на Плешкова, — должны же и они ездить!

Против поездок Плешкова и других коллег Семенова я не возражал.

Разговор продолжил молчавший до этого Плешков:

— И вообще... мы сегодня не видим никаких препятствий к диалогу со всеми русскоязычными изданиями, которые выпускаются здесь...

Семенов не дал ему договорить:

— Мы готовы сотрудничать с армянскими изданиями. С еврейскими изданиями. Поскольку мы мучительно ищем бумагу...

Я все еще не улавливал связь между неожиданным визитом и желанием моих собеседников сотрудничать с зарубежной прессой, с одной стороны, и хроническим недостатком бумаги в советских издательствах — с другой...

— Разве что, — думал я, — разве что и впрямь разверзшиеся перспективы сотрудничества с советскими коллегами побудят местных издателей открыть свои закрома: а там — дух захватывает! — аппетитно поблескивают округлыми формами многотонные рулоны типографской бумаги... тысячи рулонов... Хотя нет, вряд ли распахнут — я-то их, своих американских коллег, знаю.

Тем временем наша беседа замедлила темп, предмет ее стал как бы истончаться — как тот самый рулон типографской бумаги, подходящий к концу в печатной машине. Наверное, происходило это по моей вине: потому что я никак не мог взять в толк, чем все же я могу быть полезным моим неожиданным и вполне приятным собеседникам? Разве что решусь бескорыстно поделиться с ними скромными ресурсами нашего издательства...

И тогда я подумал, что надо бы продолжить нашу встречу на следующий день. «Почему бы, — подумал я, — не предложить Семенову, известному писателю, человеку незаурядному и информированному, встретиться специально, побеседовать не наспех».

— Конечно! Больше того, — подхватил мысль Семенов, — мы потом сможем одновременно опубликовать текст в наших изданиях, ты — здесь, а я — у нас...

На том мы и условились. Тем более что моим гостям вскоре предстояла встреча, на этот раз оговоренная заранее, где-то в Голливуде, где вроде бы предполагался к постановке фильм по сценарию Юлиана Семенова.

* * *

И настал день второй. Мы, уже никуда не торопясь, снова сидели вокруг моего стола, пили скверный, сваренный «по-американски» кофе и неспешно переговаривались. Потом с общего согласия я пристроил на ножку студийный микрофон, направив его овальное рыльце в сторону моих собеседников, и нажал магнитофонную клавишу записи.

— Дорогой Юлиан, вот несколько вопросов, — начал я официально, не подозревая еще, что наша сегодняшняя встреча затянется не на один час.

— В связи с изданием, которое тобою сейчас начато...

— Изданиями, Саша! — укоризненно уточнил Семенов.

— Ну да, — поправился я, — изданиями. В частности, с новой газетой — названной тобою «Совершенно секретно», и другими... Недавно у нас гостил Виктор Ерофеев, он рассказывал о состоянии издательских дел в СССР, но больше об изданиях элитарных — и в частности, той литературы, которая до последнего времени в стране не публиковалась: об издании трудов российских философов, о той части художественной литературы, которая по разным причинам была недоступна советскому читателю. Сегодня мы, наверное, будем говорить о книгах, которые ждет массовый читатель?.. Тот, например, кого интересуют детективы...

— Ну, Саш... — как бы не соглашаясь с самой постановкой вопроса, густым баритоном протянул гость. — Давай, для начала, я еще раз представлю тебе моего друга Александра Плешкова — первого моего заместителя и в газете «Совершенно секретно», и по серии «Детективы и политика». Этот человек из первых поверил в то, что я затевал, и без его помощи дело бы просто не состоялось. И еще я хочу заочно представить тебе членов нашей редколлегии, совершенно молодых ребят, но очень нужных для советской журналистики... и литературы, — после небольшой запинки добавил Семенов, — таких, как Артемка Боровик, Евгений Додолев, как Лиханов... понимаешь, старик, — перешел он на совсем уже доверительный тон, — я боюсь этой фурмулировки — массовый читатель, — потому что, как ты знаешь, у нас манипулируют не словом, а дубиной.

Я замер, ожидая продолжения фразы.

— И дубина «массовая литература», «массовое искусство» — это весьма, я бы сказал... с моей точки зрения, это — РАСИЗМ в литературе!

— Я не хотел сказать «ширпотреб», но сейчас мы говорим именно об этом, — испугавшись употребленного Семеновым определения, попытался оправдаться я. — Потому что, — продолжал я, — при всем моем уважении к твоему жанру, не станем забывать, что есть вещи, которые читает широкая публика, и есть другие вещи, которые какой-то части читательской аудитории неинтересны... или недоступны. Сейчас же мы говорим о жанре, который доступен всем, что есть безусловная заслуга этого вида литературы, — ну хотя бы потому, что гораздо лучше, когда человек читает, нежели, к примеру, пьет горькую. И, может, не столь уж существенно при этом, какого уровня литературу он читает...

— Точно! — быстро согласился Семенов. — Но этот жанр литературы создал не Семенов, естественно, и даже не Конан Дойль. Его создали Аристофан и Шекспир. И Лермонтов в «Тамани». И Достоевский — в «Преступлении и наказании». Уговоримся сразу: если это литература, которая овладела массой, — она несет в себе нечто! В строках, как сейчас, или между строк, как раньше — в брежневский и в сталинский период...

И слава Богу, исполать ей — эта литература крайне нужна, она одна из самых нужных литератур. И она может быть не просто сиюминутно нужной, но даже пророческой! Грэм Грин — кстати, почетный президент нашей европейской ассоциации «Детектив и политика» — да это он ведь предсказал в «Тихом американце» начало трагедии там, во Вьетнаме! И он же в «массовой литературе» — «Наш человек в Гаване» — предсказал, так сказать, падение Батисты.

Я не решился прервать собеседника напоминанием того обстоятельства, что в свое время Грэму Грину был запрещен въезд в США за крайне антиамериканскую направленность его литературной и общественной деятельности. Сегодня, в контексте нашего разговора, невольно подумал я, имя этого популярного писателя, может быть, все же не самый удачный довод в пользу ассоциации «Детектив и политика». По крайней мере, ее европейского филиала... Однако я промолчал, и Семенов продолжал:

— Так что наша литература... мы к ней относимся очень серьезно — именно потому, что она рассчитана на массового читателя, — закончил он фразу. — Мы публикуем материалы, которе несут на себе печать какой-то секретности и тайны, а рядом печатаем экономические обзоры. Мы боремся за свободный рынок. Да, мы понимаем, что сейчас сломать Госплан, сломать плановую структуру совершенно невозможно... (Как, однако, быстро летит время — оказалось, возможно: сломали, и еще как. Другое дело, что воздвиглось на ее месте... — *А. П.*) Да, наверно, и не-це-ле-со-о-бразно, — с расстановкой, придающей особенную значительность этому слову, произнес Семенов.

— Да... но вот мы все же боремся за рынок. Казалось бы, ну какое это имеет отношение к массовому читателю... ан нет, имеет! — с энтузиазмом завершил мысль Семенов. — Мы получаем огоромное количество писем по этому поводу, продолжал он. — Значит, это интересно. Что же касается литературы нашего жанра, если брать чистый детектив, то ведь согласись с тем, что во времена Сталина наша литература была запрещена — последний детектив был, если можно это назвать детективом, «Мисс Менд» Шагинян.

До этого был гениальный детектив, политический триллер (Семенов произнес thriller подчеркнуто чисто, демонстрируя, мне показалось — ненамеренно, близкое знакомство с английским) — это был «Гиперболоид инженера Гарина». Потом все кончилось.

А началось-то все, прости меня, с Нилина. Жестокости испытательного срока... И все это было написано в жанре детектива. Детектив — это вторжение в массу! Понимаешь, ну, как это говорится: когда идея овладевает массами, тогда создается новая ситуация. Так что мы относимся к этому жанру серьезно и пытаемся быть барьером на пути к халтуре. И, действительно — чем больше людей вовлечено в политику, тем лучше для страны, — совершенно неожиданным пассажем завершил этот тезис Семенов.

— Ну, хорошо, — перешел я к другой теме, — а что это за Международная ассоциация?

— Три издания — это результаты ее труда, — начал рассказывать Семенов. — Сначала мы, представители детективного жанра, встретились на Кубе. А потом — в Мексике, где собрались мексиканцы, уругвайцы, кубинцы, испанцы, американцы... это было три с половиной года тому назад. И там мы сконструировали концепцию организации. Понимаешь, писатели есть скорпионы, и ты это прекрасно знаешь, но мы попытались собрать «брадерхуд» (братство — А.П.), — опять не без изящества употребил английский Семенов. — Мы, — продолжал он, — люди жанра, который третируется — и в Соединенных Штатах, кстати, тоже. Да, да, да!.. — заметив мой протестующий жест, быстро заговорил Семенов, — сплошь и рядом.

Понимаешь — особенно для молодых ребят это секонд-хэнд арт, секонд-хэнд литерачер... да. Так вот мы против этого — мы собрались и создали то, что по-русски называется Международная ассоциация детективного и политического романа, по-английски — Интернэшнл крайм райтер ассосиэшн, по-испански — Ассоционе интернациональ эквиторес полисьякос, по-французски... (Тут я чувствую себя вынужденным сдаться — доверившись тем читателям, чье знание французского позволит безошибочно произнести на этом языке название ассоциации, в русском же сокращенно обозначенное трехбуквенной аббревиатурой «ДЭМ»).

А Семенов продолжал:

— Понимаешь, я вздрагиваю, когда слышу «литература полисьякос»! — Он рассмеялся, но быстро стал серьезным. — А что делать, если латиноамериканский, испанский континент не приемлет слово «детектив»! Как, между прочим, его сплошь и рядом не приемлют в СССР... Так вот, создали мы эту ассоциацию...

— Конечно, надо уточнить, — вставил Плешков, — что основная идея... что «драйвинг форс» (движущей силой. — *А.П.*) при создании организации был он сам, Семенов. Он был силой, сплачивающей вокруг себя людей, он знал их раньше — что очень важно...

— Но когда организация перестала быть ассоциацией двадцати сотоварищей, — продолжил Семенов, — а расширилась до сотен людей, возникли кое-где разговоры: Семенов? КГБ, ЦК, рука Москвы... И я — а у нас только что кончился конгресс в Акапулько — подал в отставку с президентского поста. Чтобы, понимаешь, спасти эту организацию — первую международную организацию писателей жанра, в котором всегда есть конфронтация — условно говоря, «красные» и «белые».

— А не означала ли эта отставка, — глаза мои светились наивным любопытством, — не означала ли она признания того, что действительно — «рука Москвы», действительно, «КГБ» и прочее?.. Сложилась ведь точка зрения, что поскольку Юлиан Семенов имеет доступ к таким источникам информации, к которым другие, работающие в жанре детектива, его не имеют...

— Не-е, не-не, милый, — не дал мне договорить Семенов. — К этому источнику информации имел доступ Вася Аксенов: помнишь — Горпожакс? (Тут моего собеседника, видимо, подвела память. Семенов имел в виду выполненный в жанре детектива роман «Джин Грин — Неприкасаемый», авторы которого Горчаков, Поженян и Аксенов укрылись за псевдонимом Горпожакс. И поскольку роман носил пародийный характер, авторам его, как позже засвидетельствовал в разговоре со мною Аксенов, ни за какими допусками и никуда обращаться не было надобности. — *А.П.*). А здесь писали «про ЦРУ проклятое», которое уничтожает и мучает людей... Что ж, авторы — они все цереушники, что ли?

А Толя Гладилин, который написал книгу «Вечная командировка» — о контрразведке и так далее... Я его, кстати, недавно встретил в Париже. — Семенов произнес конец фразы с нежиданно теплой интонацией, которую с одинаковым основанием можно было отнести и к французской столице, и к живущему там уже много лет Гладилину, заметки которого время от времени украшают страницы нашей «Панорамы».

— Так вот, видишь ли... — после недолгого молчания продолжил Семенов, — ваши странные американцы, итальянцы и французы избрали меня вот только что, когда я подал в отставку, пожизненным почетным президентом-создателем этой ассоциации. А теперь я, так сказать, абсолютно отошел от дел... руководят сейчас мексиканцы, американцы, канадцы — я ушел в сторону.

И тут я, кажется, проявил полную неделикатность:

— Ну, а все-таки, — спросил я его, — имеют ли хоть какие-то основания под собою эти разговоры, возникающие вокруг твоего имени?

— Старик! — Семенов даже привстал из-за стола, — ты понимаешь, старик, — голос его звучал почти страдальчески, — мне надоело развивать этот вопрос! Откровенно тебе говорю: я генерал-лейтенант КГБ. В мои задачи входят диверсии и дезинформация. Ну, что я тебе могу ответить еще? У меня на счету вот здесь, в банках Лос-Анджелеса, три миллиона долларов, и я содержу разведывательную сеть. В Голливуде, в основном. Чтобы они делали фильмы про советскую власть. И про необходимость победы перестройки в Калифорнии.

— Ну тогда я как добропорядочный американец должен немедленно настучать на тебя, как минимум, в налоговое управление, — принял я шутку с подачи Семенова, — потому что с этих твоих миллионов наверняка не были уплачены налоги...

— А вот пускай ищут, как они здесь лежат.

— Надо еще добавить, — вмешался Плешков, — что он уникальный генерал-лейтенант, потому что, будучи беспартийным и полурусским...

— Скажем так... — приготовился продолжить фразу Семенов.

— Нет, ну почему, все возможно во времена перестройки... и даже до нее, — опять голубея глазами, сказал я. — Вот ведь есть товарищ Луи, например (Виктор Луи — советский журналист, по нацио-

311

нальности еврей, имевший официальный статус корреспондента зарубежных изданий, был известен в западном мире своими связями с советскими правительственными органами пропаганды и, как многие считают, с Комитетом государственной безопасности. — *А.П.*). Прецедент...

Мои собеседники помолчали. Стало ясно, что и эта тема себя исчерпала.

— Я ведь задал вопрос, — произнес я, совершая мягкую посадку с головокружительной высоты, на которую вознес нас свободный полет мысли, — я задал вопрос для того, чтобы услышать на него ответ. В какой-то форме я его услышал и могу больше не возвращаться к этой теме. Но почему вообще возникли эти разговоры? Как ты думаешь, чем они вызваны?

— Моими романами, — быстро ответил Семенов. — Но ведь получается так, что Мартин Голдсмит, которого мы принимали в гостях и чей «Парк Горького» печатаем, получается, что он должен быть старшим лейтенантом ФБР (Семенов произнес на американский манер — Эф-Би-Ай). Да, да, если он в этом романе проявил такое знание... («Парк Горького» — детективный роман американского писателя. Действие романа развертывается, в частности, в Москве, в нем участвуют разведки СССР и США. — *А.П.*).Ну, в общем, мне эти разговоры надоели. Это, во-первых.

И во-вторых: было бы гениально, если бы я был генералом КГБ. Или даже полковником. Хорошая пенсия, между прочим. Хорошая пенсия... — задумчиво повторил он, — и мне будет из чего платить своему шоферу и няньке в Ялте на даче. Хотя сейчас очень цены повысились, овес подорожал... А вот то, что мне позвонил Андропов после моего первого романа «Пароль не нужен» и поздравил меня, и потом пригласил к себе, и я у него был — это правда. Он тогда мне сказал грандиозную вещь: «Слушайте, а вот я посмотрел фильм "По тонкому льду". Это роман нашего работника (он в чека работал, Брянцев... Жора Брянцев). И вы написали сценарий. А там торчат чекистские уши. Зачем вы это сделали?»

Я говорю: «Мне нужно за дачу расплачиваться, Юрий Владимирович». А он: «Не делайте этого, пишите свою литературу, как вы написали "Пароль не нужен". Роман о Блюхере и Постышеве...» — Более того, я могу тебе рассказать, и это будет интересно — сейчас я буду это публиковать в Советском Союзе. Я его просил о допуске к архивам.

На что он мне после долгого молчания сказал: «Ну слушайте, вы же сепарейтед» (наверное, Андропов сказал это по-русски — «не живете с женой», но Семенов произнес именно так — separated). — «Да, я не разведен с Катей (Екатерина Сергеевна Михалкова-Кончаловская, жена Ю.Семенова, мать двух его дочерей. *—А.П.*), — согласился я. — Ну и что?» — «Вот, вы не живете вместе. И все мы про вас знаем: вы много путешествуете, вы не чужды застольям... Ну какой вам смысл держать в голове высшие секреты государства? У вас есть фантазия, и сейчас появляются книги, более-менее приближающиеся к этой».

Он постучал пальцем по томику Плеханова, который был заложен белыми, красными и синими штучками. «— Фантазируйте!..» — В общем, объясняться по этому поводу я ни с кем не хочу! — снова распаляясь и с нажимом произнес Семенов. — И замечательно! Пускай считают трижды генералом! Лучше бы еще — маршалом! — Ну, хорошо... — Мы оба с облегчением рассмеялись. — А вот сейчас, в эпоху гласности — упростилась ли задача пишущих на тему о работе, например, советской милиции. Трудно ли кому-то другому — не Семенову, а Иванову, Петрову...

— Но вот братья Вайнер прекрасно писали...

— Это опять имена... Есть их несколько человек. А вот если новый начинает писать... и хочет разузнать, скажем, о работе той же Петровки? Здесь у нас существует закон о свободе информации — то есть любой гражданин США имеет право затребовать в ФБР досье, ну, хотя бы на самого себя. И ему его дадут, а если нет — он будет судить ФБР...

— Минуточку, — не согласился Семенов, — Грэм Грин показал мне досье на самого себя, которое он с трудом через адвоката получил в ФБР, хотя директор ФБР мистер Сэшн — мой автор, он печатался в первом номере «Топ сикрет». Но там было многое черным зачеркнуто. Он говорит: «Я пытался и на просвет посмотреть, и в отраженном свете — ничего не видно!»

— Может, там, — предположил я, — были замараны фразы, которые не имеют к нему прямого отношения? — Моя попытка заступиться за американскую демократию, кажется, успеха не имела:

— Я думаю, что там были упомянуты имена стукачей, которых надо спасти и вывести из дела, понимаешь? — удачно возразил мне мастер жанра. — Так что тут не так уж все просто, — не без ехидцы добавил он.

— Нет, но все-таки, может ли у вас сегодня любой прийти на Петровку и сказать: «Ребята, меня интересует дело» — ну, не Леньки Пантелеева, а что-то более свежее?

— Так и происходит! Наши молодые так и делают. Они приходят не только в пресс-бюро МВД или КГБ, которые созданы для того, чтобы помогать журналистам...

— Вот как раз через эти пресс-бюро, через них-то можно многие вещи и не получить — Бог с ними. Но благодаря своим личным связям, они устанавливают прямые отношения и получают значительно больший доступ, чем там, — это уже говорил Плешков.

Семенов, выслушав реплику своего помощника, продолжил:

— Но, видишь ли, старик, при том при всем, когда я писал «Петровку, 38», после которой часть интеллектуалов перестала подавать мне руку — я же написал «о жандармах, сыщиках», как, мол, Семенову не стыдно... а ведь я впервые, по-моему, рассказал в этой повести о московском подполье, о наркоманах в Москве, о проституции в Москве, о мафии в Москве — это было в 63-м году, кстати говоря.

Здесь эта книга издавалась 5 раз, и были прекрасные критические заметки, даже в журнале «Таймс» — журнал вышел с моим портретом на обложке, что у них здесь считается крайне важным. Вообще, все получилось очень смешно, я не собирался этого писать... А было так. Я возвращался с Северного полюса в очередной раз, ехал из аэропорта в машине, меня остановил милиционер и сказал: «У тебя морда красная». А я не спал 25 часов, полет был длинный. И он у меня потребовал штраф.

Я ему: «У меня денег нет, я с Северного полюса лечу!» И он отобрал мои права. Было это в воскресенье, и я в ярости понесся на Петровку — а тогда еще к красному мандату корреспондента относились уважительно. Я им говорю: «Где ваш начальник?» Пришел маленький такой человек, цыганского типа. Это был генерал Иван Парфентьев, начальник МУРа — он дежурил тогда. Ну, я на него наорал, а он говорит: «Да вернем мы тебе права, дадим мы тебе еще одни запасные! Ты же посмотри, они у меня нищие все, сыщики старые перелицовывают пиджаки, потому что когда за щипачами ходят в троллейбусе, у них все пуговицы отрывают... а мы им костюм дать не можем запасной». Понимаешь — возникла тема.

Вот и сейчас наши ребята — Женя Додолев, например... — перешел к злобе дня Семенов. — Он работал с прокуратурой по всем этим делам, выезжал в Узбекистан, в Таджикистан... То есть сейчас все это открыто существует, и ко всему этому — я стучу по дереву — есть доступ.

Юлиан, действительно, постучал костяшками пальцев по доске моего стола, как бы подытоживая сказанное выше. Выглядел его жест убедительно, и я счел возможным перейти к следующему вопросу, который давно держал в запасе: я попросил его поподробнее представиться нашим читателям. Ну, разумеется, знают они его по имени.

И еще, они знают, что он автор десятков теле- и киносценариев, следящие за местной прессой знают, что причислен он ею к самым богатым советским гражданам — журнал «Пипл», как раз за пару недель до нашей встречи, посвятил несколько страниц ему самому и описанию принадлежащих ему домов, квартир, дач и прочего имущества. Открывался этот раздел журнала фотографией Семенова...

* * *

— Ну, а о себе расскажи все же, Юлиан... — Я, кажется, сказал ему «Юлик», — так уж было принято обращаться к нему в писательских кругах или когда в разговоре вспоминали его.

— Стари-и-и-к... — протянул Семенов, — этого я не умею. Это умеют делать американцы. Я пишу книги. И, кстати, меня избрали пожизненным президентом ассоциации по предложению не советских и не социалистических, а, так сказать, общекапиталистических писателей. Сейчас я пытаюсь помочь Горбачеву. Помочь перестроечным процессам, которым нелегко в стране. А реальная помощь, с моей точки зрения, — это бизнес, потому что бизнес по своей природе очень демократичен.

До недавнего времени, как тебе известно, слово «бизнес» в нашей стране было полуругательным. И я всегда поражался тому, что у нас избегают слова «предпринимательство». Я специально залез в словарь Владимира Даля. Для меня Даль — как Хемингуэй, как Пушкин, как Библия, как Ленин! Вспомним 21-й, 22-й годы, концепцию новой экономической политики...

Так вот, слово «предприимчивость» — это маленькие дела по Далю. «Предпринимательство» — это большие дела. Бизнес сокрушает, так сказать, двухсторонние «железные занавесы», потому что на Западе, ты это знаешь, очень много людей, которые боятся русских, не верят русским... Основания там, не основания — это другой разговор. Но вот это надо проламывать. Бизнесом!

— Извини, — изловчился вставить я, — но если сегодня у вас, «на Востоке» сами русские не верят русским, чего уж говорить о Западе!.. Сами себе не верите... Ну, ладно. Вернемся все же к твоей биографии: как ты стал писателем, известным писателем, может быть, даже самым известным писателем в СССР?

Семенов ненадолго задумался.

— А издательство, которое ты организовал, — спросил я его, — оно является кооперативным, или это какая-то новая форма, неизвестная еще ни на Западе, ни у вас?..

— Совершенно верно, — ответил Семенов, — это новая форма, неизвестная ни на Западе, ни у нас. Причем, у меня уже два издательства: одно — это «джойнт венчур кампани» — опять перешел на английский Юлик, — первое совместное издательство. Советский Союз — с Францией. С капиталистической страной. То есть Запад с Востоком. И президент «борда», правления, — беспартийный писатель Юлиан Семенов.

Понимаешь, это в общем беспрецедентно! Опять-таки, это возможно, естественно, только при Горби (он как-то особенно вкусно произнес — «Горби»). А к кооперативному издательству я не имею никакого отношения. Не потому, что я против кооперативов — это моя надежда, кооперативы! — Сейчас голос Семенова звучал энтузиазмом первых недель нэпа: казалось, гордая медь валторн несла откуда-то из давнего далека: «Куем мы к счастию ключи-и-и!..»

— В данном случае, — где-то почти под потолком плыл голос Юлиана, — я готов повторять Ленина: если мы станем страной цивилизованных кооператоров — мы построим социализм! Спорь с этим... не спорь... неважно — я ставлю как раз на эту концепию.

Мы чуть помолчали: я — оценивая услышанное, Семенов — как бы что-то припоминая.

— А второе издательство, — продолжил Семенов, — это тоже беспрецедентное: московская штаб-квартира Международной ассоциации имеет свое издательство. Вот мы запускаем пятитомник Агаты Кристи. Затем мы выпускаем трехтомник Грэма Грина.

— А экономические аспекты такой организации — какую жизнь они диктуют издательству? — напрямую спросил я Семенова. — Допустим, государственное издательство имеет выделенные ему в плановом порядке бюджет, фонд заработной платы, бумагу, типографские мощности. Что происходит в данном случае — существуют ли штатные сотрудники, которые работают, готовят рукописи к изданию? И выпускающие, которые осуществляют связь с типографией? Бухгалтер, который чего-то там должен считать и учитывать? За счет чего они существуют, кто им платит?

— Плачу всем я, — коротко ответил Семенов.

— Из своего кармана? — уважительно поинтересовался я.

— Почему? — обиделся Юлиан, — из первой прибыли! Сначала я взял в банке 200 тысяч кредита, как я тебе рассказал, для серии «Детектив и политика»...

— То есть как? — удивился я, — издательства-то еще не было! Значит, ты получил в банке кредит, не обеспеченный каким-либо имуществом?

— Совершенно верно: в данном случае дали кредит, видимо, под Семенова.

— Но не лично же Семенов получил этот кредит? — продолжал волноваться я, изумляясь возможностям, открывшимся перед советскими издателями. — Не на свое же имя ты его взял? Организация его получила?

317

— Московская штаб-квартира Международной ассоциации — она получила кредит. Моя организация.

— И для этого потребовалось какое-то решение Совмина или хотя бы Госплана?..

— Для этого потребовалось мое письмо и сообщение в газетах о том, что я был избран в Мексике на эту должность.

— Письмо кому?

— В Министерство финансов.

— А отдел пропаганды ЦК или подведомственные ему службы в этом деле не участвовали? Комитет по печати, например?

— Абсолютно! Например, когда я создавал ДЭМ, совместный советско-французский проект, ко мне позвонили вааповцы (ВААП — Всесоюзное агентство по охране авторских прав, образованное в 1973 году. — *А.П.*) и сказали: «Все издательства нам платят». А я им сказал: «Мы платить ничего не будем: мои французские партнеры будут против». И они это приняли очень спокойно. Понимаешь?.. Но, конечно, если бы не Фалин, который тогда был директором АПН и которого я очень высоко чту, если бы не его поддержка — он же мне дал комнатку в АПН, чтобы я мог связываться с коллегами — где у меня факс, где у меня телекс? — понимаешь...

— И сколько же у тебя сейчас сотрудников?

— Я тебе на этот вопрос отвечать не буду. Потому что если я тебе скажу, ты можешь не поверить. Значит так... В «Детективе и политике» четыре, нет шесть... штатных. А на договоре уже человек 15.

— Ну и они получают, как положено, заработную плату?..

— Не как положено, а как я захочу! — не дал мне договорить Семенов. — Вот сейчас был Женя Додолев с нами в Мексике, был Артемка Боровик, и был Дима Лиханов. Это три самых ведущих молодых журналиста (не смею здесь редактировать прямую речь Юлиана: видимо, он знал, что говорит, именно так у него и прозвучало — «самых ведущих»). Они в «Огоньке» все работают. Но у меня они — члены редколлегии.

А Дима Лиханов перешел ко мне. Надо только посмотреть, как он выступает, как он точен в своей позиции, как он агрессивен в своей журналистике. Я просто взял и прибавил ему зарплату. У меня нет накаких штатных расписаний — сколько у меня должно быть людей, сколько я должен положить заработной платы. Мы создали директорат...

И ЕЩЕ ОДНО ОТСТУПЛЕНИЕ, ВЫНУЖДЕННОЕ

Незадолго до нашей с Семеновым встречи попал мне в руки январский выпуск издаваемого в Израиле журнала «Круг», а в нем — публикация, посвященная сыну известного журналиста-международника Генриха Боровика, Артему. Надо же, подумал я, прочтя эту статью, не везет семье Боровиков — сначала у отца были за рубежом неприятности, сейчас — у сына. Хотя, иные говорят, бес парня попутал — он, мол, от доброго сердца хотел навести мосты между семьями ребят, отбившихся в Афганистане от своих однополчан, и ими самими.

То Фалин, то Боровик... Вот ведь, в каком окружении приходится трудиться. Может, в конце концов, оттого и распущены слухи завистниками талантливого писателя?.. — размышлял я, пролистывая израильский журнал.

Писалось это, когда Боровик-младший только еще завоевывал известность, но уже заявил о себе как об одном из самых талантливых российских журналистов той поры. Жаль парня...

* * *

— А налоги государству вы платите? С сотрудников, например, налог подоходный удерживаете? — продолжал я расспрашивать Семенова.

— Все должны платить. Кроме меня — потому что я получаю рубль зарплаты в год. Это для того, чтобы быть полностью независимым, — ответил Семенов.

— Я говорю вот о чем: скажем, тысячу рублей получает там Вася или Петя. Ему бухгалтер зарплату выписывает?

— Деньги он получает у бухгалтера. А сейчас мы переходим на американскую концепцию — каждый сам декларирует свои заработки. Но пока только идет обсуждение. Я был категорически против налогов с писателей. Тогда, сказал я, запретите по телевидению показывать «Ясную Поляну»...

Признаюсь, будучи много лет оторван от союзного телевидения, я не понял этот тезис, но и уточнять его смысл не стал, поскольку очень уж здорово меня задело нынешнее обилие свобод в издательском деле, что следовало из рассказа Семенова. И мои собственные двадцать с лишним лет, потраченные там, как теперь выяснялось, в сугубо застойной суете московского издательского мирка, сейчас казались загубленными совершенно напрасно.

— А при выпуске газеты «Совершенно секретно» существует какая-то предварительная... читка — не сотрудниками редакции, а где-то на стороне? — осторожно поинтересовался я.

— Называй цензуру своим именем, — расправил плечи Юлиан, как бы представив перед собою представителя этой живучей организации. — Она никем не отменена! И по-прежнему существует Главное управление по охране государственных тайн в печати...

— И рукописи приходится тащить туда?

— Видишь ли, да... Но они... как бы это сказать... мы — международная организация, но мы оперируем на территории СССР. Значит, мы должны руководствоваться законами Советского Союза. И мы отправляем рукописи в цензуру. В Главлит, — поправился он. — Но вот пока у меня не было ни одного столкновения с ними. И вообще, должен тебе сказать: я защищал цензуру — может, потому, что мне повезло и я, вот как Симонов, допустим, как Чаковский (А.Б.Чаковский — бывший главный редактор «Литературной газеты». — *А.П.*), я мог ходить напрямую даже во времена Брежнева. И драться за фразу!

Все остальные шли только через издательство. Понимаешь, старик, ведь самое страшное — это прежде всего самоцензура. Вот есть у меня такой роман «Бриллианты для диктатуры пролетариата». Помню, я пришел с ним к одному очень либеральному издателю, а было это в 71-м году. Сюжет романа вкратце выглядел так: семья, где один брат — резидент ЧК в Ревеле, один — заместитель Уборевича по политчасти, один — умер от голода в Воронеже, буду-

ЖИТЕЛИ ВОЛШЕБНОГО МИРА

Середина 90-х, Беверли Хиллз. Галерея. Здесь проходит выставка-продажа картин Михаила Шемякина (он в центре). Между художником и автором – актриса Наталия Андрейченко. Справа – Сарра, жена Шемякина; крайняя справа – Наталья, вдова Савелия Крамарова

2003. «Золотой орел» – это серьезно! Эллину Быстрицкую – рядом с ней Мессерер и автор – представлять не нужно, она, как всегда, прекрасна

2005, Лос-Анджелес. Олег Видов и Григорий Гладков в гостях у автора

Лос-Анджелес, конец 90-х. Лариса Голубкина дома у автора с Анатолием Гладилиным и Владимиром Вишневским

Начало 90-х, Лос-Анджелес. Армен Джигарханян не чужд доброго застолья, в данном случае – в компании с Еленой Соловей и автором

Москва, 1991, ресторан МИДа. Автор впервые за 16 лет оказался в Москве: А. Битов, Р. Ибрагимбегов и его супруга Шухрет, справа В. Бегишев с супругой Витой; автор, за кадром, с фотоаппаратом…

Лос-Анджелес. Середина 90-х. Автор представляет Людмиле Гурченко особенности американской кухни

...она оказалась способной ученицей

Нана Джоржадзе в гостях у автора – не только режиссер, но и актриса – блеск!

Лос-Анджелес, 1995: во дворе дома у автора. Александру Ширвинду только что вручена курительная трубка Довлатова – юбилейная дата Шуры пришлась на его приезд в США

Нью-Йорк, конец 90-х. Художники, мастера перформанса «Митьки» прибыли из Питера на наш континент – здесь их уже тоже знают

Нью-Йорк, 1980. Вагрич Бахчинян (в центре) оформил «ЦДЛ» Льва Халифа (крайний слева), только что изданный в Лос-Анджелесе «Панорамой». Мы рассматриваем томик новой книги

По тому же поводу вручен такой же сувенир Михаилу Козакову – трубка Довлатова

После многочасовой беседы-интервью с Еленой Кореневой

1993, Лос-Анджелес. Дома у автора, где жил Булат Окуджава, собрались замечательные люди:
Элем Климов (он справа от Ольги Окуджавы), рядом с ним Ираклий Квирикадзе

Лос-Анджелес. Михаил Козаков, Елена Коренева, автор, Алена Аржаник, Ирина Суслова

Калифорния, Бэлл-Эйр – в «дворянском гнезде» Андрона Кончаловского. Жить можно везде!

Там же, в Калифорнии. У Кончаловского совсем недавно родилась дочка

Москва, 2004. Старый Арбат: на открытии памятника Окуджаве автор встретил Владимира Меньшова и Веру Алентову – совсем недавно они гостили у него в Калифорнии

Москва, 2005. Дома на Грузинской улице у Андрона Кончаловского, пятнадцать лет спустя

Савелий Крамаров осваивается с американским образом жизни

Начало 80-х, Санта-Моника. Актеры только что вернулись из Нью-Йорка со съемок фильма «Москва на Гудзоне» – Савелий в центре, Олег Рудник второй слева, рядом с автором, и Элия Баскин

Годы восьмидесятые. Ухо Крамарова на месте, прижилось. Да здравствует американская скорая помощь!

Автор дома с Савелием и Володей Долинским

Савелий обожал дочку Басечку…

Эту записку автор нашел, вернувшись из недолгой поездки, – пока Савелий жил у него дома и присматривал за доберманом Фобосом – это его он «накормил»

С Борисом Сичкиным они были, что называется, не разлей вода…

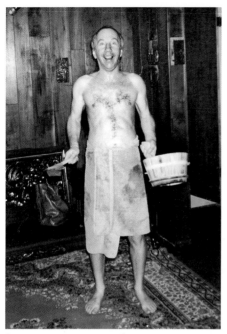

Савва не чурался сауны, любили мы
и подурачиться

Середина 90-х. Мы – трезвенники:
спинами к бару…

Конец 80-х. С Васи-
лием Аксеновым
на футуристическом
фестивале, устроен-
ном Калифорнийским
университетом

Середина 90-х, во дворе дома у автора. Далек был настоящий Савелий от созданного им экранного образа хулиганистого придурка! С ним и Булат беседовал с удовольствием. Крайний слева на снимке Яков Склянский (оператор, снявший «Проверки на дорогах») и Саня Коган. Естественно, автор за кадром, с фотоаппаратом

Сан-Франциско, 1996. В доме Савелия. Он уже знает, что болен безнадежно. В тот же день, его навестили Илья Кабаков и галерейщик Сергей Сорокко – они сдружились здесь, в Сан-Францисско

Савелий был слаб, очень слаб...

Кладбище на окраине Сан-Франциско, 1997. Теперь Савелий здесь

2000. М.Шемякин – автор проекта памятнику Савелию Крамарову, и вот, наконец, памятник готов

Начало 90-х. Аркадий Николаевич Кальцатый в «Панораме» – среди всех советских кинооператоров он был «самый-самый»: «Карнавальная ночь» – это тоже его работа

1994. У автора в гостях: Марк Розовский, Татьяна Ревзина, Лана Розовская, Анатолий Гладилин, Ираклий Квирикадзе, Инна Аленикова

Конец 90-х. Нью-Йорк, ресторан «Дядя Ваня». Где, как ни здесь, встретиться друзьям: Марк Розовский и шахматный чемпион Лев Альбурт (крайний слева)

1998. Редакция «Панорамы»: с Кашпировским познакомиться – очень интересно! Кто кого загипнотизирует: Марк его, или все же он Марка...

1997. Редакция «Панорамы», Родион Нахапетов в беседе с редактором

«Русский Голливуд»: у автора собрались друзья-киношники: Миша и Ира Сусловы (она вторая справа), Алик и Нина (крайняя справа) Борисовы, Эдуард и Марина Акоповы

Лос-Анджелес, 2000. Александр Митта сейчас подарит автору свою книгу: вот что он нарисовал на ней

чи секретарем губкома, а один был сотрудником охраны и воровал бриллианты.

Выходило, что при наличии парящих над советской территорией всевидящих американских спутников, прятать государственные тайны, если они и оставались в каком-то виде, было вроде не от кого. Тема сама по себе угасала. И тогда я вспомнил, как Юлиан жестоко обошелся в своем романе с моим добрым другом и вообще человеком достаточно известным в международных медицинских кругах и весьма уважаемым в русскоамериканской общине, профессором Самуилом Файном. Устами одного из своих героев он сделал его неудачником, преследуемым корпорацией западных медиков. И еще он его... повесил.

Эта пикантная подробность, украсив собою сюжет романа и придав ему должную направленность в оценке перипетий эмигрантской жизни, вызвала сочувствие у многих друзей и пациентов знаменитого в России медика. Ну, а те, кто здесь с ним знаком, дружит или лечится в его клинике — те пожимали плечами: чего, мол, с них взять...

— О, прежде всего, я счастлив, что Самуил жив! — чувствовалось по тону Семенова, что вопрос этот не был для него неожиданным, и еще — определенное облегчение, что я задал его в весьма деликатной форме. — Я его очень любил и очень люблю! — с энтузиазмом продолжал Юлиан. — И, понимаешь, когда мне об этом рассказали в Советском Союзе — его друзья! — я писал об этом с болью. Потому что я встречал несчастных эмигрантов. Старик, далеко не все состоялись, правда? Увы...

А Файн — гениальный врач, и это известно всем в Советском Союзе. Там до сих пор жалеют, что он уехал от нас. Конечно, мне досадно ужасно, что так получилось, но он-то понимает, и слава Богу, ты присутствовал при нашем разговоре вчера (я действительно, в первый приход по телефону соединил его с Файном), мы восстановили наши старые добрые дружеские отношения, и я счастлив, что он преуспевает! Дай ему Господь, этому великому врачу...

Говорилось это с искренним волнением, конец фразы никак не давался моему собеседнику, и я попытался прийти ему на помощь: «Знакомые, в общем, подвели, да?»

— Да! Они все мне рассказали в подробностях, — оживился снова Семенов. — Это ему руки переломать за это надо! — продолжал он, имея в виду некоего собеседника, подтолкнувшего романиста на столь рискованный поворот сюжета... — И психологически я в это поверил: потому что Файн — это человек кристальной честности, и если он увидел, что операция сделана плохо, значит он, не зная Запада, мог сказать такую фразу — я бы руки переломал тому, кто вас оперировал! (Именно эта фраза по сюжету романа послужила причиной преследований, которым якобы подвергся Файн.) Там (очевидно, Юлиан имел в виду наше «тут») свои законы, а в Советском Сюзе — свои. Так что я счастлив, что все это кончилось...

* * *

— Итак, — я перевел разговор в другое русло, — ты сейчас занимаешься не только детективом. Вот мы говорили о Бердяеве... Почему именно Бердяев? Как это корреспондируется с жанром, с которым главным образом связывают твое имя? — Здесь мне показалось, что Семенов стал уставать, — возможно, сказывалось напряжение, неизбежное в подобных поездках.

— Но это же не только детектив! Вот другие мои вещи... «Версии» мои, например, — ты же их не знаешь, правда? И не слыхал о них... а я их писал, начиная с 70-го года. Но постольку вы здесь ничего не читаете... Вот, в одной из моих «версий», например, я настаиваю, что Петр Первый был убит, а не умер. Вторая — история убийства Петра Аркадьича Столыпина — почему он был убит, как он был убит? То есть я нашел заговор — и тех, кто входил в этот заговор.

— Ну как же, ясно — жидо-масоны... — предложил я.

— Это ясно для других авторов, — не принял шутку Семенов, — для тех, кто писал такого рода романы, понимаешь... А вот у меня там открылось точно, что сказала государыня, и как этот заговор — Курлов, Спиридович, Кулябко, — был осуществлен, как под это был найден провокатор, несчастный Богров, и как вся эта комбинация была разыграна. «Версия три» — это О'Генри — почему он был посажен, как он был посажен.

Самоубийство Маяковского: согласно «Версии четыре» — это был вызов антисемитской гнусной кампании против Лили Брик. И ведь я докопался, почему он покончил с собой! Вот ты знаешь, что он был арестован вместе с Николаем Иванычем Бухариным? — Семенов с очевидным удовольствием произносил отчества по-старорусски, обрубая серединный слог — Аркадьичем, Иванычем... — с первым секретарем Московского комитета РСДРП! В девятьсот седьмом году...

А ты знаешь, что Маяковского начали замалчивать в 29-м, когда Коба повел атаку на Бухарина? И первым пришел к нему маленький Николай Иванович — кстати, он работал напротив того дома, где застрелился Маяковский. Он работал начальником НТО Наркомтяжпрома. Принесся! А ведь тогда вырывали из журналов его портрет, опубликованный по поводу 20 лет его работы.

Это все прошло — и слава Богу... И слава Богу, — повторил он. — Так вот, все это нашло своего читателя в СССР. И слава Богу, — в третий раз повторил Семенов. — Я пишу для него, для советского читателя в первую очередь. Только для него — сказал бы я так. Я очень рад, когда меня переводят и читают на Западе, все это приятно... но тенденциозность русскоживущей (клянусь, так он сказал — русскоживущей, не русскоговорящей, не русскомыслящей даже. Наверное, лучше и точнее не скажешь — хотя собеседник мой скорее всего оговорился. — Вот ведь, подумалось мне, у талантливого человека и оговорки талантливые), тенденциозность живущей здесь на Западе диаспоры и тенденциозность нашей прессы... т. е. вы теряете что-то, что нужно смотреть. Поэтому вы теряете многих авторов.

Тут я ничего не понял и задумался. А Семенов тем временем продолжал:

— То есть вы здесь знаете — это хорошо! А это — плохо! Да, да, да, — заметив мой протестующий жест, настаивал он.

— Но это неправда! — возразил я.

— Тогда прорецензируй мои вещи! Прочитай вот эти мои вещи и прорецензируй их — я их писал с 62-го года — тогда я не мог их публиковать. Прочитай, прорецензируй... — Семенов положил ладонь на верхнюю из уложенных стопкой книг, принесенных им вчера. — А «Версии» я тебе обещаю прислать.

— Какой уж из меня рецензент, — неуверенно возразил я. — Да и не очень-то люблю я такое: «это, мол, вроде хорошо, а вот это — не совсем...»

— Рецензировать, — сформулировал Семенов, — вовсе не значит говорить — что хорошо или что плохо. Это значит рассказать, о чем идет речь, — объяснил он.

— Но я-то о другом сейчас говорю, — продолжал я слабо сопротивляться. — Вот ты утверждаешь: «вы здесь знаете — что хорошо и что плохо, и объясняете это вашим читателям». Да ничего подобного! В редакционных текстах «Панорамы» ты такого не обнаружишь...

— Я не говорю про «Панораму», в данном случае, — настаивал Юлиан. — Возвращаясь же к вопросу, где и для кого пишут, для кого издают книги, заметим — время-то меняется: может, вскоре здешняя пресса составит конкуренцию твоим изданиям в России. Согласись сам: в открытом обществе — если так справедливо говорить сегодня применительно к СССР — нет никаких причин к тому, чтобы не только «Панорама», но и «Континент», скажем, не имели доступа к читателю. Вот и Максимов (редактор «Континента». — А.П.) прислал мне недавно письмо для публикации, в котором прямо пишет, что видит своего читателя в России. Прежде всего — в России.

Забавно, бывает же так: в тот самый день, когда печатался выпуск «Панорамы» — в нем помещалась как раз эта часть беседы с Семеновым — появилась свежая «Тассовка», мы получали их из Нью-Йорка по заключенному недавно контракту с советским новостным агентством. Итак:

« В. МАКСИМОВ В МОСКВЕ

Москва, 12 апреля в ДК МГУ на Ленинских горах по инициативе Независимого вашингтонского университета состоялась встреча с известным русским писателем Владимиром Максимовым. С 1974 года В.Максимов живет в эмиграции. В настоящее время — в Париже. «Я позволил себе осторожный оптимизм», — сказал В. Максимов, отвечая на вопрос об отношении к властям и о своем приезде в СССР.

Отвечая на вопрос сотрудника «Экспресс-Хроники» о своих недавних публикациях в советской прессе, Максимов заявил, что если закон о печати останется только на бумаге и «Экспресс-хроника» не получит статуса полноправной газеты, то он прервет все официальные контакты в СССР. В. Максимов ответил и на другие многочисленные вопросы.

На вечере выступили Эрнст Неизвестный, Булат Окуджава, Наум Коржавин, Игорь Золотусский, Юрий Эдлис, Игорь Виноградов, Эдуард Лозанский. (Из «Экспресс-хроники», выпуск 16(14) за 17 апреля 1990 г.)»

Отступления, завершающие тему

Вот я заново просматриваю текст, — ту его часть, что сохраннена для нынешней публикации. Сегодня читатель знает — нет Артема Боровика. Нет и самого Семенова. А вот, о чем читатель может не знать — о том, что Плешкова нет тоже: мне рассказывал Лимонов, как Плешков вскоре после визита в Штаты, когда мы с ним и познакомились, приехал в Париж, чтобы подписать с договор о публикации нового романа Эдика в изданиях «Совершенно секретно».

Утром они должны были встретиться в городе, Плешков не пришел. Лимонов позвонил в гостиницу и услышал: ночью Плешков умер. Отравился, что-то съел за ужином. В Париже? В недешевой гостинице? Кто теперь объяснит, кто ответит... Никто по сей день и не ответил. Вот оно — «совершенно секретно».

...Годы спустя мне кажется уместным завершить текст именно Семеновым придуманным выражением. Итак, *информация к размышлению*: число погибших журналистов только в России в 2005 году составило 47 человек — это по официальным сведениям. А до того были: Листьев... Щекочихин... Боровик Артем... Хлебников... Это те, чьи имена пока на слуху. А всего в мире — сколько их? И сколько их еще будет?..

И еще: вот текст подписи к фотографии, служившей также и заголовком статьи о Юлиане Семенове: «В триллерах Юлиана Семенова злодеи — сотрудники ЦРУ — и некоторые говорят, что их автор работает на КГБ» *(Журнал «Пипл»)*. Оставим же эту информацию на совести редакции популярного американского журнала.

Глава 11
I. СОРОК ЛЕТ СПУСТЯ, И ПОТОМ

ЕВГЕНИЙ ЕВТУШЕНКО

Сейчас уже и не вспомнить, когда впервые зашел разговор, что вот хорошо бы ему, Евтушенке, приехать, пусть и ненадолго, к нам в Лос-Анджелес, собрать здесь *наших*, для кого русский язык не остается просто средством общения с домашними, но и в ком жива память о первых шагах поэта, нередко ступавшего по самой грани тогда дозволенного. А то и преступавшего ее. Евтушенко охотно поддерживает эту тему: да, мол, хорошо бы...

Кажется, это было в телефонном разговоре.

Потом в Нью-Йорке мы оказываемся за столиком ресторана, мы оба любим здесь бывать: это небольшое заведеньице в Манхэттене с теплым названием «Дядя Ваня» и хозяйкой Мариной, бывшей актрисой московского Ленкома, нашей общей приятельницей. Убедившись, что соседние столики опустели, Евтушенко вполголоса прочел отрывки из только что завершенной поэмы.

С нами сидел его переводчик на английский и приятель — они пришли вместе. Спустя несколько лет его не стало — я знаю, Евтушенко и по сей день не может смириться с этой утратой. В тот вечер я окончательно утвердился в намерении устроить в Калифорнии его встречу с читателями.

Оставалось ждать хорошего повода — и вскоре он представился: наступил юбилейный, 20-й год нашего издательства. Отметить его мы хотели серией встреч с виднейшими представителями русской культуры. Евтушенко живет в пределах относительной досягаемости: от Талсы, штат Оклахома, где в местном университете он ведет курс, до Лос-Анджелеса много ближе, чем, скажем, от Переделкина: так уж ли сложно вырваться ему на день-другой и вовремя вернуться к своим студентам?

Узнав от Евтушенко о нашей договоренности, вмешался в нее один из считающих и соответственно называющих себя потомком

Александра Сергеевича Пушкина (что сейчас многими источниками, в частности и общепризнанными родственниками поэта оспаривается) — американец Кеннет Пушкин, готовивший в университете Сан-Хосе вечер памяти — как значилось в его приглашении — «своего великого предка».

Там мы поначалу и встретились с Евтушенко, приглашенным вести эту встречу. Свои стихи он читал на очень пристойном английском — так ведь и аудитория в значительной степени состояла из американских славистов, чьим родным языком не является русский. А спустя сутки мы оба оказались в Лос-Анджелесе.

Три последующие дня прошли, будто их и не было. В утро перед самым его отлетом нам все же удалось остаться на пару часов, один на один, в его гостиничном номере. Нет чтобы просто поболтать... — не удержался я и, с согласия Евтушенки, включил портативный магнитофончик — по служебной необходимости всегда болтавшийся в портфеле. Спасибо ему — глава «Там, на Якиманке», как раз об этом...

Пришло время отбыть в аэропорт, потом прошло, а мы все ждем водителя из редакции, где его носит? Ведь мы в трех шагах от газеты. Кто знает знает Евтушенко близко, его эмоциональность, выплеснуть ее сейчас — лучшего повода было не придумать: он поднимался, садился, поначалу вопросительно, а потом и с негодованием посматривал на меня из разных углов комнаты, где он то и дело оказывался меряя широкими шагами пространство номера.

— Все! Вызываю такси!

— Жень, ты что — я же здесь! Ну, не вернусь в редакцию, как обещал там, отвезу сам.

Мы схватили одновременно его чемоданчик, я уступил и подобрал чуть было не забытую впопыхах на полу сумку, быстро к лифту (ура, свободен!), джип запаркован прямо у дверей отеля, спасибо пресс-карте, все же преимущество, какое-никакое — и по запруженным улицам, хотел бы написать «несемся» — какой там! — ползем к фривейю, ведущему в аэропорт.

По дороге еще успеваем перебросить какими-то фразами, Евтушенко отмалчивается, он заметно нервничает. Хотя все же успеваем, время еще есть... А дальше — вспоминать противно: я, заговорившись, проскочил нужный съезд с фривейя. Это ведь хорошо, что Евтушенко не заметил моего промаха, догадайся он — не знаю, что было бы. И знать не хочу. Стиснув зубы, я вцепился в руль, перешел на ближайшую ветку фривейя, непонятно куда ведущую, пытаясь найти разворот в обратном направлении.

Успели, однако, — в самые последние минуты, — тогда не было еще суровой проверки отлетающих граждан с разуванием, с часовой очередью к рентгеновсим аппаратам. В общем, улетел Евтушенко — улетел своим рейсом.

Куда грустнее другой эпизод. Случился он тремя годами позже. Мы снова условились о приезде к нам Евтушенко — теперь уже встречу готовил наш Фонд памяти Окуджавы.

Кроме нормальной радости просто повидаться, была еще и корысть в этой затее — не личная, но была: мы с коллегами по фонду рассчитывали, что от сборов при выступлении поэта останется некая сумма, которая пополнила бы скромный бюджет (почти никакой), — из него мы выкраивали что-то для помощи Российскому фонду, который создан почитателями поэта и руководим его вдовой.

Однажды нам даже удалось собрать солидную сумму (чему способствовал и юбилейный вечер-концерт, устроенный для меня друзьями) — на нее и была закуплена самая передовая по тем временам цифровая аппаратура — и видеоархив Окуджавы был перенесен со старых пленок, которые того и гляди стали бы недоступными даже для домаших прсмотров. А теперь создано вот уже три видеофильма — их показывают и в Переделкине, и в музее Булата, и по телевидению, и на фестивалях. Там в титрах указано — это проект Российского и Американского (нашего) фонда Окуджавы. Чем и горды мы по сей день.

Так вот: снят просторный зал, запущена реклама газетная, телевизионная тоже — и в Южной Калифонии, то есть у нас в Лос-Анджелесе, и в Северной — в Сан-Франциско. Билеты расходились «как пирожки» — места в залах заполнялись будущими гостями встреч, а сердца устроителей — радостью. Ею я и делился с Евтушенко, он в свою очередь уверял, что вылетит за день-два —

для страховки: «Ты же знаешь — я никогда не подвожу!» И правда, Евтушенко надежный, он не подведет.

Подвела болезнь: с кинофестиваля в Сан-Ремо, там он был в составе жюри, его привезли прямо в нью-йоркский госпиталь. Так...

— Старик, — слышу я голос в трубке, — прости... подвожу... гнойный аппендицит... перитонит... я в реанимации, не могу пошевелиться, из меня торчит десять трубок, что-то вливают, что-то отливают. И катетер...

— Успокойся, выздоравливай, все поправимо...

Хотя, если честно — какой там было «поправимо»: реклама оплачена, за залы внесен задаток, билеты на руках у людей... Сотни билетов — Евтушенко любят, он всегда собирает сотни, почитающих его дар. Вот перед ними, перед людьми действительно было неловко. Да и магазины, продав билеты, получили свои комиссионные, купившим же их следовало вернуть полную сумму.

И вернули — как, не спрашивайте. Залы — администраторы благородно вернули задаток. Реклама — вся оплачена загодя и опубликована, тут уж ничего не поделаешь, и только телевизионная на севере Калифорнии повисла: мы условились, что деньги вышлем сразу после проведения встреч, а так — откуда им взяться? Бог ты мой! — сколько мерзких ругательств мы прочли и услышали тогда от дамы, причастной к владению там русской телепрограммой.

Просили же — ну чуть-чуть подождать, расплатимся, обязательно! И расплатились, конечно, — послал я ей свой личный чек, чтобы только остановить поток брани...

Спустя год с небольшим Евтушенко приехал, все запланированные с ним встречи состоялись. Состоялись и поездки с ним на мексиканский базар — без этого он, как всегда, отказывался уезжать, ведь там и только там покупаем мы ему яркие рубашки, пиджаки и нашейные платки-косынки, без которых его давно уже и не представляю. Ну, любит человек, и ведь, правда, ему в них хорошо.

Мексиканская ярмарка разместилась в самом центре нашего города, вблизи деловых и торговых кварталов — десятков небоскребов их образующих. Потом я всегда с удовлетворением обнаруживаю на нем обновы — яркие рубашки, пестрые косынки и даже широкополые с высокой тульей мексиканские шляпы. Класс! Идет это все Евтушенко — не зря, значит, тратили время в поисках парковки: в даунтауне любого американского города поставить машину совсем непросто.

Впрочем, и россиянина нынче этим не удивишь, верно? Что и хорошо...

А вот совсем забавный эпизод: однажды утром (Евтушенко остался у меня почти на полную неделю), слышу зовет он из ванной: зайди — свет не выключается! Захожу, он растерянно щелкает выключателем — вверх-вниз, вверх-вниз, а в комнате по-прежнему светло. Я рассмеялся, и он следом за мной, когда понял: в ванной в потолке установлен так называемый «скайлайт» — (в прямом переводе «свет с неба») — застекленное круглое оконце.

— Женя, — говорю, — надо солнце выключить, чтобы стало темно в комнате... — Здесь я читателя отсылаю к первой книге, там есть глава «Почему не включается телевизор» — вот потому и не включался. Забавно, да? Сегодня да, а тогда — нет, не было...

Прошло время. Совсем недавно готовилась и моя встреча с читателями в ЦДЛ. Звоню Евтушенко в Переделкино: «Не заглянешь?» — так, без особой надежды, но и не пригласить не мог, а он говорит: «Знаешь, постараюсь, если вырвусь в город». Вырвался, хоть и к самому завершению, потом, естественно, спустились мы в «нижний» буфет, набралось там участников банкета человек тридцать, был и Щекочихин Юра.

В какой-то момент он наклонился к Евтушенко с бокалом в руке (или с рюмкой, что скорее), что-то сказал забавное в адрес Евтушенко, в шутку, конечно, Евтушенко вспылил, резко ему ответил... а через минуту они уже мирно беседовали за столиком, уставленным снедью и бутылками, подсел туда и Щекочихин.

Отходчив Евтушенко, хотя и легко может вспылить: вот совсем недавно случилось мне участвовать в проводимой Российским ПЭН-центром выборном собрании. Там произошел диалог, не просто на высоких тонах, на супервысоких — между ним и Сашей

Ткаченко, председателем на собрании. Здесь не место разбирать — кто был из них прав и кто — нет. А только, казалось, станут врагами давние друзья — не стали. После собрания я застал их в фойе мирно беседующими — как ничего и не было. Это — хорошо. Все бы наши так — куда там...

Послесловие. Больно писать дальше, только не обойтись без этих страниц...

II. ТОЛЬКО ЧТО...

ЮРИЙ ЩЕКОЧИХИН

Переделкино, писательский поселок, 14 июня. Месяца еще не прошло от того дня. Вроде только что было это...

Улица Довженко, по-дачному узкая — двум встречным машинам не разминуться — дорожная полоса, размытая недавним дождем. Он еще может вернуться, солнце ярко в просветах облаков, по-летнему ослепительно, но еще неуверенно и готово спрятаться снова, уступив место ливню, загнавшему несколько десятков человек в тесное помещение домика-музея Булата.

Люди съехались отовсюду — и не только из Москвы. Они собрались здесь на традиционную встречу, приуроченную к годовщине кончины поэта. Нам — как раз туда. В машине, кроме меня и водителя, Евтушенко — он живет в нескольких кварталах отсюда, совсем неподалеку, минутах в десяти пешего хода, но, опасаясь дождя, просил подобрать его по пути из Москвы.

И вот наш «жигуленок» медленно ползет, останавливаясь, уступая дорогу встречным машинам, приближаясь к домику Булата. Мы уже совсем рядом — теперь уже нам уступают дорогу трое встречных: это, не спеша, прогуливается Щекочихин, слева и справа от него — миловидные дамы.

— Привет, привет! — на ходу бросаем друг другу.

— Придешь? — спрашиваю я. Куда — понятно. Вот и теперь при нашей встрече на улице Довженко: «Да, — отвечает он. — Конечно, приду! Только домой загляну, ненадолго», — его дача тоже здесь, как раз на полпути от домика Булата до дачи Евтушенко. Так и жил Юра — на полпути, между поэтами.

Наверное, и сам писал стихи, мне он их не показывал, даже когда подолгу гостил у меня. Не мог не писать. Романтик, на грани наивности, он верил, что словом можно побороть зло, словом — журналиста, писателя, сценариста, депутата Госдумы. Зло — оно вот, рядом: детская преступность, беспризорность, чудовищная коррупция, разъедающая высшие эшелоны власти — как же молчать! И он не молчал.

В минувшем году как раз в этот день там же, в домике Булата, мы виделись. А потом он зазвал к себе — во дворе его дачи за длинным столом, составленным, наверное, из пяти-шести небольших дачных, умещалось дюжины две гостей. Двое кавказцев квалифицированно управлялись с мангалом, непрерывно поднося пирующим блюда с дымящимися шашлыками, проложенными слегка обугленными помидорами и ломтями лука, сочные колбаски люля-кебаб.

Здесь почти все мне незнакомы, разве что Успенский со своей напарницей по передаче «В нашу гавань...» Эльвирой Филиной. Кого-то, помнится, Юра, знакомя нас, представил, кажется, генералом ФСБ, кого-то — крупным ювелиром, конкурентом знаменитого Де Бирса, кого-то — ведущим московского радио. Удивительная компания...

Застолье длилось, судя по всему, уже не первый час. Юра казался совершенно трезвым — да и вообще, при том, что мог выпить крепко, но чтоб он был пьян — таким я его не помню.

А ведь сегодня только и слышишь: «Ну, конечно, он же пил!..»

Чуть ли не в каждом выступлении лидеров либерального Союза правых сил звучит: кому-то такая версия выгодна. Кому? — вряд ли покажет вскрытие. На это сегодня уже не надеются. А обстоятельства его внезапной кончины многим кажутся странными. Да и как не казаться — не случайно же в феврале минувшего года его семья была взята под государственную охрану.

Вот названия и темы его публикаций только за последние несколько лет: «Первая рокировка Валентины Матвиенко. Банкир стал замом, сын стал банкиром»... «Овец для генеральских папах не хватает»... «Большой передел маленькой России»... «Мы Россия или КГБ СССР»... «...Государство разрешает мочить в сортире»... «Кто и за сколько может закрыть уголовное дело»... «Коррупция в высшем руководстве Минатома»... «Как мелкие клерки хотят взять власть»... «Хорошо живется тем, кто борется с мафией»... «Касса по имени война»... «Государственные карманники»...

Так сказать, информация к размышлению.

Вот и заявил Григорий Явлинский, председатель партии «Яблоко», членом которой был Щекочихин: «Обстоятельства смерти Юрия Щекочихина оставляют много вопросов, ответы на которые может дать только специальная экспертиза».

Жил, Щекочихин жил, на здоровье не жаловался, не вылезал из служебных поездок.

Только что, ну совем недавно привез из Чечни освобожденных российских пленных — о чем не любил распространяться. Наверное, были для того причины.

Весной 2004-го — и это тоже только что — я позвонил Юре на дачу: «Завтра у меня встреча с читателями в Доме литераторов, как бы творческий вечер. В городе не собирался быть? Может, заглянешь в Малый зал?» Евтушенке позвонил, вот и ему теперь. Конечно, я знал о вечере не за день, и даже не за неделю, но мало кому из друзей звонил сам: была же какая-то информация в прессе, в календарике ЦДЛ было объявлено.

Живут в Москве напряженно, даже сумятошно, — что же людей еще «напрягать», — сумеют, придут. А Щекочихин тем более — постоянно в разъездах, депутат Госдумы, член множества комитетов и комиссий, журналист, зам главного редактора крупнейшей российской газеты...

— Так что, смотри — не обижусь, если не сможешь. Увидимся в другой раз, по другому поводу.

— Не знаю, попаду ли в город...

Попал. Приехал чуть позже начала встречи, тихо присел где-то на заднем ряду. Потом прошел к трибуне, чего я уж совсем не ждал, сказал красивые слова, чем очень меня тронул. А потом, конечно, фуршет в «нижнем» буфете — хороший обычай, мне нравится. Тот самый буфет, где произошел эпизод с Евтушенко.

Штатный «летописец» Дома литераторов фотограф Миша отснял множество снимков и почти всю встречу запечатлел на видео — может быть, эта лента стала если не последним, то одним из последних «домашних», неофициальных видеодокументов, запечатлевшим Юру Щекочихина. Словом, вечер этот мы завершили вместе. Ночевать же он остался в городской квартире.

И было все это вроде только что...

Теперь я думаю — ну почему я не вышел тогда в Переделкине из машины, почему не обнял Щекочихина, как всегда при наших встречах? — Ладно, чего уж, обнимемся в другой раз. — Нужно было выйти!

Нужно было... Так ведь кто мог знать?..

Ну кто, кто мог знать, что другого раза не будет!..

В Калифорнии завершался день 2-го июля, в Москве уже шло 3-е... Удивительная вещь — на грани мистики: я прибирал дом — гостившие здесь в мое отсутствие переворошили все книги — заново укладывая их на должные места на полки, я обронил фотографию (ими заставлены корешки книг), подобрал глянцевую карточку — Щекочихин обнимает моего добермана. Наверное, было это 10 лет назад, пса-то давно уже нет.

Почему на пол свалилась именно эта, и только эта фотография? Я повторил вопрос спустя несколько часов в телефонном разговоре с московской писательницей Аллой Рахманиной, после того как она спросила меня:

— Ты знаешь, что Щекочихин умер?

— Когда?!

— Только что, сообщили по «Эхо Москвы»...

Стало быть, в Москве это было 3 июля. Трех недель не прошло от нашей последней встречи...

«Только что перестал жить замечательный человек» — писал я тогда в некрологе. — Очень, очень мало отведено ему было жизни. А сколько в нее вместилось!

В тот год 9 июня Юре исполнилось 54 года.

Опасная у него была профессия...

Глава 12
I. КОГДА МЫ БЫЛИ МОЛОДЫЕ...

ИЛЬЯ СУСЛОВ

«Когда мы были молодыми...» — напел я, вспоминая какой-то эпизод из нашей «прошлой» жизни. Мы сидели за садовым столиком и прихлебывали из по-российски граненных стаканов остывающий чай.

Суслов улыбнулся:

— А я вспоминаю другую песню: «Когда мы были молоды, ходили мы по городу...» Слушай, Саша, сколько же лет мы знаем друг друга?

По прикидке выходило, что немало. Правда, никто из нас не вспомнил, где мы сталкивались тогда — то ли в «Литературке», куда я заходил еще где-то в конце пятидесятых на семинар к Ирине Озеровой (кажется, так звали молодую поэтессу, рано ушедшую из жизни), то ли на Суворовском бульваре в Доме журналистов. Скорее всего, там в подвале, где подавалось превосходное пиво с замечательными, изрядно подсоленными черными сухариками.

ЗАКРЫТА ТЕМА

Вот о том, что было тогда и что случилось после, я и расспрашивал Илью. Не только читателя будущего ради — но и как бы проверяя свою память. И не только о нем самом: тесная дружба связывает меня уже много лет с его братом Мишей, одним из лучших в свое время российских кинооператоров, а потом и американским.

— Я могу тебе и про Мишку рассказать, — охотно подхватил Илья, — и про нашу историю. У нас одна из самых забавных историй эмиграции... Ведь мы и ботинки продавали в магазине, ты же знаешь, — жить-то как-то поначалу было нужно.

Знал я, и еще как — и ночами подрабатывал в типографиях, и по дворам ходил фотоаппаратом. В общем, было нам что вспомнить с Ильей.

— Раньше я много писал и печатался у тебя в «Панораме», в «Новом Русском Слове», пять книг выпустил. А потом в России произошла революция в 91-м году, и я вдруг с ужасом понял в этот день, что больше писать не о чем, потому что империя кончилась...

— Закрыли сатирику тему?.. — И до нашего разговора с Ильей не раз литераторы — кто шутя, а кто и всерьез — сетовали при мне на это обстоятельство.

— Ну, почему? Остались Аркановы... уехали Сусловы. Мы вымрем, появятся новые люди, чей юмор, как русский язык сегодня, нам будет непонятен. Это другая страна, другая культура. У них, по их же словам, русский новояз. Рекламируют по телевидению женскую косметику, и мужской голос за кадром с блатной интонацией говорит: «Купите та-та-та... Кто не знает, тот отдыхает!». Если бы ты разговаривал сегодня с новым русским на их новоязе, то ничего бы не понял. Так что я не имею права писать об этой России. Я не имею права писать о новых русских. Я их не знаю — да и знать не хочу!

— Не так давно на эту тему была передача «Голоса Америки». Принимали в ней участие Аксенов, Лосев и я — говорили мы о сохранности русского языка и о формах, которые он принимает... Интересный получился разговор. А ты считаешь, язык, которым сейчас пользуются в России, — навсегда останется?

— Когда мы приехали сюда, я поступил на «Голос Америки», и со мной работали представители первой эмиграции. Они не могли и, наверное, не хотели принять даже и чистый литературный язык (каким, надо признаться, новые американцы пользуются далеко не поголовно, скорее даже наоборот) — для них и он звучал дико! То было поколение людей, которое говорило «аэроплан», «крестословица»... Слова, существовавшие до революции.

Так называемая «вторая эмиграция» (работали и ее представители у нас) в массе своей была малокультурна, что не удивительно: бывшие солдаты, они привнесли в речь язык тюрьмы, язык ГУЛАГа, язык армии. Мы чуть-чуть его исправили, конечно. Тот, что приходит сейчас в Россию, — это тяжелый приблатненный язык русской провинции и англицированного компьютерного текста, его терминология. Застрелиться хочется, когда я слышу: «киборд», «скрин».

А русские газеты! Они все хвастают знанием английского — и англицизмы влезли в журналистский язык. Это все равно, как в Канаде украинка выглядывает в окно: «Перестаньте сигать у виндовы, чилдрянята!» То же самое происходит в русском языке. Язык Тургенева... — да кого сейчас волнует язык Тургенева! Русский язык — это язык-губка. Он впитывает.

А есть языки-стенки: от них отскакивает. Есть языки, в которых запрещено применение англицизмов — французский, например. Извольте придумать французское слово! А Россия все больше впитывает англицизмы. Хотя, с другой стороны, это поможет интеллигенции быстрее интегрироваться в мировую экономическую систему: все они говорят на английском, все они знают компьютерный язык.

— Получается, в России одновременно проходят два разнонаправленных процесса: с одной стороны, язык откатывается назад, не так ли? И с другой — эти англицизмы... А если в этом — требование времени, так и стоит ли сожалеть?

Илья решительно не согласился:

— Нет и нет! Язык идет вперед. Это страна идет назад. Вот я однажды написал фразу, и мне ее вычеркнула одна эмигрантская газета. Я написал ее, когда еще был у власти Горбачев: «Россия, как и ее партия, нереформируемы...» А редактор этой газеты сказал: «Идут же, идут реформы, что он пишет такое?!». И он вычеркнул эту фразу — как цензура в свое время вычеркивала мне куски из рассказов. Я ему позвонил и сказал: «Слушай, это моя точка зрения! Я так думаю, я — Илья Суслов. Ты же можешь сослаться на меня». А он мне: «Я просто не могу себе представить, что ты прав!» — «Ну, так, говорю, и напиши — что я не прав, но мою фразу оставь!»

* * *

Видимся мы теперь не часто: в Калифорнии Илья редкий гость, как и я — в Вашингтоне. Хотя трижды довелось быть там независимо от живущих в американской столице и ее окрестностях друзей — позже я расскажу о встречах группы журналистов, в составе которой случилось быть и мне, с нашим президентом. А еще довелось мне оказаться там на домашнем праздновании юбилейной даты Ильи.

— Уж теперь-то, убеждал я его, — можешь ты наконец оставить службу! Куда там: и ведь не столько солидное жалование удерживает его в Госдепе, сколько боязнь оказаться не у дел... Мол, ну что я дома буду делать?

Оставлю пока эту тему за пределами повествования, но вот за что я буду ему всегда признателен — за дружбу с Феликсом, которую он, пусть и косвенно, мне подарил.

Здесь самое время — вспомнить его...

II. ЧЕЛОВЕК, КОТОРОГО Я ОЧЕНЬ ЛЮБИЛ

ФЕЛИКС РОЗИНЕР

Где-то в конце 70-х мне позвонил из Италии мой стародавний приятель, бывший выпускник Литинститута и будущий кандидат на «отсидку», где мы с ним вполне могли встретиться с хорошим сроком за размножение и распространение самиздата, — не случись Андрею вовремя жениться на прелестной Чинции, сотруднице итальянского посольства в Москве, а мне с сыном — чуть раньше оставить страну с визой беженца.

— Слушай, старичок, у меня такая повесть на руках... Нет, не моя, ты автора не знаешь — но вещь потрясающая, только что вывезена оттуда, автор собирается в Израиль. Очень рекомендую — издавай!

К тому времени издательство «Альманах» существовало в Лос-Анджелесе, существовало почти виртуально, всего пару лет, на счету его было несколько сборничков, выпущенных за собственный счет руководства, то есть на отстатки моей зарплаты, дважды месяц получаемой в американском издательстве за проводимые там вечерние и ночные часы. И еще — четырехстраничное «Обозрение», предтеча нынешней «Панорамы». Это — на «издательском» счету. На банковском же — только то, что собиралось за десяток выполненных по заказу книг и брошюр, и этих средств едва хватало на оплату самых неотложных редакционных нужд.

А как раз в те месяцы мне приходилось оставлять на этом самом счету почти все, что я зарабатывал на службе...

— О чем книга, какой ее объем? — поинтересовался тем не менее я, привычно доверяя вкусу собеседника.

— Говорю тебе — книга потрясающая! Феликс написал гениальную вещь. А страниц в рукописи... ну, примерно пятьсот. Они пока на микрофильме: сделаешь фотоотпечатки, набирай — и в типографию.

Прикинув, во что может обойтись подобное предприятие, я поблагодарил Андрея за доверие, — как тогда сразу же выяснилось, чрезмерное, — к возможностям едва народившегося издательства, и забыл о нашем разговоре. Забыл лет на 5.

А в 83-м или в 84-м, сейчас не вспомню точно, в автомобильной поездке из Нью-Йорка в Вашингтон я заночевал в предместьях американской столицы у Ильи Суслова, служившего в те годы в редакции журнала «Америка». После обильного обеда, плавно перешедшего в ужин, который вот-вот готов был стать ранним завтраком, мы наконец отпустили друг друга ко сну. Однако привычка не ложиться без чтива сработала и сейчас.

— Знаешь, — в ответ на мою просьбу сказал Илья, — посмотри на полке «Некто Финкельмайер». Очень рекомендую — «Премию Даля» зря не дают. Книга лежала на самом виду, и я взял ее, рассчитывая просто полистать, засыпая.

...В ту ночь я не уснул. Да, это был тот самый роман, рукопись которого Андрей готовился мне переслать из Италии. Но и сейчас, в эту ночь, читая книгу, я не жалел, что не взялся ее выпустить: даже набери я тогда те тысячи долларов, что были нужны на ее издание, — откуда взяться тем возможностям, которыми располагало солидное европейское издательство «Оверсиз», — а они-то и привели в конечном счете труд Феликса Розинера к столь престижной в литературном мире премии.

Потом, подружившись с Феликсом, мы не раз вспоминали этот эпизод — и когда я гостил у него в Тель-Авиве, где он жил в первые годы эмиграции, и потом, в Лос-Анджелесе, когда он останавливался у меня, и в Бостоне, где я оказывался по каким-то случаям и где он жил до последних лет.

Еще потом его книги стали выходить солидными тиражами и в России, и в Литве. В Литве — потому что его монография о Чюрленисе признана одним из лучших трудов, посвященных этому мастеру литовской, но и мировой культуры. В России же — понятно почему. Добавлю только: премия «Северная Пальмира», которой был удостоен его роман «Ахилл бегущий», стало новым признанием неординарности творчества писателя, вернувшегося своими книгами к аудитории, к которой, собственно, оно главным образом и было обращено.

А еще тогда вышел сборник его стихов. А еще в московском издательстве «Терра» был выпущен сборник избранных его сочинений. А еще Розинер — стал одним из создателей и ведущих редакторов международного издания «Краткой энциклопедии советской цивилизации»...

И вообще, мне кажется, Феликс самым замечательным образом подтверждал своим примером мысль, что автор — это его книги. Книги Розинера были мудры, они содержали много пластов повествования, но и при этом оставались легки и остроумны. С его книгами легко общаться, и это общение всегда хочется продлить и теперь, когда Феликса уже нет. Но есть его книги.

Книги Феликса Розинера для меня остаются залогом бесконечного общения с их автором. Так уж складывалось, что последние годы мы виделись с ним не часто, но томики с его именем на обложке — их я традиционно получал от автора по мере выхода в свет — создали замечательный эффект его постоянного присутствия: он всегда здесь , он всегда рядом.

Глава 13
ПОКА НЕ ПОЗДНО...

АНАТОЛИЙ АЛЕКСИН

В который раз говорю я ему, возвращая звонок:

— Анатолий Георгиевич, дорогой — ну почему?! Ведь на этой линии — только факс! — обнаружив на запасной линии его месседж... — Услышал-то я Вас совершенно случайно!... И это — после полутора десятков лет нашей дружбы.

Однажды остановились Алексины у меня, в Лос-Анджелесе, и воспользовались мы этим обстоятельством, как это водится, в самый их предотъездный день.

— Анатолий Георгиевич, побеседуем?

Я включил диктофон:

— Имя ваше на слуху у нескольких поколений ребятишек: они вырастали, становились взрослыми, а там и своим детям покупали ваши книжки. Вы ведь не просто писатель, но и свидетель, больше того — участник событий, происходивших в СССР и потом в России. Вот и рассказали бы о себе из того, что, на Ваш взгляд, покажется будущему читателю и сегодня интересным.

— Хорошо... — Алексин задумавшись на минуту, заговорил. — Ну, во-первых, представляя меня на моих встречах с читателями, Вы упомянули о так называемой, детской литературе, этот термин на самом деле не очень грамотный... хотя и общепринятый.

Да судите сами: детский рисунок — это рисунок ребенка. Соответственно, детская литература — эта литература, где авторство принадлежит самим детям, создателям этой литературы. Иное дело — литература для детей, но последние книги для детей я написал лет, этак, тридцать пять назад.

Я, действительно, вошел в литературу как писатель для детей, но вот уже сколько лет я для детей не пишу. Пишу преимущественно для юношества и для взрослых; двадцать одна повесть, а это главное, что я написал, опубликована в журнале «Юность», ни в коем случае, не адресованном детям. Валентин Петрович Катаев, создатель его, всегда подчеркивал, что журнал этот, прежде всего, для молодых писателей.

Тот, кто обращается к молодым, должен быть очень зрелым. В редколлегию «Юности» входили Самуил Маршак, Ираклий Андронников, Булат Окуджава, Фазиль Искандер, Борис Васильев. Я горжусь, что и я был в этой редколлегии — около двадцати лет. А, с другой стороны, я не представляю себе, если речь идет о крупных литературных формах — повесть, роман, — так сказать, «бездетной» литературы. Потому что дети — юные или взрослые — присутствуют в нашей жизни всегда.

Я не представляю себе романы Толстого, допустим, без семьи Ростовых, без семьи Безуховых, без семьи Болконских. В литературе должно присутствовать то, что присутствует в жизни. Но остроактуальные проблемы обрекают произведение на очень короткую жизнь. Потому что сегодня проблемы одни, а завтра они совершенно другие. Если писатель остросоциален и остроактуален, — временные рамки для его произведений остаются очень узкими. Для меня же существует примат вечного над сиюминутным в литературе. Вечного — над модным. Герои моих книг — это семья. Через нее проходят все проблемы — и социальные, и нравственные, и политические...

— Мы помним, что в Союзе советских писателей состояло примерно десять тысяч человек. И можно назвать лишь двадцать, ну пятьдесят имен, которые представляли лицо настоящей литературы.

— Возможно, — почти перебил меня Алексин. — Однако, как написал один великий критик: для того чтобы появились десять гениев, нужно, чтобы были тысячи писателей. То есть остальные — та почва, которая обеспечивает замечательные всходы. Разумеется, я не говорю о писателях софроновского типа, которые были позором нашим, потому что к литературе никакого отношения вообще не имели...

— Но в числе других они продуцировали несметное количество книг, заполняя ими полки магазинов, и все это вкупе создавало видимость литературного процесса...

— Вот здесь я полностью согласен! — Алексин выдержал короткую паузу и почти сразу продолжил. — Однако термин относят ко всей литературе того периода, а не к определенному ее слою. И звучит это не как качественное определение, а как временн*ое*. А это, во-первых, неправда, и, во-вторых, постыдно! Вопреки режиму существовала, скажем, драматургия Володина, Леонида Зорина, Розова, Арбузова...

Спорить здесь было не с чем. Да как-то и не хотелось.

— Что ж, каждому поколению свойственно стремление похоронить все, что до него было сделано, в частности, в литературе — представить себя восходящими на ту новую ступень, куда раньше никто не поднимался. А часто оказывалось, что эта ступенька уже давно затоптана предшественниками. Я вспоминаю сейчас эссе Виктора Ерофеева, его «Поминки по советской литературе». И ведь это эссе в средине 90-х мы первыми напечатали в «Панораме»! — не сдержался я.

— А сейчас «хоронят» и самого Ерофеева, и Битова, и Попова Женю, и даже Аксенова... — продолжил Алексин. — А «похороны»-то кто устраивает? Между прочим, мы знаем, что Потапенко издавался б*о*льшими тиражами, чем Чехов. Кукольник, вообще, заявлял, что когда он уйдет из жизни, погибнет русская поэзия. И очень многие были с этим согласны в те времена. Но когда погиб Пушкин, сказано было другим классиком: «Солнце русской поэзии закатилось». Не с Кукольником, а с Пушкиным...

Я не только не люблю, я презираю, скажем, Софронова и всю его команду, еще и потому, что они и в моей жизни сыграли отвратительную роль: точно знали, что я еврей, и нередко акцентировали это обстоятельство. Но литература, вопреки им, жила. Я был членом редколлегии «Юности», но и мне самому трудно объяснить, как у нас проходили некоторые повести: мы ведь напечатали всех диссидентов — всех! Мы вернули на страницы журнала и Василия Аксенова, и Владимира Войновича, и Фридриха Горинштейна, и Наума Коржавина.

Они возвратились в страну уже в первые годы перестройки. Однако, и стали-то они диссидентами благодаря тем произведениям, которые в «Юности» печатали во времена предыдущие. Нужна была большая смелость, чтобы их напечатать снова. Или вот — Борис Васильев с его «А завтра была война...» — это произведение достаточно страшное.

...Пришвин, Паустовский, Давид Самойлов, Левитанский, Булат Окуджава или Фазиль Искандер — они не оглядывались на установки ЦК, и литературой было именно это.

— Давайте согласимся с тем, когда они говорят «совковая литература», все-таки имеют ввиду не Пришвина, не Паустовского, не Аксенова... — подытожил я.

— Дорогой Саша, — улыбнулся Алексин, — литература не занимается, как правило, обобщением — она занимается художественным исследованием характеров конкретных людей, а уже читатель сам приходит к обобщениям и получает представление об эпохе и о времени. Потому говорить «вообще Союз писателей» или «вообще литература» — не оправданное обобщение.

Возьмем, к примеру, ваши же книги: они мне очень нравятся, потому что это художественные произведения в форме бесед — это не интервью, а именно беседы. И вот в них меня больше всего покоряло то, что через судьбы Ваших собеседников Вы помогали им раскрыть самих себя и прийти к самим себе в этом разговоре. И тогда для меня становились ясны и время, в котором они живут, и эпоха.

Вдохновленный услышанным, я продолжал расспрашивать Алексина. И он отвечал — охотно и легко. Особенная теплота в его голосе была заметна, когда речь шла о стране, где он сейчас живет, о ее людях.

— Мне часто говорят: «Вот, Вы сейчас в Израиле (а у меня двойное гражданство)... Как вы можете там работать? Но вспомним: Бродский писал: «Где находится рабочий стол писателя, значения не имеет. Важно, что собой представляют его книги», что не вполне так, конечно. Место жизни определяет многое в действиях писателя, в его судьбе — но тем не менее мы сейчас живем в Израиле и очень любим эту страну.

А мне и там иногда задают вопрос: вы были таким благополучным человеком в той стране, — лауреатом многих премий и так далее... Вот этот ход обобщений, который я сразу, с ходу отвергаю. Я могу назвать писателей, которые, может быть, гораздо больше, чем я, заслуживали премии, — но их не получали. А у меня вот судьба сложилась счастливо.

Но, во-первых, что такое счастье? Для меня одна из самых великих фигур в мировой литературе — это Михаил Юрьевич Лермонтов. Я как-то раз был в Тарханах, вижу — идут экскурсии и слышу такие обывательские фразочки: ну зачем это ему было нужно, вы посмотрите на это имение, вы посмотрите на эти озера, что ему нехватало...

Да они просто не могут себе представить, что все это не могло удовлетворить Лермонтова. У него были совершенно другие стремления, другие идеалы! И вообще — зачем Байрон отправился в крепость погибать, будучи лордом и богатейшим человеком? Обывателю это понять очень трудно.

Что такое счастье? Помните, у Пушкина: «На свете счастья нет, но есть покой и воля!» Или у Лермонтова: «Уж не жду от жизни ничего я, и не жаль мне прошлого ничуть! Я ищу свободы и покоя, я б хотел забыться и заснуть». Это он писал, имея Тарханы и бабушку, обожавшую его. Ну, можно ли вот так брать и обобщать писательский образ — мы же не придем ни к чему разумному! Каждый из них был *личностью*, совершенно на другого не похожим.

Я не могу быть благополучным человеком, если детство, единственная весна человеческой жизни, которая является раз и никогда в жизни не повторяется, если мое детство было детством сына «врага народа» и мы с мамой просто погибали. А затем война, затем — 50-й год, арест дяди в нашей квартире — и снова обыски, и снова допросы. И наконец, самое страшное — 53-й год. Февраль 53-го года — это «дело врачей».

И вдруг на выставке рисунков английских детей, я подчеркиваю — не советских, английских, — в книге отзывов появляется такая запись: «Вот так рисуют дети в свободном мире! Писатели Лев Кассиль и Анатолий Алексин». А мы на этой выставке вообще не были... На следующий день меня вызывают в КГБ.

Полковник госбезопасности мне говорит: «А что вы со Львом Абрамовичем, — педалируя на отчестве, естественно, — имеете в виду под "свободным миром"?» Я ему отвечаю, что можно же проверить наш почерк, мы там не были! А он меня просто не слышит... На следующий день приходит донос в Союз писателей, где говорится, что мы с Кассилем Львом Абрамовичем организовали сионистский центр и травим русских писателей — причем называются несколько членов Союза писателей.

К чести этих русских писателей, они отвергли поклеп с гневом — хотя страх мог диктовать им иные решения. И я пытался понять — кто же все это написал? Скорее всего, думал я, завистники. Знаете, самый большой человеческий порок — это зависть.

Еще Гельвеций писал: «Из всех человеческих страстей зависть и страх самые низкие, под их знаменем шествуют коварство, предательство и интриги». Или Моруа: «Завистники умрут, но зависть никогда!». И только Геродот даже об этом высказался с юмором: «И все-таки я предпочитаю, чтобы мои недруги завидовали мне, а не я своим недругам».

Но здесь оказалось, что я не прав — это были никакие не завистники, теперь это документально подтверждено. После «дела врачей» Сталин замыслил начать дело «писателей-сионистов». Первым в этом списке были Илья Григорьевич Эренбург и великий писатель Василий Семенович Гросман, представители разных жанров и видов литературы.

То, что и мы в этом списке оказались, для меня не является даже вопросом. КГБ серьезно готовилось к этой акции, и все сочинило само. Да, это надо было пережить — я уже не говорю о том, что было после. Так что я никак не могу считать себя человеком безоблачной судьбы. И опять же вспомним Пушкина — в одном из писем он писал примерно следующее: «Вообще, счастливым человеком (он имел в виду абсолютно, беспечно счастливым) может быть либо дурак, либо подлец». Потому что, даже если у человека абсолютно все хорошо, то кто-то рядом в этот момент погибнет от тяжелой болезни, от кого-то ушла любимая женщина, у кого-то с сыном или дочерью что-то происходит.

Беспечно счастливым может быть разве что человек, который имеет в виду только собственную судьбу во всех случаях жизни, — а большие писатели, а гении всегда были обеспокоены судьбой человечества... Мне как-то сказал Аркадий Исаакович Райкин: «Толя, самые бессмысленные вопросы это — а у вас все хорошо?»

Но разве есть хоть один человек на свете, у которого было бы все нормально и все было хорошо. Потому определять судьбу человека по внешним приметам счастья, — это очень большое заблуждение, большая ошибка.

— Нетрудно представить, что Ваша жизнь не была безоблачной при внешнем полном благополучии. Но все же, были и успешность в литературе, и работал в общественных организациях, и многочисленные поездки по миру... — не вполне согласился я.

— Да, я был заместителем председателя Советского комитета защиты мира, в который вместе со мной входили вполне уважаемые люди. Могу сказать — тех, кто мог отпугнуть мировую общественность, там не было.

— Вы многое в жизни видели — и радости, и горе, свое и чужое, — я попытался приблизить нашу беседу к личности собеседника, к его судьбе. — И вот я хочу спросить — откуда у вас в характере такая благожелательность, я бы даже сказал, любовь к человечеству, сквозящая в любом разговоре? Вот вы обращаетесь к кому-то «милочка!», «солнышко!». Звучит у Вас это очень искренне — сыграть подобного просто нельзя.

— Отвечу, — улыбнулся Алексин. — Один из героев моей давней повести говорит: «Не воспринимайте чужой успех как большое личное горе»... Я старался в себе с юности воспитывать умение радоваться чужому успеху. У меня была бабушка, погибшая в Одесском гетто, звали ее Соня. Она была очень мудрой и всегда говорила мне: «Толя, радуйся, когда другим хорошо». Иногда это очень трудное искусство, но я пытался всегда так делать. Знаете, вокруг такое количество желающих вытаптывать чужие имена, чужие судьбы, что я всю жизнь хотел уступить это занятие другим. Правда, потом я понимал, да и сейчас понимаю, что был прав далеко не всегда.

Я откликался почти на все просьбы, иногда даже беспринципно... Правда, когда обращался человек бездарный, — я этого никогда не делал. Но, если приезжал ко мне человек одаренный и молил: «Толя, ну, погибает моя картина!» или — «Фильм не пропускают комиссии всякие, цензура!»... — я старался помочь.

Творить добро безоглядно не всегда правильно — но к этому я пришел лишь сейчас. Иногда под всеми добрыми делами может оказаться и недобрый результат. Хорошо должно быть хорошим, а плохим хорошо быть не должно. Добро надо дарить тем, кто достоин этого добра.

Сама мысль о том, что у меня было полное благополучие в творческих делах, ошибочна. Потому хотя бы, что ни в одной моей повести нет ни одной, примитивно говоря, политической строки.

Я писал, как я уже сказал, о семьях, о проблемах, возникающих во взаимоотношениях между людьми, об общечеловеческих проблемах. И повести эти трагические.

Меня очень упорно пытался воспитывать глубоко несимпатичный мне председатель Союза писателей СССР Георгий Мокеевич Марков, который был весьма далек от всего этого, от психологии человеческой, от проблем добра. И ему очень не нравилось, что у меня дети чаще оказываются гораздо благороднее своих родителей. Кстати, дети отличаются от взрослых только меньшим житейским опытом, но у них такая же способность, как у нас, радоваться и разочаровываться, страдать и все понимать. А эмоционально они воспринимают события окружающей жизни гораздо острее, чем взрослые.

Детей мало любить, детей надо уважать. Уважать их способность понимать и оценивать события, происходящие в семье и вокруг них.

В девятом круге.
— Если уж мы возвращаемся к теме причиненного зла во имя добра, как Вы относитесь к такому обороту: «Добро должно быть с кулаками»? — я люблю этот вопрос, мне кажется, что отвечая на него, человек становится понятнее — и самому себе тоже. Вот и сейчас я задал его Алексину.

— Видите ли, все, что говорит или пишет Станислав Куняев, может быть только отвратительно! — резко произнес Алексин.

— Не могу не отметить: на моей памяти это лишь второй человек, о котором Вы говорите с брезгливостью, первым оказался Сталин — о нем Вы говорили с еще большей ненавистью, что нетрудно понять. А все остальные, кого мы вспоминали с Вами в эти дни — выходит, приличные люди? — Я с любопытством ожидал ответа.

— Ну, конечно, — мгновенно отреагировал Алексин. И все же мне показалось, он не услышал полностью вопроса, потому что, не останавливаясь, он продолжил прерванную мною фразу. — Судите сами: добро — с кулаками, нежность — с жестокостью. Мало ли что какому-то маньяку удастся произнести!

Я сказал, что главный порок — это зависть, она исток очень многих других пороков. Завистливые люди никогда не признаются в том, что они завистливые. Вот они поносят, допустим, очень талантливого поэта. Им говорят: «Вы завидуете!». — «Да ну, что вы, — отвечают они, — как можно ему завидовать!» А на самом деле они одержимы ненавистью — и не только к его поэмам или стихам, они одержимы ненавистью к его успеху. Вот это постыдно! А другой порок — это неблагодарность.

В девятом кругу Дантова «Ада» мучаются не убийцы, там мучаются предатели своих благодетелей. То есть люди, отвечавшие злом на добро. А мы между тем пустили в обиход подлейшие поговорки: «Ни одно доброе дело не может остаться безнаказанным», «Не делай добра — не получишь зла»... Это мещанская, обывательская психология.

Пока не поздно.

— Вот сейчас у меня «юбилей» — неприятное слово, помпезное... — Алексин задумался, я ждал, когда он продолжит и тоже молчал. — Меня теперь никогда не спрашивают про возраст — а это много или мало?

Если обратиться к фразе Тургенева «на кушетке лежала немолодая двадцативосьмилетняя женщина...», то это очень много! Если взять фразу Толстого «в комнату вошел сорокалетний старик...», это, выходит, тоже много. Но если вспомнить, что я проходил недавно по подземному ходу в городе Веймаре, которым семнадцатилетняя Гретхен прибегала к восьмидесятидвухлетнему Гете, то, как говорится, еще не вечер. — Здесь мы оба рассмеялись...

Нашу беседу, в который уже раз, прервал телефонный звонок: в редакции продолжался нормальный рабочий день... Дождавшись, когда я положу трубку, Алексин вернулся к этой теме.

— Никогда не надо ждать благодарности, если ты совершаешь какой-то добрый поступок. И в то же время неблагодарность... Один герой моей повести говорит: «Мне не нужно благодарности, но и неблагодарности мне не нужно».

Так вот, я испытываю чувство глубокой благодарности к людям, которым я многим обязан в жизни, — забывать об этом греховно, хотя очень свойственно многим из нас. У таких людей скверная память на добро и твердая память на зло: они помнят маленькое, самое ничтожненькое зло, которое кто-то когда-то совершил по отношению к ним...

Отношение к родителям, особенно к матери, — это для меня пробный камень всех человеческих достоинств. Когда я прощаюсь с читателями и у меня спрашивают, что я хочу им пожелать, я всегда говорю одно и то же: пусть сбудется то, что вам желали ваши мамы!..

Некоторое время мы оба молчали: каждому из нас в связи со сказанным было что вспомнить...

Если касалось литературы...

— Я с огромной благодарностью думаю о людях, которые сыграли в моей писательской судьбе огромную роль, — повторил Алексин. — Это, прежде всего, Самуил Яковлевич Маршак, это Константин Георгиевич Паустовский и Лев Абрамович Кассиль. Когда-то я пришел на одно действо, которое называлось очень пошло — «Совещание молодых писателей». Был 47-й год.

Писатели застенчиво прижимались к стенке, а среди них были Александр Межиров, Семен Гудзенко, Давид Самойлов, Юрий Левитанский, Чингиз Айтматов... Чаще всего — молодые люди в военных гимнастерках без погон. И рядом мастера, которые этими семинарами руководили. Я был в семинаре Маршака.

В то время я писал стихи, которые уже публиковались, меня называли поэтом и даже хвалили. И вот, я прочитал свои стихи, которые все считали талантливыми. Самуил Яковлевич прослушал их и сказал мне: «А вы чем-нибудь другим не хотите заниматься?» Я понял, что проваливаюсь: то, что я прочитал, было ужасно плохо.

И тогда я, чтобы уж совсем не погибнуть, схватился за соломинку — как утопающий. А «соломинка» оказалась у меня в боковом кармане — семистраничный рассказ, на который я никаких надежд не возлагал. Маршак сказал эдак, как бы сочувственно, но с полной безнадегой в голосе: «Ну, прочтите!» Я прочел рассказ, суть которого заключалась в том, что он был трагическим по содержанию, но юмористическим по форме.

Маршак вдруг захохотал, потом смахнул слезу и сказал: «Вот вам что надо писать — прозу! Не для детей, я думаю, а для взрослых, но у вас должны непременно присутствовать дети, потому что писать о взаимоотношениях взрослого и юного мира — это ваше призвание, у вас это замечательно получается!». Рассказ мой, вообще-то, был слабым, я его потом никогда не переиздавал — но что-то он углядел в нем.

— А ведь это тоже сторона таланта — увидеть, найти, — прокомментировал я услышанное...

— В это время случайно вошел Паустовский, — продолжал вспоминать Алексин, — он тоже услышал этот рассказ и сказал мне: «Сделайте его первой главой повести — если всю повесть напишите на таком уровне, как сейчас прочитанное, я буду ее редактировать».

Словом, моя первая книга вышла под редакцией Паустовского. Я никогда эту повесть не переиздаю. Я ушел от нее, но то обстоятельство, что мастера что-то там разглядели (а разглядеть было непросто), мне по-прежнему лестно. Ведь они были очень взыскательными: они могли быть добрыми и снисходительными в чем угодно, но если дело касалось литературы, они говорили только правду. Сказать начинающему писателю неправду — это значит его прежде всего предать: обнадежить — а ничего потом не свершится.

Лев Абрамович Кассиль был самый большой мой друг. И вот к этим людям, к нему и Маршаку, я сохранил благодарность навсегда — и всегда об этом говорю. Я сам потом пытался, насколько мог, помогать молодым писателям. Некоторые это помнят... — Алексин мягко улыбнулся, будто вспомнив кого-то именно, но быстро посерьезнел и продолжил, — хотя мне, в общем-то, и не нужно, чтобы помнили.

Но когда Женя Евтушенко, а я с большим уважением отношусь в этому поэту, написал на своей книге: «Дорогому Толе Алексину, поддерживавшему меня с ранней юности», — мне это очень дорого. Он это и со сцены говорит...

КОМУ БЫТЬ ПЕРВЫМ

— В книге «Перелистывая годы» я вспоминаю такую историю: Толстой сидел на крыльце своего яснополянского дома, на щеку его присел комар — и Толстой его прихлопнул. Тогда его последователь и секретарь Чертков начал нудить: «Ну вот, Лев Николаевич, вы учите нас "не убий". А сами убили комара, вот и кровь на Вашей щеке». Но Лев Николаевич ему ответил: «Не живите так подробно!».

Так вот, я в своей книге не «перемалываю» подробно свою жизнь и не пишу о себе: я пишу о замечательных, значительных людях, подчас великих, с которыми меня свела судьба. Кстати, знаменитым может сделать человека и совершенное им добро и совершенное зло, если они масштабны. Так что, когда я говорю, например, о политиках, то это не только люди, которыми я восхищался, — но с которыми вообще свела меня жизнь.

Когда мой отец сидел в тюрьме, за стеной сидел целиком десятый класс... Неверно думать, что арестовывали только единомышленников — партийцев, наркомов, военачальников и т. д. Я видел самый страшный документ, рукой Сталина написанный: «...дать Красноярскому краю дополнит. лимит на 6 тысяч четыреста человек...» — количество, которое подлежало расстрелу.

Это не зависело от имен, от поступков людей. Сталин не был сумасшедшим — он был дьяволом, это была, как говорит в моем романе «Сага о Певзнерах» Абрам Абрамович (герой, который мне наиболее близок), это была, как бы теория «нелогичной кары». «Я буду вести себя верноподданно, — думал мещанин-обыватель, — тот, кто с утра до вечера голосил: "Да здравствует товарищ Сталин!" — и меня не тронут». А эти-то как раз не в последнюю очередь расстреливались. И какой-нибудь Вышинский, который был кадетом или меньшевиком, я уже не помню, его судил. Конечно нет, казалось бы, никакой логики — тогда трепещут все! А для того чтобы вершить злодейства, которые он вершил при полном безмолвии народа, — для этого должен был быть не обычный страх, а страх сатанинский. Вот этот сатанинский страх он и создал...

— Помните, как у Мандельштама, — добавил я, — «кому в лоб, кому в пах!» Эти стихи, фотокопированные и подклеенные под самодельную обложку к изданными, кажется, «Посевом» воспоминаниями вдовы поэта, мы втихую передавали когда-то друг другу с условием — «на одну ночь!»

Именно с этим томиком выскочил я из трамвая на подъезде к Тишинке — хотя ехать мне следовало чуть дальше, до Белорусского вокзала: заглянул ко мне через плечо и что-то углядев, некто с соседнего сиденья поинтересовался — давно ли издано? — В Калуге, — непринужденно отвечаю, — в прошлом году...

Остался в памяти этот эпизод почти посекундно, будто случилось вчера, протиснувшись к выходу, я заставил себя спокойно сойти со ступенек вагона и быстро смешался с пешеходами. По-настоящему страшно стало потом, когда я рассказывал об этом, возвращая книгу. Год, кажется, шел тогда 72-й...

— Может, я ошибаюсь, но почти все нынешние произведения о Сталине, передачи о нем по телевидению, в которых пытаются анализировать его образ, — это попытка его реабилитации. Этот подход предполагает поиск разных человеческих качеств, — заговорил Алексин. — Но послушайте, Саша, можно ли сказать: «Вот мой сосед вчера убил ребенка, но в то же время у него есть и другие качества!» Каждый ответит — нельзя! А если десятки миллионов убил — значит, можно? Сталин — злодей из злодеев на все времена и эпохи. Дай Бог, чтобы ничего подобного больше не было.

— Сублимация злодейства — в одном характере... Такие истории все же случались, — заметил я.

А еще вот о чем.

— Был снят фильм по моей повести «Поздний ребенок». Замечательные актеры — Василий Меркурьев, Леонид Куравлев, Вениамин Смехов читает закадровый текст... великолепно читает! Фильм снимал молодой режиссер Константин Ершов. Я прихожу на просмотр на телевидение и дамы телевизионные говорят мне: «Вас исказили, вы не сможете этого принять».

Я не могу сказать, что я человек очень внушаемый, но тут... повесть эта мне дорога, и мне показалось, что вместо моего «позднего» ребенка подсунули чужое дитя. Чувствую — стилистика не моя, интонация немножко не моя. В общем, я не поддержал эту картину, и Костя Ершов, молодой режиссер, юноша почти — 27 лет ему было — и морально, и материально понес урон.

А потом фильм показали по телевидению. И на следующий день мне звонит не кто-нибудь, а мой друг дорогой, человек замечательнейший, один из тех, с кем я дружил — Ираклий Луарсабович Андронников. И он говорит: «Толя, я Вас поздравляю от всей души, мы всей семьей Вас поздравляем!». Я говорю: «С чем?» — «Как — с чем?! Вчера был Ваш фильм , а это же новое слово в кино!»

Я говорю: «Вам это нравится?» — «А как это может не нравиться?». Я был потрясен! И чем больше я сам смотрел фильм, тем больше он мне нравился. Это бывает только с произведениями истинного искусства.

И я решил принести Косте покаяние, извиниться. Я решил поехать в Киев, где он живет, и позвонил туда по телефону: «Можно Костю?». В трубке ответил женский голос: «Его нет». — «А скоро он будет?» — Она ответила: «Никогда! Он умер».

ГОРБАЧЕВ И ДРУГИЕ

— Конечно, у него были грехи непрощаемые — Пастернак, например. Но это его надоумил Ильичев, накачал его — был такой подлец, секретарь ЦК партии по идеологии, который укоротил жизнь, я думаю, моему другу Льву Абрамовичу Кассилю, потому что опубликовал подлейшие фельетоны про Кассиля в «Правде», где он был главным редактором и где не было ни одного слова правды.

— Но были и другие фельетонисты, сумевшие не преступить грань порядочности — вот, например, один из них, наверное, вам известный Графов. Хотя свой жанр и он называет до сих пор — «клеветоны». Мы с Эдиком дружны много лет...

— Честнейший человек! Говорят же, скажи кто твой друг... А у Вас друзья все-таки прекрасны — начиная с великого Булата. — (Здесь, приводя эти слова, я, наверное, сам себя должен упрекнуть в нескромности — но и весь последующий текст, наверное, не позволит опустить их.) — Я его всюду называю великим, — продолжал Алексин. — Виктор Гюго, когда ему замечали, что он слишком хорошо говорит о людях или слишком плохо, отвечал: «О людях и событиях надо говорить и не хорошо и не плохо — а так, как они того заслуживают, то есть говорить правду». Булат был человеком эпохи Возрождения. Великолепный поэт высочайшего класса, и прозаик замечательный, и композитор прекрасный. Как-то все забывают, что это же и его музыка, она у всех у нас на слуху, и она прелестна совершенно!

Булат не любил слова «бард». Он — исполнитель своих песен, так скажем. Исполнитель своих стихов и песен. Все в одном лице — это человек эпохи Возрождения. Да, но я отвлекся... Так вот, Хрущев и гнев его... Необразованный, он путал Рождественского с Вознесенским — Господь с ним. Но вот Пастернак — это его грех! Причем, Аджубей мне говорил, что он очень потом горевал: «Ильичев, негодяй, подлец, подбил меня...»

— Он в «Записках» своих во многом успел покаяться, — напомнил я.

— Маргарита Иосифовна Алигер, которой он на одной встрече с интеллигенцией... — Алексин на мгновение смолк, припоминая подробности. — Помню, был страшный гром, ливень, под навесом интеллигенция собралась и был такой представитель Союза писателей РСФСР Леонид Соболев, написавший, кстати, довольно сильные романы.

Сверхпатриот, хотя и беспартийный. Он был гардемарином, из дворян, и при начальстве всегда старался свою верноподданность демонстрировать. Причем, до такой степени он это вдохновенно делал, что ему как бы становилось плохо с сердцем и его увозили. Именно, как бы...

Когда на этой встрече он еще раз сыграл такую сцену, Маргарита Иосифовна Алигер с места как-то отреагировала на это негативно. И тогда Хрущев, который хорошо уже выпил, сказал: «Нам беспартийный Соболев дороже партийной Алигер». И тут же спрашивает (я слышал сам, поскольку очень недалеко сидел) у Шепилова (помните, человек с самой длинной фамилией «и-примкнувший-к-ним-Шепилов»), вальяжный такой барин, который изображал из себя большого либерала. А именно он был редактором

«Правды» в те времена, когда шло убиение так называемых космополитов — талантливых критиков, людей, не причастных ни к какой политике... Этим Сталин готовил движение к депортации евреев, ко всем чудовищным своим деяниям, к расстрелу Еврейского антифашистского комитета и прочим безумствам.

Так вот, тогда Шепилов как секретарь по идеологии вел эту встречу, — и Хрущев его спрашивает: как ее отчество, как ее отчество? Шепилов говорит: Маргарита Иосифовна. И Хрущев обращается к ней: «Ну, Рита! Ну, Рита, выйди!». Она выходит. Он ей протягивает руку, говоря: ну, вот, партия тебе протягивает руку! А она ему не протягивает. Вы можете себе представить это при Сталине? Сталин протягивает руку, а она не отвечает тем же. Это был 58-й, уже после XX съезда партии. При Сталине расстреляли бы всех, кто видел, кто слышал. И вместо того, чтобы совершить нечто *сталинообразное*, он похлопал ее по плечу: ну, не обижайся на старика, я пошутил.

Когда ему было 77 лет (это мне рассказывала Маргарита Иосифовна), он уже был давно никем, она позвонила ему и поздравила с днем рождения, а он разрыдался и сказал: «Ну, наверно, не так уж ты на меня тогда обиделась». Помнил. Все он помнил...

...Я, в принципе, за многое благодарен — и Горбачеву, и Раисе Максимовне. А еще хочу подчеркнуть — все же, даже в самые страшные времена, были люди, которые оставались людьми. Вот это очень важно! Когда отца моей жены Тани, сына немецкого банкира, приехавшего строить социализм и арестованного по личному приказу Кагановича, совершенного людоеда, везли в Магадан, он сквозь решетчатое окошко вагона-тюрьмы выбросил в снег, в тайгу, в никуда письмо жене, написанное на папиросной бумаге. И оно дошло!

Значит, нашелся человек, который это письмо обнаружил где-то в тайге и доставил его адресату, понимая при этом, что если бы об этом узнали, он получил бы 25 лет без права переписки.

Я был мальчиком и печатал свои бездарные опусы, незрелые стихи свои в «Пионерской правде», где на редколлегиях выступали такие верноподданные товарищи и говорили: ну, чему может научить или с чем обращается к своим сверстникам сын врага народа? А главный редактор газеты Иван Андреевич Андреев (я этого имени не забуду никогда) и ответственный секретарь Рафаил Абрамович Дебсамес, зная, что мы с мамой погибаем, физически погибаем, нам не на что жить, выплачивали мне гонорар, что было тогда нарушением всех законов: я ведь был несовершеннолетним и к тому же сын «врага народа».

Они выписывали одному очень честному человеку, литсотруднику, эти деньги, которые он мне передавал. Деньги были очень смешные, деньги были очень маленькие, но они нас спасли. И вот эти два случая мне говорят о том, что во все времена, даже самые жуткие, находятся люди, которые не перестают быть людьми.

КОГДА МАЛЬЧИШКИ БАЛУЮТСЯ...

— Анатолий Георгиевич, последний вопрос. Я хочу показать Вам одну фотографию, которую я привез из Москвы, на ней человек, его зовут Николай Петрович...

— Он продает эти газеты...

— Совершенно верно. Вы знаете его? По сути дела, это единственное место, где я смог бы обнаружить подобного рода литературу в продаже — газеты «Завтра», «Лимонку», что-то еще... Самое интересное: за час примерно, что я был невдалеке, кроме меня, никто у него не купил ни одной газеты. Все говорят об опасности фашизма в России, но мне она не показалась очевидной — за то, правда, недолгое время, что я был в Москве. По-Вашему, там действительно существует серьезная угроза фашизма? Не от нее ли Вы уехали? Словом, почему Вы оказались в Израиле?

— Я уже говорил о выступлении в Бетховенском зале Большого театра на встрече Ельцина с интеллигенцией. Председательствовал на ней, что мне очень понравилось, замечательный писатель Борис Васильев — один из самых порядочных людей, которых я знал. Он дал мне слово первому, и я сказал про опасность фашизма в России, про легальное существование антисемитизма. Это все было напечатано в «Литературной газете», и называлась статья «Диалог с президентом».

Да и телевидение показывало мое выступление много раз. Ельцин поддержал меня, актриса Мария Миронова, мать Андрея Миронова, другие... Но с той ночи нам стали звонить каждый день, в четыре часа утра, и под звон граненых стаканов они орали в трубку: «Тебя, жидовская морда, мы вздернем на фонаре». Ну и т. д.

И хохот там пьяный... Я не испугался, я ко многому привык — «сын врага народа». Таня — «дочка врага народа» — вообще воспитывалась в детском доме, она блокаду в Ленинграде пережила. А я видел все — и 37-й, и 50-й, и 53-й. Но было очень противно.

Я пошел к министру внутренних дел той поры, это 93-й год, и рассказал об этом. «Да что вы, Анатолий Георгиевич, подняли такой шум, ерунда все это, не стоит тревожиться. Ну, мальчики балуются...» Я говорю: «Я не люблю, когда мальчики балуются с фашистской свастикой на лацканах. Я не люблю такие игры этих мальчишек. И звонки эти ночные». «Ну, что вы, — отвечает он. — Правда, в списке вы есть». И показывает мне список — Фронта национального спасения. «Вы в списке первым, но не потому, что они первым Вас хотят, — Вы по алфавиту... Видите, Вы на букву «А». Смотрю: «Алексин Анатолий Георгиевич, адрес». И в скобках написано: «вестибюль, дежурная». Я, вообще-то, человек мягкий, но тут во мне что-то взыграло.

Вскоре меня попросили открыть мемориальную доску на здании, где находился Еврейский антифашистский комитет, расстрелянный 12 августа 52-го года — одна из самых злодейских акций Сталина. И я открыл доску вместе с послом Израиля Арье Левиным, с женой Переца Маркиша Эстер и с дочерью Михоэлса Ниной. Это тоже показали по телевидению. Потом попросили меня провести вечер Михоэлса. Я и это сделал. Вот тут уже юдофобы разъярились до невозможности. Тут уже их душа не выдержала! Это, кстати, тоже зависть. Бездарные люди всегда ищут виноватых в своей бездарности. Эпиграмму на Сергея Смирнова помните? «Поэт горбат, стихи его горбаты. Кто виноват? Евреи виноваты!» И они развернулись во всю. Вот тогда я сел писать роман «Сага о Певзнерах» — о судьбах еврейского народа.

Когда-то выяснилось, что моя бабушка Соня, которая погибла в гетто, — была предана дворником, с детьми которого она занималась: он ее выдал, предал — хотя в ней немцы и румыны не опознали еврейку, она была русоволосой и курносой. Бабушка погибла. Утесов Леня, а он был почетный гражданин Одессы, сказал мне: «Я разыщу его». Он потратил на это полмесяца, позвонил и сказал: «Толя, он удрал с румынами, его найти нельзя». Так вот, у Утесова были мудрые анекдоты на все случаи жизни — и в моей книге Абрам Абрамович рассказывает анекдоты Утесова.

Я написал этот роман, о нем узнал Ицхак Рабин и через посольство прислал мне письмо. От его имени руководитель администрации главы правительства писала: «Г-н Рабин просил Вам передать, что если Вы прибудете, то найдете на Земле обетованной обетованную для Вас встречу, признание и т.п.». И для начала министерство иностранных дел для нас устроило месячную поездку по Израилю.

Мы с Таней побыли там и влюбились в эту страну. Я потрясен: это звучит банально, но за 50 лет создать на песке, как по Маяковскому, страну-сад, — это непостижимо! Причем мощную страну! Мы любим Израиль. Правда, у меня двойное гражданство — российское тоже сохранилось. У меня в Израиле за шесть лет вышло четыре книги. А еще ежемесячно — четыре-пять встреч с читателями. Они приходят на эти встречи, приносят мои книги, привезенные из России — и это так трогательно, что они нашли место в багаже для этих книг!

Теперь мы живем в Израиле, и я хочу честно сказать, что это не в последнюю очередь связано с медицинскими проблемами: там спасли жизнь жене, сделали операцию, которую бы никто не сделал, даже хирурги в Америке.

А мне спасли зрение. Я вижу одним глазом, у меня очень тяжелая форма глаукомы. Кстати, не могу не сделать комплимент и в адрес американской медицины, коль у вас практикуют такие специалисты мирового класса, как мой старинный друг Самуил Файн. Так радостно было здесь с ним встретиться. Для меня он давно уже стал олицетворением истинного целителя, который высочайшим искусством своим сумел отобрать у недуга, угрожавшего жизни, мою любимую жену Таню... Бесконечная ему благодарность! У нас и в Израиле очень много друзей. Даже и премьеры относились ко мне очень сердечно, беседовал со мной не раз Ицхак Рабин, когда роман вышел, прислал мне письмо, где поздравлял меня с этим событием. Для меня свята его память.

— Я подозреваю, что самое последнее письмо в его жизни было адресовано «Панораме» в связи с 15-летием, — вспомнил я, — оно у меня хранится. Мы тогда еще не успели получить это письмо, а уже пришло сообщение, что он погиб.

Чтобы судьба совершилась

Кажется, только что я пообещал, что задаю Алексину последний вопрос. Оказалось — не последний, как это и бывает обычно с собеседником, с которым не хочется завершать разговор.

— В связи с Израилем: когда Вы смотрите там телевидение, на экране вы видите главным образом еврейские лица — что нормально. То же и в Америке: вы не удивляетесь тому, что много евреев на телевидении и что владельцы телевизионных каналов во многих случаях имеют еврейское происхождение — все они здесь просто американцы.

Но вот и в России я увидел в телепередачах немало еврейских лиц: среди ведущих, редакторов и авторов, владельцев программ и их участников и т. д. На фоне того, что происходит в стране, не кажется ли Вам, что подобное положение в определенной степени может способствовать росту антисемитизма? Нетрудно же представить себе реакцию простого россиянина, замученного невзгодами нынешней жизни и задуренного пропагандными речами красно-коричневых лидеров?

Сегодня, пять лет спустя, когда я снова в Москве и вернулся к записи нашей беседы, мне кажется, лиц «некоренной национальности» (замечательный эвфемизм, не так ли?) на телеэкране заметно поубавилось. Неужто и нынешние руководители российского телевидения, или даже те, кто над ними, разделили высказанные мною сейчас опасения? И приняли соответственно меры...

А тогда, недолго помолчав, Алексин ответил:

— Трудно сказать... я и сам вижу, что евреев там немало. Самое главное — лучше бы этого вообще не замечать, — чуть подумав, продолжил он.

— Как в Штатах, — согласился я. — Здесь людям просто не приходит в голову задаться вопросом, кто там на экране — Кац или Смит... Ваша дочь, ведущая в одной из передач нью-йоркского телевидения — кому-нибудь приходить в голову связать ее происхождение с проблемами собственной жизни? Но дело, по-моему, не только в компании макашевых. Вам не кажется, что такая ситуация в принципе может явиться для определенной части российского населения раздражителем — вроде празднования Хануки в Кремле?

— Для каких-то слоев населения, может быть, да. Но эти люди не будут представлять большинство в России, нет. Я в этом абсолютно убежден! А то, что мы по старой привычке все это замечаем, говорит, что проблемы еще существуют и негодяями будет это при случае использовано. И все-таки, я думаю, что макашевы и баркашовы сегодня не могут иметь никаких шансов. Хотя любые проявления фашизма, даже если он не опасен в глобальном смысле, должны пресекаться. Они должны быть просто невозможны!

— Вполне русский мальчишка в одной из передач, которую я видел в Москве, предложил как рецепт выхода страны из экономического кризиса попросту распродать немалую часть России: на глазах у нескольких сот, собравшихся в студийной аудитории и миллионов телезрителей он стал кромсать карту — «Вот эту часть, Камчатку, можно отдать Японии — пусть они купят ее. Вот эту часть, Карелию, с удовольствием возьмут скандинавы...». И т. д. А на деньги, которые мы выручим, будем улучшать жизнь людей в оставшейся части страны»...

— Это печально. Я русский писатель — а писатель всегда принадлежит к той культуре, на языке которой он пишет. И я человек верующий. Лев Давыдович Ландау, которого я знал (не могу сказать, что с ним дружил, но он ко мне очень хорошо относился...), однажды сказал: «Толя, физик, который сомневается в существовании высшей силы, влияющей на все события, происходящие на Земле, это не физик. Но мы можем только знать о существовании этой силы, а все остальное мне неведомо».

Так вот, я хочу верить и молю Бога о том, чтобы Россия обрела ту судьбу, которой она достойна: потому что это великий народ, во всех сферах жизни, культуры, науки, он подарил миру такое количество великих людей, гениев! Россия — страна, которая заслуживает доброй судьбы, и я хочу, чтобы эта судьба свершилась!

На следующий день Алексины улетели — в Нью-Йорк, где уже не первый год живет со своим американским мужем их дочь Алена, которую они нежно и глубоко любят. Между прочим, я неоднократно был свидетелем их телефонных разговоров, из которых уверился, что чувства эти не просто взаимны, — но они как бы соревнуются друг с другом: кто успеет произнести в короткой беседе больше нежных слов.

Это ли не счастливые люди?

Глава 14
АТЛАНТИДА, ЛЮБОВЬ МОЯ...

АЛЕКСАНДР ГОРОДНИЦКИЙ

Потом... — это после первых песен, автора которых я тогда еще не знал — ни лично, ни да имени его, услышанных мной, прошли годы — об этом я вспомнил в первых главах. Так вот, потом прошло много лет, и вдруг здесь, в Америке, во время недолгой поездки, ему — профессору Александру Моисеевичу Городницкому, ученому-океанологу, доктору геолого-минералогических наук, академику Российской академии наук, но и поэту — вдруг стало 60. И мы оказались в тот вечер в доме под Лос-Анджелесом у наших общих приятелей.

Сидели впятером — Городницкий, хозяева дома Марина и Юра Гурвичи, мама Юры и я. Был скромный, поскольку экспромтом собранный, но все же праздничный стол с юбилейным тортом.

Была гитара, которую по завершении трапезы мы вложили Городницкому в руки. И он, не отнекиваясь, пел для нас. И, как мне казалось, для себя.

Потом... Потом он снова был в Лос-Анджелесе — уже не один. Аня, мало того, что жена поэта, но и поэтесса, оставила мне свой сборник с очень крепкими стихами.... А еще год спустя он звонил мне из Москвы, узнав о кончине моей мамы.

И годом позже он снова в Лос-Анджелесе, снова ненадолго — в этот раз у меня.

О чем мы говорили? Да о многом. О чем могут беседовать сверстники, за плечами которых десятилетия, прожитые пусть по-разному, но большей частью в одном кругу и, соответственно, с немалым числом общих приятелей? За несколько часов до его отъезда в нашей прощальной беседе я попытался как бы собрать все воедино.

Хоть похоже на Россию...

— Давай, — предложил я, — назовем темы, к которым мы успеем за оставшиеся часы вернуться... Вот, к примеру, твои лауреатовские дела — это же потрясающе: премия имени Булата! А еще — бардовская песня за границей. И, если успеем, — наука и фантазии, здесь тебе тоже есть что сказать. Начнем с Окуджавы... — я едва закончил фразу, а мой собеседник уже говорил, сразу выделив самое для себя важное. Этот разговор продолжил тему, возникшую при первой нашей встрече — в Калифорнии...

— Когда умирает человек, «изменяются его портреты» — замечала Анна Андреевна Ахматова. Но не портреты Окуджавы — и во всяком случае, не для меня. К моему счастью, я был дружен с ним в последние годы его жизни, когда он жил в Переделкине... Он и в жизни-то был мерилом совести, я бы даже сказал — одним из последних рыцарей нашего поколения. Известие о его смерти застало меня неожиданным образом 12 июня — я оказался на Южном Урале, где был председателем жюри фестиваля авторской песни. Светило яркое солнце, на склонах горы и вокруг озера сидело несколько десятков тысяч человек. А именно той ночью перед нашей встречей по Би-би-си передали известие о смерти Булата. Мы не поверили, звонили в Москву и даже просили по Интернету проверить — так ли это. В 10 утра стало ясно, что это правда...

Читатель мог заметить: о чем бы мы с Городницким ни говорили, рано или поздно обращались мы к Окуджаве — над нами как бы витала незримо его тень и почти въявь слышался его голос. Добавлю: в тот день я никак не мог предположить, что публикация текста нашей беседы точно совпадет с днем памяти поэта, с очередной годовщиной его кончины. Однако совпало — безо всяких с нашей стороны специальных стараний.

— И вот, ярким солнечным днем, — продолжал рассказывать Городницкий, — мне предстояло объявить радостно настроенным людям о кончине Булата. Чудовищная миссия... По горе, где стояли люди, просто пошел стон.

А теперь мне присуждают премию имени Булата Окуджавы. Представляешь, что я испытывал, когда президент вручал мне ее? «Эта премия не мне, но самой авторской песне», — сказал я ему. И еще я сказал Ельцину, что рад: вот впервые в моей стране, в России, стала возможной премия за авторскую песню.

Ты же помнишь: ничего, кроме гонений и травли, не испытывали ее основоположники — Галич, Окуджава, Высоцкий — и ничего не получали от государства. А то, что в России вообще возникла такая премия — при всех недостатках и ужасах нашей жизни, криминале и тому подобном, — я считаю важным критерием свободы. Об этом я сказал президенту, и он это воспринял: «Это не мне премия — это всем им! Спасибо, — сказал я ему, — за тех, кто не успел ее получить: я понимаю, что я лишь некая передаточная инстанция». Ельцин пожал мне руку: «Правильно, это будет хорошая им память!»

Будучи одним из них, первых трех-четырех, не назвал себя Городницкий в числе основоположников... Отметив про себя это обстоятельство, его я поправлять не стал.

— А вообще-то, Ельцин понял, о чем идет речь? — не вполне адекватный вид тогдашнего российского президента давал мне основание задать этот вопрос: все же вряд ли сам он водил пальцем по списку — мол, «вот этому мы и дадим премию Окуджавы».

Городницкий кивнул: вроде понял. Да ведь это и не столь важно — сказанное слышали не только те, кто стоял рядом, но миллионы телезрителей и радиослушателей.

— Премию мне вручали 11 июня, накануне годовщины смерти Окуджавы, потому что 12 июня праздновался День независимости России.

«...Надо же, такая судьба: родился в день, совпавший два десятилетия спустя с днем, назначенным для празднования Победы... Умер в объявленный ныне праздник — День Росии», — я достал с полки незадолго до этого вышедший сборник, в котором приведены были мои горестные заметки по следам кончины Окуджавы, и показал Городницкому этот отрывок.

— Помню, он был в «Панораме». А Кушнер тогда отозвался: «И кончилось время, и в небе затмилась звезда»... Я не ожидал, что меня выдвинут на эту премию — меня поставили перед фактом. Выдвинула меня родная писательская организация города Ленинграда, Литфонд и газета «Вечерний Ленинград», которая любила Окуджаву — он был почетным членом ее редколлегии.

В положении о премии была записана замечательная фраза: «За выдающийся вклад в русскую поэзию и вклад в авторскую песню, соизмеримый с вкладом Булата Окуджавы». Я считаю это для себя величайшей честью. Будут еще лауреаты, но то, что я стал первым, ко многому меня обязывает. Я передал эти деньги музею Булата Окуджавы.

Очень важно, чтобы такая премия существовала, чтобы существовало это направление — и дело вовсе не в том, что в денежном выражении это нечто символическое. Важно, чтобы имя Окуджавы осталось навсегда как критерий нравственности не только в литературе, но в общественной жизни России.

Мне рассказывал потом Сережа Чупринин (гл.редактор журнала «Знамя». — *А.П.*), который был в комиссии (потом и в газете появилась большая статья), о том, как это все обсуждалось: тогда выяснилось, что кроме меня не было вариантов вообще. Ким не выдвигался, но если бы предложили его, я бы снял свою кандидатуру. Вот сейчас подали предложение на Кима, и я думаю, что он получит премию все-таки (Юлий Ким эту премию получил. — *А.П.*). «Новый мир» выдвинул Новеллу Матвееву, но она перед этим получила Пушкинскую премию, а в один год две премии как бы не полагается...

Знаешь, в тот раз перед присуждением была большая борьба: вдова Булата, Ольга Владимировна, переживала, чтобы эта премия не ушла к эстрадникам-гастролерам — премия все же должна оставаться в рамках литературы. И пока это как будто так и складывается.

На премию Булата в нынешнем году три достойных претендента: Юлий Ким (я сам к этому выдвижению приложил большие усилия) — его выдвинула Московская писательская организация, Римма Казакова письмо подписала, Ассоциация российских бардов — общественная организация, где я являюсь президентом, и поддержал Литфонд. Журнал «Новый мир» выдвинул поэта Дмитрия Сухарева, это очень талантливый поэт. В общем, все выдвинутые достойны премии, я их всех люблю, но Дмитрий Антонович Сухарев поступил блестяще: он возглавлял вечер 16 ноября в ЦДЛ — шел сбор средств в помощь Киму, который в Израиле ожидал операцию. Сухарев позвонил Киму, а на следующий день подал бумагу в Комитет по госпремиям, что снимает свою кандидатуру в пользу Кима. Сухарев — настоящий поэт и настоящий человек. Я снимаю шляпу перед ним.

ВПЕРЕД — В АРЬЕРГАРД!

— Говоря о будущем авторской песни, мы понимаем, что она будет жить ровно столько, сколько будут рождаться люди, способные продолжать эту традицию. Так вот, как, по-твоему, обстоят дела с теми, кого вы могли бы назвать своей сменой? — спросил я.

Городницкий ответил не сразу.

— Довольно сложно, хотя есть и в этом поколении талантливые люди. Окуджава считал, что авторская песня родилась на московской кухне — а эта полоса закончилась. Мне представляется, что самая характерная черта нынешней песни, которую по-прежнему зовут авторской, состоит в том, что она перестала быть авторской. Недавно в «Новой газете» я опубликовал большую статью, назвав ее — «Из авторской песни выбыл автор».

Дело в том, что я являюсь председателем жюри самого большого фестиваля в России — Грушинского, который каждый год собирает десятки тысяч человек. И я вижу, как все меняется, как все стремительно перемещается в сторону эстрады. Это явление перестало быть предметом литературы, это больше не поющие поэты, какими были Окуджава, Галич, Высоцкий... Просто пишутся неплохие тексты — и возникает как бы эстрада, но под гитару. И другие люди выходят на передний план, и все как бы размыто... Я в этом вижу настоящий кризис авторской песни. Хотя интерес к ней огромен не только в России, но и за рубежом.

— Интерес к чему — к песне того времени, с которого мы отсчитывали ее начало, или к песням, создаваемым сегодня? Все же время идет: может быть, оно естественно приносит с собой иные оценки и иные критерии? — я не успел договорить, а Городницкий уже отвечал:

— Критерии, конечно, меняются. Сейчас люди больше хотят развлечений. И — отвлечений. Им не так интересны уже страшные вещи, о которых писали Галич, Высоцкий... Но вот лирический герой Окуджавы был и остается всегда. На вечере памяти Галича 19 октября в Москве с грустью отметил, что в Большом зале Политехнического музея оставалось много свободных мест. Знаешь, самым *поющимся* автором после смерти, что может многих удивить, является Юрий Визбор. Концерты его памяти проводятся — причем при всегда битком набитых залах. Выходят диски, кассеты... И когда обращаются ансамбли к авторской песне, поют Визбора, в основном. Тому есть разные причины, я просто констатирую это как факт.

— Что же касается сегодняшнего дня, — продолжал Городницкий, — очень интересно, что с авторской песней происходит то же, что происходило в наше время с литературой: существовали две русские литературы — одна в Советском Союзе, а другая в зарубежье. Так вот, сейчас авторская песня во многом переместилась в зарубежье.

В последние годы произошла очень интересная вещь: возникли клубы самодеятельной песни. Начались они именно с авторской песни — хотя на самом деле создали их люди, я бы сказал, сочувствующие авторской песне, сами поющие и пишущие. Конечно, среди них немало откровенных графоманов. Но, в конце концов, не в этом дело — я всегда с симпатией относился к этим людям еще и потому, что в самое трудное брежневское безвременье они внутри затхлого чудовищного полицейского государства создали свободно мыслящий социум.

Их было несколько миллионов человек — и благодаря им сейчас все это существует. И даже расширяется с развитием эмиграции — в Америке, Германии, в Израиле... Да, особенно в этих трех странах, где очень большая русская диаспора, в основном еврейская, но и этническая русская тоже.

И дело тут не в чистоте расы: принадлежность человека к той или иной культуре определяется языком прежде всего, а вовсе не нашим, российским подходом — «по крови». Вот сейчас образовались так называемые КСП — клубы самодеятельной песни — в Израиле, в Германии, в Америке, и каждый год там проводятся слеты, фестивали, конкурсы. Причем они приобретают все более массовое движение.

КАМО ГРЯДЕШИ

— Интересно, что главная проблема для культурной части русскоязычной эмиграции — это проблема утраты языка следующим поколением: ваши дети свободно переходят на английский, потому что языковая среда у них тает, как в колбочке свечка: вспомни, как на уроке физики нам показывали: нет кислорода — все чахнет. Я это видел в Германии — там дети переходят на немецкий. Эта проблема во многих семьях существует. У меня самого такая же проблема в Израиле.

И, представь себе, увлечение самодеятельной авторской песней совершенно меняет всю ситуацию. Я почему это знаю? В Германии, где мне пришлось провести два месяца после операции, я много общался с эмигрантами. И здесь в Америке, когда приезжаю к вам... В этот раз в Лос-Анджелесе и в Сан-Диего я встречался с очень талантливыми молодыми ребятами — компьютерщиками, физиками, которые пишут тексты и поют. Есть несколько интересных авторов и в Сан-Франциско. Они проводят фестивали, и, представляешь, дети, уже терявшие интерес к русскому языку, поют эти песни. Я видел сегодня девочку десятилетнюю, которая вернула себе русский язык — она поет Окуджаву и еще что-то. А петь ведь нельзя с акцентом и неправильно — это уже слух, это звуковое. Так происходит сохранение языка — через песню. И не только языка. А для родителей это как бы утоление ностальгии и сохранение связи с их детьми.

Булат Окуджава в последний год говорил: „Знаешь, стихи пишутся у меня, а песни нет. Мелодии ушли все». Я говорю: „Булат, наш с тобой разговор напоминает старый анекдот, когда один мужик другому говорит — я уже семь лет импотент, а тот отвечает: а я, тьфу-тьфу, только второй год». И если ты обратил внимание, Саша, в книжке, тебе подаренной, очень много стихов, написанных за последние годы, а песен среди них мало... Вот, а сначала в нем одни песни идут. Мелодии как бы ушли, и я не знаю, в чем дело. Но я точно знаю, что стихи и песни — это разные вещи. Если говорить серьезно, мне как-то сказал Булат, незадолго до смерти: «Понимаешь, Алик, раньше мы были в авангарде, вроде — мы первые дали «магнитофониздат», а сейчас, обрати внимание, как все поменялось — мы в арьергарде, в этом разнузданном мире наркоты, хард-рока, прагматики, рынка и прочего криминала. Авторская песня — одна из немногих вещей, которая борется за человеческую душу».

Время, кто остановит твой бег? Часовая стрелка в третий раз обошла свой круг, а сколько еще оставалось, о чем было бы непростительно ни вспомнить сейчас и ни упомянуть. И я вспомнил:

АТЛАНТИДА, ЛЮБОВЬ МОЯ

— А знаешь ли ты, что определенной части твоей зарубежной аудитории грозят большие неприятности: говорят, что в ближайшие 30 лет Калифорния перестанет существовать, — здесь я плавно перехожу к твоей другой ипостаси. Итак — ты геофизик, — сказал я об ожидающих наш штат неприятностях как бы в шутку, но мой собеседник принял тему вполне серьезно.

— Я все же думаю, что Калифорния не перестанет существовать.

— Вот здесь, — показал я на гранки, — статья, что появится в выпуске «Панорамы», который ты до возвращения в Москву не увидишь. Это компиляция, но подготовил ее наш сотрудник Лейб Плинер, человек весьма эрудированный. И здесь как раз поднята эта тема. А именно: существует, утверждают некоторые ученые, 70 процентов вероятности сильного землетрясения в Калифорнии. А сильным считается по шкале Рихтера 6,5 и выше баллов. Недавнее Нортриджское имело силу 6,8 балла. В одном из тезисов этой статьи сказано, что предвидеть землетрясение почти не представляется возможным. То есть можно сказать, с какой степенью вероятности оно произойдет — например, в течение 30 лет. Как произойдет тектонический сдвиг и где конкретно будет эпицентр землетрясения, более точно пока вычислить не удается. И я хотел бы спросить тебя: что ты по поводу этого предсказания думаешь?

— Я присутствовал в Москве два года назад как профессор геофизики (и выступил с докладом) на научной конференции «Геофизика XXI века». И вот что сказал в своем сообщении доктор геолого-минералогических наук, кстати, один из главных духовных иерархов Московской духовной академии: землетрясения предсказать нельзя, потому что это промысел Божий. А ты, между прочим, обратил внимание, что землетрясения бывают часто в тех регионах Земли, где происходят какие-то катаклизмы — войны, социальные волнения — в Армении (Спитаке), в Турции?

— И что — скапливается некая энергия, которая способствует?.. — поинтересовался я.

— Скорее — наоборот, — не дал мне договорить Городницкий, — я здесь вижу обратное. По-видимому, существуют геопатогенные зоны, находясь в которых люди становятся агрессивными из-за того, что они в постоянном стрессе живут, в ожидании землетрясения. И это со временем становится у них явлением генетическим. То есть возникает обратная причинная связь.

В принципе, мы знаем, где могут быть землетрясения, но мы не знаем — когда. Помню забавный случай... когда Звиад Гамсахурдия был президентом в Грузии, мне позвонили домой из радиостанции Би-би-си, из их московской редакции: профессор Городницкий, мы просим вас прокомментировать заявление Гамсахурдии о том, что большевики специально устраивают землетрясения на Кавказе, чтобы подавить независимость кавказских народов, и в Грузии в частности. Ну, ответил я им, большевики многое умеют, но, слава Богу, трясти землю они еще не научились, поэтому заявление Гамсахурдии расценивайте как политическую провокацию.

— Так уж и не могут! — У меня, действительно, были основания усомниться. — Недавно мне попались на глаза сразу несколько публикаций по поводу нового оружия — тектонического: создается серия направленных взрывов, влияющих на кинетическое состояние земных пластов — и в определенной зоне на расстоянии многих сотен километров возникают землетрясения...

— Ну, на это у нас нет ни денег, ни возможностей, — Городницкий задумался, видимо, проигрывая мысленно подобную вероятность. — В принципе, проводить серии подземных направленных взрывов огромными ядерными зарядами, чтобы сдвинуть там где-то пласты земли... теоретически это возможно, но практически — маловероятно. Пока это нечто из области фантастики. Что же касается того, что Калифорния вскоре погибнет — я очень сильно в этом сомневаюсь. Останется время — я бы взглянул на статью, о которой ты говоришь, чтобы ее прокомментировать.

— Здесь автор напрямую пишет о скорой гибели нашего штата, но вообще-то существует ряд публикаций, вполне научных, я бы сказал, шаманских, в которых предсказывают это. Авторы — от Нострадамуса до современных ученых... — я продолжал упорствовать.

— Что ж, здесь действительно сейсмически активная зона, — не дослушал меня Городницкий. — Рихтовая зона, уходящая под Калифорнию. Ты не видел фантастический фильм «Гибель Японии» — о том, как не стало этой страны?

— Нет. Но здесь автор пересказывает теорию десяти тектонических пластов, которые движутся относительно друг друг, — добавил я.

— Если ты имеешь в виду теорию тектонико-литосферных плит, так у меня есть целый ряд книг на эту тему. Это общепризнано, это все правильно, но при чем здесь Калифорния? Хотя, вообще-то, дно Тихого океана задвигается под Калифорнию с довольно большой скоростью — 5 сантиметров в год...

— И ты можешь что-нибудь по этому поводу сказать нашим читателям?

— Я могу сказать, что опасность землетрясений и сильных катаклизмов существует в Калифорнии, но вероятность того, что Калифорния вся утонет — этого не может быть, насколько мне представляется. Я же в свое время делал доклад в Израиле, и мне пытались там доказать, что Мертвое море превращается в океан, что Израиль отделится от арабских соседей и станет островом — а там существует разлом типа вашего Сан-Андреас. Этот разлом «сработает» — и вот тогда только и кончится интифада: Израиль отделится от арабских соседей, к ним присоединится Синайский полуостров, и все это уплывет в океан. Они спрашивают меня: когда? А я отвечаю: скоро, через 5 миллионов лет.

— Значит, если тебе предложат, и ты откажешься поселиться в Калифорнии — то не по этой причине?

— Я бы, вообще-то, и не отказался: замечательный солнечный край, одно из самых красивых мест на земле. Во всяком случае, здесь нет, как на Восточном побережье, чудовищных ураганов.

— Ну, хорошо, переходим плавно к следующей теме. Значит, Калифорнии не грозит судьба Атлантиды. А что мы знаем про нее, эту таинственную страну?

— Атлантида — это миф, легенда. Моя точка зрения по поводу Атлантиды — это тоже модель, основанная на легенде, на описаниях Платона, а также, добавлю, на реальных фактах. Во время моего погружения на батискафе в Атлантическом океане, западнее Гибралтара, где существует система подводных гор Хорс шу, на одной из крупнейших подводных возвышенностей на глубине всего лишь 100 метров под уровнем моря (а основание их проходит на глубине 5 километров) были обнаружены странные сооружения, похожие на руины древнего города.

Я сам туда погружался, у меня есть кое-какие фотографии, зарисовки, на которые можно обратить внимание читателей, и я неоднократно выступал со статьями и лекциями на эту тему. Речь шла о том, чтобы организовать туда новую экспедицию. И как раз у нас всякие «дефолты» пошли — а сейчас нет ни денег, ни времени этим заниматься. В принципе, это дело достаточно интересное. Но, кроме того, я как геофизик на основании этих фактов, перечитав Платона с позиции современной геологии, попытался дать причину гибели Атлантиды.

Существуют две точки зрения по этому поводу. Большинство людей, включая и авторитетных ученых — таких, как академик Милановский, с которым я был дружен, и американских ученых Бекона и других, считало, что Атлантида погибла в Средиземном море: на острове Тира было чудовищное извержение вулкана, что и послужило причиной ее гибели. Я же полагаю, что там погибла не Атлантида, а крито-микенская культура, что и датируется временем извержения вулкана Сантарин около полутора тысяч лет до нашей эры.

А в это же время на западе погибла Атлантида — примерно там, где писал Платон, то есть за Геркулесовыми столбами: я предполагаю, что это могло быть как раз в системе подводных гор Хорс шу, на которых мы работали. Мы выявили однозначно две вещи — первое, образцы базальта, отобранные с вершин подводных гор, показали, что эти базальты застывали на поверхности, а не под водой. Значит, это была огромная горная страна, которая быстро затонула.

— Видимо, в какой-то период времени профиль земной поверхности претерпел очень серьезные изменения. Писали недавно, что где-то в горах Арарата нашли остатки ковчега: океан заместился горами...

— Это был потоп. И, видимо, в связи он с главным катаклизмом, с гибелью Атлантиды — что мне кажется вполне реальным, с позиции современной геологической науки. Так же, как реально и то, что евреи уходили из Египта, а волна, утопившая войско фараона — это цунами, судя по описаниям Библии. Цунами же возникли в результате взрыва того же вулкана Сантарин. Все связывается по времени, те же примерно 1500 лет назад до н. э. Все можно увязать в единую систему, которая определяется как первая известная нам глобальная катастрофа.

— Определить — да, но все это невозможно проверить. Разве что когда-нибудь появится «машина времени» и удастся пропутешествовать в ту эпоху. Хотя и об этом начинают говорить серьезные ученые: например, разрабатывается теория одномоментности настоящего, прошлого и будущего. Ты вообще веришь в такую вероятность?

— В обратимость времени, в «машину времени» не очень верю...

— Вот бы при жизни нашего поколения изобрели! Пока же нам приходится обращаться к прошлому мысленно — что тоже достаточно приятно иногда...

— Я с удовольствием пришлю большую статью, если это интересно читателям «Панорамы». Это то, чем я на старости лет начал отвлекать себя — как бы стык мечты и реальной науки. И в этом всегда получается интересный эффект. Именно — на стыке! Я как ученый уверен, что внутри каждой науки человечество выявило все, что можно, а все новые открытия остаются возможны как раз на стыке — на стыке науки и фантастики.

— Алик, последний вопрос: как тебе удается сочетать научную работу и творческую?

— Признаюсь: очень хреново! Организм уже с трудом выдерживает такое напряжение. Но на самом деле я не могу не похвастаться: у меня в прошлом году вышла но Флориде книга «Магнитные бури океана». Это работа моей лаборатории, наш 15-летний труд. Чтобы в Америке вышла книга русского ученого на русском материале — дело нечастое, и я как российский ученый очень этим горжусь.

— Но, действительно, как ты все успеваешь? У тебя в лаборатории есть какие-то обязательные присутственные часы? — полюбопытствовал я.

— Нет. Но надо кормить лабораторию, и что-то там постоянно делается. У меня есть график, которым я сам себя закабаляю.

— А большая ли лаборатория?

— Нет, 12 человек.

— Ну, и кормятся люди как-то?

— Кормятся, хотя не очень. Но существуем, это самое главное.

— Слушай, ведь лаборатория-то — это дело государственное! Почему же ты сам должен добывать для нее деньги?

— Да, и у нас есть бюджет — от Института океанологии имени Ширшова. Бюджет крохотный, вот мне и приходится этим постоянно заниматься. И что касается литературных работ — тут тоже напряженно. Вот сейчас в Питере у меня вышла большая книга «Избранное» — в ней стихи и песни. В Израиле вышли избранные стихи. А сейчас, я говорил уже тебе, взялся писать книгу для «Вагриуса». И еще выступления время от времени. Приходится кормиться именно выступлениями, потому что как завлаб я получаю зарплату, величиной 45 долларов... Ну, ничего, как-то жизнь продолжается.

Эти слова звершили нашу беседу — ту ее часть, которую я постарался передать в последующей газетной публикации.

А жизнь и правда продолжилась, подарив мне радость еще не раз обнять Алика. Об этом я и вспомню здесь — о чем-то с удовольствием, о чем-то с меньшим. Сначала — о первом.

Спустя несколько лет, при участии Городницкого (хочу надеяться, что прямой связи между этими событиями нет) мне был вручен билет Союза писателей Москвы — Городницкий стал одним из рекомендующих, вторым был Ерофеев Виктор. Таков уж порядок, существующий испокон веков и ничего с этим не поделаешь. Так ведь и не надо, наверное.

И теперь — о событии никому, из причастных к нему радости не принесшем, да как не упомянуть! Премии нашего фонда складываются, главным образом, из устройства нами выступлений приглашаемых гостей — были среди них Евтушенко, Смехов... вот и Городницкий после планового концерта-встречи выступил в пользу Американского фонда Окуджавы.

Собралась сумма в несколко сот долларов, которую Городницкий целиком передал нашему представителю, и которую в тот же вечер похитили вместе с сумочкой злоумышленники, вскрывшие багажник его автомобиля. Погоревали мы, ну что поделаешь...

Ладно, — рассудили мы — еще не вечер. А с Городницким мы при встречах вспоминаем этот эпизод с легкой грустью и с надеждами на светлое будущее бюджета так нелепо пострадавшего фонда, и на наше личное...

Глава 15
СЕМЬ ЖИЗНЕЙ ПИСАТЕЛЯ

ВЛАДИМИР КУНИН

От главы — к главе... И каждый раз, когда кажется — все, никого не упустил вспомнить: а это ведь как снова пережить первую встречу, и многие — потом. Вот — Кунин.

Еще задолго до нашего знакомства я знал, что на его счету множество киносценариев: вот его «Интердевочка», эта лента оказалась выплеснута одной из первых на гребне гласности за пределы России и как-то сразу покорила западного зрителя — ее стали знать везде. Это потом уже, после нее пришли на Запад михалковские ленты, потом был «Такси-блюз» Лунгина, повторяемый и по сей день кабельными телеканалами...

Кунин прежде всего писатель — сценарист это производное: книги его изданы, они продолжают издаваться, и не только по-русски... мне досталось прочесть их уже после нашей с ним встречи, а раньше как-то не случилось. Вот и теперь не забывает меня Володя, а дальше в тексте я так и буду звать Кунина по имени — мы дружны уже больше полутора десятков лет, это точно.

— Вообще-то, жизнь моя, начиная лет с 15, была бурной и путаной... — задумчиво рассказывал он в тот раз. — Творческую же ее часть правильнее отсчитывать с начала 50-х, когда я в цирке работал акробатом...

— Акробатом?.. — я подумал, что ослышался.

— Я был двукратным чемпионом Союза по акробатике, — невозмутимо продолжал Кунин. — Потом начал проигрывать соревнования по возрасту — мне уже стукнуло 28 лет, и тогда я ушел работать в цирк.

Теперь я счел уместным, не высказывая удивления, просто смолчать...

— У меня было два номера, включавших в себя рекордные трюки, — и однажды на детском утреннике я, работая без страховки с партнером, разбился. Тогда же я написал рассказ. Тяга к исповедальной, какой-то маленькой прозе у меня появилась вдруг и совершенно непонятно почему. Рассказ получился такой, я бы сказал, сладкий — а в нем я написал все, что знал про цирк. Приехавший случайно в наш город главный редактор журнала «Советский цирк» Анатолий Иванович Котляров спросил меня: «Это правда, что ты написал рассказ?» — «Правда», — сказал я. Он прочел этот чудовищный, слабый, каким я вижу его сегодня, рассказ и... напечатал его. Видимо, что-то его поразило — ну, как если бы обезьяна заговорила вдруг человеческим голосом. Тем более что подписал я рассказ так: «Владимир Кунин, артист цирка».

С полгода провалялся по разным больницам — начиная от Средней Азии, где это со мною произошло. Долго лежал в Москве, в Центральном институте травматологии и ортопедии (ЦИТО), где меня собирали по частям с моими одиннадцатью переломами. Тогда-то я написал еще рассказ и повесть «Местная анестезия», которые, надо думать, напечатали уже из жалости ко мне. А когда я вышел — ручонка одна у меня не работала... И вдруг — приглашение собственным корреспондентом в журнал «Советский цирк»...

Ручонка... Помню, слушал я Кунина, не перебивая, и только отмечал про себя его удивительную манеру произносить слова: каждое он выговаривал отдельно и отчетливо, и звучало оно как-то штучно, будто по-конфетному завернутое в красочную обертку, и оттого очень самостоятельное и значащее.

— И начались мои командировки, — продолжал рассказывать Кунин. — Я снимал комнату в Москве на Маросейке — и мотался по различным циркам страны, писал корреспонденции, фотографировал. И за это время напечатал около 80 очерков и статей — до тех пор, пока в одном из них не описал бедственное положение артистов передвижных цирков. Собралась коллегия Министерства культуры, и я был изгнан «за пасквиль», «за очернение действительности».

А спустя месяц — неожиданное приглашение спецкором в газету «Советская культура»: говорили, Фурцева, тогдашний министр культуры, поспособствовала. После этого особых гонений я не чувствовал — разве что, когда получил из Франции приглашение от Марселя Марсо принять участие вместе с маленьким сыном Вовой во встрече Нового года в его театре, наше Министерство культуры ответило, что месье Кунин так занят, так занят, что не может выехать. И вообще вся советская журналистика держится на нем, так что, пожалуйста, не трогайте его...

— А каким образом Марсель Марсо узнал о вас? — поинтересовался я.

— Впервые посетив Россию, он подарил журналу «Советский цирк» свои рисунки и маленький очерк — его впечатления о Москве. Тогда-то мы и познакомились с ним и с его переводчицей Лизой Муравьевой, потомком — не больше и не меньше — Муравьевых-Апостолов, вернувшейся недавно из Парижа, где она родилась и выросла.

Этот период своей жизни Кунин вспоминал с очевидным удовольствием:

— Марсо попросил, чтобы мы сопровождали его в поездке по стране. И мы месяц были с ним вместе и, надо сказать, жутко подружились. А спустя несколько месяцев он прислал мне приглашение...

Я вернулся домой, в свой родной Ленинград, и сел писать киносценарий, который назывался «Я работаю в такси». После демобилизации я действительно работал в такси — а куда бедному летчику податься было?

— Что, что — летчику? — Да, было чему изумиться...

— Я восемь лет был военным летчиком, — невозмутимо продолжал мой собеседник. — Поэтому и хотел начать разговор с того периода, который мне представляется более бурным... Это потом я стал профессиональным сценаристом, и с тех пор по моим сценариям было снято 32 фильма. Мне, конечно, повезло редко....

Вот картина «Чокнутые», например — ее снимала Алла Сурикова на «Мосфильме». Это была сатирическая история постройки первой железной дороги Петербург—Царское село, длиною в 20 верст. Эпоха — николаевская Россия. Я же сумел сделать историю 150-летней давности абсолютно актуальной, по сегодняшнему дню. Там снималась замечательная когорта актеров. Ужасно смешная картина вышла — веселая, милая. Прекрасно снята операторски. Сегодня я сознательно не упоминаю среди нравящихся мне картин «Интердевочку», наделавшую много шума (книга была издана в 23 странах и переведена на 17 языков, общий тираж ее — 3 250 000 экземпляров).

Сценарий я писал не на Яковлеву, а на Татьяну Догилеву. Мы с Петром Тодоровским, снявшим картину, были очень дружны до этих съемок, потом как-то разошлись в оценках некоторых ситуаций, и отношения у нас, к сожалению, охладели...

— А не приходило ли в голову сделать сценарий автобиографический — мне кажется, картина вышла бы вполне захватывающая... — Я спросил это, уже зная такие детали биографии Кунина, как беспризорное детство, как учеба в горной школе диверсантов — туда набирали самых отчаянных пацанов, кому все было, сейчас бы сказали, «до фонаря», — для кого собственная жизнь значила немного, а чужая — и тем более. Не брезговали рекрутировать в ее ученики и из контингента заключенных — вот Володька Кунин и был одним из таких. Кого эта школа выпускала — представить нетрудно.

Но ведь и штурманом боевого самолета тоже был: это отсюда сценарий «Хроника пикирующего бомбардировщика» — кто видел, помнит игру в нем замечательного актера Даля, рано ушедшего из жизни.

Разговор этот происходил у нас в средине 90-х. Но вот, годы спустя, хорошо знакомый голос в трубке — это Кунин из Москвы: завтра премьера фильма, поставленного по «Сволочам» — то есть, снят все же по такому сценарию. А тогда Кунин категорически заявил:

— Да нет у меня времени для романа! Да и вообще — надоело писать романтические вещи. Я после «Интердевочки» решил, что буду писать сказки. Такие, как «Иванов и Рабинович». Или как «Русские на Мариенплац». Сказки, построенные на абсолютно реальной основе, но с придуманными героями и сюжетом. Они могут быть веселыми или грустными. Я хочу сочинять, мне *остоедренил* реализм.

И вообще, последние 68 лет я, к счастью, не потерял ни одного желания. Я потерял возможности многие, но желания у меня остались довольно серьезные, сильные, иногда просто затмевающие здравый смысл. И поэтому я хочу писать сказки. Мне это интересно...

Дальше позволю себе прямую цитату из публикации тех лет — она ни в чем не устарела, разве только прибавилось в списке снятых фильмов и изданных книг...

— Я почти все написал, оставаясь месяцами в Доме творчества, в одной и той же комнате, в «Репино», где у меня был свой номер. Но вот теперь, получив гонорары за изданные книги, я поселился в Мюнхене, где снял квартиру и где продолжаю работать. Там написана, в частности, «Русские на Мариенплац». Мюнхен для меня сейчас как Дом творчества, поскольку живу вдали от своего дома: у меня осталась квартира прекрасная, в Ленинграде, и библиотека, многие тысячи томов. Когда мы в последний раз приехали в Мюнхен, я захватил с собою 500 штук книг для работы и десятка полтора картин, картиночек и рисунков, подаренных мне в разное время моими друзьями-художниками. Общего весу этого багажа набралось на шесть с половиной центнеров.

А сейчас у меня небольшая квартирка в прелестном доме, в очаровательном районе города. Правда, немецкий у меня отвратительный. То есть абсолютно никакой... так, наверное, говорит макака, которая свалилась с баобаба на землю. И тем не менее, я общаюсь, разговариваю, иногда даю интервью. И никакой ущербности при этом не ощущаю. Я зарабатываю в Германии, получаю гонорары из России, и этого вполне достаточно, чтобы позволить себе, например, поездку в Америку, снять гостиницу, взять машину в аренду, пригласить 8—10 друзей в ресторан. У меня прекрасная фильмотека: помимо книжек, я привез с собой больше сотни кассет, на них примерно 200 лучших фильмов мира, с превосходным русским закадровым переводом лучших переводчиков Советского Союза.

...Недавно — это я дописываю годы спустя, — Кунин перевез из Ленинграда в Мюнхен почти всю библиотеку. Перестал ли Кунин ощущать себя связанным со страной рождения, как бы там не складывалась жизнь, и какие бы события там не происходили? — нет, не перестал, для меня это очевидно, видимся-то мы с Володей и его женой Ириной нередко, вот даже как-то оставались они у меня дома на полтора месяца или даже чуть больше. Не случайно все же тогда, в 90-х — завершил наш разговор Кунин следующей фразой:

— Я безумно хочу, чтобы читатели, особенно те, кто приехал совсем недавно — в Америку ли, Германию, или в Израиль, — ни в коей мере не старались бы казаться коренными жителями этих стран уже через 10 дней. Можно ведь сохранить себя, можно придумать свой маленький мир, можно оставить в целости и сохранности добрые и хорошие привычки, которые вывезены из России и от которых так рьяно отказываются, чтобы казаться давно живущими, вросшими в эту нередко чуждую им поначалу жизнь. Но я хочу пожелать им как можно легче войти в эту жизнь — без эдакой унизительной уловки...

Подросток-арестант, военный летчик, спортсмен, акробат, таксист, сценарист, писатель. Человек семи жизней — так я назвал тогда первую публикацию нашей беседы — сначала в газете, а потом — и в сборнике.

* * *

Да что это я — все о прошлом, да все о прошлом...
Вот ведь случилось нам как-то провести вместе дней 10 в Карловых Варах. Я-то там был планово, купил путевку еще в Лос-Анджелесе, а потом, погостив в Москве, мотнул к чехам. А Кунин сел в машину, усадил рядом Ирину, вырулил на автобан Мюнхен—Прага, и уже через несколько часов мы в его номере откупорили бутылку чего-то очень вкусного, привезенного им из Германии.

В общем, провели мы эти дни отменно: бродили по окрестностям, заходили перекусить, отведать местного пива — лучше его нет в мире, это я говорю вполне квалифицированно, или заглядывали в кофейни-кондитерские. Тоже вкусно...

Но вот у Кунина, оказалось, день рождения приходился как раз на эти дни: я почти сразу нашел в местном магазине замечательного фаянсового кота (это традиционный подарок Кунину — в связи с популярнейшим героем его книг, котом Кисей. Вот он и собирает коллекцию статуэток). Правда, недавно Кунин признался: в квартире места для котов больше нет, скоро они хозяев самих выживут из дома — на балкон...

Так вот. Зашли мы отметить это доброе событие в рекомендованный кем-то из знатоков Карловых Вар рыбный ресторан. Прислуживал нам в симпатичном подвальчике рослый расторопный парень — он быстро и аккуратно уставлял столик заказанными блюдами. Изучая меню, мы обнаружили в нем свежевыловленных креветок и, конечно, заказали себе по порции. Цена на них была проставлена вполне приемлемая, даже и по местным масштабам, — что-то долларов пятнадцать значилось в колонке справа от названия.

Естественно, мы их и заказали, и естественно же, помимо всего прочего — как закуску к основным блюдам. Мы славно посидели, запили обед классным чешским пивом... и, перглянувшись, дружно замерли — перед нами лежал счет: там значилась какая-то фантастическая для этих мест сумма. Стали разбираться: может, описка, и ничего не поняли, оказалось — «креветки»! Дальше произошел такой диалог:

— Но ведь здесь написано 15 долларов! — это мы официанту.

— За 100 граммов, а в каждой порции по 500 граммов примерно... — это официант — нам.

Ну что тут скажешь: приходилось их, этих свежевыловленных созданий, на блюдо штуки по пять, ну может — шесть... Выходило — каждая весила граммов сто, и стало быть стоила десятку. А то и дороже. Так они же съедены, кто и как их теперь взвесит? Посмеялись мы сами над собой — во попались, гурманы! Ведь знал же официант — не мы, наверно, первые. Пережили, однако, а в этот ресторанчик больше не заглядывали — ну его. Так что, любители креветок — в Карловых Варах будьте бдительны!

А на этих днях звонили мне Кунины из Нью-Йорка — из отеля «Уолдорф Астория» — там останавливаются короли, звезды кино — видно, продюсерам нового фильма Кунина оказалось «незападло» потратить дополнительные тысяч несколько на сценариста. Здорово!

Наверное, позвонят Кунины мне из Москвы теперь — там премьера «Сволочей» — про ту самую школу диверсантов, — знал я заранее, когда дописывал эту главу.

Глава 16
Я ВАМ ПИШУ...
(Эпистула — как введение в тему)

Главному редактору «Литературной газеты»
Юрию ПОЛЯКОВУ

Уважаемый господин редактор,
позвольте предложить Вашему вниманию тезисы размышлений в связи с публикацией статьи «Неполноценный комплекс превосходства» в рубрике ДИАГНОЗ (выпуск «ЛГ» от 30 июля с.г.)... уверяю Вас, что реакция на подобную публикацию в США... не ограничится моим откликом, прилагаемым к настоящему письму.

Подпись, дата.

Этой запиской я снабдил текст, тезисы которого мне кажутся не устаревшими и сегодня, почему и предваряю ими рассказ о своем визите к главному редактору «Литературки».

Итак. ПОЛНОЦЕННЫЙ КОМПЛЕКС ПРЕДВЗЯТОСТИ, озаглавил тогда я его. А пропусти я тот выпуск «Литературки», не было бы повода вернуться к альбому с фотографиями 20- и больше-летней давности, писал я. А в них содержится немало поучительного и по нынешним дням. Вот, например: Нью-Йорк, год 1981-й. Кабинет тогдашнего главного редактора и издателя «Нового Руского Слова»: справа — Седых рассматривает один из первых выпуков «Панорамы»... И добавлял... «состояние русской периодики в США — тема отдельной статьи, и даже — исследования».

Кроме «НРС», действительно в те годы «центральной», выходившей в Нью-Йорке, как выразилась автор статьи «Неполноценный комплекс...», существовали сан-францисская «Русская жизнь» и парижская «Руская мысль», полностью обращенные к «старой» русской эмиграции. Это были политически ориентированные издания, малотиражные, — они поступали по подписке в русскоязычные семьи на пятый, а то и на десятый день после выпуска — это живущим в Штатах, и те, что издавались в США. Парижкая газета доставлялась в Америку многими неделями, а то и месяцами.

Но и то было хорошо. ...А еще были крохотные машинописные-ротапринтные изданьица, они выходили нерегулярно, журнальными брошюрками литературного и местно-информационного направления и сыграли колоссальную роль в сбережении русской культуры в эмиграции — и это тоже тема специального разговора.

Издатели их были выходцы из так называемых «волн» российской, а потом и советской эмиграции, хотя правильнее было бы сказать — антисоветской: перебравшиеся в Штаты из Харбина, из Шанхая, из европейских лагерей для премещенных лиц — так называли военнопленных и вывезенных из окупированных советских территорий во 2-й мировой войне.

А еще раньше существовали многочисленные газеты и журналы, издаваемые для русского читателя в Париже, в Праге, в Берлине. Были они и в Штатах — их издавали русские эмигранты, оставившие страну в первые два десятилетия прошлого века.

Традиция объявлений с поздравлениями и извещениями о почивших в бозе на полполосы, а то и на полную пришла в нынешнюю русско-американскую прессу именно из тех изданий. Я их тоже помню и даже некоторые выпуски храню: вот на треть полосы, причем первой, объявление о предстоящем кадетском бале в доме Св. Владимира, вот о встрече вдов юнкеров такого-то полка, вот объявлен пасхальный благотворительный обед, сбор денег на «красное яичко» на «Фарме Рова» (почему-то так называли в тогдашних газетах ферму при Толстовской усадьбе под Нью-Йорком...), поздравления в связи тезоименинством Его Императорского Величества... извещение о кончине поручика лейб-гвардии г-на Василия Милославского и т. п.

Конец 80-х. Симон Визенталь охотно рассказывает о перипетиях охоты за нацистским и преступниками — скоро его рассказ станет достоянием читателей «Панорамы»

Начало 90-х. В Лос-Анджелесской синагоге встретились мы с главой «Лиги защиты евреев» Меиром Каханэ (крайний справа). А через несколько лет его убил молодой араб на улице в центре Нью-Йорка...

2000. Владимир Лукин, один из ведущих политиков новой России, в гостях у «Панорамы», с ним беседуют бывший издатель газеты Половец и нынешний — Евгений Левин. Справа от них — генеральный консул РФ в Сан-Франциско и Владимир Зельман — известный американский профессор-медик (крайний справа)

Валентин Бережков — он переводил Молотова на переговорах с Рибентропом, а потом и самого Сталина — для Черчилля и Рузвельта

Середина 90-х. Ана-
толий Собчак впервые
в Лос-Анджелесе

Анатолий Щаранский недавно отпущенный из заключения — один из тех, за кого Сай Фрумкин
(крайний справа) боролся. Теперь он в Израиле виднейшая политическая фигура

Маршал Советского
Союза (последний
из живых в этом
звании!) Виктор
Куликов в беседе
с редактором
«Панорамы»,
конец 90-х

Конгресс русской прессы в Москве, 1999. «Приближенные к телу» знакомятся с «Панорамой» — премьер-министр Сергей Степашин, руководитель администрации Президента Ельцина Александр Волошин и глава ТАСС Виталий Игнатенко (это он организовал Конгресс). «Ну и что же вы там издаете? Понятно...»

2000. Отчего не принять по коктейлю с Джеймсом Беккером — он только что оставил пост Госсекретаря США

Георгий Арбатов сомневается в итогах перестройки: «...прихватизация на пользу кому-то, но только не простым людям»

Обращаюсь к Горбачеву и Ширвинду: «Михаил Сергеевич, Шура, этот — самый свежий анекдот из Америки!..»

Начало 80-х. Генри «Скуп» Джексон — автор поправки к законодательству США, требующей свободу выезда из СССР, на встрече с советскими эмигрантами

А Гарри Каспаров не может быть назначен или уволен — он король шахмат и всегда им остается

Вашингтон, 1997. Автор впервые в такой компании: группу американских журналистов пригласили в Белый дом, из них говорил по-русски только А.Половец

«Господин Президент, — да наплюйте Вы на эти газеты! Но не на нашу — «Панорама» Вам искренне сочувствует!»

«Что мы, не люди что ли, господин Президент!..» И в Белом доме — тоже. Президент был, кажется, расстроган словами сочувствия, вот даже и приобнял автора

Через год мы еще немного поговорили...

Здесь автор тоже в компании с президентом (российским), но, виртуально. А писательница Дина Рубина реальная, московский книжный торговец А.Гантман тоже настоящий, как и Алена Холмогорова из журнала «Знамя»

«Свеча горела на столе…». В гостях у «зебровцев». Слева направо — Олег Ерофеев, Марина Невзорова, Алексей Безуглый, Игорь Смолин, Владимир Вишневский, автор, Владимир Вестерман, Александр Щукин

...Эти объявления, — писал я, — играли важнейшую роль, они нередко были единственным средством общения разрозненно живущих эмигрантов. А публиковавшие их газеты своим существованием позволили сохранить общность российской диаспоры в США, наследниками которой в какой-то степени стали нынешние иммигранты в США, да и в других странах рассеяния.

Автор упомянутой статьи, — продолжал я, — с издевкой выделяет поздравительное объявление неких «Раечки и Семена Попик» — чем они ей досадили? То что их объявление платное — это, скорее всего, правда — да как иначе могла бы существовать эта газета (неважно — хорошая или плохая в понимании автора статьи) — не за счет же скромной подписки!..

Сейчас я вспоминаю, как на заре «Панорамы» мой сын с сочувственной улыбкой цитировал тезис из американского учебника по организации газетного дела: «...издательская деятельность имеет ту же цель, что и любой другой бизнес — получение прибыли». Для улыбки у сына были все основания — повторюсь, для сочувственной улыбки. Какая уж тогда была прибыль, да и долго потом...

Да если бы не платная реклама... — вряд ли когда-нибудь у Аксенова, Гладилина, Алексина, Окуджавы возникли бы основания называть «Панораму» лучшим русским изданием и не только в США, а тем более отдавать в нее свои тексты.

Уж мы загоняли ее, — вспоминал я, — эту рекламу, на отдельные полосы, и в подвалы, и в последнюю секцию, и на края страниц (но никогда, никогда на первые страницы). И всегда оставался кто-то недоволен — то читатель, то дающие в газету рекламу.

Не могу сегодня без улыбки вспоминать такой эпизод: на конференции американских славистов, кажется, в Филадельфии, а может в Бостоне, к стенду «Панорамы» подошел некто в штатском, представился главным редактором российского «Военного журнала» и потом долго расспрашивал меня: «Кто за вами стоит?» Я нарочито вздрогнул и оглянулся — кто там за мной? Конечно, вопрос его я понял, но он так и не поверил, что ни Пентагон и ни ЦРУ, а лишь подписчики и рекламодатели «стоят» за нашей газетой — и отошел, недоверчиво покачивая головой.

Нелюбовь к реалиям Запада трудно не заметить в тексте Яны Джин (это подлинное имя автора публикации в «Литературке», но это, как здесь говорят, ее проблема — не нравится, и ладно. Потому что — капитализм?..

Так вот... опираясь на свой опыт жизни в США, включающий редактирование русских газет и их издание, утверждать, что подавляющее большинство «русских» американцев (повторяю кавычки за Яной Джин) нечестно — все мы с огромным сочувствием наблюдаем за проблемами и трудностями жизни, связанными с переменами на территории бывшего СССР.

Хотя кавычки, и правда, в контексте этой полемики уместны: ну, действительно — хотя бы такой пример: в составе редакции «Панорамы» около 30 человек — евреи, русские, украинцы, армяне, грузины, эстонцы, и даже один узбек, член Союза писателей России. И они не просто наблюдают, но в меру сил помогают родным и близким. А то и просто незнакомым — как после трагдии в Спитаке, как при сборе средств в Советский фонд АНТИСПИД, или как сегодня в фонд помощи российским детям, перенесшим операцию на сердце (им руководит Родион Нахапетов), жителям России, Украины, нуждающимся в дорогостоящем лечении, о чем мы узнаем из писем в наши газеты...

Нужны еще примеры?!. — задавал я вполне риторический вопрос. — И потому есть ничто иное, — писал я, — нежели бестыдная ложь, основной тезис статьи г-жи Джин, утверждающей, что читатели и писатели эмигрантских газет «дорожат каждым поводом оскорбить Россию».

— Яна Джин тут же пишет, — цитировал я: «Статьи, которые можно читать в «НРС», как правило, перепечатки из российских газет». Так о каком, о чьем «комплексе превосходства» пишет автор упомянутого текста и кто им страдает? Не удержусь, чтобы ни привести забавный анекдотец: беседа у психиатра: «Доктор, я страдаю, у меня комплекс неполноценности!»

— Ну, давайте побеседуем, милейший. — После беседы: «Ну что, доктор?» — «Да нет у вас никакого комплекса?» — «Отчего же я так страдаю?» — «Да вы, голубчик, просто неполноценный!» Кому остается принять эту байку на свой счет — судить читателю...

Дальше я вспоминал 1-й Международный конгресс русской прессы, инициированный, как и все последующие, ИТАР-ТАСС и лично его руководителем товарищем В. Игнатенко. Приглашение я принял охотно — как же: это могло стать шансом к началу нашей совместной борьбы с пиратством расплодившихся по миру... Да нет, куда там: цель Конгресса была сформулирована его учредителями, обозначившись в первый же день его работы совершенно противоположно... (подробнее о самом Конгрессе я расскажу в одной и следующих глав — он того заслуживал). Так что заимствования «НРС» у российских авторов можно считать формально оправданными и уж во всяком случае ненаказуемыми, поскольку нынешний владелец газеты тогда же стал первым заместителем председателя Конгресса. За что же его осуждать-то? — его подчиненные в редакции действуют точно в соответсвии с уставом Конгресса...

— Конечно же, — замечал я дальше, — оснований для озабоченности состоянием зарубежной русской прессы предостаточно, но совсем на там, где их видела Яна Джин... А «Новое Русское Слово» — здесь я отсылал любопытствующих к опыту работы там писателя Георгия Вайнера, он некоторое время исполнял обязанности главного редактора «НРС».

...Автор «Литературки» пишет о злобной направленности и недоброжелательности читателей и самой газеты «НРС» по отношению к сегодняшней России... и тут же отмечает, что материалы в ней на 90 процентов украдены или взяты из российских газет.

...Так о каком же «неполноценном комлексе» идет речь? — спрашивал я в письме к главному редактору. — И кому он присущ — эмигрантам или авторам публикаций российских газет?.. И что тогда остается от натужной парадоксальности заголовка статьи Яны Джин, которым щегольнула автор перед необязательно осведомленной о действительном положении вещей в русско-американской диаспоре?

Манерный словесный оборот, но не более.

Отмечал я и тон публикации: оскорбительно выглядело высокомерие, с каким пишет автор о российской эмиграции, как будто речь идет о животных — не о жизни, но о жизнедеятельности... И здесь можно было бы поставить точку, — писал я редактору: «...Обратите внимание: как ловко подобраны имена, приведенные Яной Джин в поддержку ее тезисов: Вайнберг, Ицкович, «несчастные» (хотя все же, надеюсь — счастливые) Попики из Нью-Йорка, и случайно затесавшийся сюда Козловский (тоже «сомнительный тип»...).

— Ну чем не список космополитов безродных! — восклицал я. — Вполне осовремененная классика — (...Эти вайнберги, айсберги, ицковичи тож — никакого житья от них не стало...) При этом автор изящно не заметила, например, объявления-соболезнования в связи с кончиной актера Всеволода Абдулова, да и многое другое.

— Да, кстати, — завершал я письмо, — настоящая фамилия бывшего издателя и главного редактора «НРС» Седых была Цвибак и звали его Яков Моисевич. Может, пригодится г-же Джин для ее будущих опусов?

За этим следовали мой адрес, телефон и, естественно, подпись. А дальше было вот что: статья в «Литературке» появилась вопреки предположениям моим собственным и моих друзей, причастных писательству.

Глава 17
ПРЕССА, КОНГРЕССЫ И ПРОЧЕЕ...

А еще не хочу упустить такое: в 98-м случилось в Москве не рядовое событие... Думаю, о нем не лишне впомнить и сегодня. Итак.

Почему, собственно, я принял тогда приглашение устроителей 1-го Конгресса русской прессы? В зарубежных русских изданиях высказывались тогда авторы публикаций в том смысле, что задуман этот форум, чтобы прибрать к рукам эмигрантскую прессу. Сразу, после присутствия там, и особенно теперь, спустя несколько лет, сомневаться не приходится, так оно и было.

Хотя, с другой стороны, своя, российская, пресса под боком — казалось бы: попробуй, прибери ее к рукам! Чего уж тут тянуться за зарубежной... Прибрали, однако. Но это теперь понятно и ежу...

А тогда региональные издания российские, главным образом, но и русские в бывших советских республиках явно искали здесь для себя «крышу», сетуя на притеснения.

Повестка, предложенная устроителями для обсуждения, выглядела так: «Имидж России и единое информационное пространство» — это я повторяю формулировку из полученного мною письма-приглашения. Пришло оно от г-на Игнатенко, руководителя Российского информационного агентства ИТАР-ТАСС, инициатора и хозяина этого мероприятия.

Вопросы большинству участников казались, и правда, небезразличны, пусть и по разным причинам.

Имидж России? Естественно, родившимся, жившим в России, говорящим на ее языке, не все равно, каким представляется, скажем, американскому окружению образ этой страны. Здесь оказались намертво связаны моральные аспекты с практическими. Судите: на Дальнем Востоке советской ракетой сбит южнокорейский пассажирский «Боинг» — и хозяева американских магазинов снимают с полок бутылки традиционно популярной и у нас, в эмигрантской общине «Столичной».

Да Господь, с ней с водкой, «Смирновская», в конце-концов, не хуже.

А вот и газетные киоски наотрез отказались продавать (и типографии, соответственно — печатать) русские, наши же — «эмигрантские»(!) газеты. Или вот еще: после финансового обвала в России в августе 98-го американские, да и в других странах, финансовые и промышленные компании стали избегать сотрудничества и заключения сделок с организациями, если их представляли эмигранты из СССР...

Словом — не все равно.

Так же и со вторым вопросом. Я не знал тогда, да и сейчас не знаю, сколько в собравшейся аудитории было тех, для кого наличие русскоязычного «информационного пространства» было едва ли не единственной возможностью существования. Да и вообще, что это за зверь — «информационное пространство»? Можно было его понимать так: сумма информации, предлагаемой сетью Интернета, газетами, телевидением и, возможно, какими-то пресс-релизами, тассовскими, например, бюллетенями — раз уж собрал нас там ТАСС. Теперь — ИТАР-ТАСС...

Уже тогда таких «русских» изданий оказалось множество — их называют интернетовскими, им — что? Приобрел недорогой компьютер — и скачивай тексты из «всемирной сети». А еще оставался дедовский способ — ножницы и клей. Самые «передовые», помимо компьютера, оснастились сканером — выбирай из купленных в киоске изданий, что приглянется.

Вот и представим себе этого издателя. И его читателя. Он, читатель, нетребователен — он только хочет чувствовать себя «в порядке», т. е. чтобы для него стали еще более очевидны преимущества жизни, какую он выбрал. Идя навстречу, потрафляющий ему издатель отбирает убедительные примеры тому из российской прессы, на которые та до последних пор была особо щедра, — и в сумме всех этих изданий получался вполне законченный образ страны, в которой жить нельзя и не нужно — считайте этот тезис расширенным комментарием к главе, посвященной «Литературке».

И еще обстоятельство: для кого секрет, что дорвавшаяся до свободы российская периодика поначалу оказалась зависимой от коммерческих, а позже — и от политических раскладов, поголовно. Ну и что с того, — говорит себе старший бухгалтер или младший инженер, ставшие в «заграничной» жизни издателями — да наплевать! Они — там, мы — здесь...

Что же делать, да и надо ли? — спрашивал я себя. Ответ напрашивался — надо.

Существует, конечно, путь юридический, — размышлял я: есть же такое понятие «авторское право», вот следовало бы привести в порядок тамошние, российские законы, а сейчас уже, сразу — использовать международные, об авторских правах. Получилось бы что-нибудь вроде: «пользуетесь нашими материалами — платите!» Пожелали бы «заимствующие», да и в состоянии ли они покупать материалы? Здесь и должен бы работать закон. Да будет ли?

Жизнь подсказывала — не обязательно... Такая попытка состоялась: тяжба группы российских газет с дайджестом «Курьер», закончилась ничем. Она показала: ни Союз журналистов, ни российское государственное ведомство по охране, ни, в конечном счете, американские законники оказались не способными к организованным действиям. А кто-то, может быть и незаинтересован, начинал догадываться я.

— Еще можно выбрать такой путь, — рассуждал я перед приездом в Москву, — придумать некое объединение в рамках некоего же Международного газетного союза или Газетной гильдии русской журналистики (назвать-то можно как угодно), и она объединила бы на равных российских газетчиков и нас. Да всех нас, кто заинтересован в том, чтобы не было недобросовестной конкуренции — со стороны «занимающих», берущих (ворующих — попросту говоря) самые смачные материалы из российской прессы.

Возникни такая гильдия, она могла бы стать сообществом равных и, существуя на членские взносы, способствовала бы добросовестному освещению процессов, происходящих в России. Это с одной стороны, и с другой стороны — отслеживала бы соблюдение авторских и издательских прав — в самой России и за ее рубежами.

Заинтересованы ли в подобной практике российские инстанции? — продолжал размышлять я. — Они же, естественно, озабочены имиджем своей страны. Это уже не говоря о газетах: кому помешают гонорары из-за рубежа, долларовые, верно же?

— А содержание «информационного пространства» — так это вся группа материалов, составляющих периодику. Ведь и мы, «заграничные», — думал тогда я, — могли бы предложить российским изданиям использование наших публикаций. И получится некий банк публикаций, доступ к содержанию которого был бы облегчен прежде всего членам придуманной мною гильдии.

В общем, решил я приглашение принять... Жалел ли я об этом после и жалею ли сейчас, спустя столько лет? Нет. Не жалею. Помню, вокруг стенда «Панорамы» с газетами, с микрофильмами, с компьютерными списками — справочным аппаратом к выпускам за два почти десятилетия, и с непрерывным показом видеофильма о газете было всегда людно.

Первым подвели к стенду тогдашнего премьера Степашина. Позади его маячила невзрачная фигура человека с бородкой — он все пытался заглянуть через плечо Степашина, листавшего «Панораму» — стопка свежих номеров газеты была доставлена самолетом в Москву к самому началу конференции. Оказалось — Волошин, это теперь я знаю, кем он на самом деле был...

Случись же так, что в этом выпуске на первой полосе крупным планом был портрет Александра Лифшица (удивительно похожего на Арканова — их и сейчас часто путают) — советника Ельцина по вопросам финансов и экономики. Кажется, так называлась его должность — он за пару недель до того был с визитом в нашей редакции, и мы же чуть позже организовали его встречу с калифорнийскими бизнесменами. А в самом уголке той же страницы поместилась крохотная фотография Степашина — сейчас и не вспомнить, в какой связи: видимо, аннонсировала что-то репортажное из выпуска.

— А почему это, — как бы в шутку, вопросил премьер, — Лифшиц такой большой, а я — маленький?

Отшутился и я:

— Мы и вас сделаем большим: получится крупно, если снимать вблизи — так что, милости просим, заходите в гости!

Расказывали, что годом позже Степашин стоял перед Ельциным и чуть ли не со слезой, вопрошал:

— За что? Я надежный, я так верно вам служил...

Ответа Ельцина история для нас не сохранила — только, стал вдруг опальным премьер... Хотя поговаривают, что опасался Ельцин возможных амбиций Степашина, посяганий его на первое место в стране. Кто знает, что там было. Но и не обделил его непоследней должностью в правительстве.

В те же дни организовал мне Сафаров, тогдашний заместитель председателя Комитета Госдумы по безопасности (не той «безопасности», которой знимаются на площади Дзержинского, а этой совсем от нее далекой, так мне объяснили) хождение по коридорам Госдумы.

Уместно здесь напомнить о Сафарове (был он назван и в первой книге, славный оказался парень): это он придумал тогда встречу в Госдуме с председателем Комитета по обороне. Павлóвич оказался вполне гражданским человеком, одарившим «Панораму» получасовым интервью. Сегодня нет резона приводить текст нашей беседы, хотя в свое время она звучала вполне злободневно.

Предложил Сафаров организовать встречу и с Жириновским, условился уже с его помощниками, я и вопросы к вождю «либералов» успел подготовить, только ждать его возвращения из города я не стал: остаток дня у меня был расписан — в городе ждали друзья.

На другой день работы Конгресса я оказался сидящим прямо за спиной Березовского. Дождавшись его выступления, я спросил его из зала: «Если правительство не вполне лояльно к владельцам крупного капитала, о чем вы сейчас говорили — отчего бы вам всем не договориться, чтобы единым фронтом говорить с Кремлем?» Березовский только развел руками: «Нам бы между собой сначала договориться».

Все было понятно.

Примерно в те же годы встретил я в Москве старого знакомого по нашей эмиграции, участвующего (причем весьма успешно) в ресторанном деле — у него несколько ночных клубов. Хотя, по его признанию, — проблем тоже хватает, специфически российских проблем. Или вот: по всему городу — плакаты: «Платите налоги! Пора выходить из тени». Это призыв к так называемым «теневикам». Но и ко всем.

Спустя примерно год, уже в Лос-Анджелесе, я заглянул к приятелю, он с короткой побывкой оказался дома и назавтра собирался обратно в Москву. Проблем у него меньше там не стало, и даже напротив — они приобрели характер критический. Теперь он рассказывал более обстоятельно — видимо, действительно прижало, — и сейчас его откровенность приоткрыла для меня и тот кусочек современной жизни, к которой я, гостя в Москве, не имел касательства. Так вот, рассказывал Марк (не настоящее его имя, и пока он остается там, будем так его называть, мало ли что...), однажды к вечеру в его клуб заглянули двое пристойно одетых молодых людей и представились — мы из городской управы, — так теперь называется мэрия.

— Знаете ли, — обращаются они к Марку и его партнеру, — помещение, в котором находится ваш клуб, было отведено ему неправомочно, и теперь оно возвращается законному владельцу, то есть нашему учреждению, нам... Вместе с находящимся клубом. Вести его дела теперь будут у нас. Вот документы: хотите подписать их сейчас — или завтра? А нет — так пеняйте на себя. День-другой, и не приведи Господь, может пожар у вас случиться, а водопровод окажется не исправным... Да сами мы все под Богом ходим... Так что решайте.

Назавтра Марк обратился к своим покровителям, а они у него имелись (конечно, не за так просто) — и в милиции, и в серьезных органах, и, чего уж скрывать, — в структурах, которые пресса деликатно называет «криминальными». В общем, «крыши»... И во всех этих инстанциях ответ звучал одинаково, ну с небольшими вариациями:

— Хорошо, мы поставим охрану, ну день она у вас простоит, ну другой — а потом что? Да и вы по городу ездите, в магазины заходите — не можем мы гарантировать вашу безопасность, понимаете? Газеты читаете? Вот-вот.

Теперь Марк не знает, как быть? Оставить дело — но ведь столько туда вложено — и труда, и здоровья, и денег, конечно. Так что — все бросить? А пока Марк возвращается в Москву.

Надолго ли?..

* * *

Как-то далеко за полночь, коротая время до сна, я, почти не глядя, механически нажимал кнопки на пультике управления телевизором. Нормально и даже привычно — и у нас не всегда и не сразу найдешь, на чем остановиться глазу — то же и здесь, в Москве... Экран мелькал, менялись каналы: ...на эстраде маршируют длинноногие девочки в усыпанных блестками мини-юбочках... мальчики, обтянутые плотным трико, отчего только и можно заключить, что это все же мальчики, — так называемая «подтанцовка», хореограф с ними рядом не стоял...

Кривляющиеся пацаны, вызывающе неряшливо одетые в балахонистые штаны и куртки, бейсбольные, козырьками назад, кепочки — неумелая калька с американских негритянских рэп-групп, — солист прикрывает под терзающую уши «попсу» ладошкой с растопыренными пальцами причинное место — «как Майкл Джексон»... Задорнов... симпатяги «менты»... Задорнов... Басков... Жванецкий... снова Задорнов... И много рекламы.

...А вот рождественские службы в храмах, торжественные и благочинные, — с присутствием высших правительственных и городских чинов. Вот — из студии проповедует молодой попик, упитанный, скудная бороденка, глазки хитры, боюсь заметить, не по-церковному блудливы... Может, это мне так увиделось после знакомства с соответствующими публикациями в местной прессе. Тогда пусть меня простит его приход... И снова — бесконечные сериалы, с убийствами, с потрясающими каскадерскими трюками — на зависть Голливуду, правда тому, 30-х годов. Но и Николсон в последних кадрах «Шайнинг». Жаль, пропустил фильм.

Стоп: интервью с Леночкой Кореневой. Она уже десятый год снова живет в Москве, активно снимается, работает в театре, чего к сожалению — потому что она очень талантливая и незаурядная актриса, — чего не случилось за предшествующие годы, проведенные ею после недолгого замужества в Америке. Я насторожился, услышав вопрос интервьюера — «Где же все-таки лучше?» Не ей лично, а вообще — где лучше? Знаете, что она ответила? «В России хорошо отдыхать от Америки. А в Америке — от России».

Умничка... Для первой части утверждения у нее определенно были основания: во многих случаях я близко наблюдал за перипетиями ее жизни в Штатах — в Нью-Йорке, у нас в Лос-Анджелесе. Мне же после недавних визитов в Москву ближе вторая часть ее ответа.

В этой связи все же вспомню несколько событий, в которых мне довелось участвовать в качестве гостя. Но сначала — это.

С Леночкой мы видимся достаточно регулярно — не было случая, чтобы, когда я оказываюсь в Москве, мы, как минимум, не перезвонились бы, а то, если удается, и забегаем пообедать в ресторан Дома кино — мы оба его любим: и за то, что вкусно, и за то что недорого. И вот как-то, после обеда ей потребовалось что-то купить для дома на Тишинке: там, где когда-то на рынке я покупал сыну свежий крестьянский творог. Теперь здесь подземный универмаг с примыкающим к нему базаром, маленьким не по-московски и, кажется, очень дорогим — во всяком случае он всегда пуст.

Леночка задержалась у прилавка с бакалеей, а я бродил по залу с коляской в поисках какой-то бытовой химии и разглядывал полки и установленные в зале вешалки с одеждой, не глядя бросал в коляску клей и еще какую-то хозяйственную чепуху. Дождавшись Леночку, я катил следом за ней к кассам свою тележку и вдруг заметил, что продавцы провожают меня то ли изумленными, то ли восхищенными взглядами.

Только подойдя к кассе, я обнаружил в «своей» тележке огромную охапку галстуков, продажа которых, оплати я их, могла бы, наверное, составить дневную выручку магазину. По невнимательности, я подхватил запас товара, привезенный для раскладки по полкам. Бывает же! — смеялись мы потом...

Случилось это как раз, наверное тогда, когда я останавливался в квартире Лунгина Павла, что на Новом Арбате и Садовом кольце — вот и нужны мне были хозяйственные причиндалы. А Паша в те дни жил у меня в Лос-Анджелесе, что было чистым совпадением: честное слово, мы не сговаривались, так уж вдруг случилось — ему приспело быть в наших краях, а я оказался в Москве.

А год спустя или даже два мне кто-то говорит:

— Ты читал новую книгу Кореневой? — Там и про тебя, и про гостевание у тебя в Калифорнии московских друзей.

— Нет, — говорю, — не читал.

Теперь прочитал, и вот что там было. Вот и самое место привести эти главки, разумеется с разрешения автора, как небольшое отступление.

Заодно, подумал я здесь, почему бы не дать отдохнуть читателю, а с ним — и сам переведу дух.

Итак: *Елена КОРЕНЕВА, «Нет-ленка»*

«САША П.

— Ловлю себя на мысли, что те, о ком вспоминаю с радостью и любовью, как правило, люди, дававшие мне в разных обстоятельствах ночлег. Для жизни в эмиграции это типичная ситуация — не когда дают ночлег, а когда в нем нуждаешься. Стояла я как-то в Лос-Анджелесе на дороге возле телефона-автомата и листала свою записную книжку, потом судорожно набирала номера — один, другой...

У моих ног — чемодан с вещами. Я, ежась при мысли о скором наступлении темноты, поглядывала на небо, а места, где переночевать, так и не находила. Те, кому стоило звонить, — отсутствовали или не снимали трубку, кто-то вежливо извинялся, что не вовремя, а к другим было просто неприлично обращаться с такой просьбой. И вот наконец во мне забрезжила надежда — "Сашенька, какое счастье, что тебя застала! Я поругалась с Марусей, у которой гостила, пришлось собрать чемодан и уйти из ее дома... короче, моя новая квартира, которую я сняла, освободится только через неделю, мне негде сегодня ночевать... ты бы не мог...".

Не дав мне договорить, раздался отеческий смешок: "Леночка, девочка моя, пока я жив, ты на улице ночевать не будешь! Я сейчас за тобой приеду, ты у какого стоишь автомата?"»

В доме у Саши Половца я часто бывала. Здесь встречала Савелия Крамарова, которого никогда не знала в Москве. Савелий дружил с Сашей, приходил к нему париться в сауне. Здесь устраивались вечера и ужины, переходящие в завтраки и обеды, для своих. На стене было развешано огромное количество фотографий — Белла Ахмадулина и Боря Мессерер, Вася Аксенов, Илья Баскин, московские актеры, писатели в эмиграции, здесь была фотография Сашиного взрослого сына, моя фотография... и многие, многие другие.

Саша познакомил меня в Лос-Анджелесе с Булатом Окуджавой и его женой Олей, когда они приезжали в Америку, и, если не ошибаюсь, Саша помогал организовать лечение Булата Шалвовича. Помню, мы бродили по Родео-драйв, и Саша снимал нас на видео. Саша по профессии литератор, организовал вместе со своим другом, актером Ильей Баскиным, издание русскоязычной газеты-альманаха "Панорама". Пожалуй, это лучшая газета на русском, выходящая в США, и я там печаталась!

Как-то он предложил мне написать что-нибудь об Анатолии Васильевиче Эфросе. Я до сих пор тайно горжусь, что внесла свою лепту в "эфросиану" на том побережье, назвав статью "В поисках автора". В его доме было тепло, роскошно и по-свойски: много места, стены обшиты деревом, в гостиной бар с множеством напитков, холодильник всегда забит чем-нибудь вкусненьким, во дворе — бассейн с ярко-голубой водой, сауна — одним словом, настоящая берлога для русских медведей, — зашел и сосешь лапу, пока не накопишь новых сил, чтобы выйти в „американские люди". Конечно, у Саши сложная личная история, которая не ограничивается описанием его домашнего „рая", но так как он является пишущим человеком, то ему и решать — что поведать о себе миру.

Когда он приезжает в Москву, всегда звонит, даже предлагает ночлег — на всякий случай: "Я тут, в Матвеевском, воздух чистый, хочешь, приезжай, подышишь!"

* * *

...Вчером я попала в шумную компанию, где встретила всех москвичей — Наташку Негоду, ее подругу-художницу, рыжеволосую Жужу, супруга Жужи — Сергея Ливнева, Павла Лунгина, заехавшего в Калифорнию из Мексики и направляющегося в Москву, познакомилась с новым поколением русских, живущих в Лос-Анджелесе. Ничего себе ребята — все или успешно работают в Голливуде, или вот-вот собираются. Позавидовала — когда-то здесь можно было киношников по пальцам сосчитать, а актрис всего три — Андрейченко, Негода и я — три березки среди вражеских пальм. А эти — новые американцы. Красивые, черт побери, амбициозные — жуть! К ночи, заведенные красным вином и барбекью, русские по старой бродяжьей привычке перекочевали в дом к... Саше Половцу! Сам хозяин в это время находился в Москве. Ну, как всегда — Сашин дом — "странноприимный дом" эмиграции. Сидели возле бассейна на улице и болтали. Когда стало холодать, полезли по шкафам в поисках теплых кофт, свитеров и пледов. Одевшись во все "от Половца", выпили за гостеприимного хозяина и его теплый гардероб»...

* * *

А тогда мои московские будни продолжались. Хотя — какие будни? Где-то уже в курортном Сочи завершался Конгресс русской прессы.

Среди прочих занятий я попал на «Чайку» в «Московском театре — школе современной пьесы» (с Михаилом Глузским, на ком, надо признать, и держалась вся постановка). И на другой день

«Путешествие дилетантов» по роману Окуджавы, в почему-то получившем несколько претенциозное название «Театр Луны». Словом, было чем себя, сбежавшего с Конгресса, занять.

Года не прошло с той поры, звонят мне из Москвы — не стало Глузского.

Случилось у меня тогда и несколько интервью — российским телеканалам, «Известиям», а вернувшись в Штаты — оказался в Вашингтоне, где был приглашен к беседе в прямом в эфире — на «Голосе Америки».

— Чем бы вы объяснили, что Конгресс проходил под эгидой ИТАР-ТАСС, а не Российского союза журналистов, например? — спросила меня ведущая передачу.

— Думаю, — ответил тогда я примерно следующим образом, — дело в том, что ИТАР-ТАСС утратил эксклюзивность официального (а в ряде случаев, единственного) источника информации в Советском Союзе, а затем в России. Вот теперь организация ищет свою нишу, заняв которую могла бы снова оказаться повседневно необходимой «верховному руководству».

— К тому же, — продолжил я мысль, — создание Организации русскоязычных газет, использующих информационное пространство, формируемое с участием ИТАР-ТАСС и под его эгидой, будет способствовать подаче имиджа России таким, каким он нужен. А отсюда — дивиденды в самых различных областях, вот и понятна нынешняя активность ИТАР-ТАСС.

Год 2006-й. Из интернетных новостей:
«...американская телекомпания ABC показала интервью журналиста Андрея Бабицкого с террористом Шамилем Басаевым. Через два дня Министерство обороны РФ лишило ABC аккредитации. Чуть позже российский МИД предостерег российские госструктуры от общения с телекомпанией и заявил, что не станет продлевать ее аккредитацию, без которой западные СМИ не имеют права работать в России. А в феврале редакция газеты "Коммерсантъ" получила официальное предупреждение от Федеральной службы по надзору за соблюдением законодательства в сфере массовых

коммуникаций. По мнению чиновников, в материале "Аслан Масхадов: мой Призыв обращен к президенту России", опубликованном 7 февраля, содержалась информация, "обосновывающая и оправдывающая необходимость осуществления экстремистской деятельности". Попытки оспорить в суде законность решения службы не увенчались успехом...»

* * *

Когда я знакомился с эти текстом на одном из российских сайтов, вспомнилось мне и такое.

Случился у нас в «Панораме» однажды такой гость. Кажется, это было в разгар первой чеченской кампании. Мы черпали информацию для публикаций в «Панораму» из сводок американского радио и телевидения, из газет. Что-то нам писали наши корреспонденты — московские и европейские, люди трезвые и объективные, а других у нас и не было. Как и не было тогда Интернета.

Зато возникло несколько газет на русском языке, помещавших между рекламными объявлениями (когда их удавалось собрать) вырезанные и вклеенные в будущие полосы вырезки из российских газет. Ну и Господь с ними, рассуждали мы в «Панораме» — есть они и есть: не конкуренция, в русских магазинах продавцы их дарили хорошим покупателям, а те, бывало, в них дома заворачивали селедку — российские новости они, те кто продолжал этим интересоваться, и без того знали из продававшихся здесь же российских газет.

Так вот наш гость, «лицо кавказской национальности», о чем было нетрудно догадаться по внешности его и по легкому акценту. Гость представился:

— Мамадаев — министр иностранных дел чеченского правительства.

Ни фига себе: министр... Иностранных... дел! — и я невольно покосился в окно: не стоит ли там лимузин с дипломатическим флажком и пара джипов с охраной?

— То есть как — прямо из Чечни к нам? — удивился я.

— Зачем из Чечни, из Вашингтона, мы — правительство в изгнании.

— Здорово! Чем обязаны чести? — поинтересовался я.

— У нас к вам серьезная претензия — вы необъективно освещаете события в Чечне, вы называете нас, борцов за свободу, бандитами!

— Не может быть, мы и слов таких в газете не используем, не наш это стиль! — ответил я сразу, даже и не пытаясь вспомнить публикации последних недель. И это была правда.

— Может, это кто-то другой, вы ничего не путаете? — предположил я.

— Может быть... — только так нельзя писать об осовободительном движении!

— Так мы и не пишем! Напротив, наши публикации базировались на информации из агентств новостей — вот мы подписаны на сводки «Ройтерс» — они-то точно такого себе не позволяют.

Разобрались мы в конце концов — оказалось и правда: здесь один из самодеятельных «русских» листков перепечатал статью «Правды», кажется, вклеив ее текст на свою полосу — там, да, такое было: вот чеченцам кто-то и передал — было, мол, в лос-анджелесской русской газете.

И дальше Мамадаев, поняв что к чему, обращался уже даже не к нам, а через нас — к читателям, в том числе к гипотетическим российским, их тогда было совсем немного, но были уже: «Если русские не выведут войска из нашей страны — будет им плохо, война перейдет на улицы русских городов, и Москвы тоже! Будут гибнуть невинные люди — и это не наша вина, а Кремля!». С тем мы и расстались...

Беседа с незванным гостем редакции была опубликована без купюр в одном из следующих выпусков «Панорамы». А вскоре возникли и поводы убедиться в его осведомленности, и может быть, правда, в его полномочиях делать подобные заявления: ведь, действительно, вскоре в России стали взрываться заряды, заложенные в жилые дома, в магазины, да и просто на улицах...

Трагедия в московском театре, спустя десяток лет после визита к нам Мамадаева, — можно думать, и это продолжение прозвучавшей тогда угрозы. Так что не выходит у меня из памяти тот визит и по сей день. Чему, отчасти, способствует и сохранившаяся в моем архиве фотография Мамадаева, сидящего вразвалку в приставленном к редакторскому столу кресле для гостей...

Глава 18

ПРЕЗИДЕНТЫ:
МОЁ РАЗРУШЕНИЕ МИФОВ

— Ну, и что еще случалось примечательного, — думаю я сегодня, завершая эти записки, — не упустить бы действительно значимого, да и просто забавного, о чем хорошо помнить. И обнаруживаю — столько еще остается за полями этих страниц! А сколько еще вспомнится, если...

Да нет же, — останавливаю я сам себя, — только не сейчас, и не здесь, потом как-нибудь, если, конечно, этого «потом» достанет на все, чего хотелось успеть. А сейчас, сейчас вот еще что: пока не ушло это во времени так далеко, что и самому вспомнить станет неинтересным. В общем так...

Случилось мне дважды общаться с президентами стран — бывшим, СССР, и действующим — США. А если считать общее число встреч, так их было все шесть: три с Горбачевым (правда, одна из них — издали, чего все же оказалось достаточным для поддержания разрушения мифа первого) и три — с Клинтоном — мифа второго. И в том и в другом случаях обнаружилось нечто, отличное от «широко известного».

Ну вот, например, Горбачев: он вовсе не трезвенник, каким его представили во время и долго после печально знаменитой антиалкогольной кампании: тогда страна лишилась лучших своих виноградников, отчего материальный ущерб и до сих пор подсчитывается.

А еще, говорят ученые социологи и медики, грустнее — ущерб, нанесенный здоровью граждан, не внявшим пропаганде — они продолжали употреблять столь же интенсивно, как и «до того» — но уже не заводские, пусть даже скверные портвейны, в которых от знаменитого напитка только и содержалось что название, а опасное для жизни содержимое уродливых бутылок, заполнявших полки продмагов.

Между прочим, об этом периоде забавно рассказывает Андрей Макаревич, музыкант, неожиданно проявившийся великолепным рассказчиком-юмористом. Его сборничек авторским слогом напомнил мне некогда изданных «Панорамой» Вайля и Гениса, их «Русскую кухню в изгнании»: книжка эта выдержала впоследствии несколько изданий в метрополии и не утратила своей популярности по нынешние дни. А также, и может быть, даже еще в большей степени, знаменитую «Москва — Петушки» Венички Ерофеева, выдержанную опять же в совершенно той же манере: и здесь и там главным героем был именно алкоголь — способы его получения и употребления. Но и тем не менее...

Так вот, первый раз — в гостиной «Общей газеты» — такой журфикс, ныне к сожалению покойный, Егор Яковлев устраивал тогда раз в месяц для друзей газеты и, вообще для приличных, на его взгляд, людей. Я, оказавшись там с подачи Наташечки Познанской, руководящей не первый год творческими аспектами деятельности ЦДЛ, заметил: Михаил Сергеевич не расставался с рюмкой, регулярно ее наполнял даже и тогда, когда нам случилось обменяться с ним и с Ширвиндтом свежими анекдотами — о чем свидетельствует приводимое в этой книге фото, сделанное Вишневским Володей с помощью моего фотоаппарата, — вот оно и сохранилось.

В другой раз я наблюдал Михаила Сергеевича не так чтобы совсем издали, но все же на расстоянии — на встрече, посвященной 65-летию моего доброго друга Марика Розовского: Горбачев и здесь, проходя по залу, с удовольствием прихлебывал из стаканчика водку. И наконец в третий раз — уже совсем недавно, на праздновании юбилея писателя Бориса Васильева.

В ресторане на Старом Арбате мы оказались за одним столом, хоть и сидели с разных его краев, я с — одного, он — с другого. Вот и здесь не упустил я случая подсмотреть — выпивает ли Михаил Сергеевич, и что именно? Оказалось, «да» — так и на здоровье ему! Честное слово, я не из тех, кто желает зла человеку, поставившему крест на семидесятилетней истории Советского Союза, и даже наоборот...

А к Васильеву, совсем уже недавно, на его дачу — домик затерявшийся в лесу в районе Солнечногорска, привезла меня Таня Кузовлева. В Москве он редко появляется — только если иногда — по медицинским делам. Доехали мы без приключений, не взирая на мерзкую погоду.

БП. Между прошлым и будущим

Было очень милое, доброе застолье, Зоря Альбертовна, жена Бориса Львовича, расстаралась — стол был обилен и великолепен разнообразием русских, главным образом, закусок. Знакомясь с Васильевым, я поднялся к нему в «светелку» — совсем небольшую комнатенку на втором этаже, — там на столе стоял компьютер, стены представляли собой книжные полки, а больше ничего и не могло здесь уместиться.

Мы немного поговорили, я рассказал что-то о себе, о писателе же я знал из только что прочитанной его автобиографической книги — Татьяна заблаговременно мне ее дала. Так что тему я мог поддержать. Отмечу — никак я не ожидал от этого немолодого человека — столь блестящей памяти, столь светлого ума и, я бы сказал, «яркости».

Разговаривал он несколько манерно, растягивая слова — со старинными оборотами, и выговаривая некоторые фразы тоже по-старинному, что получалось у него как-то «по-благородному», и в чем, наверное, сказывалось дворянство его предков. Слышим — зовут, за столом нас уже ждали и мы спустились вниз.

И только уже потом, после ужина, мы снова присели с Васильевым — в дальнем углу комнаты стояли рядом кресла, — там и продолжили мы разговор, и вот эта часть нашей встречи мне вспоминается без большой охоты. Думаю — и ему. Зря, наверное, стал он меня расспрашивать о впечатлениях от нынешней России. Ну что я мог ему, только что ставшему мне знакомым, сказать!

Был я, кажется, очень, может даже чересчур, осторожен в своих оценках. Я ведь, правда, боялся своей откровенностью поставить его в неловкое положение, да и себя, признаюсь. Вот, например, писатель спросил — что я думаю о наличии мавзолея на Красной площади? Надо было бы сказать — не гоже превращать в кладбище главную площадь страны: я ведь и правда так думаю. А только и сказал я ему — вряд ли вождя вынесут оттуда в ближайшее время. Васильев внимательно, изучающе на меня смотрел и думал, наверное, — вот скользкий тип, и кого же привела ко мне Татьяна! А может, и не думал так. Да и ладно.

Ну а Клинтон — это отдельная история.
Обращаюсь и к ней, а лучше сказать — к ним, потому что было их у меня три, встречи с мистером американским президентом.

И всеми тремя случаями я обязан тому, что состоял членом, правда не очень активным по отношению к этой организации, Американской ассоциации газетных редакторов и издателей. Оговорюсь сразу: из говорящих по-русски состоял в ней только я. И активность моя выражалась, главным образом, в том, что я не избегал участия в ежегодных встречах, устраиваемых Белым домом с нашим президентом, и только. Да мало ли это разве!

Мне — хватило, чтобы украсить стены редакции, а после каждого визита в Вашингтон — и по особым случаям, юбилейным датам газеты — полосу «Панорамы», и выглядело это внушительно. Не все верили в достоверность фотографий, особенно из Нью-Йорка коллеги-конкуренты (хотя, какие конкуренты: они там — мы здесь, но и все же) подпускали слушок: монтаж, мол, это. Ну и ладно, негативы-то целы и храниться не только у меня, но и в Белом доме — тоже, вот и пусть проверят. Хотя кому сегодня до этого...

Итак, миф первый: президент страны — лицо пьющее исключительно лимонад, — этот миф я развеял предшествующим текстом.

И миф второй — его развеяла сама жизнь: президент лицо сугубо моральное, в общем, идеал добротели. Не про нашего, американского, сказано — что широко известно: было, да все там было, а только его злоключения ничего у меня, кроме симпатии, не вызывали тогда, а сейчас и тем более...

На первой встрече с Клинтоном, в 1998-м, если не ошибаюсь, был обильный лэнч с легким вином. На второй, годом позже, нам был предложен легкий фуршет с прохладительными напитками. А в 2000-м — даже и фуршета не было, только лимонады и кола, но зато было другое... Вот об этом «зато» я и хочу здесь рассказать.

Руководство газетной ассоциации расстаралось и в этот раз: при каждом приезде нас возили и в Библиотеку Конгресса на встречу с законодателями — сенаторами конгрессменами. Так и в этот приезд: легкие закуски, коктейли, в нескольких залах гости сбивались группками вокруг своих, своего штата законодателей. Хотя не возбранялось пообщаться и с другими.

Наши, калифорнийцы, поначалу собрались — кто вокруг представительной и породистой Файнстейн, кто вокруг замухрышистой и крикливой, какой она предстает в своих публичных «спичах» — Барбары Боксер. Я постоял и там, и там, перекинулся с ними какими-то словами, заручился приглашением звонить и заходить при нужде — газетной, разумеется.

Так вот, в этой третьей и последней встрече у меня случилась возможность высказать президенту США в лицо и при свидетелях некоторые итоги своих размышлений.

А было так: после формальной части, вместо фуршета нам, десятку, может, полутора десяткам участников встречи, каждому предложили побеседовать неформально с господином президентом. Что было естественно с энтузиазмом нами воспринято.

Итак: прежде всего — разрушение мифа о неполной компетентности Клинтона в государственных делах, оно произошло для меня во время его выступления: мы окружили несколько приподнятую над уровнем пола трибунку, и Клинтон произнес (не сказал — именно произнес) блестящую речь — занявшую минут сорок, ни разу не взглянув в бумажку — да ее, кажется, и не было у него с собой. И в предыдущие мои визиты в Белый дом, в 98-м и в 99-м, было то же.

А потом... а потом началось самое-самое: Клинтон спустился с невысокого подиума, мы окружили его и поочередно пожимали ему руку, представляясь, минуты две-три, сколько позволяли обстоятельства, беседовали с ним. Естественно, большинство моих коллег интересовались вопросами экономики, политики внешней и внутренней, а я... Внимание! Я, представившись, когда он подошел и ко мне, сказал Билу Клинтону:

— Господин Президент! Я лично и, кажется, большинство читателей моей газеты не обязательно и не всегда согласны с осуществляемой Вами, и демократами вообще политикой во многих ее аспектах. И даже — наоборот: наш опыт, господин президент, сделал нас консерваторами, мы с опаской и даже с тревогой относимся к социалистическим экспериментам, мы знаем к чему они ведут.

Улыбаясь Клинтон выслушал меня, кивая головой — мол понимаю... И уж совсем неожиданно, даже для себя самого, я добавил:

— Разрешите, господин Президент, все же выразить Вам сегодня наши симпатии и даже сочувствия в связи с безобразной кампанией, развернувшейся в прессе по поводу Ваших, сугубо лишь Ваших — повторил я дважды, — аспектов личной жизни!

Ух... выговорив это, я подумал: да что же это я несу — зачем ему мои сочувствия, да и к месту ли! Знаете, оказалось — нужны, и к месту. Мне показалось, что пока я выговаривал эту фразу, глаза у Клинтона стали влажными. Может, просто показалось... И теперь, когда чуть повернувшись в сторону, я приготовился уступить место кому-то из ждавших своей очереди сказать несколько слов Президенту, в этот самый момент я ощутил у себя на плече легкую тяжесть.

Я обернулся — это Клинтон приобнял меня. Мелькнула вспышка: нас сфотографировал кто-то из стоящих рядом, кому я предусмотрительно успел передать свою камеру за минуту-другую до того. И, значит, еще один миф — о бесчувственности, присущей поголовно всем представителям верховной власти там и тут — как, мол, иначе к ней пробиться, развеялся.

Оказалось — можно, теперь я это знаю.

Кстати, как тут не вспомнить предшествующие визиту в Вашингтон анкеты с не очень сложными вопросами: так, формальный «клиринг», потому что о потенциальных визитерах Белого дома и так все знали загодя в американском «где надо». Поражала проверка, а фактически, отсутствие настоящей проверки при входе в резиденцию президента США, главного лица страны.

Ну, выложили мы при проходе металлодетекторов из карманов ключи, мобильники, кошельки с монетами, наши фотоаппараты мельком повертел в руках офицер из числа двух, стоящих здесь, и вернул вместе с кошельками. Сейчас, наверное, там все не так — после всего, что произошло в последующие годы. Взять хотя бы аэропорты — а только там и достается мне проходить через металлодетекторы.

Хотя нет, в Москве случилось дважды: при визите к Дине Рубиной в Московское отделение израильского Сохнута, она тогда там дослуживала свой контрактный срок. И второй — совсем недавно, при входе в вестибюль здания в центре Москвы — там размещаются службы телевизионного канала «Культура» и... Государственного симфонического оркестра. Елки же палки! — чего они там боятся: что взорвут главное пианино страны злоумышленники или что захватят передатчик, чтобы обратиться к народам России, припавшим к телевизорам во время очередной передачи довоенного советского фильма?

И опять — кстати: с Диной Рубиной мы выпили по бокалу вина на глазах действующего президента России — он смотрел на нас с очень живого портрета, укоризны в его взгляде явно не было — о чем может свидетельствовать помещенная дальше на этих страницах наша с Диной и с ним фотография.

Вот и получились три президента страны в моей жизни. Правда действующий российский — остался для меня пока мифом, третьим мифом.

Да, был еще, один, не президент, но король. Король мира шахмат, Гарик Каспаров, захоти, мог запросто стать и президентом — одной из Всемирных шахматных ассоциаций. Не стал — не захотел. Так вот: за те немногие встречи, что у меня с ним случились, развеялся еще миф: такого ранга шахматиста, кроме шахмат, ничего не должно задевать.

Задевало — и как еще! Будь здесь место, я непременно бы привел нашу с ним беседу, текст которой был опубликован полтора десятка лет назад. И поэтому сегодня я нисколько не удивляюсь призыву Гарика Каспарова к созданию в России «партии нового типа» — лучше не скажешь, — конечно же, не той, которую строил вождь пролетарской революции — такая уже была.И ведь кто знает — может и станет Каспаров президентом страны. Я бы не возражал и, наверное, не только я... Поживем — увидим.

Глава 19

УМЕРЕТЬ В ПАРИЖЕ

Я обнимаю всех живых...

Б. Окуджава

Скончался Булат Шалвович Окуджава.

Как, чем измерить эту потерю? Да и кто возьмется сегодня за это?

Ясно только: она огромна и невосполнима — для России, для нас, обитающих сегодня за ее пределами, для всей мировой культуры.

Месяца не прошло, как мы говорили с ним. Теперь оказалось — в последний раз. 25 мая... Дату напомнил мне сегодня живущий в Париже Гладилин, у него в тот день гостили Булат Шалвович и Ольга его жена. Всего три недели назад.

Да, 25 мая зазвонил мой телефон.

— Вот, с тобой тут хотят поговорить. Передаю трубку... — шутливо произнес Гладилин. И я услышал спокойное и бодрое:

— При-ивет, ну как там жизнь?

Это его интонация, он всегда так растягивал — «при-ивет». Говорили мы недолго, телефон Булат не очень жаловал, но все сводилось к тому, что, скорее всего, ближе к осени приедут они с Ольгой в Лос-Анджелес — безо всяких дел, просто отстояться, перевести дух. Тем более что не так давно снова дало о себе знать сердце — слегка в этот раз, но все же...

Спустя несколько дней я вспомнил о звонке из Парижа за столом у наших общих друзей, Вячеслава Всеволодовича и Светланы Ива́новых. Посетовав на то, что Ивановы не смогут присутствовать на предстоящем юбилее моей мамы (они уже готовились к отъезду за рубеж), я не преминул тогда похвастать новым сборником Окуджавы, в который он опять включил стихи, посвященные ей: и при том, что Булат бывал щедр на посвящения, для нас это значило много. Очень много.

И еще я припомнил, как он сообщил в нашем телефонном разговоре, что вот сейчас он плеснул себе в стакан крепкой водки (это было особо подчеркнуто, потому что водок во Франции всяких сортов — множество), чокнется им с Гладилиным и выпьет — в качестве профилактики от возможных французских зараз.

Не помогло.

* * *

Приехали они в этот раз в Париж из Германии, состояние Булата было вполне хорошим; сердце, капитально «отремонтированное» лос-анджелесскими медиками несколько лет назад, в эти дни ничем о себе не напоминало. В Германии было выступление, аудитория собралась, в основном, русскоговорящая — студенты-слависты, посольские сотрудники, иммигранты, гости страны. Зал оказался не очень большим, люди стояли в проходах. Булат не пел, но читал стихи, рассказывал, отвечал на вопросы.

А потом — Париж. Наверное, в первый раз они, Булат и Оля, оказались здесь на отдыхе, хотя на 28 мая назначили все же по инициативе российской миссии при ЮНЕСКО встречу с земляками. Гладилин поспособствовал размещению Булата и Ольги там же, в доме миссии, хотя поначалу планировалось остановиться в гостинице. Были деньги, было время просто побродить по Парижу.

— Тогда, 25 мая, — рассказывал мне Гладилин, — Булат за столом был разговорчив и весел, принял немного «крепкой», говоря: «мне нужно дезинфицирующее покрепче». А на следующий день позвонил — болен, похоже, грипп, трудно дышать. «И Оля больна, и я, не приходи, я тебя не пущу — заразишься!» Чуть позже звонит Оля: Булата из больницы, куда он приехал на проверку, перевезли в военный госпиталь, один из лучших во Франции, находится в Кламаре, специализирован по легочным заболеваниям. Начали лечить... от астмы. Привез я ему туда российские газеты, разговорил его как-то — но выглядел он скверно, совсем скверно: за несколько дней переменился так, что смотреть на него было больно...

...Дальше все стало закручиваться по спирали — трагической и необратимой.

— Проснулись все недомогания, — рассказывала мне уже сама Ольга. — Обнажились все уязвимые места — одно за другим. Стали отказывать легкие, почки, печень. Открылась язва — и за ночь ушло два литра крови. Хотели сделать переливание — потребовалась справка о группе крови. А где ее взять?

Все же достала ее Ольга, но российской справке не поверили. Пытались установить группу на месте, анализом — так ведь крови и так мало осталось, не идет она — и все тут! И все тут...

Дочь Гладилина, Алла, почти все это время оставаясь в больнице, выполняя роль переводчика с французского. И на французский. Она-то и объясняла врачам, чем был болен Булат раньше: похоже, они поначалу не знали даже, что была операция на сердце, хотя шов на груди вроде бы достоверно свидетельствовал об этом.

Был еще какой-то мальчик, видимо, из посольских — он дежурил по нескольку часов в день.

Потом на госпиталь обрушилась лавина звонков из Москвы — МИД, Министерство культуры, Союз писателей... И из французских учреждений, в том числе правительственных: кажется, тогда только стало доходить до госпитальных служащих, кто оказался их пациентом.

* * *

Последние три дня, когда положение стало выглядеть безнадежным, дали легкие наркотики — и Булат спал. Он так и не проснулся — к вечеру 12 июня, когда перестало биться его сердце. В российском посольстве в эти часы шел прием, посвященный введенному ныне празднику — Дню России. А разговоры там только и были о Булате.

Надо же — такая судьба: родился в день, совпавший два десятилетия спустя с днем, назначенным для празднования Победы, к которой и он успел приложить руку. Три года — от звонка до звонка. Умер в объявленный ныне праздник — День России.

Дни, когда положено праздновать, назначаются властью. Всенародное горе не объявляют. Его не назначают, оно просто приходит, заявляя само о себе слезами, застывшими в глазах людей. Как сегодня — когда не стало Булата Шалвовича Окуджавы.

Ольга последние сутки вообще не отходила от постели мужа, ночевала там же.

— Не стало Булата... — телефонная связь с Парижем была великолепной, и я мог различить малейшие интонации голоса Гладилина: звучал он отрешенно, замолкал, а потом, торопясь, вдруг переходил к каким-то деталям, казавшимся сегодня уже совсем незначимыми и необязательными: что-то о только что закончившейся медицинской страховке, о российском торгпреде, активно пытавшемся помочь с ней.

А я, уже и не очень вслушиваясь в эти подробности, вспомнил вдруг, с какой нежностью они — Булат и Гладилин — всегда отзывались друг о друге... «Будешь говорить с Толей — мои ему поцелуйчики!» — не раз приходилось мне слышать эти слова...

«Я хотел бы жить и умереть в Париже...»

Написано это почти три четверти века назад. Автор слукавил, добавив следующей строкой — «если б...». Говорят, очень хотел жить в Париже Владимир Владимирович Маяковский — но не дали. Не позволили.

Окуджава не хотел. И тем более — умирать на чужбине. Выезжая за рубеж, он весь был в России — и с Россией. Я помню, как здесь, в Лос-Анджелесе, жадно просматривал он российскую прессу, ощущая прямую свою причастность к судьбам страны, к ее будущему. И я помню, какая брезгливость звучала в его голосе, когда говорил он о поднявшейся вдруг с самого темного дна мутной и страшной в своей неожиданности фашистской нечисти. В России! — столько претерпевшей от нее — ведь полвека не прошло, ведь живы еще свидетели, живы...

Много чего вспомнится — не сейчас, позже, когда притупится острота этой невероятной утраты. Когда стихнет боль. Когда пройдет время.

Когда пройдет время, Булат будет в нём отдаляться от нас — от всех, кто имел счастье называть себя его современником. Тем, кто был ему при жизни близок, не однажды вспомнятся часы, проведенные с ним рядом. Другими — будут слагаться истории с его участием, не всегда достоверные, но непременно почтительные и добрые. Перемежаясь с правдой, они станут частью мифологии, начало которой положено было четыре десятилетия назад — с появлением его первых стихов, первых песен, первых магнитофонных записей. А Он, окруженный легендой, Он всегда будет оставаться в нашей памяти таким, каким мы знали Его и каким был он в действительности. Он всегда будет для нас жив. Он всегда будет с нами.

* * *

Мы не раз еще обратимся к образу Булата Шалвовича Окуджавы, к его творчеству. Теперь придется говорить — к творческому наследию. Помню, в его приезд к нам в 91-м, ровно 6 лет назад, он выступал сначала на Восточном побережье — в Нью-Йорке, в Бостоне, еще где-то, потом у нас в Калифорнии: Сан-Франциско, Лос-Анджелес... Последней намечена была встреча в Сан-Диего — она по каким-то причинам отменилась, — высвободился вечер, в который и собрались у меня дома; сюда Окуджавы переселились из гостиницы, завершив отношения с антрепренером, спланировавшим поездку.

Набралось человек сорок, может, больше. У меня сохранилась видеозапись этой встречи. Булат пел под фортепианный аккомпанемент сына, помогал себе гитарой. Пел — как никогда много, почти не отдыхая. И только иногда, пристроив инструмент на коленях, положив на деку правую руку и слегка наклонившись вперед, он, прикрыв глаза, читал стихи. И отвечал на вопросы. И шутил.

Через три-четыре дня предстояла операция на открытом сердце — это мы уже знали почти наверняка.

Хотя сердце поэта было открыто всегда.

Ту самую главную песенку, которую спеть не сумел... Ту самую главную песенку...

— Ту самую главную песенку... — под последние аккорды произнес Окуджава.

У меня перехватывает горло, когда я вспоминаю слова, завершившие его выступление в тот вечер.

— Сумел! — хочется мне прокричать так, чтобы слышали все — те, кто аплодировал ему из зала, кто просто читал его книги или внимал его записям. И чтобы услышал он. «Главная песенка» сложилась сама — из сотен, созданных Вами, Булат Шалвович, и каждая из них могла быть для кого-то из нас главной. Она и была. И остается.

В эти дни несколько раз говорили мы по телефону с живущим в Вашингтоне музыковедом, составителем самого первого песенного сборника Окуджавы, Владимиром Фрумкиным. Уместно привести здесь его рассказ.

— В нынешнем году исполнится ровно 30 лет, как мы познакомились с Булатом Шалвовичем. Я встретился с ним, чтобы подготовить его первый музыкальный сборник, который планировало выпустить издательство «Музыка» в Москве. Вроде бы начальством был дан зеленый свет — на сборник из 25 песен, с нотами, которые я записал, с предисловием и т. д. Окуджава очень помогал при подготовке книги: давал тексты, напевал мелодии. Мы подружились... но сборник в конце концов запретили, и об этом я написал в американском выпуске, изданном «Ардисом».

Я счастлив тем, что смог сделать эту работу, запечатлевшую огромное явление русской культуры. Булат начал движение свободной песни в России — независимой, свободной от «советчины», от стереотипов и идеологии — и не только в словах, но и в музыке. Он создал совершенно неповторимый музыкальный стиль, принес свою интонацию, которая была настолько необычной, что казалась властям подпольной.

Между прочим, из-за мелодии, прежде всего, они не пропустили сборник в печать — а ведь я выбрал песни, тексты которых уже были напечатаны. Но с музыкой они выглядели в глазах властей возмутительно, поскольку оставалось признать сам факт неофициальной песенной культуры: песни Окуджавы звучали по квартирам, по маленьким залам — и безо всякого разрешения свыше. Это было обвинительным актом советской массовой песне — ее придуманности и фальши. Окуджава был одним из первых деятелей российской культуры, которые вернули русской речи, русской поэзии теплоту и человечность, — и это стало замечательной заслугой его перед русской культурой».

Не кладя трубку, я набрал бостонский номер Наума Коржавина, замечательного поэта, одного из ближайших друзей и соратников Окуджавы.

— Я знал, что он болен, что с ним нельзя было поговорить в эти дни, но Булат все равно был со мной всегда рядом — и особенно, когда я думал о литературе. Как бы сложно ни складывалась судьба в эмиграции, для меня он ее буквально скрашивал. «Но погоди, это все впереди...» — помнишь эти строки? Они помогают жить. «Это все» стало частью меня. Я был рядом с Булатом при всем его творческом пути. Он был одним из тех, кто дал мне в этом мире подпорку — и этими словами тоже. Мир опустел для меня. В значительной степени... Ушла эпоха.

Коржавин замолчал. И после добавил:

— В общем, что еще говорить, сам понимаешь...

Евгений Евтушенко, на лето поселившийся в Переделкино, от всех интервью и комментариев, за которыми обратились к нему из российского телевидения, из газет и журналов, отказался.

— Не могу, просто не в силах, веришь, — говорил он мне приглушенно, и в голосе его была какая-то спокойная обреченность. — Ну, знали мы все, что слаб он, что все может произойти, — и настолько оказались неподготовлены к мысли, что нет его больше... Я то и дело подхожу к калитке его дачи: там сейчас масса цветов, люди все время приезжают и оставляют цветы. Очень много простых полевых цветов — ромашки, васильки, еще какие-то... И портрет его на калитке — один из последних. Я взял из его садика ветку сирени домой...

Значимость человека, по-моему, определяется по той пустоте, которая возникает, когда он уходит... Мы даже не могли предположить, как много на самом деле Булат для нас значил. И сейчас, ну невозможно представить, что его больше нет... только теперь начинает доходить до сознания это.

Наши писатели — они далеко не едины, они страшно разобщены — по союзам, по группам, но все, буквально, все сходятся на любви к Булату. В свое время партийные идеологи заявляли, что песни Окуджавы пошлы. На самом же деле он всегда противостоял пошлости: сначала пошлости партийно-номенклатурной идеологии, потом — пошлости воцарившегося в стране беспредела...

Василию Аксенову в Вашингтон я не дозвонился. Видимо, он сейчас в отъезде, возможно в Москве — там его снова много издают и много ставят в театре. И если он там, он сам скажет все над могилой нашего друга.

По сообщению ИТАР-ТАСС, гражданская панихида по Булату Шалвовичу Окуджаве состоялась 18 июня в помещении Театра имени Вахтангова; отпевание и похороны, на которых по просьбе вдовы присутствовали только близкие, — 19 июня.

Булат Окуджава похоронен на Ваганьковском кладбище.

Июнь 1997 года

ЭПИЛОГ

Итак, терпеливый читатель, добравшийся до этих страниц, спрашивает себя — а почему все же «БП»? Что это за «БП»? — поясню. Когда-то редакторы 16-й полосы «Литературки» — кажется, это был Ильюша Суслов (или он вместе с Веселовским, какая разница?), придумали забавную рубрику — «Роман века», а в ней из номера в номер печатался придуманный ими же автор — «Евгений Сазонов». Его «роман» назывался «Бурный поток».

Там было примерно так: «Мария вышла на пригорок и пристально всмотрелась вдаль... *(Продолжение — в следующем номере.)*». А через неделю: «Она видела, как Семен бодро управлял трактором, распахивая целину». И следом — (*Продолжение в следующем...*) Ну и так далее — до бесконечности.

Танечка Кузовлева, с интересом принимающая мои литературные упражнения, как-то спросила: «Что это ты там пишешь так долго?». «Да вот, — отвечаю, — роман века, «Бурный поток» называется». Посмеялись мы оба, а «Бурный поток» так и остался — «БП», став нашим паролем. Вот потому и «БП»: эти две буквы просто напрашивались в название — им они и стали.

А почему бы нет?

Эти записки не есть затянувшийся пересказ собственной биографии автора. Хотя и в этом — что дурного бы, но все же... Мемуары — да, может быть: потому что это, прежде всего, о людях, с которыми свела автора жизнь. И, конечно, — о времени, каким оно выдалось...

О чем бы, не попавшем на эти страницы, и еще о ком бы автор здесь мог вспомнить? Ну, например, о своих встречах с Михаилом Шемякиным, с Гариком Каспаровым, с Андроном Кончаловским, с Георгием Арбатовым ... — в свое время пересказ бесед с ними автора стал достоянием читателя. Или вот: о неожиданном знакомстве с дочкой композитора Кальмана — оказалось, она живет по соседству и успела многое рассказать о своем великом отце...

Или о такой недолгой дружбе с Валерием Фридом — начавшейся неожиданно (он все же жил *там*, а ты — *здесь*) — (или наоборот, кто знает, как сказать правильнее) — и завершившейся совершенно мистически. Трогательно надписанная тебе его только что вышедшая книга и переданная с кем-то попутно в Штаты, путешествовала с полгода, наконец попала к тебе в руки — и именно в этот самый день тебе звонят из Москвы — Фрид умер...

И как не вспомнить недолгое личное, но многолетнее «на расстоянии», знакомство, жаль, что не могу сказать «дружба» с Довлатовым. И все же: как-то получаю я из Нью-Йорка бандерольку, адрес обратный — от Сережи, открываю, а там 12 (!) курительных трубок. И записка, воспроизвожу ее по памяти: «Мне, — писал Довлатов, — врачи запретили курить (не знаю, чего еще скоро запретят), а чтоб не пропадали зря — вот, пользуйте трубки, какие-то из них с барахолок, но, может, есть и приличные...» А совсем скоро — не стало Сережи.

Так случилось, что столпы русского театра Ширвиндт и Козаков, оба курящие трубки, оказались на свое шестидесятилетие у автора дома — и оба получили по экспонату из этой коллекции. Курят ли они их сейчас, не знаю, при случае надо бы спросить, но уверен — сохраняют.

А однажды к нам в редакцию привел самого Рудольфа Баршая его сын, и, конечно, тогда же «Панорама» поместила на своих страницах рассказ музыканта. Оказалось, выдающийся дирижер в России бывает только наездами — но и в Швейцарии, где он с супругой теперь живет, подолгу не остается — гастроли, гастроли, гастроли...

И как ни упомянуть Михалкова-младшего, Никиту Сергеевича — ему мы как-то устроили в редакции дли-и-инную беседу с русско-американскими коллегами. Интересовали нас и творческие планы, и политические амбиции гостя. Очень интересно поговорили!

А Кашпировский! — он же трижды, кажется, живал в моем доме: хозяина не врачевал, но побеседовали мы с ним вдосталь, и потом публикации пересказа наших разговоров пользовались если не успехом, то уж популярностью — это точно! И не только: однажды вечером я привел Анатолия Михайловича к знакомому художнику и, естественно, «на Кашпировского» там сразу же собрались еще человек десять.

Застолье сопровождалось анекдотами — о нем, о Кашпировском, а их тогда было в ходу больше, чем «про чукучу», и не все они были безобидны. Я с опаской посматривал на моего гостя, — а он смеялся громче всех. Умница потому что.

Или вот еще вспоминается, как с Шаргородским Лёвой мы условились встретиться в Риме, в самые последние дни эмиграции евреев из СССР, чтобы там поспрошать руководство американских организаций, причастных к приему эмигрантов, — почему все кончается? И о том, что из этого вышло.

Да, там была замешана большая политика. И раз уж о политике — как здесь ни упомянуть беседы с Георгием Арбатовым? Или с Владимиром Лукиным — тогда он служил послом России в США, и потом — когда он стал и остается поныне одним из ведущих думских политиков... А тогда, в первой беседе, тема-то как называлась, и в публикации — тоже: «Чем помочь России», — не слабо, да?

А Бережкова как ни вспомнить, его рассказы при наших встречах? — эти тексты потом были многократно распечатаны не только здесь, в Штатах, но и в российских журналах. Еще бы: называлась та серия «...И тогда он сказал Сталину», — Валентин Михайлович много лет был личным переводчиком вождя.

Ну и совсем уже невероятные бывали встречи: привели однажды в редакцию Маршала Советского Союза В. Куликова — настоящего и последнего, теперь-то они все Российской Федерации маршалы. А этот командовал группировкой советских войск в Германии, объединенными войсками стран Варшавского договора, Генштабом СССР — уф... Вроде не упустил ничего. Между прочим, оказался вполне свойский мужик, порассказал аж на десять газетных страниц. Знакомство на другой день продолжилось домашним обедом у общих друзей (Господи! — оказались и такие здесь.).

Была и такая ностальгическая встреча — пришли к нам пятеро ветеранов советского футбола, во главе с самим Старостиным (!).- Только болельщики — мои сверстники — поймут, каково было пожать ему руку...

Да и своих, то есть «американских» гостей в редакции случалось предостаточно: вот, навестили как-то «Панораму» руководители «Голоса Америки», вскоре после чего довелось побывать и автору с ответным визитом в Вашингтоне — у них на радиостанции.

Наши поездки — например, в Корею, где мы, группа журналистов, были приняты в штаб-квартире Муна его первым заместителем — полковником Паком (в советской прессе его называли обершпионом мирового класса, наймитом ЦРУ — кто знает, может, так оно и есть, ну и пусть — интересно же!). Меня лично он вербовать не стал, за других не поручусь.

В общем, всего не перескажешь... Да и не надо, если существуют фотографии: они сами говорят, причем почти все — «жанровые», то есть не из фотоателье, а сделанные нами же, большей частью аппаратом автора, почему у него и сохраняются — несколько полок заняты этими альбомами.

И они здесь не все, конечно, — главным образом, на них запечатлены те, кто упомянут на страницах этих записок — для достоверности, так сказать. И не из бахвальства, чего уж тут, хочу думать только, что друзья-приятели тоже хранят эти фотографии и при случае показывают их: вот, мол, смотрите, — мы тут с Половцем (или у Половца в редакции, или у него дома). А нет — так и пусть...

Конечно же, случались и просто житейские коллизии, никак не связанные с событиями выдающимися, или с кем-то, чье имя на слуху и здесь и там — в России, в Европе. Что-то было грустно, что-то забавно, в общем, начать рассказывать — всего не уместить под одним переплетом. Вот уж точно, получился бы «роман века»...

Ну вот, чем, например, не история о том, как автор трижды не стал богатым в Соединенных Штатах Америки, и, конечно же, этих историй было целых три. На них и отдохнем: если без подробностей — вот они.

Самая старая — нью-йоркская: тогда меня на выходе из недешевого шмоточного магазина остановил охранник, завел в какую-то подвальную каморку, где при участии нескольких сотрудников подверг обыску. Не то чтобы совсем, до исподнего — только «почти», но все же... Обидно. Что-то у них там зазвенело, или замигало на выходе, — и я попал под унижение. Хорошо, что был не один, а с приятелем, актером. Он-то и стал даже не предлагать, но требовать: вызываем немедленно полицию, составим протокол, будем их судить, и ты уже миллионер!

— Брось ты, говорю, они же извинились...

— Ну и дурак! — только и сказал мой приятель.

История вторая, не очень давняя: уболтали меня друзья переместить пенсионные сбережения из банка, приносящего пусть скромные, но стабильные, несколько процентов — ровно столько, чтобы побороть инфляцию, — ну и хорошо, посчитал я.

— Ты что! Ты же сам себя обкрадываешь, да посмотри, как растет биржа!

Сопротивлялся я долго, может, даже год, а потом сдался. Продолжать? В общем, нет теперь этих сбережений. — Да и ладно — рассуждаю я, — Бог дал, Бог и взял...

И, наконец, третья, самая свежая. Копченая рыба на прилавке выглядела фантастически вкусной, я и взял штуку или две. Позвал гостей, приготовился угощать, к их приходу приготовил стол, открыл рыбу — а в ней вместо икры или, на худой конец, молоки... плесень! Ну просто вся белая изнутри. Беда, в общем. Засунул я ее подальше — надо бы при случае предупредить менеджера магазина, ведь отравится кто-то!

Эх, как же и ругала меня потом одна дама из ожидавшихся в гости:

— Все, ты уже миллионер: потому что ты все же съел рыбу, пришел к врачу (справку добудем, как ты чуть не умер), от врача — сразу к адвокату! Это же миллион! — была ее первая реакция, едва она узнала про плесень.

Миллиона я не заработал и в тот раз, зато менеджер магазина, прослезившись и поняв, что зла я его магазину не ищу, принял (почти выхватил из рук) с благодарностью у меня пакет с рыбой, после чего торжественно подвел меня к рыбному прилавку и широким жестом предложил: выбирайте любую — в подарок! Я только попятился — еще?!

— Спасибо, не надо, уберите просто несвежую, вот и ладно, а мне — верните все же деньги — не миллион, но так, — из принципа.

Получил я свои десять долларов и отложил их как залог будущего миллиона. Пока они лежат сохранные, пополняются помаленьку...

Так... кажется, эпилог затянулся непозволительно — то и дело вспоминается то, что еще не вошло в эти записки, и я рискую никогда их не завершить, а пора.

И теперь — обещанное: некоторые письма. Фотографии же, попавшие в книгу, отобрались главным образом те, к каким сохранились автографы их фигурантов. Может, придет когда-то время и для остальных.

А пока — до свидания.

Конец книги второй

ПИСЬМА

Булат ОКУДЖАВА
Василий АКСЕНОВ
Абдурахман АВТОРХАНОВ
Анатолий АЛЕКСИН
Валентин БЕРЕЖКОВ
Георгий ВЛАДИМОВ
Наталья ВЛАДИМОВА
Петр ВАЙЛЬ
Анатолий ГЛАДИЛИН
Александр ГЕНИС
Игорь ГУБЕРМАН
Сергей ДОВЛАТОВ
Виктор ЕРОФЕЕВ
Наум КОРЖАВИН
Константин КУЗЬМИНСКИЙ
Бахыт КЕНЖЕЕВ

Эдуард ЛИМОНОВ
Наталья МЕДВЕДЕВА
Владимир МАКСИМОВ
Давид МАРКИШ
Зиновий ПАПЕРНЫЙ
Марк ПОПОВСКИЙ
Евгений ПОПОВ
Николай ПУШКАРСКИЙ
Феликс РОЗИНЕР
Анатолий РЫБАКОВ
Саша СОКОЛОВ
Григорий СВИРСКИЙ
Вениамин СМЕХОВ
Борис СИЧКИН
Лев ХАЛИФ
Наталья ЯБЛОКОВА

От адресата:

Отбирая письма для публикации в этом разделе, я прежде всего пытался заручиться согласием моих корреспондентов, в тех случаях, когда это оказалось возможным — не возражают ли они. Но и при этом многие письма здесь приведены с определенными купюрами, что естественно... Расположены письма в алфавитном порядке, по именам их авторов. И лишь для переписки с Булатом Окуджавой сделано исключение: с его писем начинается этот раздел — что, мне думается, тоже естественно. К сожалению, многие из них не содержат точной даты, но все они написаны в период 80—90-х годов.

БУЛАТ ОКУДЖАВА

Дорогой Саша!

Нет-нет, да и представляю себя, ходящим вокруг твоего бассейна, и Фобоса, с недоумением вышагивающего следом... Или я иду по Ферфаксу и — знакомый дом, где милые дамы угощают кофе.

Как будто вчера!

Сейчас сижу в Переделкине, пишу понемногу, даю стереотипные, ленивые интервью, тружусь на кухне, слежу, чтобы не померзла картошка в гараже. По утрам гуляю. В руке — палка от местных Фобосов. Иногда заглядываю в Москву, где суета и скука, и грязь, и развороченный асфальт. Еду и дрожу за машину: вдруг испортится, сука, что тогда делать?

Бензин дорожает, я уж не говорю об остальном.

Писатели закрылись на дачах, варят кашу и пишут «Войну и мир».

Посылаю тебе воспоминания старого больного узника Маутхаузена, которые он почему-то прислал мне, чтобы я переслал их тебе. Посмотри, может, сможешь дать отрывок, ублажить трехразового инфарктника. Я — всего лишь передаточная инстанция. Во всяком случае, черкни ему, да или нет.

Пока загадывать трудно, но, может быть, в июле удастся приехать в Вермонт, куда настоятельно приглашают.

Ты не собираешься в Москву?

Обними всех от нас.
Обнимаю, Булат <...>

Дорогой Саша!

Сижу за столом, а передо мной ваше святое семейство. Любуюсь. Чего же еще? Даже если сделать скидку на обязательные фотоулыбки и даже на специальные, сответствующие моменту позы, все равно — пять счастливых и живых людей одного корня!

В Переделкино все листья опали. Все. Теперь уже на долгие шесть месяцев идиотизм зимы.

Может быть, в январе мы с Булей прилетим на шесть дней в Монреаль для двух концертов. Деньги дают — не откажешься.

Сейчас в двух номерах «Знамени» вышла первая книга романа. Вышли две книги новых стихов и автобиография, рассказов, но не знаю, как тебе вручить: почта — это опасно, а оказии пока не знаю.

БП. Между прошлым и будущим

Не собираешься ли к нам?

Передай мои сердечные поцелуи всем, запечатленным на снимке, а также «Панораме» и Ферфаксу, и собачке, что любит ходить по пятам, как заправский сыщик.

Обнимаю, Булат

Дорогой Саша!

<...> У нас, конечно, сложно и тревожно, но, думаю, постепенно выдюжим. Хотя все восторги по поводу стойкости великого русского и т. п. теперь уже легенда, т. к. вместо этого <u>советский</u> народ, а это совсем другое дело, и он не стойкий, не великий...

Ты прав: Москве нынче не до «Панорамы». <...>

Обнимаю, Булат

Дорогой Саша!

Как будто ничего не было: ни Америки — ни Вермонта, ни «Аленушки». Вот так всегда.

Теперь сижу в Переделкине и пытаюсь работать.

После того, как проводили тебя, была жуткая нервотрепка, т. к. замечательный наш водитель, не знал, куда причалить, и мы, теряя время, носились по всей громадной территории аэропорта в поисках нашей двери. И уже махнули рукой, т. к. оставалось двадцать минут, и лихорадочно соображали, куда деваться без денег, т. к. последние всучили тебе. И тут Бог помог, и мы увидели наш вход и побежали, почти рыдая, и успели!!!

Мы виделись слишком наспех, и я забыл передать тебе письмо Лазаря Лазарева. Посылаю.

Всем приветы и поцелуйчики.

Обнимаю, Булат

Дорогой Саша!

Пользуюсь приездом в Лос-Анджелес нашего друга Алика, чтобы поздравить тебя, замечательную «Панораму», всех ее сотрудников, а также Дину Абрамовну, Фобоса — с юбилеем этой самой замечательной «Панорамы»!

Нынче в Штатах это самая основательная русская газета, избежавшая, к счастью, желтой болезни.

Приехать, к сожалению, мы не можем, но, надеюсь, как-нибудь выберемся.

В Переделкино осень. В России бардак. Но не столько по злому умыслу, сколько по невежеству.

Обнимаю тебя от всех нас.
Булат

10 октября 93 г., Москва
<...>У нас теперь, вы сами знаете, капитализм, поэтому работаем с утра до ночи и с ночи до утра, свободного времени нет, но зато сами себе хозяева и ни от кого не зависим. Вам-то это знакомо, а для нас — странное и свежее чувство. Постепенно растем и расширяемся, надеемся в ближайшее время иметь собственный офис в центре Москвы, на Трубной площади, так что очень ждем в гости! <...>

Когда матушка с отцом на даче, я стараюсь почаще выключать телефон, чтобы спокойно работать. И вот, дней пять тому назад, уже во время мятежа, я вечером спустился вниз — купить сигарет, как вдруг ко мне подошел молодой человек и спросил, не сын ли я... Оказалось, что он привез от Вас пакет, и уже несколько дней безуспешно пытается нам дозвониться. Такое вот чудо! Так что мы получили альманах, журнал, а главное — ЗАМЕЧАТЕЛЬНЫЕ ФОТОГРАФИИ. Родители Вас очень благодарят, просят передать, что девочка — просто очаровательная. Альманах прочитан ими с большим интересом, и особенно материал В. Ерофеева. С этой литературной частью посылки я познакомиться не успел — сразу отвез пакет в Переделкино, а вот фотографии видел, внучка действительно потрясающая. И, конечно, журнал, журнал, журнал... По странной иронии судьбы я получил его в самый безнадежный момент событий — телевидение оборвалось, и казалось, что все кончено. Так что Ваш пакет оказался посланием «с воли», которую тогда уже, честно говоря, не надеялись увидеть. Вот какие чудеса!

На этом прощаюсь, передаю поклоны и от своих родителей, и жду в гости. За журналы еще раз огромное спасибо, и конечно, спасибо за «ПАНОРАМУ», которая, несмотря ни на что, исправно приходит и прочитывается.

*С любовью, БУЛЯ**

---

* БУЛЯ (Булат — «домашнее» имя сына Окуджавы).

БП. Между прошлым и будущим

Василий Аксенов

Дорогой Саша!

В процессе отдавания долгов наконец-то (надеюсь, простишь, что так долго) добрался и до тебя. Посылаю половину, а другую половину (и %) надеюсь отдать в ближайшие два месяца. Если же тебе срочно нужно сейчас, то дай мне знать.

Я лежу сейчас в полном дребодане: схватил грипп во время поездки в Калифорнию (только не в вашу, а в Северную); надеюсь все-таки, что иммунные системы еще не задеты.

«Панораму» внимательно обозреваем, как в печатном виде, так и со слов внештатного сотрудника. Слышал, что Лялька опять у тебя будет работать; для девки это хорошо, да и газете не повредит.

Ты, конечно, уже слышал про приезд Беллы и Бориса. Любка их встречала, а завтра мы опять едем в NYC... потом они приедут в Вашингтон, и у вас собираются побывать, то есть в Калифорнии в данном случае, и поскольку Флорида представляет из себя дикий край драгоманов (почти верблюдов), должна заменить собой Грузию.

Обнимаю, твой Вас.

19 ноября 1997
Дорогой Саша!

Я еще не говорил тебе, как я глубоко тебе сочувствовал, когда печальная новость дошла до нас. По своему опыту знаю, какое это неизбывное горе. Быть может, ничего нет тяжелее в человеческой жизни, чем потеря матери, и возраст тут не имеет никакого значения, и никакие утешения не помогают.

Мы с Майкой очень тебя любим, всегда вспоминаем наши первые встречи еще в 81-м году, и обнимаем тебя.

Твой Вася.

Будь добр, передай Тоне записку и чек. Я потерял ее адрес.

Аксенов

Книга вторая. ...Разговоры и вокруг

АБДУРАХМАН АВТОРХАНОВ

22.I.1995
Дорогой Александр!

По факсу я послал президенту Чечни Джохару Дудаеву мою статью в «Панораме». Посылаю тебе его отзыв о ней.

Одновременно посылаю тебе и свое личное письмо к Дудаеву с оценкой позиции Запада в отношении второго геноцида Кремля над чеченским народом. Это мое письмо вручил ему мой сын Тамерлан Кунга, который посетил г. Грозный 2-го января 1995 г., в разгар варварского уничтожения Москвой мирного населения четырехсоттысячного города. Мой сын только что вернулся оттуда, был ранен, чуть было не потерял глаз (прилагаю некоторые его данные). Он специалист по компьютерам и работает в той школе американцев, где я раньше преподавал по советским делам.

Может быть, для читателей «Панорамы» будет интересно познакомиться с прилагаемым материалом. Если да, то «Панорама» имеет право его опубликовать. Буду очень обязан, если Вы мне пришлете вырезки воздушной почтой.

С сердечным приветом,
Ваш Абдурахман

АНАТОЛИЙ АЛЕКСИН

21.IV—98 г.
Дорогой Александр!

Ваши сборники, как любимые повести или романы, заставляют возвращаться к себе вновь и вновь. Последнее мое «возвращение» потребовало добавить к уже написанному панегирику новые страницы. Позволю себе обильно цитировать, припадать к чужой мудрости, даря ее, таким образом, и своим читателям. Все, разумеется, с кавычками и ссылками на имена мудрецов, а иногда еще и словно бы «дуэлянтов», открыто не бросивших друг другу перчатку (пикировки замаскированы, и в этом их обаяние). <...>

Обнимаю...
Ваш Анатолий Алексин

БП. Между прошлым и будущим

Валентин Бережков

30 октября, 1997 г.
Уважаемый Александр Борисович!

Прежде всего хочу Вас поблагодарить за две книги, которые Вы мне презентовали с Вашей дарственной надписью при нашей недавней встрече в Лос-Анджелесе. Прочел я их с большим интересом. Вспомнилась целая эпоха любимцев публики — борцов за права человека, бардов, реформаторов, целителей, прорицателей, бунтарей, — чем-то напоминающая предреволюционные годы начала века. И действительно, в России приближался новый переворот. Особенно интересно было прочитать о Вашей встрече с Арбатовым, с которым мы проработали вместе почти сорок лет, сперва в «Новом времени», а затем в Институте США и Канады АН СССР. Ваша «Панорама», которую мы с женой любим и регулярно читаем, в отличие от большинства чисто американских газет, слишком сосредоточенных на себе, действительно дает широкую панораму того, что происходит во всем мире. И вообще, Ваши книги и Ваш еженедельник — это ценный подарок для тех, кто не забывает Родину и кому все еще легче и сподручнее пользоваться русским, а не английским.

Последнее время мне немало приходится выступать с лекциями перед соотечественниками — в Сакраменто, Сан-Франциско, Пало-Альто, Шерман Окс, Лос-Анджелесе. Обычно я брал с собой свою последнюю книгу (At Stalin's Side) как на английском, так и на русском языке, но большинство неизменно предпочитало на русском. К сожалению, вот уже почти два года, как тираж русского издания разошелся полностью.

Я выяснил у Вадима Борисовича Козьмина (директора издательства «ДЭМ», выпустившего русскую книгу в Москве) насчет второго, дополненного издания, но поскольку у них такого намерения пока нет, мы договорились, что я могу распоряжаться книгой по своему усмотрению (она вышла также в Германии и Японии). Поэтому я хотел попросить вашего совета насчет возможности второго издания на русском языке в США. При этом часть тиража (до 50 тыс.) Козьмин намерен закупить для России.

Я собираюсь дополнить книгу несколькими главами, которые по разным причинам и обстоятельствам не оказались в русском варианте

(Как после 50-летней разлуки я нашел свою сестру в Лос-Анджелесе, а могилу моих родителей — на Ингельвудском кладбище в Л. А. Как мой 16-летний сын Андрей, находясь в 1982 г. со мной в Вашингтоне, направил президенту Рейгану письмо, прося убежища в США, и как в 1993 г., уже будучи успешным 26-летним бизнесменом, он был убит в своей московской конторе).

Приготовил я также новые главы о беседе в 1974 г. с вице-президентом США Нельсоном Рокфеллером и о его просьбе о содействии Москвы в проведении организованной эвакуации Посольства США из Сайгона. О встрече в Миннеаполисе осенью 1979 г. с американским профессором (афганцем), предсказавшим вторжение и поражение Советского Союза в Афганистане, и о реакции на мой доклад об этом советского посла в США Анатолия Добрынина. Будет дополнена также моя беседа в Пекине с Чжоу-Энлаем в части, касающейся провозглашенного Мао-Цзэдуном курса «Пусть цветут сто цветов».

Буду Вам весьма признателен за Ваш добрый совет в отношении этого дела.

Если у Вас найдется время, мы могли бы встретиться и поговорить подробнее, скажем, во время ланча, на который я Вас приглашаю, либо в Лос-Анджелесе, либо у нас в Клермонте (45 минут езды на машине от Даун-тауна). Моя жена приготовит хороший русский обед.

С наилучшими пожеланиями,
Валентин Бережков

Георгий Владимов

12 июня 1991 г.

<...> Пользуюсь случаем — как старый Ваш читатель — выразить восхищение все возрастающим уровнем «Панорамы». Нет номеров «проходных», в каждом нахожу для себя нечто весьма любопытное и поучительное. Из Ваших «личных достижений» особенно хочется отметить два замечательных интервью — с литературоведом Мариэттой Чудаковой и актрисой Еленой Кореневой.

Всех Вам благ,
Ваш неизменно Георгий Владимов

БП. Между прошлым и будущим

Уважаемые господа!

Зная независимый характер Вашей газеты и любовь к полемике, надеюсь на публикацию моих заметок.

С уважением Г. Владимов
25042 Rue Vepsalles,
Oak Park, MI 48237

Наталья Владимова

<...> Осмелюсь предложить Вашему вниманию этот <u>несложный</u> текст, авось подойдет, как там в «Подростке»: «Ведь мы с Вами одного безумья люди».

Искренне расположенная к Вам и «Панораме»
Наталья

Петр Вайль

Дорогой Саша!

До Вас, вероятно, уже дошло известие о том, что наши «Семь дней» закрылись. Подобные сведения распространяются со скоростью невероятной, поэтому ничем, надо полагать, вас не удивлю.

Я с небольшим деловым предложением. Поскольку закрытие приизошло внезапно, то у нас остались кое-какие материалы — как всегда остаются бумаги покойного после его скоропостижной смерти. Авторские творения возвращены авторам, своих в запасе не было, но остались намеченные в ближайшие два номера заметки для «Мозаики». Насколько я знаю, вы такую смесь публикуете, даже раза два заимствовали ее у нас. <...>

От души надеюсь, что вы процветаете — хоть кто-нибудь из нашей эмиграции удержался б! С нами, как видите — конец, «Новый американец» дышит на ладан. Только на вас и надежда, потому что в Нью-Йорке остается один «Калейдоскоп», который к журналистике отношения не имеет. Может, наша кончина посодействует вам: баба с возу, кобыле легче. Так или иначе, желаю успехов. Напишите насчет «мозаичных» дел и дел «Панорамы» — как там у вас.

Петр Вайль

Анатолий Гладилин

Саша!

По инерции я долго продолжал работать с «N.R.S.», но без Седыха (что бы про него ни говорили, но он был профессиональным газетчиком) они совсем обнаглели: правят материалы по <u>идеологическим</u> соображениям, дописывают сами текст, исправляют — словом, делают дикие глупости. Кто там сейчас правит бал — не знаю и знать не хочу. <...>

А. Гладилин

18 октября 1990 г., Париж
Дорогой Саша!

Я считаю, что русскоязычным жителям Калифорнии повезло. Десять лет они читают «Панораму», единственную газету в эмиграции, которая так и не стала «партийной» и предоставляет для высказывания свои страницы людям разных убеждений. Надеюсь, такого демократического направления редакция «Панорамы» будет придерживаться и в дальнейшем. Пользуясь случаем, обращаюсь к читателям «Панорамы»:

«Конечно, приехав в Америку, вы в первую очередь захотели быстрее стать американцами. Многим это удалось. Но не потеряйте свою русскую газету. Если перестанете читать русские книги и русские газеты, то вы потеряете свои корни, свою культуру».

Я искренне желаю редакции «Панорамы» как можно дольше держаться на плаву в этом бурном море информации и сохранять свое лицо.

Анатолий Гладилин

9 декабря 1995
Дорогой Булат!

Сорок дней я прожил у тов. Половца, в доме, где на каждой стене по несколько твоих фотографий. Отпустил его в отпуск на три недели, которые он провел галопом по Европам (Испания, Португалия, Гибралтар и даже в Марокко заскочил, но там ему не понравилось). На полуночных наших с ним посиделках за законными ста граммами пришли к выводу, «что этот мир без нас, без вместе взятых», никому не интересен (нам, во всяком случае).

Обнимаю тебя и Олю. Будьте здоровы, ребята, и счастливы!

А.Гладилин

БП. Между прошлым и будущим

Пост-скриптум тов. Половца:

Природная скромность мсье Гладилина не позволила ему упомянуть определенного числа его фотографий, число которых растет с каждым его визитом сюда. А твоих — уже давно не растет, т. ч. пора ехать! В Европе — хорошо; совсем не то в Африке, марокканцы проявили себя народом лживым, правда, их мошенническая сущность окутана флером гостеприимства и любезности. Поэтому, когда тебя там нагло облапошивают, ругаться не хочется. А жаловаться некому. <...>

(Письмо Гладилина было послано Булату из Лос-Анджелеса, и приводится здесь, поскольку содержит приписку, связанную с содержанием писем Булата мне. — *А.П.*)

Александр Генис

10 марта 1994 года
Дорогой Саша!

У меня появилась одна затея, которую я хочу тебе предложить — опубликовать на литературных страницах «Панорамы» законченный фрагмент из романа лучшего современного прозаика России Владимира Сорокина. Он финалист двух «Букеров» и признанный мэтр нового самиздата. Эта книга — «Норма» — никода и нигде не публиковалась, значит, будешь первым. В куске есть мат, который можно заменить точками, но выбрасывать ничего нельзя — автор очень строг. Конечно, хорошо бы ему заплатить гонорар. Его адрес:

117574, Москва, Пр. Одоевского, 7, кор. 5, кв. 621.

Если ты решишь печатать этот текст, на что потребуется, по моим подсчетам, три газетные полосы, то я с удовольствием напишу полстранички предисловия и пришлю фотографию Сорокина.

Всего хорошего, твой —
Пятый угол (в миру — А. Генис)

22 июля 1985 г.
Дорогой Саша!

Нам стало известно, что у тебя будто бы юбилей — какой, не скажем. Если это верно, то прими наши искренние поздравления и множественные пожелания. Мы поздравляем тебя с тем особенным удовольствием, что на фоне общей бессовестности твое редакторское реноме стоит необычайно высоко. Во всяком случае, мы, будучи авторами довольно капризными, впервые в эмиграции не имеем претензий, чему сами удивляемся.

К пожеланиям присоединяются наши жены.

Всего хорошего —
Петя, Саша

ИГОРЬ ГУБЕРМАН

Подвергнув посмертной оценке
Судьбу свою, душу и труд,
Я стану портретом на стенке,
И мухи мой облик засрут.

Милый Саша, привет!
Сел писать тебе благодарственное письмо, ибо на редкость мне было у тебя хорошо, тепло и уютно. Спасибо, старина, это большая и редкая радость — ехать в какой-то город, заведомо зная, что есть дом, где отменно себя чувствуешь. <...>

В России, старик, была у меня такая слава и такой триумф, что об этом даже глупо писать — уже две недели, как приехал, и непрерывно хвастаюсь. Более всего горжусь двумя вещами: 1. У меня (как и подобает большим артистам) сели голосовые связки, и я потерял голос в день отъезда; и 2. Ни ЦДЛ, ни Дом кино, ни Музей Герцена, ни Театр эстрады (все — набито битком) за все время своего существования не слышали столько неформальной русской лексики, как за один вечер израильского завывателя стишков. А книжку мою издали афганские ветераны — ребята удивительные, чуть странные, с кучей психологических особенностей (думаю, что похожих на американцев из Вьетнама). Они же сейчас издадут еще том, и «Прогулки», и даже роман, который 5 лет лежал.

И. Губ.

Дорогой Сашка,
я же был в е...ной Москве по разным своим лит. и киноделам. И поздравить не мог. Делаю это сейчас. Дай Бог, чтобы дела шли еще лучше. При встрече поболтаю. Сейчас сил нет ни хуя. Блядь буду.

Прости. Всегда помню о твоем ко мне расположении и дружбе. Привет коллегам.

Совершенно искренне — И. Губ.

Книга интересная (о моей книге «Беглый Рачихин». — *А.П.*). Отнесся к ней как к стакану жуткой сивухи — залпом. Рачихин — личность темная. Или аффективен. Спасибо.

И. Губ.

Еще не очухался от работы и гулева. В Германии я получил 1 (первую) премию за лучшую телерекламу сосисок длиной больше 8 см. «Ах, либе дих, при виде вашего вурста сами открываются уста».

Обнимаю И. Губ.

II—98

Милый Саша, привет!

Вот я вернулся из поездки в Россию (мне заказывали авторскую программу на TV, пролистал гору накопившихся «Панорам» (очень ты хорошую делаешь газету) и узнал с огромным запозданием о смерти твоей матушки. Прими, старина, мое сочувствие, я понимаю, насколько пусты в этом случае любые слова. Ты как сын был безупречен, и ее последние годы протекали в покое и благоденствии, это ведь тоже очень важно. Я когда-то (хороня отца) испытал чувство, наверняка посетившее сейчас и тебя: что родители были каким-то странным заслоном между нами и смертью, а теперь на этот последний, голый уже отрезок — вышли мы. Был бы рад выпить с тобой рюмку в эти дни, но сделаю это здесь — мне кажется, что ушедшие радуются, когда их поминают. Обнимаю тебя.

Что касается моих суетливых телодвижений, то я их стараюсь свести к минимуму, хотя за прошлый год побывал в Австралии, Германии и России (от Петрозаводска до Владивостока), в Англии и Италии (в двух последних — гулял на денежки, заработанные в трех поездках.

<...>С июня начну работать в газете под руководством пахана Эдика Кузнецова, очень боюсь, ибо совершенно разучился работать (тем более — в здоровом коллективе). <...>

Твой И. Губ.

Милый Саша, привет!
Шлю тебе материал, очень (по-моему) забавный. Сукой быть, я это, и вправду, видел и буду об этом парне еще много писать. Там пометки на полях — это следы того, что я это читал по радио на Союз (там сейчас только до телепатии). Если к этому еще добавить, что я это и здесь где-нибудь напечатаю в зачуханной газетенке (их сейчас у нас десять уже выходит), то ты поймешь, что я настоящий разбойник пера, а не тот балбес, которого ты видел у себя дома (ах, как это было хорошо, спасибо тебе еще раз). А если печатать не будешь, то выкинь, а я тебе что-нибудь еще пришлю. А могу прислать его фотографию (это Рони). А если хочешь — пришлю свою. Желаю тебе удач и процветания. Жму руку, с почтением

И. Губ.

3/IV

Спалив дотла последний порох,
Я шлю свой пламенный привет
Всем дамам, в комнатах которых
Гасил я свет.

Милый Саша!
Ты мне очень помог жить (ты будешь смеяться), ибо твое бодрое письмо пришло как раз в день, когда я предавался пакостной меланхолии и впадал (временно) в грех неблагодарности своей фортуне. Отчего-то твое письмо очень меня развеселило и устыдило. <...> С газетой здесь ничего не выходит (я имею в виду «Панораму»), что отменно говорит о ней — она очень американская, так что не расстраивайся, а гордись. Скоро, наверно, и я буду работать в газете «Маарив» („Вечерка"), тогда мы еще поиграемся в профессиональные игры. <...>

Жму руку, твой И. Губ.

11/VII
Милый Саша, привет!
Всегда радуюсь твоим письмам веселого меланхолика, мне очень не случайно так хорошо у тебя жилось — приезжай теперь в гости ты, а не то я снова приеду, ибо от собственных гостей начну охуевать уже с августа, и продлится это до декабря.

Ты, Господи, врагов моих ласкай,
Отнюдь они не стоят нашей злости;
Но всюду в их домах живут пускай
Все время гости.

Да, теперь я стану (еще не стал, осталось дня 3—4) твоим коллегой. Эту газету затеял известный миллиардер Максвелл и собирается издавать здесь и в Сов.Союзе. Дай ему Бог здоровья и удачи, ибо мне интересно поиграться в журналистику немного. А что получится — Бог весть! Пока пишу стишки, бездельничаю, перечитывал свой новый роман (приятель хочет издавать его в Союзе, так что сбудется твое пожелание — стану миллионером, но в рублях). <...>

Твой И. Губ.

5/V
День погрома — был ли?

Милый Саша!
Получил твое письмо, но не заколдобился от зависти, ибо только что приехал из Парижа и Мюнхена (у меня там были вечера). От Парижа совершенно охуел. Вот счастье-то! Почти не смотрел сокровища культуры, наслаждаясь сидением в уличных кафе. А вечер там был очень смешной (в кафе «Анастасия»): за одним столом сидел «Синтаксис», а за другим — «Русская мысль», и в упор не замечали друг друга. <...>

Обнимаю, твой И. Губ

21/VII

Какие дамы нам не раз
Шептали: «Дорогой!
Конечно, да! Но не сейчас,
Не здесь и не с тобой!»

Милый Саша, привет!
Получил я твое замечательное письмо (чтоб я так жил, как ты пишешь) и, посмотрев на нашу прессу твоими (и твоих читателей) глазами, обнаружил, что ты скорее всего прав. А я не прав в своем бесцеремонном желании обездолить кассу «Панорамы» нашими местечковы-

436

ми дрязгами. Но уж раз в месяц (или чуть чаще) — наберется и блядей, и аферистов, и парения чистого еврейского духа. Прямо в пятницу и сяду. А пока что — посылаю тебе свежие впечатления от несвежих запахов свежей новгородской газеты. Мой припев всегда один и тот же: не понравится — выкинь и забудь. Слушай, а ты про глупость напечатал, да? Вот спасибо! (Ты это называешь «эссе» — спасибо за высокий термин.) Нет, чека за это я не получал, а так как у нас упорно ходят слухи о краже писем с чеками (говно — эти наши чеки), то проверь, пожалуйста, если будет время. Вообще мы здесь (бывшие советские) сильно озонировали местный климат в этом смысле .<...>

Обнимаю тебя, всем приветы — И. Губ.

Нас маразм не обращает в идиотов,
А в склерозе — много радости для духа:
Каждый вечер — куча новых анекдотов,
Каждый вечер — незнакомая старуха.

Здравствуй, милый Саша!

У меня к тебе еще одна хамская и обременительная, но безвыходная (для меня) просьба. В октябре—ноябре 92 г. у тебя была напечатана главка из моей книги — «Годы, собаки, жизнь». Она у меня потерялась, а я сейчас собираю книжку и нигде ее у меня нету в той помойке, где все собрано. Умоляю тебя: пришли мне ксерокс этой главки. Я уверен, что у тебя все подшивки содержатся в идеальном виде. Заранее и заведомо спасибо тебе. Что касается времени, то здесь она была в одном журнале напечатана именно тогда — но где этот журнал? Обнимаю тебя, жду вестей, всем приветы и поклоны. <...>

И. Губ.

В мире нет резвее и шустрей,
Прытче и проворней (словно птица),
Чем немолодой больной еврей,
Ищущий возможность прокормиться.

Милый Саша, привет!

Во всем виноват, конечно, ты: как только сажусь писать обзор, тут же пишется какая-нибудь херня на совершенно иную тему. Это ты

437

меня нацелил на аферы и блядство (в описательном смысле), а они у нас грустные и небольшие по масштабам (для привычного американского читателя). Но все равно сейчас сяду. <...>

Обнимаю И. Губ.

Зря вы мнетесь, девушки,
Грех меня беречь,
Есть еще у дедушки
Чем кого развлечь.

Здравствуй, милый Саша!

Я уже сто лет (и даже больше) тебе не писал. Собрался было послать две новых главки, но уехал в Россию (Москва, Питер, Челябинск, Екатеринбург, Пермь). За это время одну главку уже напечатали, так что шлю тебе ксерокс. Если не пригодятся — выкидывай, если пригодятся — ура! На Урале было очень познавательно, ибо все кипит, бурлит и пенится — такое общее ощущение, что непременно что-нибудь получится через пару поколений, когда дети сегодняшних нуворишей (и уголовных, и партийных) позаканчивают Кембриджи и Оксфорды...

Русское грядущее прекрасно,
Путь России тяжек, но высок,
Мы в говне варились не напрасно,
Жалко, что впитали этот сок.

Ты, разумеется, как и прежде, каждый день собираешься в Израиль, правда же? А пока что вместо тебя приезжал Клинтон. Но я его не пустил к себе жить, ну его на х..! <...>

Навалилось дикое мероприятие: я был ведущим на фестивале юмора в шести городах нашей маленькой (но солнечной) страны. Ебена мать! Как я ненавижу теперь всех, кто шутит! Я бы их казнил лютой пыткой: заставил с утра до вечера неделю слушать своих коллег. Я дней десять после этого оклемывался, ездил на Синай на 3 дня (там блаженная тишина, а рыбы — молчат, такое счастье!).

У меня в Москве вышел, наконец, роман о Бруни (помнишь, я тебе все талдычил?), приеду — привезу. <...>

До встречи — И. Губ.

Сергей Довлатов

1 марта.
Дорогой Саша!

Простите, но мелкие трубочные дары сменяются мелкими же финансовыми претензиями: я получил деньги за номера с 350 по 355, а также за № 357, гонорар за 356-й номер пропущен. Надеюсь, ваша бухгалтерия во всем этом разберется, и виновные по доброй традиции будут расстреляны.

Приезжайте в Нью-Йорк, угощу Вас травяным чаем и салатом из моркови — это максимум разгула, разрешаемого доктором Гуриным.

Недавно я сказал одному приятелю: «Ну что у меня за жизнь — пить нельзя, курить нельзя, есть нельзя, можно только читать и писать!!!». На что приятель доброжелательно ответил: «Ну, это пока зрение хорошее...»

Всех обнимаю.
Ваш С. Довлатов

7 апреля
Дорогой Саша!

Получил из редакции записку насчет фото. Глупо упираться из-за такого пустяка, но все же я бы очень просил мои заметки никакими фотографиями не сопровождать. Мне кажется, этим усиливается тот пародийный, несколько опереточный момент, который и так присущ эмигрантской прессе. В американских газетах и журналах, действительно, принято давать маленькие снимки популярных обозревателей, которые в этих случаях заменяют рубрики и служат чем-то наподобие эмблем, помогая читателям ориентироваться в напластованиях чтива. В русской, сравнительно тонкой газете, эти снимки выглядят пародийно... <...> Насколько я знаю, Вайль и Генис, в положении которых было бы гораздо уместнее, чем в моем, сопровождать статьи фотографиями, тоже считают, что этого делать не стоит.

Не сочтите все это за обычное проявление моего дурного характера. Характер, действительно, никуда не годится, но в данном случае я руководствуюсь соображениями профессионализма и вкуса.

От души желаю Вам (вам) всяческих успехов.

С. Довлатов

БП. Между прошлым и будущим

16 апреля
Дорогой Саша!

Вот уже года полтора я ничего не пишу для газет, не испытываю, так сказать, внутреннего побуждения. Я давно вступил в полосу глубокого пессимизма, и все, что я теоретически мог бы написать, едва ли кто-то захотел бы напечатать, но если бы Вы даже и напечатали это, то через неделю какой-нибудь харьковский логопед из Примиссисипья напечатает ответную статью, где будет сказано, что я лью воду на мельницу КГБ. А мне этого не хочется.

При этом, если у меня возникнет потребность что-то написать, то никуда, кроме «Панорамы», я это дело отправлять не захочу, да и не смогу.

Что же касается беллетристики, то у меня сейчас и для «Граней» ничего нет.

На «Свободе» я сейчас делаю 10—12 скриптов в месяц, и из них всегда можно отобрать что-то не очень позорное. Может быть, есть смысл отбирать более придирчиво, но это уж Вы решайте.

Нет нужды повторять, что с «Панорамой» связаны последние остатки моего расположения к чему бы то ни было газетному.

Обнимаю. Ваш С. Довлатов

7 мая
Дорогой Саша Половец!

Стоило мне похвастать, что я делаю 10—12 скриптов в месяц, как радио «Либерти» объявило мораторий на внештатников. Причем, на этот раз финансовый кризис у них глубже и серьезнее, чем в предыдущие годы. Перерасход огромный, Конгресс радиостанцией недоволен, ведущие сотрудники бегут в СССР, и так далее. Назревают какие-то структурные перемены.

Пока что дела с пропитанием обстоят критически. И потому возникло такое предложение. У меня есть начатая повесть, вернее — незаконченная, страниц шестьдесят, а целиком будет 100—120. Называется (пока) «Рафаэль и Маруся». Действие происходит в Квинсе. Персонажи более или менее узнаваемые. «Новое русское слово» и Седых конкретно — не упоминаются. В центре — история русской женщины и латиноамериканца. Плюс всякие глупости. Теоретически, если бы Вы всем этим заинтересовались, я мог бы, подредактировав, выслать Вам страниц 40—50 в течение трех дней по получении ответа. То есть материала хватило бы на пять номеров. А затем я высылал бы Вам каждую неделю по десять страниц.

С точки зрения возможных опечаток и недоразумений идеально было бы, если бы я сам делал набор и читал корректуру, набирал бы по заданному формату, оговоренным шрифтом и с соблюдением Ваших полиграфических требований. <...>

Качество повести более или менее обычное для данного автора.

Что касается статей на эмигрантские темы, то ничего не приходит в голову. Вернее, то, что приходит в голову, не подлежит огласке. <...>

Всех обнимаю. С. Довлатов

22 июня

Уважаемый Александр Половец!

Обнищав до позора, я хотел бы предложить Вашей газете — сотрудничество. Дело в том, что за пять лет я написал более 400 скриптов для радио «Либерти». Откровенно говоря, большинство из них никуда не годятся, и все-таки процентов десять, мне кажется, я мог бы отредактировать, дополнить и без стыда опубликовать под собственной фамилией. Никакой полемики, никаких выпадов ни в чей адрес эти материалы не содержат.

Прилагаю заметку к юбилею 1-го сов. писательского съезда.

Если по какой угодно причине мое сотрудничество нежелательно — никаких обид, и тем более мстительных действий, не последует. Если ж таковое сотрудничество возможно, то дайте мне об этом знать каким-то образом, и я сразу же пришлю что-нибудь еще. Всего Вам доброго, желаю успеха.

С. Довлатов

18 сент.

Дорогой Саша!

Посылаю Вам 6 заметок. Надеюсь, удастся отобрать что-то, достойное Вашей по-хорошему беспартийной и по-хорошему же легкомысленной газеты.

От души желаю успехов.
Ваш С. Довлатов <...>

БП. Между прошлым и будущим

1 окт.
Дорогой Саша Половец!

Восьмого октября исполняется 60 лет Синявскому. Я предполагаю, что в русских газетах, если и будут сообщения на эту тему, то короткие и формальные. «Панорама» могла бы отчасти восстановить справедливость. Синявский, конечно, — язва и разрушитель, но его мужество и писательская честность не вызывают никаких сомнений. Не говоря о таланте.

Надеюсь, у Вас есть фото Синявского, во всяком случае оно имеется в книжке «Третья волна», составленной Олей Матич.

Простите, что скрипт идет к Вам с опозданием, его пришлось на радио долго пробивать.

Короче, если материал в принципе Вам подходит, то дайте его срочно.

Ваш С. Довлатов

26 окт.
Дорогой Саша!

Посылаю Вам очередную, как выразился бы Солженицын, — сплотку. Обратите внимание на две штуки: «С точки зрения узника» и «Дан приказ ему на Запад...» В первом случае речь идет отчасти о Леве Халифе, которого надо, при всей его вздорности, поддерживать: он добрый, нелепый и беспомощный человек, как ни странно. Во втором случае речь о чудовищной повести Долматовского, таких и при Сталине не было в печати.

Далее, извините за точность (как говорит Алешковский), но Вы в расчетах наших вроде бы пропустили один номер. Вы прислали 50 долларов за 282 и 287-й номера, а между ними затесался еще и 284-й с «Ностальгией по сталинизму».

Надеюсь, у Вас все в порядке.
Ваш С. Довлатов

28 марта
Дорогой Саша!

Посылаю Вам, с разрешения В.Некрасова, его радиоскрипт о нашей книжке. Может быть, сочтете возможным это напечатать.

Если Вы заинтересованы в Некрасове как в авторе, то его адрес:
Mr V Nekrassov
3, Place Kennedy, apt 77. 92170
Vanves, France
Он — замечательный человек.

Всего доброго. Скоро буду вести с Вами переговоры насчет одной дурацкой повести.

Ваш С. Довлатов

19 ноября
Дорогой Саша Половец!
Посылаю Вам обещанное сочинение. Если оно по каким угодно причинам не годится, то решительно бросьте экземпляр в корзину, и это будет началом истинной дружбы между нами. Если же оно годится, то условия остаются прежними. <...>

Если Вы решите это дело печатать, то, во-первых, имело бы смысл дать сначала что-то вроде анонса: «В одном из следующих номеров мы начинаем публикацию новой повести такого-то...» И т. д. А также хорошо бы соорудить нечто вроде постоянной шапки с какой-нибудь даже эмблемой. Ну, что-то в таком духе: <...>

Саша, если повесть не годится, сообщите мне об этом без всякого смущения. Это, пожалуй, единственное, к чему я всегда готов.

Всем — наилучшие пожелания.

Будьте здоровы и благополучны.

С. Довлатов

23 дек.
Дорогой Саша Половец!
У меня к Вам гигантская просьба. Придется начать издалека. Когда в Нью-Йорке был Соснора, он, среди прочих, общался и со мной, прожил у нас три дня, которые мне, откровенно говоря, показались вечностью. Но дело не в этом. Я пытался организовать для него какие-то заработки и даже преуспел. В частности, Соснора выступил в одной старческой эмигрантской организации, получил там 300 долларов, мало того — они, старики, и сейчас, после его отъезда, собирают для него деньги, которые я переправляю некоей Дарре Голд-

стайн, его переводчице, которая скоро поедет в Ленинград, и так далее. Но этим старикам требуется какой-то отзвук, и их предводитель просил меня сделать для «Либерти» передачу о Сосноре и вставить в эту передачу слова о том, что старики благородно помогают измученному советскому поэту. Этот абзац про стариков мое начальство на «Либерти» вычеркнуло из соображений стиля и композиции. Теперь одна надежда на Вас. Я знаю, что Вы уже давали статью Рыскина о Сосноре. Но, может быть, возможно поместить еще одну заметку, сократив ее до минимума, разумеется, без всякого гонорара, чтобы удовлетворить стариков. Меня донимает их предводитель Гофман, и я ему обещал.

Заклинаю. Ваш С. Довлатов

Дорогой Александр Половец!
Уважаемые сотрудники «Панорамы»!
Как бывший редактор бывшей газеты восхищаюсь вашей жизнестойкостью и профессиональным мастерством. Мне ли не знать, как трудно делать газету в условиях здорового материализма, да еще сохранять при этом независимость и горделивое выражение лица. Вам можно позавидовать. 200-й номер — сама эта цифра есть показатель не количественный, а качественный, а качество в Америке стоит очень дорого. <...>

С. Довлатов

Дорогой Саша Половец!
Когда-то я на всяческих барахолках купил за гроши эти трубки, а потом мне запретили курить. Посылаю Вам. Вдруг среди них есть какая-нибудь стоящая.

Ваш С. Довлатов

Дорогой Саша!
«Иностранку» набираю, а пока хотелось бы подсунуть Вам юбилейный материал о «Современнике». Это мой последний скрипт на «Либерти».
Проскочит — хорошо. Всего доброго.

С. Довлатов

Виктор Ерофеев

Москва, 10 апреля
Дорогой Саша!

Это отрывок из моего нового романа. Если его напечатаешь, то пошли $100 моему агенту чеком в Нью-Йорк. Мой литературный агент Майкл Карлайл, его телефон в Нью-Йорке: (212) 903-14-61.

Я буду в Калифорнии в июне и обязательно позвоню. Надеюсь, ты бодр и прекрасен, как всегда.

Твой В. Ерофеев

2 октября 1996 г.
Дорогой Сашенька!

Посылаю тебе с Кареном статью по поводу моего трехтомника! <...> Спасибо за гостеприимство. Как дела с книгами? Дай ответ. Звони/пиши.

Твой Виктор Ерофеев <...>

Наум Коржавин

27 мая 1992 г.
Дорогой Саша!

Посылаю тебе статью нашего кишиневского приятеля, которую он хочет опубликовать в русско-американской газете. Он вообще хотел бы корреспондировать оттуда («Репортажи из горячей точки»).

Статья написана точно, хотя не со всеми ее положениями я согласен. Лимонова я терпеть не могу, но мафии такие в Америке есть (хоть вряд ли в L. A.), а насчет Приднестровья — там черт ногу сломит: что в ответ на что. Но это мое частное мнение о событиях, не о статье.

Послезавтра лечу на 15 дней в Москву. Засим обнимаю.

Твой Наум

Константин Кузьминский

15 марта 92
Шер Половец,

меня опять поперли из очередного подвала, с тремя борзыми, тысячью картин и тонной книг и рукописей.

445

Отчего теряется «Панорама», попроси сменить адрес.

В изъяснение, зачем нужна она, и в знак благодарности (не для печати, как всегда) — перелистай сей монархический резерч.

И сообщи, пожалуйста, адрес оператора Аркадия Кольцатого: Васька Ситников делал кукол (кондора, акулу и крокодила) для его фильма «Дети капитана Гранта». Половину рассказов на пленках я набрал, но нужно уточнить фамилии. Напишу ему сам и пошлю Васькины рассказы.

Твой — К.К.К.

16 сентября 81, Техас
ОЩУЩЕНИЕ ЩАПОВОЙ

Поутру разбудил Джанфранко звонком из Рима: голую, говорит, давай и чтоб колени согнуты, а Шемякина при том — не надо, только жеребец и туша. Спросонья вынул все фоты — и на каждом, вычетом отдельной головы, присутствует Мишаня. А графу и графине невдомек, что Шемякин себя снимал, а бабу держал для антуражу. Так и называется серия: «Мечты солдата». Но баба хороша. Особенно на двух, где она помазана не то оливковым, не то постным маслом. И тело такое усталое, будто не на коне, а под. Фигура астеническая, что сейчас модно. <...>

Целую, К.К.К.

6 окт. 80
Половец, дорогой!

Вот ты и «прорисовываешься». И весьма интересно (хоть и слово не то). Для кого, говоришь? ДЛЯ ТОГО, ЧТОБЫ ЗНАТЬ. Ведь анкета моя — это ж чистая провокация: завести человека, чтобы скинул одежки советские, своим голосом заговорил. Твой — уже СЛЫШУ. И теперь — говорить мне — приятней, даже когда не по «делу». Ненавижу дела! Никогда их не делал и делать не буду. У меня есть их 2: то, что сам я пишу, и еще — АНТОЛОГИЯ. Твой «стриптиз» — стиль и дух и ЯЗЫК — отвечают — и полностью — стилю ее. В 1-м томе я дал пососать академикам, чтоб заткнулись. Я просто им дал материал, крепко подобранный и нехуево организованный. Чтоб знали, как жить. Чтоб чего подержать. Во 2-м — начинаю дышать. А еще впереди... Ну, увидишь, прочтешь. <...>

Твой К.К.К.

Из письма Кузьминского

ЗАДЫ У УДЭГЕ. ИХ ФОРМА
(о жопничестве Фадеева)

1. И уходя, показала голый зад. (100)
   Тощий, отвислый зад. (16)

2. — А коли не хочешь сдыхать — становись раком!
   — Только ты смотри, чтоб не больно, — сказал Бусыря, становясь на четвереньки.
   — Ух!.. — выдохнул Федор Евсеич, поджимая толстый зад. (213)

3. — Крынкин — задница, — неожиданно сказал Сурков. (280)
   — Крынкин твой задница. (282)

4. Шел сзади, держа его за рубаху, накручивал рукой за его задом. (263)
   И в то же время сильно вращая тощим задом. (233)
   И отбив себе весь зад. (321)
   Бородач в картузе (тот, что три дня назад уговорил Бусырю стать на четвереньки). (257)
   Да одному старику в то место, откуль ноги растут. (312)

5. Петр, раздеваясь, мальчишескими, подобревшими и повеселевшими глазами оглядел маленькое, но хорошо сбитое смуглое тело Алеши. (356)
   С завистью смотрел на его мощную грудную клетку, на разбитый на прямоугольники молочно-белый, в золотистом пуху, панцирь живота. (357)
   — Без вазелинчика ваша милость ни шагу... (402)
   — Друг ты мой вечный! — ...прижался к его губам своими пышными усами. — Ты понял? Ты все понял?.. (536)
   — Друг мой... — Петр крепко сдавил его руку. — Друг мой. Самое лучшее, что было в моей жизни, это ты, — сказал Петр, счастливо улыбаясь в темноте. (420)
   А зад у Алеши... нестерпимо болел. (324)

Все цитаты взяты из: А.Фадеев, СС, т. 2 (Последний из удэге), М., «Худ. Лит»., 1970.

К.К.К.

БП. Между прошлым и будущим

Бахыт Кенжеев

2 апреля 1993
Дорогой Саша!

Я только что из Москвы. Привез любопытнейший материал о конфликте в Молдавии, принадлежащий Ефиму Бершину, известному сотруднику «Литературки» (см. его статьи и многочисленные интервью со знаменитостями). Он попросил меня «пристроить», в полном или сокращенном виде — как придется. Ефим многожды выступал в печати на эту тему.

Посылаю его Вам, а не в «НРС», считая, что для них будет слишком жирно. Пожалуйста, по получении и прочтении позвоните мне в Монреаль (чего вы, между прочим, не сделали по поводу Безуглова, ай-яй-яй). Что греха таить — для Ефима это еще и способ прибавить кое-какую жалкую сумму к ограниченному семейному бюджету. Между прочим, он весьма неплохой поэт — только что вышла книга.

Кстати, Безуглов вышел в «Знамени» и я потираю руки — назревает довольно заметный скандал, а отзывы на него (пока устные) варьируются от «как вам не стыдно было» до «шедевра постмодернизма». Вот и поместили бы какой-нибудь смешной фрагмент плюс критическая статья. Уж каков мой Безуглов с т. зр. литературы, не знаю, однако не скучен все-таки.

Большое спасибо за подписку. Газета приходит, и я нахожу ее в нынешнее время единственным органом, достойным чтения. Incidentally, the «ex-expatriate»(or is repatriate? I doubt it, because few of them came to stay) community in Moscow is growing — I mean Russian-Jewish-Americans on long-term business assignments. Did you think of them as a potential market of a few hundred new subscribers eager to reassert their Americanness to their Russian girlfriends?

Счастливо. Бахыт

Эдуард Лимонов

1 октября, 1987, Paris
Саша!

На друзей не обижаются, но злиться можно. Я тебе посылаю самый безобидный рассказ, и это будет последний. Вместо того чтобы опускать Лимонова до уровня читателей «Панорамы», ты бы лучше их поднял до уровня Лимонова.

Шучу. Однако тебе угодить (твоим читателям) труднее, чем «Новому миру». Может, ты сам их (читателей) недооцениваешь? У тебя что, газета для детей до 13 лет? Или ты не владелец «Панорамы»?

Надеюсь, что «В сторону Леопольда» пойдет. И герой, как у Марселя Пруста, не ругается, ибо эстет и сноб. Гомосексуалист, правда, но и М. Пруст им был. Секса нет, о нем только говорят. 18 страниц красивой жизни!

Всё. Обнимаю. Твой Лимонов

21 марта, 1988, Париж
Дорогой Саша!

Посылаю тебе сразу три вещи. Надеюсь, что ты их напечатаешь. Выбирал я их уже зная и условия газеты, и твои личные пристрастия. Так что... попробуй отказаться. В 1987 году я заработал приличные деньги (два раза «Плэйбой» меня тиснул и пр.). Но жизнь писателя переменчива. Несколько журналов закрылось, здесь в Париже журнально-газетный пейзаж все время находится в движении, посему нужны мани. Опять. Почему их нельзя заработать раз и навсегда и забыть о них? «Великую эпоху» решила печатать «Руссика». Грозятся к осени.

Ты уже ездил в СССР? Все туда ездили или едут. Кроме меня. Я с удовольствием вспоминаю, как в конце 70-х годов в Нью-Йорке возмущенные экс-советские патриоты поливали меня в прессе как «просоветского» и «агента». И вот те, кто поливал, уже побывали и раз и два на Красной площади, и поедут еще, а мне самым честнейшим образом даже и неинтересно. В хорошую эпоху живем, в неоднообразную, можно проверить прошлое настоящим.

Ты мне напиши о рассказах, и я бы предпочитал общий чек, меньше вычитают в банке. Надеюсь, в «Детях коменданта» тебя не оттолкнет ситуация. Мне, напротив, этот драматизм как раз дорог — человечество в своей грязи национальных предрассудков и индивидуальная судьба пары, попавшей между двух огней, и для еврейской организации они не свои, и для австрийки — они евреи, у которых всегда есть золото. И хотя бы во сне побег к «своим» — к папе в погонах.

Книги постоянно выходят, здесь и там, но это уже перестало быть событиями. Важно писать их (оказалось важнее).

БП. Между прошлым и будущим

Желаю успехов и процветания торговому дому «Панорамы». Недавно Наталья купила „Русскую мысль", и я ужаснулся, какая убогая газета. Ты их всех пережил и переплюнул.

Всего, твой Лимонов <...>

29 ноября 1991 г.

Видишь, Саш, какой ты непростой заказчик: больше трех раз на страницу слово х. не употреблять, 20 стр. в рассказе для тебя длинно, плюс ты решительно предпочитаешь иноземные, русские или франц. сюжеты — остается всего ничего свободы. Посылаю тебе пока «Смотрины». Пришлю еще что-нибудь позже. На той неделе я лечу в Югославию на две недели — понюхать пороху войны, — у меня там вышли две книги.

В СССР-е вовсю продают «Эдичку» в подземных переходах. По 30 руб. штука. Вышли уже два тиража: 150 000 и затем 140 000, сейчас выходит еще один в 100 000. Одновременно другие дяди выпускают еще два тиража по 50 000 и 100 000 экз. Будь это в мирные времена, сколько деньги было бы!

В Мадриде ничего интересного, кроме музеев. В Европе вообще не замечаешь границ — повсюду — супермаркет. Только низшие классы — нищие, цыгане и пр. незаконные дети цивилизации еще сохранили остатки национальных черт, — так что Мадрид похож на все, что ты видел (и я видел). После Мадрида я уже был на лит. конференции в городе Коньяк (19 тыс. жителей), спонсорированную всеми лучшими коньячными фирмами. Ох, коньяк подавали с 10 часов утра. Самый богатый маленький город, который я когда-либо видел.

Если ты мне заплатишь хорошо, я тебе пришлю репортаж с фронта (еще не с русско-украинского, но с сербо-хорватского).

Твой Лимонов

9 янв. 1992 г.
Шэр ами Саша!

Поздравляю тебя с Новым годом. Всех тебе благ возможных, которых у тебя еще нет. Спасибо за книгу. Оказывается, вот у тебя есть фотографии какие хорошие. Лена Коренева приходила. Хочет ехать в СССР. Я ее ободрил, сказал, что везде люди живут (она боится ехать).

Сам я был в декабре пятнадцать дней в Югославии, из них три в зоне боевых действий. Там идет настоящая большая война. Видел массу трупов. Поверь мне — свидетелю перерезанных горл и детей с выколотыми глазами — и никогда не защищай в своей газете так называемую «демократическую Хорватию». Там настоящий неофашизм: масса бывших нацистских преступников вернулись и пр. прелести. Даже знамя и гимн восстановлены той 1941—45 гг. Хорватии. И воинские звания.

Спасибо за два чека по сто долларов. Однако ты забыл, я просил тебя послать чек сразу за все рассказы. Дело в том, что вот за чек из меня вычитают здешние суки (100 долларов равно 5235 франков) больше десяти процентов, т. е. я получаю на свой счет 472 франка, 53 т. е. идет банку блядскму. И с 200 долларов то же самое: противно платить банку. Впредь, пожалуйста, лучше подожди, пока наберется за несколько рассказов. И вообще стал платить что-то жидко: раньше платил больше.

Посылаю тебе рассказ «Этюды», только что написанный (от «До совершеннолетия» ты отказался?). Напечатай «Чужой в незнакомом городе» в двух номерах, рассказ хороший, в нем есть, как в немом фильме, некая мистика. Получил ли ты рассказ «Смотрины», посланный мною еще 29 ноября? Вот напечатай все их три («Этюды», «Смотрины» + «Чужой в незн. городе») и заплатили Лимонову за них 400 долларов. Одним чеком. Я опять становлюсь бедным в этом году. (Бля...)

В феврале поеду в Москву.

Твой Э. Л.

Прилагаю еще рассказ: «Привычная несправедливость». И предлагаю еще более выгодный deal: за четыре рассказа: 500 долларов! А, по дешевке, можно сказать! Одним чеком, пожалуйста, Саша... <...>

21 июля 92 г.
Дорогой Половец!

Саша, после твоего звонка где-то в конце мая ты пропал с концами. А с тобой и моя заработная плата за три рассказа. Произошло ли что-нибудь, или ты просто про меня забыл? Может быть, ты обиделся? Я спрашиваю себя — на что, и не могу найти ни единого предлога.

В любом случае, напиши, и деньги мне никогда не лишни, тем паче что ты расхваливал мои последние рассказы.

Я был целый месяц в безумной стране России, из них десять дней на фронте: в Приднестровской Республике: воевал по-настоящему, с автоматом АК-74-С, в г. Бендерах на передовых позициях, участвовал даже в ночных операциях. Ты помнишь, наверное, Саша, мой «Дневник неудачника», — тогда в 1977 г. я лишь мечтал об этом, сегодня я осуществляю свои мечты.

Наташка-таки сильно покалечена, из руки выпирает кость, скула рассечена шрамом и лоб тоже, я думаю, если бы не я, она погибла бы уже в районе 1985 г., эта Наташка. Я продолжил ей жизнь. Надо ж, с ней (таких называли в XIX веке «падшими женщинами») я живу уже около десяти лет! Правда, никогда нельзя быть уверенным в завтрашнем дне.

Обнимаю, твой Лимонов

P. S. У Елены (Щаповой — *А. П.*) умер муж-граф. Второй уже муж умер.

26 июля 1993 г., Paris
Половцу от Лимонова
Здорово, АЛЕКСАНДЭР!

Вовсе я на тебя не сердит. По поводу моих московских заметок у меня свое особое мнение. Я тебя уважаю, но тебе моего мнения не поколебать. Оставим это дело без объяснений. Я не писал, потому что был в Далмации два месяца (прилагаю репортаж) и в Москве.

Сарнов — мудак, один из сотен мудаков, кто уже высказался по моему поводу и будут высказываться еще. Собака лает, караван идет. Я делаю то, что мне подсказывает моя могущественная интуиция. Я все предсказал и написал в первых же своих книгах. И в «Эдичке», и в «Дневнике неудачника» уже есть вся программа. «Нормальные» советско-русские интеллигенты от меня в ужасе. Но они, Саша, — старые жалкие болваны, не понимающие ни мира, ни себя. Их идеалы привели могущественную державу (в которой индивидуум содержался в наихуевейших условиях, это верно!) в плачевное, в чудовищное состояние. Я как писатель всегда на стороне могущества, блеска, знамен и маршевого топота. Потому что я такого типа писатель.

Мое «писательское состояние» распрекрасно. Оно не зависит от Сарновых и других мелких глупцов. Каждая книга моя: будь то статьи, разметается тиражом любым: немедленно. Я единственный русский писатель, кто продается такими тиражами. На московских лотках ведь сплошь иностранные имена: Стивен Кинг, Чейз и пр.

Еще я друг моих друзей. Ты заметил, что за годы я никогда с тобой не разбирался, хотя мне есть что сказать и о «Панораме». И не буду разбираться. Однажды приняв человека, я с ним на долгие годы. Я дружил с Савицким лет двадцать, пока он САМ от меня вдруг не отпрянул (тому уже 1,5 года). Он наконец меня испугался, перестал звонить и встречаться. И знаешь, что послужило поводом? В апреле 92 г. в Париже был полковник Алкснис. Я, сидя с Алкснисом в ресторанчике недалеко от места жительства Савицкого, после обеда предложил полк. зайти к Савицкому. Позвонили снизу в интерком. Сбегает вниз испуганный друг мой Дима и заикаясь сообщает, что не может нас принять. У него... «девушка» — подсказываю я. «Да, у него девушка». Ну, большое дело, мы с полковником ушли. Я не обиделся, и Диме за что обижаться, если даже мы так вот без звонка. Живет он один. Я думал, ему будет очень интересно, «сам черный полковник Алкснис». А Дима оказался маленьким захудалым провинциальным советским интеллигентом. Вот так.

Теперь обо мне много пишут в местных газетах: от «Ле Монд» и ниже. Как о враге народа или почти как о враге народа. Представляю, как Дима трясется от страха. А я всегда о нем помню, и часто жалею: человеку нужно иметь старых друзей, с которыми съел пуды соли. Я ведь у него когда-то жила, юная Лена, тогда еще чужая жена, ко мне на свидания в его каморку приходила. Жаль.

А полковник тип интересный, умный, очень даже западный. Газетная слава одно — человек другое. Политическая позиция человека — еще третье. <...>

В доказательство своих добрых чувств посылаю тебе два дорогих моему сердцу рассказа: о двух путешествиях в Харьков и тоже дорогое моему сердцу: репортаж из Далмации, из Краины.

Я пока здесь, в Париже.

Твой Э. Лимонов

P. S. Деньги пришли мне, пожалуйста, одним чеком за всё.

21 ав. 1993, Paris

<...> Слушай, я живу уже 13 лет вне Америки, неужели никто не понимает там у вас, что я реализую (подвернулась возможность) все, о чем я писал в своих книгах американского периода? И даже раньше? Ты читал мой текст «Мы — национальный герой»? Ты помнишь — там все эти мечты идиота: Лимонов и Папа Римский, Лимонов и... Так

453

вот, за последние годы меня принимали (почти официально): президент Сербии Милошевич (теле, газеты и пр.), президент Национального Фронта Франции Ле Пен, президент Караджич, я был (ушел) правой рукой Жириновского, писал для самой радикальной газеты Европы «Идио Интернасьеналь» четыре года, основал партию в России, воевал и все такое прочее!!! Что делали все эти годы наши друзья-писатели, даже лучшие: Саша Соколов, Алешка Цветков или старый краб Аксенов? Или даже Бродский? Сидели на кухнях, склочничали? Я сейчас подсчитал: за менее чем два года (в конце ноября будет два) у меня в СССР опубликовано книг общим тиражом 2,5 миллиона экземпляров. Можно продолжить эту вынужденную автобиогафию-похвальбу, все это к тому, что многое изменилось за последние четыре года в моей жизни, в жизни мира. Мы живем в другую эпоху. А мне дают советы: «Сиди тихо» и «Знай свое место». Никогда я не знал своего места, и в этом моя сила, — Саша, ты ведь наблюдал меня в моей жизни. Если бы я знал свое место, то посейчас работал бы на заводе «Серп и молот» в Харькове.

Все, жду чека. Извини, что так прямолинейно, но ты — работодатель.

P. S. Наталья спрашивает, какова будет цена на ее книгу (одну она, говорит, послала тебе), какой процент берет «Альманах» за продажу?

Le 20 decembre 1993
Дорогой Александр!
Вернулся я с «подвигов Геракла» (России) только пару суток назад и обнаружил твое письмо (черный сосед сберег почту). Посылаю тебе сразу же один из первых моих репортажей (датирован, как видишь, 25 сент.) из «Белого дома». Позже пришлю еще — собираюсь в любом случае писать книгу о «событиях».

Репортаж, как видишь — почти не политический, отстраненный, скорее. Извини, что не перепечатан, не было времени.

Спешу отправить письмо. Пока.

Твой Э. Лимонов

26 февраля 1994
Дир Саша!
Ты меня обижаешь. Я тебе послал еще 21 декабря 93 года текст «Ночи мятежного дома», и ждал, что ты мне пришлешь денег, мани,

долларов. Но ты как в воду канул, или в Китай эмигрировал: пропал. Наконец я тебе позвонил неделю назад: оставил мэссидж на твоем домашнем телефоне, и попросил Вайля в редакции, чтобы ты позвонил. И ты опять молчишь.

Друзья познаются, где там... в беде. Я в глубокой заднице, на сей раз, кажется, серьезно. Кретины журналисты сделали мне здесь во Франции репутацию чуть ли не «фашиста» и врага французского народа (таковым не являюсь), и деньги зарабатывать трудно. Потому, если ты мне друг, а я надеюсь, что это так, выручи. Заплати мне как можешь много за репортаж уже тебе присланный (Вайль сказал, что он готов к выходу) ПЛЮС вот посылаю тебе еще две вещи и БОЛЬШИЕ ПО ОБЪЕМУ:

«ПСЫ ВОЙНЫ»: на тему — война, солдат, солдатская жизнь и психология.

Главу из книги о Жириновском, которую я заканчиваю. Это критическая книга.

Как ты увидишь, все это вещи большого объема, солидные и интересные. Потому заплатил бы по 200 долларов штука, было бы прекрасно. Не жмись, ведь кому платишь. Пришли 600 долларов за три больших куска, это немного. Согласись. <...>

Э. Л.

6 марта 1994 г.
Дорогой Александр!
Спасибо за деньги, я их получил (140 O.S.D.). На мои телефонные звонки ты ответить поскупился. Между тем я закончил книгу о Жириновском (смотри мои бывшие предложения на обороте). Но так как ты не проявил интереса (я передавал Вайлю по телефону, что хочу предложить тебе отрывки из книги о Ж-ом), — то что об этом говорить. Посылаю тебе такое себе эссе о людях войны. Я написал его для журнала «L'antre journal».

Стал ты срезать гонорары. Почему 140, а не хотя бы 150? Между прочим, самый вшивый франц-ий журнал не платит меньше 250 франков за страницу машинописного текста. И ведь кто тебе пишет в газету: Лимонов. Плати больше мне, а другим меньше. Как делал (покойный) Седых. И правильно делал.

Всего наилучшего. Э. Лимонов

БП. Между прошлым и будущим

19 февраля 1995 г.
Саша, дорогой!

Вот посылаю тебе с Борисом, с оказией, статью. Уникальную в своем роде. Хорошо бы найти к ней фотографии. У меня они есть (полковник дал), но в Париже. А я туда, неизвестно когда попаду.

Если можешь, пришли мне с Борисом долларов. Ой, как нужны. С моей стороны я никогда не оставался в долгу и не останусь. Напишу для тебя что-то, или дам из готового.

С Жириновским ты долго думал. Книга вышла в июне 200 000 экз. И вся была расхватана («АиФ» и «Комс.правда» опубликовали по отрывку). Посылаю тебе книгу (не помню, высылал ли).

Твой Э. Лимонов

15 мая 1997
Dear Саша!

Вот, посылаю — по твоей просьбе. Рассказ очень ОК, французский «Playboy» только что купил его.

За 120 долл. спасибо. Увы, с пресчетами и вычетами — всего 631 франк я получил.

Мои дела с гражданством очень наладились после статей повсюду в газетах (в «Liberation» — 2 стр. разворота), после петиции в защиту («Лимонов хочет иметь гражданство — дайте ему гр-во») около сотни писателей и даже философов (среди прочих: Франсуаз Саган, самый крупный франц. философ — Деррида, сюрреалисты: Филип Супо и Мондьярг), после официального запроса в палате депутатов и в Сенате (!). Меня вызвали к советнику министра (ответственного за натурализацию) и предложили обмен из-под полы. Вы, мол, прекращаете, мсье Лимонов, вашу кампанию в прессе, а мы вас сделаем гражданином тихо, без шума, декретом в сентябре—октябре 1987, самое позднее — в январе 1988. Ударим, что называется, по рукам.

Такие дела.

Твой Лимонов

Дорогой Саша!

Отвечаю на письмо от 27 августа только 26 ноября. Весь октябрь я пробыл в Сербии и в Боснии, где в Боснии настрелялся и навоевался (по-настоящему). Принимал меня сам президент Милошевич (было по теле- и в газетах), плюс с Караджичем нас снимало ББС два дня. Из Сербии через Венгрию я прилетел в Москву и участвовал в конгрессе Фронта нац-го спасения, в оргкомитете, где удостоился чести сидеть в нрезидиуме и произнести речь. Затем мне предложили войну в Абхазии, куда я и полетел немедленно.

Короче, только вот сейчас добрался до своей мансарды, и решил вот послать тебе два репортажа. ВНИМАНИЕ: это репортажи не политические, но писательские. Ты сам увидишь, что политика в них отсутствует. Написаны они во время событий, в самолете, или в поезде, или в комнате гостиницы, и даже не было времени перепечатать. Но почерк у меня разборчивый. Эти и другие мои репортажи войдут в книгу «Убийство часового», которую я намереваюсь опубликовать. Ты писал, что бухгалтер занес было уже руку, чтобы выписать следующий чек — пусть выписывает, долларов этак на пятьсот: я тебе на эту сумму пришлю еще что-нибудь горячее. Идет? Если нет — сообщи. Оплачивать каждую статью (или репортаж) отдельно обходится мне дороже, из каждого чека наши уважаемые французы изымают отдельную мзду. Суки.

Ты пишешь о том, что я добился репутации национального героя со знаком минус. Это как для кого. Молодежь меня любит до истерики. Вот я только что выступал в МГУ, и еще раз убедился в этом. А то, что интеллектуалы (обхохочешься, в России нет интеллектуалов) России на меня реагируют как на красную тряпку, так французские интеллектуалы тоже реагируют так же. Вот ты, Саша, никогда не терял ни чувства юмора, ни лояльности по отношению к друзьям, даже таким, как я. Честно говоря, за годы ты добился моего уважения по этому поводу. Я все думал: «Ну когда же он сломается и присоединится к толпе?» А ты не присоединился, молодец! Мудрый человек ты, Саша.

Твой Э. Лимонов

Здравствуй, Саша.

Вот, получив твои доллары, сразу же начал богатеть, и из ничего, исключая расходы, быстро заработал тысяч сто (к сожалению, франков). Так что у тебя легкая рука, нужно будет еще раз попробовать.

«Панорама» стала приходить совсем безобразно, т. е. получаю в конце мая номера за март. Получил пока только два своих рассказа (т. е. «Панораму» с рас-ми).

Недавно приезжал «патриот» из Ленинграда, среди других посетил и меня. Жаловался, что в Ленинградский совет выбраны «одни евреи». Я спросил его, кто Вам посоветовал обратиться ко мне? Назвал какого-то Трифонова (разумеется, не покойного Юрия)... Юный патриот, 27 лет, сказал, что пришло время спасать Россию. Я сказал, что если бы ее меньше спасали, она была бы целее и здоровее, эта Россия, что спасать не хочу. Он сказал, что я пожалею, что поздно будет.

Больше мы ничего друг другу не сказали.

Трагическая история: В декабре прошлого года, будучи в СССР, я познакомился с замредакора журналов «Детектив и политика» и «Совершенно секретно» (издания Юл.Семенова) — с Сашей Плешковым. Хороший мужик, работяга, наладил оба журнала, довел тираж «Сов. секретно» до 3-х миллионов. Приехал он в Париж в апреле, встретились, гуляли по городу, он делал репортаж «Лимоновский Париж», подписали контракт, что он будет моим издателем и литературным агентом — прямо в кафе возле пляс дэ Вож... расстались в восемь вечера на бульваре Монпарнас, чтобы встретиться на следующий день продолжить репортаж. Рано утром мне позвонили, что он УМЕР. Неизвестно отчего, в 42 года. Ему стало плохо, он спустился в лобби отеля, попросил вызвать ему «скорую помощь». Умер через 20 минут по прибытии в госпиталь. Первая версия была: умер от харт-аттак. Вторая: его убило сочетание: советские таблетки от желудка плюс грибы (якобы он ел за обедом грибы). Вот так. В последний день его жизни я подписал с ним контракт. Он собирался стать моим первым советским издателем, напечатать мою книгу рассказов без купюр. Жалко мужика.

Продаешь ли «Панораму» в Союзе? Что вообще происходит. Вышли ли мои еще два рассказа? Прислать еще?

Какие сплетни в Лос-Анджелесе? Вернулся ли Саша Соколов из советского плена? Я прочел кучу глупых и несправедливых вещей, сказанных им об американцах (в 12-м номере «Юности» и повсюду) в сов. прессе. Ты читал? Что ему Гекуба? Ты не знаешь, где Алеша Цветков?

Я так обнаглел, что пишу теперь постоянно по-французски для франц. газет (у меня даже своя колонка в ежемесячном журнале «Ж'аккиз») и по-английски для всяких европейских газет (больше всего в Голландии).

Русские несчастья и перестройка мне надоели, однако я заключил контракт на роман об этом блядстве, посему пишу его, руководствуясь собственным мрачным опытом поездки в СССР.

Вот такие новости.

Обнимаю, твой Лимонов

НАТАЛЬЯ МЕДВЕДЕВА*

<... > Paris

Привет, Саша!

У меня в Москве вышла книга «Отель Калифорния», из-во «Глагол». Так вот, издатель просил меня тебя спросить — не хочет ли «Альманах-пресс», заняться ее распространением за соответствующие проценты в США.

Если ты (вы) согласны, я ему отпишу, чтобы выслал книги вам (сколько для начала?). М.б., тогда пришлю тебе книжку для перепубликации. Обязательно ответь.

Наталья Медведева

Привет, Александр!

<...> Саша, мы переехали. Живем в буржуйской американской безликой квартире. И очень дорого. Видимо, переедем опять.

Мою фотографию могли бы и получше отпечатать. По блату. Почему нет рецензий на «Щаповску Де Карлиевску»? Я, кстати, написала книгу. Обо мне тоже промолчат?.. Хотя это преждевременное подозрение, т. к. никому еще не давала на чтение.

Как насчет напечатания небольшого эссе о парижском... метро, к примеру? Если подойдет, заплатите? Страничек пять текста, идет? Пришлю.

У нас зима. Когда вернулась в Париж, то шел снегопад. Потряс! Как в Ленинграде или в Москве. Хотя там было в январе теплее, чем в Париже. Ну вам-то что, вы там под вечно-зелеными... <...>

Обнимаю и передаю привет всем участникам обозрения. Уверена, что Лимонов присоединяется. Он, правда, сейчас спит.

Твоя Наталья Медведева

---

* Жена Лимонова — их я познакомил в 79-м году в Лос-Анджелесе, о чем он вспоминает в приведенном в тексте этой книги отрывке. Несколько лет они жили в Париже, в конце 90-х расстались, Наталья переехала в Москву, где в 2004-м году умерла.

БП. Между прошлым и будущим

Владимир Максимов

31 августа 86

<...> Что касается обмена публикациями, то я это только приветствую, но со своей стороны, могу Вам лишь дать безоговорочное право на перепечатку любых материалов «Континента» (разумеется, со ссылкой на него). Высылать Вам заранее тексты или макет мы просто не в состоянии: практически журнал делают два человека — я и Горбаневская, да еще моя жена в качестве технического помощника. Боюсь, что мы просто окажемся не очень аккуратными корреспондентами.

Удивлен, что до сих пор «Панорама» не получает «Континента». В ближайшие дни вышлем предыдущие номера, а с 49-го будете получать регулярно.

В. Максимов

26.11.1987
Дорогой Александр!

Последние номера «Панорамы» читаю с печальным изумлением, если не сказать больше. После статьи Рыскина «Помогите носорогу» я, разумеется, тут же отнес себя к «русскоязычным консерваторам», которых «открытость советской системы автоматически делает смешными и ненужными».

Прилагаю к этому письму отчет «Русской мысли» о парижском форуме «Литература без границ», на котором собрались именно те самые «консерваторы», как русско-, так и иноязычные. В ближайшее время Вам тоже пришлют отчет об этой встрече. Как видите, компания более чем достойная и тем не менее не боится показаться в глазах господина Рыскина «смешной и ненужной».

Песни господина Рыскина уже пели в двадцатые годы Устрялов и Гуль, в тридцатые Шульгин и Эфрон, в сороковые Милюков и Маклаков, в пятидесятые — чуть не вся русская эмиграция.

Чем это кончилось, общеизвестно. И кто оказался «смешным и ненужным» — тоже. Так что предпочту не оказаться с такими «прогрессистами», как господин Рыскин, с его единомышленниками вроде Лимонова, Эткинда, Копелева или Вайля с Генисом.

Интересно только, что эта «русскоязычная» публика, о которой давно забыли даже их собственные родственники, может противопоставить упомянутому мною выше списку «консерваторов», кстати, далеко не полному, ибо я не назвал еще многих и многих от Нормана Подгореца до Эжена Ионеско включительно.

Как у нас теперь в России говорят, смеется тот, кто хихикает последним. Я вовсе не радуюсь тому, что мне рано или поздно придется хихикать над наивным простодушием наших доморощенных и западных поклонников господина Горбачева, потому что, скорее всего, мне придется плакать над ними, да и над собою тоже: победа советской дезинформации будет победой над всеми нами.

Горько читать, дорогой Александр, когда газета недавних эмигрантов восторгается санкционированной сверху смелостью таких советских проходимцев от литературы, как Вознесенский или Коротич (прочитайте хотя бы вышедшую всего четыре года назад книгу последнего об Америке под названием «лицо ненависти»).

Выходит, мы, как Бурбоны, по меткому выражению Александра Первого, ничего не забыли, но ничему и не научились.

С искренним уважением,
В. Максимов

1.12.88
Дорогой Александр!
Искренне благодарю Вас за любезное предложение высказаться по поводу интервью двух ваших авторов с Т. Толстой.

Думается, едва ли в этом есть надобность: на всякий чих не наздравствуешься. К тому же, и слишком много для этой дамы чести.

Ваш В. Максимов

1.5.92
Дорогой Александр!
Был бы благодарен за публикацию. Это прощальная просьба «Континента».*

Ваш В. Максимов

---

* Это письмо предшествовало закрытию выпуска «Континента» в Париже.

Давид Маркиш

10.6.84

Дорогой Саша!

Прости великодушно за задержку: был в Ливане месяц, потом сын родился — тоже запарка. Да и выборы на носу — работы много: пропаганда и страсти.

Посылаю несколько материалов.

Получаете ли Вы наш бюллетень русской пресс-службы Сохнута? А как мои «Шуты»? У меня через недельку выходит по-русски роман «Пес», пришлю. На иврите он уже вышел два месяца назад.

Сердечно твой Давид Маркиш

Зиновий Паперный

30 октября 1990
Дорогой Саша!

Пишу Вам с опозданием — после возвращения в Москву нужно время, чтобы прийти в себя, очнуться, оклематься и т. д.

Я хочу Вас поблагодарить за внимание к моей скромной особе, за теплое «вступ-слово» на вечере в Пламмер-парке.

Как мы уговорились, я попробую писать для вашего симпатичного органа. Копию своих сочинений буду посылать Вадику, который вообще будет моим наместником на калифорнийской земле. Мой первый опус будет, очевидно, называться: «Что значит — сидеть на двух стульях». Это рассказ на 4—5 стр. о первой ночи в Америке, ночи на двух стульях. Естественно, попробую воздать и посильную часть юмору.

Вадику я дал право сокращать по своему усмотрению, если нужно исправлять, но вписывать только в крайнем, самоочевидном и бесспорном случае.

Жму Вашу руку, привет Вашей милой маме, симпатичным сотрудникам, Пламмер-парку, русским магазинам (с еврейским акцентом).<...>

Ваш З. Паперный

Дорогой Саша!

Может быть, Вы обратили внимание: время идет. Сегодня ровно месяц, как мы покинули Вашу страну. Время, проведенное в Америке, стоит перед глазами, как живая стена, которая не качается, не зыблется и никогда не упадет.

Я, как мы уговорились, работаю над микроочерками, которые начинаю исподволь посылать Вам. Все это связано в моем представлении с колыханием двух миров — будущая книга называется «Купание в двух океанах». Это не только Тихий и Атлантический, но — вы и мы.

Короче говоря, посылаю Вам первое сочинение. То, что Вы о нем думаете, Вы можете передать (Москва, 123-26-12) или, если руки не доходят — через Вадика, которому я послал копию. Он — наместник меня на калифорнийской, то есть «панорамской» земле.

Спасибо Вам за тепло, за радушие Вашей редакции.

В отзывах о моих посылках будьте по-хорошему беспощадны, а главное — не бойтесь меня обидеть. Критика меня не пугает, а скорее бодрит.

Привет Вашей маме и — всей редакции.

Ваш З. Паперный

Марк Поповский

7/VII–84

Уважаемый г-н редактор!

Прочитав в Вашей газете материалы Белоцерковского, я с удовлетворением констатировал: «ПАНОРАМА» единственная русская газета не боится касаться тем, которые совершенно невозможны в других русскоязычных изданиях. В связи с этим хочу порекомендовать Вам рецензию моего друга Миши Михайлова на сочинения А. Солженицына. ...как вы увидите, невелика, но в высшей степени содержательна. Я посылаю Вам копию, но если нужен подлинник, подписанный Михайловым — готов прислать.

Адрес Михайлова прилагаю.

С уважением, Марк Поповский

Г-ну А. Половцу
Редактору «Панорамы»
11/VII–86

Дорогой Александр!

В нынешнем году я уже дважды становился объектом установленной Вами цензуры.

БП. Между прошлым и будущим

Делаю третью попытку напечатать в «ПАНОРАМЕ» то, что я действительно знаю и что действительно следовало бы знать Вашим читателям. Если и это напечатать нельзя — подайте мне знать, перенесу свое детище в другое место.

Ваша поддержка Владимова базируется на ложном образе талантливого писателя, которого обидели непонятно почему злые дяди из НТС. На самом деле увольнение вызвано было совершенно объективными обстоятельствами. Сам же классик проявил себя полным подкаблучником. Правда, он одно время (год назад) пытался приспособиться к требованиям НТС («Грани»-то все-таки их журнал!) и призывал меня, своего заместителя, уменьшить поток статей с еврейскими фамилиями, начать возвеличивать Солженицына и подумать о том, как бы нам поддержать «русскую партию», которая большая сила. Но потом скандалы его жены (которую он сделал ответств. секретарем) сделали его пребывание в ГРАНЯХ невозможным и он стал поливать их грязью. Я понимаю, что большинству Ваших читателей трудно переменить свое отношение к Владимову-классику, который в эмиграции растерялся, кинулся сначала в объятья НТС, потом в объятья Максимова, а сейчас верещит со страниц «Русской мысли», что НТСовцы недоплатили ему столько-то долларов за его произведения. Но ведь, дорогой Александр, разве Вам не приходилось видеть в эмиграции примеры такого же распада личности на каждом шагу? Эмиграция — жестокая проверка репутаций и характеров. Трагедия, которую переживает Владимов (это и впрямь трагедия, ибо он действительно сегодня никому не нужен), есть трагедия его личности. Сочувствие «ПАНОРАМЫ» таким образом не туда направлено и не о том сегодня речь. Я не член НТС и более того, мне чужды их идеи. ...хороший издатель должен следовать за заблуждениями своих читателей и подписчиков. Так что будем считать это письмо ЧАСТНЫМ и ЛИЧНЫМ. Желаю Вам и «ПАНОРАМЕ» успеха. Читаю Ваше издание с интересом. Что же до ошибок, которые вы делаете по незнанию или из соображений издательской политики, то я оставляю за собой право ставить Вас в известность о них ЛИЧНЫМИ письмами.

Дружески Ваш Марк Поповский

464

21/XI—87
Дорогой Александр!

Памятуя, что я являюсь корреспондентом «ПАНОРАМЫ», посылаю Вам документ, который получил от своих друзей из Чикаго. Я целиком и полностью присоединяюсь к точке зрения составителей этой листовки, получившей распространение среди чикагских наших соотечественников. Роль жулика Х... и проходимца У... отвратительна не только тем, что они дерут три шкуры со своих соотечественников, но еще и тем, что являются по сути агентами советской пропагандистской машины, размягчающей эмигрантские мозги. Х... уже ездил в СССР и получил договор от партчиновников. Принимая Булата Окуджаву в зале на 2000 мест, он заработал в один вечер 40 000 долларов, а Булату за все выступления в США заплатил в четыре раза меньше. Я полагаю, что Вам следует опубликовать эту листовку, несмотря на вашу нелюбовь к «порче отношений». При всем том, что листовка написана не художниками слова (отнюдь!), она — вокс попули нашего русскоязычного общества, и такой «глас Божий» следует поддерживать. Тем более что кроме «ПАНОРАМЫ» сказать обо всех этих безобразиях негде. Надеюсь, что Вы прислушаетесь к моему голосу.

Дружески Ваш Марк Поповский

«ДО КАКИХ ПОР
всевозможные стяжатели будут наживаться на нашем желании встретиться с любимыми артистами?

Мы за культурный обмен, но против наглого и хамского обмана.

Мы против астрономических цен на билеты.

И если сегодня мы платим за билет 35 долларов, то завтра, с нашего молчаливого согласия, цена билетов достигнет 50 и более долларов.

Куда идут наши деньги?

Львиная доля — в карманы устроителей концертов (шульманам и левиным).

Гроши — исполнителям.

Оставшаяся часть — в руки тех, которые хотят проверить нас на ностальгию.

БП. Между прошлым и будущим

Если у кого-нибудь из вас имеются симптомы этой ностальгии, поговорите с теми, кто вернулся из поездки в Союз.

Обратите внимание, какая грязная мышиная возня и конкуренция («социалистическое соревнование»?) происходит между этими двумя дельцами.

Один объявляет о встрече с Товстоноговым, другой на тот же день назначает концерт Окуджавы.

Один привозит Райкина, другой за неделю до этого организует концерт Лещенко.

И, наконец, объявляется о встрече с Хазановым, и тут же конкурирующая сторона назначает концерт Жванецкого. (Не выдержав конкуренции, концерт Жванецкого отменяется.)

Что будет дальше? На ком еще можно будет сорвать солидный куш?

Арсенал актеров и поэтов уже почти исчерпан. И если Х... еще удастся привезти Пугачеву, ничего другого У... не останется, как вывезти к нам Политбюро в полном составе (если им разрешат выехать).

ЧТО МЫ ПРЕДЛАГАЕМ?

Не покупайте билетов, не отдавайте свои трудовые деньги или пенсионные сбережения. Купленные билеты могут быть возвращены.

Приходите к месту встречи, но ни в коем случае на пикетируйте тех, то купил билеты. Не надо повторять постыдное зрелище, которое произошло на концерте покойного Миронова.

Ваше молчаливое присутствие собьет спесь с зарвавшихся нуворишей, которые вынуждены будут оплатить расходы со своего собственного, а не из нашего кармана.

Попробуйте хоть раз побороть в себе потребительское желание, и вы увидите, насколько возрастете ВЫ в собственных глазах, у ВАС появится чувство личного достоинства и ВЫ почувствуете себя ЛЮДЬМИ!»

10/XII—90
Дорогой Александр!

<...> Я читаю Ваш еженедельник постоянно и радуюсь всякой удаче Вашей. Что касается сотрудничества, то оно не ладится отнюдь не по злой моей воле, а оттого лишь, что мне приходится сейчас очень

серьезно и много работать, чтобы прокормить мою семью из трех человек. Работу в «СТРАНЕ И МИРЕ» я оставил после того, как мой редактор кинулся в объятия Москвы и даже перенес в Москву печатание журнала. Там сейчас 770 изданий, и ему не терпится стать 771-м. Этой болезнью заболели все почти наши диссиденты, и я от заразы этой решил быть подальше. Ну, а коли так, то и зарплаты не стало...

Прошу принять в знак симпатии мою новую-старую книжечку, опубликованную в Иерусалиме. Читать ее не обязательно. Она — знак моего доброжелательства к Вам. Привет маме.

Марк

2 января 1996 г.

Дорогой Александр, с Новым годом!

Привет и наилучшие пожелания всем Вашим коллегам, ПАНОРАМИСТАМ и ПАНОРАМОГРАФАМ.

Получил сегодня новогодний номер журнала-газеты «ПАНОРАМА» с рецензией г-жи Матрос и интервью с неким М. Поповским. Все бы неплохо, но обидно, что портрет моей жены повторен на фотографии три раза (присмотритесь!), а мой только дважды. Ну, это мои глупые шуточки. Теперь по делу. Надеюсь, вы с Александром Калиной уже разрешили все проблемы. Он взял у меня Ваш телефон и собирался дозвониться.

Отправляю три очерка, объединенных общим заголовком «ПОГОВОРИМ О СЕБЕ». Речь идет о трех героях-эмигрантах чудаковатого склада, каких среди нас немало. Один из них ИЗОБРЕТАЕТ, второй ПОУЧАЕТ, третий ПРЕДСКАЗЫВАЕТ. «Чудаки украшают мир», — говаривал А.М. Горький, надеюсь, и мои чудаки украсят ПАНОРАМУ. В качестве иллюстраций прилагаю портреты героев своего производства. Буду признателен, если фотографии мне будут возвращены.

Не откажите в любезности сообщить, будет ли использован мой обзор четырех книг 1995 года. Юля сказала мне, что обзор у Вас в плане. Если не возражаете, поместите его в качестве четвертого материала сразу после чудаков. Из четырех книг можно сделать три, обзор стихов поэта Марка не так уж и интересен.

Если какой-то материал Вам не подойдет — дайте знать, я использую его на другой территории. Но мне кажется (по прошлому опыту нашего общения), что вкусы литературные у нас не слишком различны.

Я вернулся из поездки в Вашингтон, где давно уже подготовил себе для интервью двух героев — эмигрантов первой волны эмиграции. Один из них — переводчик президента Клинтона.

Посылаю железнодорожные билеты — 128 долларов. Суточные мне платили на прошлой моей «службе» по двадцать пять долларов в день.

Вот как будто и все наши дела на сегодня. Еще раз благодарю за разворот в праздничном номере. Все очень эффектно. Спасибо!

Звонил Вашему сотруднику Гуревичу по поводу того, что «ПАНО-РАМА» недостаточно распространяется в северном районе Манхэттена Вашингтон Хайтс. Я надеюсь привлечь своих прежних читателей к Вашей газете, но для этого надо, чтобы она тут продавалась.

Еще раз примите самые добрые пожелания Вам в наступившем году.

Ваш Марк Поповский

23/XI —97
Дорогой Александр!
Вступая в 1998-й, **ПОЛОВЕЦКИЙ**, год своей литературной жизни, разумеется, желаю успеха обеим сторонам, и Хозяину и Работнику, значительно в большей степени Хозяину, ибо Работник уже стар, его ничем уже не удивишь, не смутишь. А Хозяин молод, полон динамизма, энтузиазма. Дай Бог ему еще на многие годы сохранять свой талант и свою работоспособность. Буду рад, если год 1998-й предоставит мне возможность принять Хозяина в своем ньюйоркском доме.

С Новым годом, с новым счастьем, дорогой Александр. Успехов Вам!

Марк Поповский

П.С.Саша, дорогой, спасибо за приют и разговоры! Если я не выберусь из С.-Фр., то помни, что с тебя — книга воспоминаний.

Обнимаю, М. Поповский

6/V—99
Дорогой Александр!
Обращаюсь к Вам по делу отнюдь не редакционно-журналистскому. Взываю к Вам, как единственно близкому мне россиянину, обитающему на Западном побережье, помогите, если можете.

Два года назад я вступил в переписку с приезжим из России парнем, уже 16 лет сидящим в американской тюрьме. Мать и отчим привезли его, когда парнишке не было и 17 лет. Тогда же мальчишка, лишенный, как он рассказывает, родительского внимания, связался с американскими уголовниками, перевозившими через мексиканскую границу наркотики. Когда их схватили, американцы свалили на «русского» всю вину и даже объявили его главой банды. В результате Олег получил ни много ни мало 37 лет тюрьмы. Мать (она уже умерла) отказалась от сына.

Сегодня Олег Пинский, 35 лет, совершенно одинок, у него нет ни родственников, ни друзей. Страдая от потери родного языка, он обратился с письмом в русскую газету. Я откликнулся и возникла эта переписка, которая, как я понимаю, очень важна для Олега. Я чем могу стараюсь помочь ему: посылаю книги, подписываю его на газеты (в том числе на «ПАНОРАМУ»). <...>

Он откуда-то узнал, что существуют адвокаты, готовые вести дела, подобные вышеозначенному, без оплаты. По скудости своих пенсионных доходов я не могу предложить адвокату даже сотни долларов. Пишу Вам в надежде, что в Вашем окружении есть люди профессионально знакомые с Уголовным кодексом штата Калифорния. Может быть, среди этих людей действительно есть адвокаты, согласные вести подобные дела без оплаты. Ведь речь идет о том, чтобы спасти безнадежно изуродованную жизнь нашего соотечественника...

У меня, в результате переписки с Олегом Пинским, сложилось ощущение, что передо мной человек в общем порядочный и добрый. Я очень хотел бы помочь ему. Буду признателен Вам, дорогой Александр, если Вы найдете возможность проконсультироваться с калифорнийскими адвокатами и узнать, есть ли хоть какая-нибудь возможность помочь моему подопечному. Заранее благодарен Вам за любую попытку как-то разобраться в этой печальной истории.

На всякий случай даю адрес Олега Пинского:

Oleg Pinsky D—39655
PO Box 7500-D-9-210
Crescent City, CA 95531

Ваш М.Поповский

469

БП. Между прошлым и будущим

Евгений Попов

15.06.95
Дорогой Саша!
Посылаю тебе из капиталистической Москвы в социалистическую Америку пару новых материалов.

Твой Е. Попов

21.08.96
Дорогой Саша!
Я только что возвратился из летних странствий и тут узнал, что Валера Бегишев отбывает в L. A.

Посылаю тебе рассказ, который, по моим наблюдениям, нигде не был напечатан.

«Угрюмомолчанский» — Бог с ним, его уже напечатали в журнале «Золотой век».

Спасибо за присылаемую «Панораму». Я, кстати, узнал из рекламы о существовании Language teacher R 2200, купил эту машинку (в Москве) и теперь с ней не расстаюсь. Я дней 10 провел в одиночестве в глухих финских лесах, ловил рыбу и развлекался, играя со словарем и находя там английские обозначения того, что меня окружало — Lake, Quagmire, Fir, peach, sauna, finish moonshine, wherry etc., for example — peasant woman. <...>

Извини, что я несу тебе в письме такую хуйню, но я, во-первых, выпил немного водки, во-вторых — в Москве жара, а в-третьих — констатирую, что жизнь временно продолжается. В ближайшее время я пришлю тебе еще что-нибудь для славной газеты, с которой всегда рад сотрудничать.

Твой Е. Попов

Николай Пушкарский*

VI.2.87
Глубокоуважаемый Александр Борисович!
Позвольте поблагодарить Вас за помещение, даже в двух номерах «Панорамы», бесплатного объявления об «Устн. журнале» 105 (Бальмонт). Это ценная поддержка моей работы на культурном поприще.

---

* Сведения о просветителе Николае Юлиановиче Пушкарском приведены в тексте книги.

Затем, позвольте узнать: Вы ли являетесь автором книги «Беглый Рачихин» или это однофамилец? Если Вы, я с удовольствием поддержу Ваше издание и выпишу эту книгу.

Фамилия Половец была распространена в России довольно широко. Так, я знаю одного государственного деятеля XIX века с этой фамилией и с именем Александр. Но тот, кажется, Александрович, а не Борисович.

С искренним расположением Н.Пушкарский

...22.91

Глубокоуважаемый Александр Борисович!

Вновь стучусь к Вам с просьбой о помещении объявления на страницах редактируемого Вами альманаха «Панорама» о 105-м номере «Устного журнала», посвященного поэту Конст. Дм. Бальмонту.

Политические представления его были крайне наивны. Окт-й переворот он встретил крайне враждебно и в 1918 г. выпустил даже книжку под названием: «Революционность или нет» (проза и стихи), доказывая, что истинная революционность не соединена с политическими убеждениями, всякий гений и настоящий талант — по самой природе своей революционны, т. к. ломают старое и создают новое. Вел себя Б. вполне лояльно и, как всегда, много работал. В марте 1920 г. он обратился к Луначарскому с просьбой получения заграничной командировки, которую и получил. Уехав с семьей, он остался в Париже, став эмигрантом. Т. к. Бал. «не оправдал доверия», то «советчики» не издавали его 52 года (!), а только в 1969 году в «...» Поэтах издали часть его стихотворений, указав в примечании, что это 1/10 (!) часть его поэтического творчества.

Желая отметить 120-летие со дня его рождения (1864) и пополнить сборник его стихотворений эмигрантскими изданиями, я решил посвятить ему 105 выпуск «У-го ж-ла», памятуя, что музыкальность его стихов такова, что около 500 стихотворений (!) было переложено на музыку. Современным поэтам это чуждо, для них главное это гражданственность с легкой фразы Некрасова: «Поэтом можешь ты не быть, а гражданином быть обязан». <...>

Я так расписался потому, что не имею возможности поговорить с Вами. Приходите на доклад, буду рад встрече.

С искренним расположением

Н. Пушкарский

...22.91

Глубокоуважаемый Александр Борисович!

Большое Вам спасибо за помещение на страницах редактируемой Вами «Панорамы» объявления об «Устном журнале» № 116 (Игорь Северянин). Объявление большое и на видном месте, так что не прочесть его нельзя.

...приглашаю Вас пожаловать лично и своим присутствием оказать честь не только мне, но и поэту Игорю Северянину, умершему в эмиграции, в нищете.

С искренним расположением
Н. Пушкарский

Феликс Розинер

Саша, дорогой!

Давно бы следовало тебе ответить, да жизнь не давала: понаехали советские композиторы, я непрерывно ходил на концерты, много времени провел с Альфредом Шнитке, Софьей Губайдуллиной — было интересно, очень для меня поучительно — многое в себя «вобрал».

Но: книгу-то твою прочитал! И со вниманием и интересом!

Прочитала и Татьяна!

Поздравляю тебя с нею. Работа хорошая — и по-журналистски, и как литературная. Эти три судьбы хорошо укладываются в общую картинку, называемую «советский человек». Ты выбрал хорошую позицию наблюдателя со стороны, тем самым оставив много свободного поля для читательского домысливания относительно всех Почему? Зачем? Как? — какие ставят сами герои, и относительно того, как они на это отвечают. Сказав «герои», нужно добавить и «антигерои», — и это смешение придает твоей книге необычный для такого рода судеб поворот (обычно раз перебежчик — значит «герой»).

Словом, молодец! Спасибо! И продолжай в том же духе и дальше, и не давай столу редактора съесть тебя целиком!

А теперь — со своего стола передай на необходимый листок... сам — не писать же мне отдельное письмо в отдел подписки?!

Что слышно? Как дом и как сын? Не собираешься ли в наши края? Наш дом теперь обрел упорядоченный вид, есть и кабинет из дерева на 3-м этаже, есть и койкоместа для гостей, — приезжай, дорогой, желанным гостем будешь!

А пока — звони, пиши, не забывай! Я же тебя вспоминаю по крайней мере еженедельно, получая «Панораму», — и теперь, без дополнительной пересылки с адреса на адрес, она будет доходить быстрее.

Издание выглядит хорошо, держит верный курс — и относительно бурь реперестройки.

Удач! Будь здоров!

Твой Феликс

P. S. Не потеряй — а отдай новый адрес! Ф.

Анатолий Рыбаков

23 марта 1995 г.
Дорогой Александр.
Благодарю за «Панораму». С интересом и удовольствием ее читаю.
Вспоминаю наши встречи в Переделкино.
Прилагаю при сем свой новый адрес в Нью-Йорке.
С наилучшими пожеланиями,

...Рыбаков

Саша Соколов

Дорогой Александр!
Посылаю эссе по поводу 50-летия Союза писателей СССР. Обрати внимание: <u>большое!</u> Иными словами, рассчитываю на вознаграждение (соответствующее). В свете нашего переезда (в конце месяца) в более северные районы оно особенно было бы кстати.

Ну, а ежели материал не по профилю — посоветуй, куда продать. Как вспоминается Вермонт — добрым ли словом? Или не понравилось?

Если материал подойдет, пришлю еще что-нибудь.

Привет сотрудникам!

С. С.

Саша, привет.
Вот, составил небольшое эссе о Карле. Накажи печатникам, чтобы не делали ошибок: в <u>таком</u> материале они особенно убийственны.

Пожалуйста, проверь, как пишется Гайявата: Гайавата? <...>

И вообще, если будет время, вычитай, пожалуйста, текст свежим глазом. Могут быть ошибки <...>

Твой С.С.

Дорогой Александр.

Стремлюсь выразить нижайшее почтение и благодарность за публикацию двух моих лекций. Конечно, не обошлось без ошибок, но их немного. Осталась, как известно, 3-я лекция, прочитанная год назад, тоже 13 апреля. Пожалуй, пора печатать и ее, а то, боюсь, устареет. Думаю, нужно сохранить ту заставку (мой псевдопортрет с подписью), т. е. повторить ее при публикации «Palisander c'est moi?» Так, если не ошибаюсь, называется эта вещь.

Вспоминаю Л.А. и всех вас, всегда с нежностью и т. д. Ане, Алене, Лиле — колоссальный привет, да и ведь всем другим тоже.

Твой С.С.

Григорий Свирский

Торонто

Глубокоуважаемый господин Александр Половец!

Я хотел бы принять участие в дискуссии, которая развернулась на страницах «Панорамы», «Русской мысли» (отчасти) и в израильских газетах на иврите и русском языках. Речь идет о жизни и смерти русского еврейства и, среди него, о жизни и смерти моих родственников и друзей, которые пытаются вырваться из России.

«Новое русское слово» боится этой темы, поставленной во всей ее противоречивости. В течение последних пяти лет я предлагал ей разные материалы о причинах гибели эмиграции евреев из СССР, и они неизменно замалчивались.

Тем важнее, ценнее Ваша решимость сказать правду.

С благодарностью, Григорий Свирский

30.I.92

Торонто

Глубокоуважаемый господин Половец!

Меня начали активно печатать в России. Так как их рубли стали бумажками, мне будут платить моими же книгами. 1 % от тиража.

Скажем, от ста тысяч экз. — одну тысячу автору. Это единственная возможность заработать хоть что-то. В предвиденьи этих больших посылок, я бы хотел, чтобы Вы немного напомнили обо мне читателю. <...>

В России почву подогрели. Особенно она подогрелась (для моих книг), когда по московскому телевидению выступил бывший майор КГБ и рассказал, как они устанавливали в квартире Григория Свирского подслушивающий аппарат. <...> В разговоре с каким-то членом Политбюро, который пришел к нему прощаться, он, Твардовский, воскликнул: «А чего вы Свирского мучаете?» На что высокое лицо ответствовало: «Мы его не мучаем. Он говорит о нас то-то и то-то... Свирский думает, что он один, а он не один...»

Меня, помню, очень тронуло это предупреждение Твардовского. Он умирал и тем не менее прислал ко мне свою дочь Валю сообщить о том, чтобы я поберегся...

И вот теперь официальное потверждение с другой стороны. Так идет эта сволочная жизнь.

Я занят теперь тем, что пишу роман «Бегство», продолжение романа „Прорыв». В этом романе (в котором будет немало документов) я привожу Ваше интервью с заместителем или советником Шамира, опубликованное в Вашей газете № 55 от января 25 — февраля 1 1991 г. «Израиль никогда не уступит». Мне показала это интервью Ида Нудель в Израиле. Я буду вам признателен <...>

Вениамин Смехов

Глубокоуважаемый Сашенька!

Были бы рядом, — столько бы нарассказал... Однако предуведомляюсь запискою.

Еще и еще раз — спасибо за отца моего, тем более в канун 9 Мая, с чем и поздравляю. О нем и о чудесах постперестроечных открытий в его адрес (задним числом, от его учеников Гр. Явлинского, Я. Уриксона, А. Шохина, Л. Абалкина, А. Агенбаляна, Е. Гайдара и др.) — в другой раз. Может, он пришлет что-то из своей книжки воспоминаний для «Панорамы» — тогда и напою тебе в уши...

Саш! Вот тебе глава из собираемой потихоньку книги «Жизнь в гостях». Она же — в сборнике Галины Самойловой, которая знает, одобряет, шлет поклоны моим любимым издателям. <...> ...я надеюсь, тебе подойдет моя глава — так сказать, к дате. Еще надеюсь, что твои замечательно талантливые авторы (включая моего юного друга Володю Волькенштейна-Аленикова) смогут интересно рассказать о блестящем русском поэте Д.С. Самойлове. Спасибо! Удачи! Будь!

Vale! Твой Веня Смехов

Colorado College Colorado Springs, CO

Борис Сичкин*

Дорогой редактор Александр Половец!

Да будет тебе известно, что война закончилась не 9 мая 45 года, а на четыре месяца позднее. 9 мая наш ансамбль веселил армию генерала Чуйкова, который направлялся в бой с немцами. Так что этот материал актуален, и можешь печатать это (на свое усмотрение) с продолжением, и я уверен, что люди, твои читатели, тебе поставят памятник при жизни. Гениальность всех этих рассказов заключается не только в моем таланте, но, что они не выдуманы и имеют историческую ценность. Если захочешь печатать — то напиши от себя, что я и юмор неделимы и что он не только меня спас от смерти, но и я благодаря юмору тоже многих спас.

Несколько слов о том, что я покорил Голливуд, играя Брежнева в фильме о Никсоне Оливера Стоуна с гениальным артистом Энтони Хопкинсом. Фото у тебя есть в моей книге.

Когда меня во время войны отводили в комендатуру за неподчинение, я нашел способ для спасения.

Еще великий полководец Суворов Абрам Моисеевич сказал: «Плох тот солдат, который не мечтает стать генералом». Так вот, зная об этом, когда комендант имел звание капитана, я к нему обращался: «Товарищ майор, извините, но я не заметил офицера...» Когда нарушение было серьезней, тогда я ему давал двойное звание: он капитан, а я ему: «Товарищ подполковник», и я был в полном порядке, меня отпускали.

---

* Известный комедийный актер, эмигрировал из СССР в 79-м году, жил в Нью-Йорке, скончался в 2004-м

Юра Тимошенко (Тарапунька) получил два наряда вне очереди и написал об этом маме. Мама ему написала: Юра, я очень рада, что тебе дали два наряда. Береги их. Один носи каждый день, другой по праздникам. Используй.

Обнимаю, твой Борис Сичкин

Лев Халиф

30 июня 1985 г. Нью-Йорк
Здравствуй, дорогой Саша!
И где ты? Что-то давненько ты, братухес, не объявлялся. Как, впрочем, и твоя «Панорама» два последних (говорят, самых интересных номера) я так и не получил, — а именно № 218 и 219. В чем дело — небось опять не туда шлешь?

Написал очередную нетленку, так сказать, и шлю с превеликим удовольствием в надежде обессмертиться в «Панораме». Где-то числа 15-го в журнале «Ньюсвик» (я надеюсь тебе знаком этот журнал) появлюсь и я. Правда, в хоре из Довлатова, вашего Якова Смирнова и ещё кого-то в очень громком материале о нашей эмиграции. Обрати внимание. Сегодня уже снимали меня часа два прямо в моем фак Рокковее. Значит иду. Не помешает.

Был Вознесенский у меня, потом нас Тим отвез (между прочим, на своей машине «катлас суприм» — мама купила) к Баху. Общнулись и очень даже неплохо. Потом Евтух порыдал немного у меня на плече и говорил про мою легендарность в России.

Вот так и живем. Говорят он был и у Кузи — покупал его «Антологию», где его чуть не побили.

А так безветренно в смысле новостей. И вот еще что — последи, дорогой, если будешь печатать, чтоб без ошибочек, да еще нелепых.

Цалую, твой Лев Халиф

30 сент. 1986 г., Нью-Йорк
Дорогой Саша!
Должен заметить, что я пишу все лучше и лучше. Ты легко в этом можешь убедиться сам. Шлю последнюю свою-свою... Только, ради Бога, без правок — я достаточно над ней посидел.

И где рецензия? А то пишут обо мне всюду, даже в «Советской России» (от 6 сентября) и показывают по московскому телевидению — 21 сентября («Русские здесь» с дискуссией, естественно), звонят из СССР и поздравляют со славой. А «Панорама» никак не может отрецензировать «Пилота» (шутю).

Обнимаю. Звони, а то я позвоню сам.

Твой Лев Халиф

НАТАЛЬЯ ЯБЛОКОВА*

26 мая, 1993
Дорогой Саша! Было так славно встретиться с Вами в Лос-Анжелесе, но только мало было времени поговорить по душам. В связи с тем, что я теперь буду более свободна, уйдя с работы, есть надежда, что будем видеться чаще. Завидую Вам, что у Вас есть возможность общаться с Ива́новыми — они редкие люди.

Посылаю Вам для публикации жемчужину. Публикуется впервые. Можете соединить с моим текстом, который у Вас есть. Самое интересное в том, что это не выдумка, а было в самом деле. Кома Иванов знает эту историю с другой стороны, так что, если Вы хотите что-либо уточнить или добавить, можете справиться у него.

Фактическая справка. Аркадий Белинков родился 29 сентября 1929 г., умер 14 мая 1970 г. (1944—1956 — тюремные годы). Так что, если мы опоздали с публикацией в мае, м. б. дать ее в сентябре? Я 29-го улетаю из Монтерея в Москву и вернусь 20-го июля.

С наилучшими пожеланиями.
Ваша Наташа

---

* Вдова литератора Аркадия Белинкова — супруги бежали из СССР в конце 60-х, жили в Сев. Калифорнии.

Александр Борисович Половец

БП
между прошлым и будущим

Редактор *Владимир Вестерман*
Оформление вклеек *Александр Щукин*
Компьютерная верстка *Виктория Челядинова*
Корректор *Надежда Александрова*

ООО «Издательство Зебра Е»
121069, Москва, Скатертный пер., д. 28
Тел.: (495) 202-38-88
E-mail: zebrae@rambler.ru

По вопросам приобретения книг
обращайтесь в Издательскую группу АСТ:
129085, г. Москва, Звездный бульвар, д. 21, 7 этаж.
Тел.: (495) 615-01-01, факс: 615-51-10
E-mail: astpub@aha/ru://www.ast.ru

Издание осуществлено при техническом содействии
ООО «Издательство АСТ»

Отпечатано в соответствии с качеством
предоставленных диапозитивов
в ОАО «ИПП «Уральский рабочий»
620041, ГСП-148, Екатеринбург, ул. Тургенева, 13.
http://www.uralprint.ru   e-mail: book@uralprint.ru